Oscar classici

Bram Stoker

DRACULA

Traduzione di Francesco Saba Sardi
Introduzione di Carol A. Senf
con un saggio di Alessandro Baricco

OSCAR MONDADORI

© 1979 Arnoldo Mondadori Editore S.p.A., Milano
Titolo originale dell'opera: *Dracula*
© UMI Research Press, 1988
per l'introduzione di Carol A. Senf
© 2003 Giulio Einaudi Editore S.p.A., Torino
per la postfazione di Alessandro Baricco

I edizione Oscar Mondadori novembre 1979

ISBN 978-88-04-54323-7

Questo volume è stato stampato
presso Mondadori Printing S.p.A.
Stabilimento NSM - Cles (TN)
Stampato in Italia. Printed in Italy

Anno 2009 - Ristampa   28

La prima edizione Oscar classici
è stata pubblicata in concomitanza
con la nona ristampa
di questo volume

www.librimondadori.it

Introduzione*

di Carol A. Senf

> La colpa, caro Bruto, non è nella nostra stella,
> ma in noi stessi, che ci lasciamo sottomettere.
>
> *Giulio Cesare*, I, II, 134-135

Pubblicato nel 1896, *Dracula* è un romanzo celeberrimo che non ha mai cessato di essere ristampato, è stato tradotto in decine di lingue e ha avuto più trasposizioni cinematografiche di qualunque altra opera di narrativa. Tuttavia, gli studenti di letteratura hanno iniziato a prenderlo sul serio soltanto di recente, in parte sull'onda della riscoperta di cui è stata oggetto la cultura popolare e in parte perché *Dracula* solleva inquietanti interrogativi su noi stessi e sulla nostra società. Nonostante il crescente interesse che il romanzo più famoso di Bram Stoker oggi desta, i critici letterari generalmente leggono *Dracula* come un mito popolare sulla lotta tra il Bene e il Male, senza soffermarsi ad analizzare temi più specificamente letterari quali lo stile, la caratterizzazione e la tecnica narrativa.

Meno noto delle tante versioni cinematografiche che ne sono state tratte, *Dracula* è un romanzo che probabilmente sorprenderà numerosi lettori, sia per l'universalità dei temi che vi sono trattati sia per la sua immediatezza, data anche dall'ambientazione e dalla tecnica narrativa scelte da Stoker. Teatro della maggior parte

* Lo scritto qui riportato (apparso per la prima volta sul «Journal of Narrative Technique», 9, 1979) è tratto da Carol A. Senf, *«Dracula»: The Unseen Face in the Mirror*, in AA.VV., *«Dracula». The Vampire and the Critics*, a cura di Margaret L. Carter, UMI Research Press, Ann Arbor (Mich.) 1988, pp. 93-101 (trad. it. di Emanuela Alverà).

degli eventi narrati non è, infatti, un remoto castello della Transilvania né un immaginario luogo "qualunque" al di fuori del tempo, bensì la Londra ottocentesca. Inoltre, le qualità mitiche del romanzo vengono demistificate dalla scelta di Stoker di raccontare la storia attraverso passi di diari, lettere personali e ritagli di giornale – la cronaca più spiccia della vita quotidiana. La trama narrativa è dunque costituita dall'esposizione di una serie di fatti isolati e spesso banali che, come tessere di un grande mosaico, vengono collocati al loro posto soltanto superata la metà del romanzo, quando i personaggi centrali, giunti alla conclusione che Dracula è una minaccia per se stessi e per la società nella quale vivono, si coalizzano per distruggerlo.

In apparenza, il romanzo si presenta come una riproposizione dell'eterna lotta tra il Bene e il Male, giacché i narratori assegnano alla loro caccia a Dracula una nobile finalità morale, liberare la terra dal mostro. Tuttavia, anche se la tecnica narrativa scelta non gli consente di commentare in prima persona gli errori di giudizio o l'incapacità introspettiva dei suoi personaggi, Stoker fornisce al lettore diversi indizi della loro inattendibilità e lo esorta a vedere le discrepanze che in più occasioni emergono tra le loro convinzioni dichiarate e le loro azioni. Il primo indizio è costituito da un'anonima prefazione (purtroppo omessa in numerose edizioni odierne) che dà un chiaro avvertimento al lettore:

> Come questi documenti siano stati raccolti, risulterà chiaro leggendoli. Tutte le argomentazioni superflue sono state eliminate, cosicché una storia che poco ha di verosimile alla luce delle certezze odierne possa presentarsi come una semplice realtà di fatto. In tutto il romanzo non vi è una sola menzione di eventi passati ai quali la memoria possa aggrapparsi, poiché tutti i documenti selezionati sono contemporanei, presentati dal punto di vista ed entro i limiti cognitivi di coloro che ne sono gli autori.

Per introdurre le loro storie e fare commenti aggiuntivi al testo, gli scrittori vittoriani di narrativa popolare ricorrono sovente alla figura dell'editore anonimo, una figura convenzionale che Stoker utilizza per sottolineare la natura soggettiva della storia raccontata dai narratori. Sebbene gli stessi, di tanto in tanto, si pongano domande circa la fondatezza delle loro percezioni, Stoker ci fornisce numerosi altri indizi della loro inattendibilità. Ad esempio, nella nota conclusiva, Jonathan Harker si interroga sull'interpretazione degli eventi di cui lui e i suoi compagni sono stati protagonisti:

> Sono rimasti colpiti dal fatto che, in tutta quella gran massa di materiale che compone la cronistoria, non vi sia neppure un documento inoppugnabile, null'altro che fogli e fogli dattiloscritti oltre alle ultime annotazioni a mano di Mina, Seward e mie, e il memorandum di Van Helsing. Impossibile chiedere a chicchessia, anche se lo volessimo, di considerarle prove di una vicenda così incredibile.

Tale conclusione ribadisce, una volta di più, l'essenza soggettiva del racconto e pone in dubbio la veridicità stessa dei fatti accaduti. Tuttavia, poiché Stoker non inserisce la vicenda in una cornice narrativa ben definita come Conrad in *Cuore di tenebra* o James in *Giro di vite*, né si serve di un editore invadente come Haggard in *Lei*, e poiché tutti i narratori giungono a conclusioni analoghe circa la natura del loro antagonista, il lettore talvolta dimentica che i documenti illustrati sono semplici testimonianze soggettive, interpretazioni «presentate entro i limiti cognitivi di coloro che ne sono gli autori».

Benché, come detto, la tecnica narrativa adottata non consenta a Stoker di fare commenti personali sui suoi personaggi, egli lascia intendere che si tratta di uomini e donne particolarmente inadatti a giudicare gli eventi straordinari con i quali si confrontano. I tre narratori principali sono la perfetta incarnazione dell'inglese medio del diciannovesimo secolo: il giovane procuratore legale Jonathan Harker, sua moglie Mina e il giovane dottor John Seward, di professione psichiatra.

Altri personaggi che saltuariamente intervengono nella narrazione sono il professor Van Helsing, il vecchio maestro di Seward; Quincey Morris, un avventuriero americano; Arthur Holmwood, un giovane nobile inglese; e Lucy Westenra, la fidanzata di Holmwood. Eccezion fatta per il professor Van Helsing, i personaggi centrali sono tutti giovani e inesperti – figure bidimensionali che hanno come uniche caratteristiche distintive il nome e la professione, incapaci di imporsi come individui anche per la costanza di stile mantenuta nel corso del romanzo da Stoker e per il risalto dato alle convinzioni che le accomunano. In breve, sono voci che sembrano parlare all'unisono. Stoker lascia intendere che le loro opinioni sono perfettamente accettabili finché rimangono circoscritte entro i limiti delle competenze di ciascun. Il problema, tuttavia, è che queste persone assolutamente normali si confrontano con un personaggio fuori del comune come Dracula.

Sebbene Stoker abbia tratteggiato Dracula ispirandosi alla figura storica di Vlad di Valacchia e alla superstizione del vampiro diffusa nell'Europa orientale, egli umanizza il suo protagonista con attributi che lo rendono di volta in volta nobile e vulnerabile, demoniaco e angosciante. Diventa così difficile stabilire se si tratta di un orrendo succhiasangue che semina la morte o di una figura solitaria e silenziosa, braccata e perseguitata. La difficoltà a interpretare il personaggio di Dracula è amplificata dalla tecnica narrativa, poiché il lettore si accorge alla svelta che Dracula non è *mai* visto con obiettività e non è mai messo in condizione di esprimere le proprie opinioni, mentre le sue imprese vengono registrate da persone che sono determinate a distruggerlo e che, per giunta, nel perseguire la loro ricerca, si interrogano sovente sulla propria sanità mentale.

E proprio il tema della sanità mentale, di fondamentale importanza in *Dracula*, è un altro indizio dell'inattendibilità dei narratori. Più di metà romanzo si svolge nel manicomio londinese del dottor Seward o nei dintorni, e diversi personaggi vengono dipinti come persone emotivamente instabili: Renfield, uno dei pazienti del dottor Seward, è un pazzo internato che crede di poter raggiungere l'immortalità bevendo il sangue degli insetti e di altri piccoli esseri viventi; Jonathan Harker soffre di crisi nervose da quando è fuggito dal castello di Dracula; e Lucy Westenra mostra segni di schizofrenia, presentandosi come un modello di dolcezza e remissività quando è sveglia, ma tramutandosi in una donna voluttuosa alla ricerca del piacere allorché cade vittima del sonnambulismo. Più incline all'introspezione degli altri narratori, il dottor Seward, di tanto in tanto, accenna alla discutibile assennatezza della missione che lui e i suoi compagni si sono dati, esprimendo nel suo diario il timore che si risveglieranno tutti in una camicia di forza. Inoltre, le sue annotazioni sulle condizioni di Renfield rivelano che egli è consapevole del labile confine che separa la sanità dall'infermità mentale: «È però sorprendente la capacità di recupero psichico dei matti: pochi istanti dopo, si è rialzato, perfettamente tranquillo, e si è guardato attorno».

Tuttavia, anche decidendo di ignorare il problema della sanità mentale dei narratori, è importante comprendere le motivazioni che stanno alla base della loro volontà di distruggere Dracula. Essi lo accusano di aver ucciso l'equipaggio del *Demeter*, di aver assassinato Lucy Westenra e di averla trasformata in un vampiro, e di aver cercato di fare la stessa cosa a Mina Harker. Eppure, il giornale di bordo trovato sul cadavere del capitano del *Demeter*, dove si allude soltanto in maniera ambigua a un demone o mostro, è un insieme di annotazioni sconclusionate, fatte da una persona in preda al panico. Nel raccogliere questo "elemento di prova" nel suo diario, Mina afferma che il verdetto dell'inchiesta è stato di non luogo a procedere: «Non ci sono corpi del reato; e ormai non c'è nessuno che possa testimoniare se il capitano ha commesso o meno gli assassini». In maniera analoga, Lucy potrebbe essere morta semplicemente a seguito delle trasfusioni di sangue (operazione ancora pericolosa all'epoca in cui Stoker scrisse *Dracula*) alle quali la sottopone il professor Van Helsing; Mina, poi, ammette la sua complicità nell'avventura avuta con Dracula rivelando di non aver fatto nulla per respingere le sue avance. In conclusione, pur riconoscendo la legittimità delle accuse mosse nei suoi confronti, Dracula viene processato, condannato e giustiziato da uomini (tra cui due avvocati) che gli negano qualunque possibilità di spiegare le sue ragioni e violano ripetutamente le leggi che sostengono di difendere: non aprono alcuna inchiesta sulla morte di Lucy, profanano la sua tomba e il suo corpo, penetrano nelle case di Dracula, ricorrono spesso alla corruzione e alla coercizione per evitare complicazioni legali, e ammettono apertamente di essere responsabili della morte di cinque presunti vampiri. Benché *Dracula* sia un romanzo di fantasia e, come tale, non soggetto alle leggi della verosimiglianza, Stoker utilizza l'inconsistenza di queste "prove" per evidenziare il contrasto tra le rigorose argomentazioni morali dei narratori e i loro metodi sin troppo pragmatici.

Infatti, Stoker fa capire che ciò che condanna Dracula è il modo soggettivo e tipicamente inglese con cui i narratori reagiscono al suo carattere e allo stile di vita che rappresenta. Dracula viene presentato al lettore attraverso il diario di Jonathan Harker, il quale si rende conto per la prima volta della diversità del suo ospite guardando nello specchio e scoprendo che l'immagine di Dracula non vi è riflessa:

> Ma questa volta, impossibile l'errore: mi stava vicino, lo vedevo da sopra la spalla, ma nello specchio egli non si rifletteva! Scorgevo l'intera stanza dietro di me, ma in essa non vi era traccia di creatura umana, a parte me. Era sorprendente e, aggiungendosi a tante altre stranezze, non faceva che accrescere quella vaga sensazione di disagio che avevo sempre provato in presenza del Conte.

Questa caratteristica è parte dell'iconografia del vampiro nel folklore dell'Europa orientale, ma Stoker trasforma la superstizione secondo la quale le creature senza anima non hanno riflesso in una metafora sull'ottusità morale dei suoi personaggi. L'incapacità di Harker di "vedere" Dracula non è altro che la dimostrazione della sua cecità morale, il segno della sua insensibilità verso gli altri (come risulterà evidente in seguito) e della sua incapacità a cogliere determinati tratti del proprio carattere.

Prima ancora che Harker inizi a sospettare di trovarsi di fronte a un essere totalmente diverso da sé, Stoker descrive il turbamento provocato in lui da tutto ciò che Dracula rappresenta. Durante il viaggio da Londra alla Transilvania, Harker osserva stupito gli stravaganti costumi delle genti che incontra lungo il tragitto, riproponendosi di chiedere informazioni a riguardo al suo ospite. Stoker pone l'accento sulle perplessità di Harker per chiarire sin da subito che si tratta di un inglese di vedute molto ristrette, la cui apparente curiosità non nasce tanto dal desiderio di capire, quanto dal bisogno di vedere confermati i propri preconcetti. Tuttavia, giunto alla fine del viaggio, anziché trovare qualcuno come lui, una persona capace di dare una spiegazione razionale a usanze così diverse da quelle inglesi, Harker scopre un castello in rovina, esso stesso reliquia di epoche passate, e un uomo che, ricordandogli che la Transilvania non è l'Inghilterra, rivendica con orgoglio la sua appartenenza al passato eroico della nazione:

> [...] gli Szekely – e i Dracula sono il sangue del loro cuore, la loro mente, la loro spada – possono vantare un passato che schiume della terra come gli Asburgo e i Romanov non possono neppure sognare! I giorni guerreschi sono finiti. Il sangue è una cosa troppo preziosa, in questi tempi di disonorevole pace; e le glorie delle grandi razze sono una narrazione ormai conclusa.

Agli occhi di Harker, Dracula inizialmente appare più un anacronismo – l'incarnazione di un passato feudale – che un essere intrinsecamente malvagio. Lo dimostrano le prime annotazioni del suo diario, che si limitano semplicemente a descrivere la fierezza e l'ostinato individualismo del suo ospite:

> Qui io sono un nobile, un *boyar*; la gente del popolo mi conosce, io sono il signore. Ma uno straniero in terra

straniera non lo è affatto; la gente non lo conosce, e non conoscere equivale a non rispettare. [...] Sono stato così a lungo signore, che vorrei esserlo ancora, o per lo meno che nessun altro abbia potestà su di me.

È soltanto quando Harker si accorge che sta contribuendo a portare questo anacronismo in Inghilterra che il terrore prende il sopravvento. La sua reazione successiva è dettata dal timore di assistere a una sorta di imperialismo al contrario, dall'idea inconcepibile che popoli primitivi cerchino di colonizzare il mondo civilizzato, ma in realtà, a ben guardare, da essa traspare una profonda somiglianza tra Harker e Dracula:

> Quello era l'essere cui davo una mano per trasferirsi a Londra dove, forse per secoli e secoli [...] avrebbe saziato la sua brama di sangue e creato una nuova, sempre più vasta genia di mezzi demoni con cui dare addosso agli indifesi. Un pensiero che mi faceva salire le fiamme al cervello, e sono stato colto dal violento desiderio di liberare il mondo da siffatto mostro. Non avevo armi mortifere a portata di mano, ma ho dato di piglio a una vanga usata dagli operai per riempire le casse, e l'ho levata in alto, menandola, con la lama di taglio, verso il volto odioso.

Questa scena acuisce l'incapacità già dimostrata da Harker di vedere Dracula allo specchio. In un altro contesto, sarebbe difficile distinguere l'uomo dal mostro. Il comportamento generalmente attribuito al vampiro – la consuetudine di attaccare le vittime nel sonno, la condotta violenta e irrazionale – diviene il comportamento dell'uomo comune, che vive nella civilizzata Inghilterra. L'unica differenza è che la tecnica narrativa adottata da Stoker non consente al lettore di entrare nella mente di Dracula quando prende di mira le sue vittime. Il capovolgimento di ruoli qui attuato è importante, poiché rende manifesta la visione soggettiva del mondo dei narratori, rivela la scarsa conoscenza che hanno di se stessi e mette in luce le affinità esistenti tra essi e il loro antagonista. Più avanti nel romanzo, Mina Harker fornisce la seguente analisi di Dracula, facendo ironicamente emergere anche l'accanimento a senso unico di coloro che gli danno la caccia:

> Il Conte è un criminale e appartiene al tipo criminale [...] e, *quia* criminale, la sua mente è formata solo in maniera imperfetta. Ragion per cui, in una situazione difficile, non può che cercare soluzioni nell'abitudine. [...] Dunque, essendo criminale, è egoista; e poiché il suo intelletto è limitato e le sue azioni si fondano sull'egoismo, egli è tutto per un unico scopo.

Sia Mina sia Jonathan possono giustificare la loro caccia a Dracula qualificando il nemico come assassino; Mina elenca tra i suoi presunti peccati pure l'insufficienza mentale. Tuttavia, i narratori si mostrano altrettanto vincolati dalle abitudini e altrettanto incapaci di valutare le situazioni che vanno oltre la loro limitata sfera di competenze. Di fatto, Stoker fa capire che la sola differenza tra Dracula e i suoi antagonisti risiede nella capacità dei narratori di spacciare il desiderio individuale per ciò che essi credono sia un bene comune. Ad esempio, nella scena in precedenza citata, l'aggressione di Dracula a opera di Harker è giustificata dalla convinzione di quest'ultimo di essere il paladino di milioni di indifesi.

I narratori insistono sul dovere di proteggere gli innocenti, dovere che, tuttavia, viene chiamato direttamente in causa solo quando il professor Van Helsing illustra ai suoi compagni il tipo di nemico con il quale hanno a che fare. Dopo essersi dilungato sull'avversione dei vampiri per l'aglio, le pallottole d'argento e i simboli religiosi, Van Helsing afferma che un vampiro non può entrare in una casa senza essere stato invitato da uno degli abitanti. In altri termini, un vampiro non può influenzare un essere umano senza il suo consenso. Il comportamento di Dracula conferma che egli è una minaccia interna, non esterna. Benché del tutto capace di utilizzare una forza superiore quando è costretto a difendersi, nell'approccio con il mondo egli solitamente ricorre alla seduzione, confidando nel desiderio degli altri di affrancarsi, come lui, dai vincoli esterni: il desiderio di immortalità di Renfield, il desiderio di Lucy di sfuggire all'esistenza opprimente delle donne dell'alta società e i desideri di tutti i personaggi di superare le costrizioni imposte dalla religione e dalle leggi del loro paese. In quanto portavoce della civiltà, Van Helsing sembra comprendere il desiderio dei suoi amici di divenire come Dracula, e li mette in guardia contro la tentazione:

> Ma fallire qui, non è semplice vita o morte. È che noi diveniamo come lui, che di conseguenza noi siamo creature abiette di notte come lui, esseri senza cuore né coscienza, che fanno preda di corpi e di anime di quelli che più noi amiamo.

Divenendo come Dracula, anch'essi potrebbero rispondere a leggi che stanno unicamente dentro di loro – leggi primitive, violente, irrazionali – e giustificare le proprie azioni esclusivamente con la forza dei propri desideri. Non sarebbero, insomma, più tenuti a fornire una spiegazione razionale all'impulso che li induce a fare «preda di corpi e di anime» delle persone amate, camuffando la loro brama di potere dietro la maschera della religione, il loro amore per la violenza dietro i nomi di imperialismo e progresso, i loro appetiti sessuali dietro il cerimoniale di un complesso rituale di corteggiamento.

I narratori attribuiscono il loro odio per Dracula a più cause. Nel suo diario, Harker ci presenta un essere dallo stile di vita antitetico al suo e a quello dei suoi compagni: un condottiero, rappresentante di un passato feudale e capo di un culto primitivo che, egli teme, cercherà di creare in Inghilterra una colonia di vampiri. Mina Harker lo vede come un criminale e come l'assassino della sua migliore amica, mentre Van Helsing lo considera una minaccia morale, una sorta di Anticristo. Eppure, nonostante le motivazioni etiche e politiche che guidano le azioni dei narratori, Stoker ci rivela che Dracula è innanzitutto una minaccia sessuale, un missionario del desiderio, il cui unico vero regno è il corpo umano. Pur compiacendosi della sua indipendenza dalle costrizioni sociali e proclamandosi il signore di tutto ciò che vede, Dracula dimostra in tutti i campi, eccetto in quello sessuale, di agire più conformemente alle leggi inglesi dei suoi avversari (infatti confessa a Harker di averlo invitato in Transilvania per apprendere le sottigliezze della legge e del mondo degli affari inglesi). Non essendo un ladro né uno stupratore, e neppure una minaccia politica esplicita, Dracula è pericoloso perché esprime il suo sprezzo per l'autorità nel modo più individualistico possibile – attraverso il sesso. Di fatto, la sua sete di sangue e il modo in cui egli soddisfa questa sete sono riconducibili a un desiderio sessuale che sfugge a qualunque tentativo di controllo sociale – le proibizioni contro la poligamia, la promiscuità e l'omosessualità. Inoltre, Stoker lascia intendere che, generalmente, è attraverso il sesso che il vampiro acquisisce il controllo sugli esseri umani. Van Helsing se ne rende conto quando impedisce ad Arthur di baciare Lucy poco prima della sua morte; e persino il posato e irreprensibile Harker soccombe momentaneamente alla sensualità delle tre donne-vampiro nel castello di Dracula:

> Avvertivo in cuor mio un perverso, ardente desiderio di essere baciato da quelle rosse labbra. Non è bene che lo scriva; ma è la verità.

Per un breve istante, Harker sembra scoprire la verità sul desiderio sessuale, sembra cioè comprendere che si tratta di un desiderio assolutamente irrazionale, del tutto estraneo alla monogamia, all'amore, e persino al rispetto per la persona amata. È Dracula, tuttavia, che mette a nudo le paure sessuali più inconfessabili dei protagonisti: «Le donne che voi amate sono già mie; e tramite esse, voi e altri sarete del pari miei – mie creature, pronte ai miei ordini e a divenire i miei sciacalli quando vorrò nutrirmi». Nell'ammonimento di Dracula è implicita l'affinità tra il vampiro e i suoi avversari. Tuttavia, nonostante alcuni rari momenti di consapevolezza, per tutto il corso della vicenda i narratori scelgono di ignorare tale affinità, causando, con la loro ottusità mentale, la morte non solo di Dracula e delle tre donne che vivono nel suo castello, ma anche della loro amica Lucy Westenra.

La scena in cui Arthur conficca il paletto nel cuore di Lucy sotto lo sguardo preoccupato degli altri uomini è intrisa di una sessualità brutale che sottolinea, una volta di più, il legame esistente tra il vampiro e i suoi antagonisti:

> Ma Arthur non si è sgomentato. Lo si sarebbe detto un'immagine di Thor, mentre il suo braccio senza tremiti si alzava e ripiombava giù, spingendo sempre più a fondo, sempre più a fondo il pietoso paletto, mentre dal cuore trafitto il sangue ribolliva e schizzava tutt'attorno. Il suo volto era fermo e deciso, e l'alto dovere che compiva sembrava illuminarlo dall'interno; e quella vista ci ha infuso coraggio, tanto che le nostre voci sembravano rimbombare sotto l'angusta volta. [...] Ivi, nella bara, più non giaceva l'orrida Cosa che avevamo tanto temuto e che eravamo giunti a odiare, al punto che l'opera della sua distruzione era stata concessa come un privilegio a quello di noi che ne aveva maggiori titoli, bensì Lucy, come l'avevamo vista in vita, il volto soffuso di dolcezza e purezza senza pari.

Nonostante la nobiltà d'intenti che traspare dalle parole di Seward, la scena non è molto dissimile dallo stupro e omicidio di gruppo di una donna in stato di incoscienza, ovvero proprio dal tipo di comportamento che i narratori condannano in Dracula. Inoltre, Lucy non è l'unica donna a essere oggetto di una simile violenza. Alla conclusione, in una scena soltanto leggermente più esplicita, il professor Van Helsing annienta le tre donne che vivono nel castello di Dracula. Anche in questa circostanza, il professore confessa di subire il fascino dei tre bei volti delle "immonde Non-morte", ma nella descrizione dell'aggressione non vi è una sola parola che riveli la sua consapevolezza di essere protagonista di un capovolgimento di ruoli, di comportarsi esattamente come il vampiro quando si accanisce sui loro corpi inermi.

Alla fine del romanzo, tutti i personaggi accusati di esprimere desideri individuali hanno ricevuto la giusta punizione: Dracula, Lucy Westenra e le tre donne-vampiro sono stati uccisi, e anche Mina Harker viene ostracizzata per aver ceduto alla tentazione di un attimo. A uscire incolume dalla battaglia contro la natura primitiva, passionale e individualistica attribuita al vampiro è soltanto un gruppetto di uomini facoltosi che, un anno dopo, si ritrova sul luogo dove ha sconfitto il mostro. I sopravvissuti sono tornati a condurre la vita normale di sempre, ignari del fatto che la loro adesione alle convenzioni sociali è la maschera dietro la quale celano la loro violenza e sessualità. L'unica significativa novità nella loro esistenza è la nascita del figlio degli Harker, il quale viene battezzato con i nomi di tutti gli uomini che hanno partecipato alla crociata contro Dracula. Apparentemente, i desideri sessuali di ciascuno sono stati cancellati al punto che questo bambino è visto più come il prodotto della loro unione sociale che come il frutto dell'unione sessuale tra un uomo e una donna.

I narratori affermano a più riprese di essere strumenti di Dio e riescono a ignorare il legame che li rende simili a Dracula con l'osservanza di valori sociali quali la monogamia, le buone maniere e l'adeguamento alla volontà collettiva, osservanza tramite la quale riescono a nascondere il lato violento e passionale del proprio carattere non solo agli altri, ma anche a se stessi. Stoker, tuttavia, sostiene che questi istinti sono semplicemente mascherati dalle convenzioni sociali e che, anziché essere eliminati, possono emergere in forme particolarmente perverse.

Da un documento scoperto di recente risulta che le preoccupazioni di Bram Stoker circa la repressione dei desideri individuali e il sesso sarebbero state dettate da motivi molto personali. Nella biografia dedicata al suo prozio, Daniel Farson spiega che, benché la morte di Stoker venga solitamente attribuita a un esaurimento, il romanziere in realtà morì di sifilide terziaria, malattia che in uno degli stadi finali attacca proprio il sistema nervoso. Farson aggiunge, inoltre, che all'origine del contagio vi sarebbe stato il rapporto problematico di Stoker con la moglie:

> Quando la frigidità della moglie lo spinse nelle braccia di altre donne, probabilmente anche di prostitute, nella scrittura di Bram iniziarono ad affiorare sensi di colpa e frustrazione sessuale. [...] Probabilmente contrasse la sifilide verso l'inizio del secolo, forse già nell'anno in cui venne pubblicato *Dracula*, nel 1896 (di norma occorrono da dieci a quindici anni perché la malattia uccida). Sembra che, nel 1897, egli non avesse più rapporti intimi con Florence [sua moglie] da oltre vent'anni.

Reso consapevole dalla sua dolorosa esperienza personale che il volto del vampiro non è altro che il lato nascosto del carattere umano, Stoker crea un drappello di narratori inaffidabili per raccontare una storia, non sul trionfo del Bene sul Male, bensì sulle analogie esistenti tra queste due categorie morali. *Dracula*, dunque, ci svela il volto invisibile allo specchio, e il messaggio lanciato da Stoker è simile al passo del *Giulio Cesare* in apertura di questo saggio, il quale potrebbe essere parafrasato nel seguente modo: «La colpa, caro lettore, non è nei nostri nemici esterni, ma in noi stessi».

Cronologia

1847
Abraham Stoker, terzo di sette figli, nasce l'8 novembre al 15 di Marino Crescent a Clontarf, nelle immediate vicinanze di Dublino. Il padre Abraham è un funzionario statale, mentre la madre Charlotte Matilda Blake Thornley, di vent'anni più giovane del marito, è impegnata nel campo sociale a favore delle donne e degli indigenti.

1848-1858
Di salute molto cagionevole, il piccolo Abraham trascorre parte dell'infanzia confinato a letto a causa di alcuni problemi di deambulazione che gli impediscono di camminare fino all'età di sette anni; durante questo periodo è in cura presso lo zio medico, William Stoker.

1859-1862
All'età di dodici anni inizia a frequentare a Dublino un istituto privato diretto dal reverendo William Wood.

1863-1865
Si iscrive al Trinity College a Dublino. Qui divide il tempo tra lo studio e gli impegni extracurriculari, in particolare le attività sportive; nello stesso periodo gli viene conferita una medaglia d'argento per Storia e composizione letteraria. Viene invitato a far parte di The Hist, la prestigiosa organizzazione studentesca del Trinity College; in seguito ricopre la carica di bibliotecario e infine di segretario. Durante questo periodo si appassiona alle opere poetiche di Byron, Keats e Shelley; più tardi diviene grande estimatore e sostenitore del poeta americano Walt Whitman. Con il pensionamento del padre nel 1865, le condizioni economiche della famiglia, già non particolarmente floride, deteriorano sensibilmente.

1866
Interrompe gli studi per lavorare in qualità di impiegato statale presso l'amministrazione centrale di Dublino. Nel frattempo
l'interesse per il teatro, ereditato in parte dal padre, lo porta a
interpretare ruoli minori in alcune rappresentazioni teatrali.

1867
Ritorna in università; coltiva vari sport e vince due medaglie
per le gare di sollevamento pesi e corsa. Il 28 agosto al Teatro
regio di Dublino vede recitare per la prima volta l'attore John
Henry Brodribb (1838-1905), noto con il nome d'arte di Henry
Irving, nella *pièce* teatrale *The Rivals*.

1871
Consegue la laurea in Scienze e prosegue gli studi iscrivendosi
a un master in Matematica pura. Collabora in qualità di critico teatrale all'«Evening Mail», un giornale conservatore di
Dublino fondato nel 1823; le recensioni non firmate appari-
ranno regolarmente fino al 1876. Henry Irving è diventato nel
frattempo un attore di grande successo.

1872
Viene eletto presidente di The Hist e per l'apertura della trenta-
treesima sessione, il 13 novembre, tiene un discorso intitolato
The Necessity for Political Honesty. I genitori, con le figlie Matilda e Margaret, decidono di lasciare la natia Irlanda e di trasferirsi all'estero, dapprima in Svizzera e in Francia e in seguito in Italia. All'età di venticinque anni pubblica il primo
racconto, *The Crystal Cup*, che vede la luce sulle pagine della
«London Society».

1873
A novembre conosce l'attrice americana Geneviève Ward, con
la quale stringe un'amicizia profonda e duratura. Sir William
e Lady Jane Wilde, i genitori di Oscar, lo invitano a frequentare il loro salotto il sabato pomeriggio. Scrive alcuni pezzi gior-
nalistici per i giornali «Irish Echo» e «Warder», una testata
portavoce del Partito conservatore; si tratta in entrambi i casi
di posizioni non remunerate che costringono Stoker a riprendere il lavoro di impiegato statale.

1874-1875
Si reca a Parigi a trovare l'amica Geneviève Ward. L'anno seguente sulla rivista «The Shamrock» pubblica *The Chain of*

Destiny (*La catena del destino*). Consegue il master in Matematica pura.

1876

Il 12 ottobre a Cava de' Tirreni muore all'età di settantasette anni il padre; con la morte del genitore, Stoker modifica immediatamente il nome di battesimo da Abraham in Bram. Scrive per l'«Evening Mail» una critica dell'*Amleto* in cui Irving recita nel ruolo principale. La favorevole recensione richiama l'attenzione dell'attore che invita Stoker per una cena all'albergo Shelbourne di Dublino. Il 3 dicembre, Irving, alla presenza di un ristretto gruppo di amici, recita la poesia *The Dream of Eugene Aram* di Thomas Hood; l'avvenimento colpisce profondamente Stoker, che rimane come ipnotizzato. Nasce così tra i due uomini un complesso rapporto d'amicizia e di dipendenza. Stoker è promosso alla carica di ispettore delle udienze giudiziarie per reati minori; il nuovo lavoro lo costringe a viaggiare impedendogli di assistere alle prime teatrali, il che lo porta forzatamente a rinunciare all'amata attività di critico. Da questa esperienza nasce il primo libro, *The Duties of Clerks of Petty Sessions in Ireland* (1879): si tratta di un manuale di 248 pagine il cui scopo è quello di fissare e standardizzare la condotta degli addetti responsabili alle udienze giudiziarie. Si reca a Londra per applaudire Irving nel melodramma *The Lyon's Mail*. L'attore gli presenta H.J. Loveday, l'impresario del Lyceum, il famoso teatro londinese, e gli organizza un incontro con James Knowles, proprietario e direttore della prestigiosa rivista «The Nineteenth Century».

1877

Durante una cena a Dublino, Irving confida a Stoker il suo desiderio di diventare attore-manager del Lyceum e lo invita ad associarsi a lui. A giugno Stoker si reca a Londra per assistere alla prima di *Vanderdecken*, un pezzo teatrale scritto appositamente per Irving dal commediografo irlandese W.G. Wills. Durante questo soggiorno i due futuri soci sono inseparabili, ma mentre Stoker prova un'amicizia profonda e sincera nei confronti di Irving, quest'ultimo è massimamente interessato alla personalità dello scrittore irlandese e alla sua condotta durante gli incontri di società nella capitale britannica.

1878

Essendo riuscito nella sua impresa, a novembre Irving offre a Stoker la posizione di impresario teatrale. Costui si dimette seduta stante dal proprio impiego rinunciando per sempre ai diritti di un'eventuale pensione statale. Il 4 dicembre, nella chiesa protestante di Sant'Anna a Dublino, lo scrittore si unisce in matrimonio con Florence Anne Lemon Balcombe, una giovane fanciulla di cui si era precedentemente invaghito Oscar Wilde. La luna di miele ha brevissima durata poiché Stoker deve raggiungere Irving a Birmingham. A Londra la coppia prende in affitto una mansarda al 7 di Southampton Street a Covent Garden, nelle immediate vicinanze del Lyceum. Lo scrittore si iscrive alla Biblioteca del Museo britannico, di cui diventa assiduo frequentatore. Grazie a uno spiccato senso degli affari e una vasta conoscenza del mondo teatrale, Stoker apporta numerosi cambiamenti e innovazioni alla gestione del Lyceum. Il 30 dicembre si tiene la prima di *Amleto*, che viene accolto favorevolmente dalla critica e dal pubblico. Conosce e stabilisce un rapporto cordiale con il pittore americano James Whistler.

1879
La stagione teatrale si apre a novembre con *Il mercante di Venezia*, che vede Irving nella parte di Shylock; alla prima fanno seguito 250 rappresentazioni. Terminati gli impegni lavorativi, Stoker e Irving si recano in vacanza nella vicina Portsmouth. In viaggio per Dublino, Stoker incontra l'esploratore Sir Richard Francis Burton. Instaura un rapporto di stima affettuosa con James McHenry, un magnate angloamericano, futuro benefattore del Lyceum, con il quale intrattiene uno scambio epistolare. Il 13 dicembre nasce Irving Noel Thornley, il primo e unico figlio.

1881
Prende in affitto un appartamento al 27 di Cheyne Walk, e con Stoker e la moglie va ad abitare George, un fratello minore di Bram, di professione medico. Incontra a più riprese Oscar Wilde, il primo ministro William Ewart Gladstone e il poeta Alfred Tennyson. Il 3 gennaio si tiene la prima di *The Cup*, un pezzo teatrale firmato da Tennyson e liberamente ispirato all'opera di Plutarco. Tra le comparse figura anche Florence Balcombe, la consorte di Stoker. Lo scrittore conduce nella capitale britannica un tipo di vita disciplinato e abitudinario scandito ogni giorno da una colazione a letto, un'abluzione mattutina, e il vaporetto delle 11. La giornata lavorativa, che inizia con l'apertura della posta, viene interamente dedicata a questioni inerenti il Lyceum e *maxime* Henry Irving. Per le edizioni Sampson Low, esce la raccolta di storie dell'orrore intitolata *Under the Sunset* (*Il paese del tramonto*).

1882
La Royal Humane Society gli conferisce una medaglia di bronzo per aver cercato di salvare un uomo gettatosi nel Tamigi. L'8 marzo si tiene la prima di *Giulietta e Romeo*: la produzione viene accolta con una certa freddezza da parte della critica.

1883
In compagnia di Irving, Loveday e la prima attrice Ellen Terry, Stoker trascorre un periodo di vacanze in Scozia. Risale a questo periodo l'organizzazione e lo svolgimento della prima tournée americana del Lyceum. L'11 ottobre Terry e Irving partono da Liverpool a bordo della *Britannic*, mentre Stoker si imbarca sulla *City of Rome* alcuni giorni più tardi con il resto della compagnia e delle scene; arrivato a New York, prende alloggio all'Hotel Brunswick tra la Fifth Avenue e la Twenty-Seventh Street. L'aperta mentalità americana colpisce immediatamente Stoker che ne rimane entusiasta. La stagione d'oltreoceano si inaugura allo Start Theatre con *The Bells*: sebbene non si tratti di un inizio particolarmente felice, la compagnia incontra in seguito un notevole successo di pubblico e di critica. Il tour prosegue per Philadelphia, dove alla Chestnut Street Opera House viene messo in scena *Amleto*; altre rappresentazioni hanno luogo a Chicago, Detroit, Toronto e Washington, dove Stoker, Irving e Terry vengono invitati a cenare alla Casa Bianca dal presidente Arthur Chester. Al Players Club di New York, lo scrittore fa la conoscenza di Mark Twain: ne nascerà una cordiale amicizia rinsaldata da successivi incontri. Durante i sei mesi nei quali si trova in America, il figlio e la moglie vanno ad abitare dalla mamma di quest'ultima a Dublino.

1884
Il 20 marzo va a fare visita a Walt Whitman, il quale gli dona una copia con dedica di *Foglie d'erba* e di *Two Rivulets*. Rientra in Inghilterra, ma si trattiene solamente pochi mesi: il 30 settembre si apre con *Il mercante di Venezia* a Quebec City, in Canada, il secondo tour d'oltreoceano.

1885
Il 19 dicembre ha luogo al Lyceum la prima del *Faust*: si tratta di un grandissimo successo dovuto sia alla qualità della recitazione sia agli effetti speciali; alla prima fanno seguito 792 rappresentazioni. Il 28 dicembre tiene presso la London Institution una lezione intitolata *A Glimpse of America*; il testo esce l'anno seguente per i tipi dell'officina grafica Sampson Low.

1886

Con la famiglia si trasferisce al 17 di St Leonard's Terrace, un indirizzo più in vista nella Chelsea di allora, e nella nuova residenza riprende a scrivere. Nell'autunno si imbarca a bordo dell'*Etruria* per organizzare un altro tour teatrale; ne approfitta per riprendere i contatti con Walt Whitman. Si dedica agli studi legali per diventare avvocato.

1887

Nel numero natalizio di «The Theatre Annual» compare *The Dualitists or the Death Doom of the Double Born*. Il 13 aprile la moglie e il figlio rimangono coinvolti in un naufragio mentre si trovano a bordo della nave a vapore *Victoria* in viaggio da Newhaven a Dieppe. Terzo tour americano del Lyceum in occasione del quale Stoker è accompagnato per la prima e unica volta dalla moglie Florence. Il 25 novembre, alla Chickering Hall di New York, tiene una lezione su Abraham Lincoln. A dicembre risale il suo ultimo incontro con Walt Whitman.

1888

Rientrato in Inghilterra, il 16 dicembre alla Sunday Lecture Society dà pubblica lettura della lezione su Lincoln intitolata *Abraham Lincoln: How the Statesman of the People Saved the Union and Abolished Slavery in the American Civil War*. Il 29 dicembre ha luogo al Lyceum la prima di *Macbeth*.

1890

Dopo quattro anni di studi legali, viene ammesso all'esercizio della professione forense e, sebbene non abbia occasione di praticare l'avvocatura, metterà a frutto le proprie conoscenze legali nei suoi vari scritti. In compagnia della moglie visita Parigi, Amsterdam e Norimberga; trascorre le vacanze in famiglia nella cittadina costiera di Whitby, nello Yorkshire, resa famosa da James Cook (1728-1779); fu infatti dal porto di Whitby che il leggendario navigatore partì per le tre spedizioni alla volta del Pacifico e dei mari australi. Stoker frequenta la biblioteca locale, dove consulta tra gli altri un testo di William Wilkinson intitolato *An Account of the Principalities of Wallachia and Moldavia*, apprendendo così che *dracula* nella lingua valacca significa "piccolo drago", "diavolo" o "figlio del diavolo": nascono così i primi appunti del futuro capolavoro. Fa la conoscenza di Violet Hunt, una nota bellezza preraffaellita. Dà alle stampe il primo romanzo, *The Snake's Pass*, una storia ambientata in Irlanda.

1891

Assieme all'editore William Heinemann, lancia la collana "The English Library"; acquista i diritti di autore di alcune opere di Henry James, Rudyard Kipling, Robert Louis Stevenson e Arthur Conan Doyle.

1894-1895

Stoker e Irving mettono in scena con il titolo di *Waterloo* il racconto di Doyle noto come *A Straggler of '15*. La prima si tiene il 21 settembre: il successo è immediato. Pubblica *The Watter's Mou'*, una storia d'amore ambientata a Cruden Bay, un villaggio nelle Highlands scozzesi dove Stoker si reca occasionalmente. Licenzia il romanzo *Crooken Sands*, e nel 1895 firma *The Shoulder of Shasta*.

1896

In compagnia della famiglia trascorre le vacanze a Cruden Bay, presso l'albergo Kilmarnock Arms, e qui il 17 marzo porta a conclusione la sua opera più famosa.

1897

Il 18 maggio al Lyceum, al fine di proteggere i propri diritti d'autore, si tiene una lettura pubblica della versione teatrale in 5 atti di *Dracula or the Un-Dead*: si tratta della prima e unica recita dell'opera avvenuta durante la vita dell'autore. Il 26 maggio, con una tiratura iniziale di 3000 copie, il libro, dedicato allo scrittore inglese Hall Caine sotto lo pseudonimo di Hommy-Beg, è in vendita presso le principali librerie. Seppur ben accolto dalla critica, il libro non reca né fama, né fortuna particolare all'autore.

1898

Il 18 febbraio prende fuoco nel quartiere londinese di Southwark il magazzino del Lyceum, e nell'incendio va perduta la maggior parte delle scene e dei costumi. Nel frattempo Irving, senza aver consultato Stoker né Loveday, firma un contratto per dare in affitto il Lyceum. Mark Twain chiede a Stoker di divenire suo agente letterario in Inghilterra. Presso l'editore Pearson esce la storia romantica *Miss Betty*.

1899

Ennesimo tour americano: Stoker e Irving partono a bordo della *Marquette*. La casa editrice Doubleday & McClure stampa la prima edizione americana di *Dracula*, alla quale fa seguito la pubblicazione a puntate sul giornale newyorkese «The Sun».

1901
Esce presso l'editore Constable la seconda edizione del libro; in Islanda viene pubblicata la prima edizione in lingua straniera, intitolata *Makt Myrkanna* ("La forza delle tenebre").

1902
All'età di ottantatré anni muore la madre Charlotte; la salma viene tumulata nel cimitero di Dublino. Il London County Council non rinnova la licenza al Lyceum, che viene messo in amministrazione controllata. L'ultima rappresentazione, che ha luogo il 19 luglio, è un *matinée* del *Mercante di Venezia*. Con la chiusura del teatro si diradano anche gli incontri tra Irving e Stoker. Durante le vacanze estive Stoker torna a Cruden Bay dove scrive il romanzo *The Mystery of the Sea*; in seguito affitta un cottage nella vicina Whinnyfold chiamato *The Crookit Lum*, dando così inizio a un'abitudine che manterrà per alcuni anni.

1903-1905
Alla Glasgow School of Art Club tiene una lezione intitolata *Art and the Stage*. Pubblica *The Jewel of Seven Stars* (*Il gioiello delle sette stelle*). Il 1904 vede la conclusione di *The Man*. Il 13 ottobre 1905 Irving muore; le ceneri vengono sepolte nell'Abbazia di Westminster il 20 ottobre.

1906
Sebbene continui a lavorare nel campo teatrale, si occupa anche dell'organizzazione di mostre d'arte e ricopre alcune cariche presso le associazioni Dramatic Debaters e Society of Authors. Un colpo apoplettico, che gli fa perdere conoscenza per ventiquattro ore, gli danneggia la vista e la deambulazione. Inizia ad avere i primi disturbi di gotta, a causa dei quali è sovente confinato a letto. Pubblica in due volumi la biografia di Irving, intitolata *Personal Reminiscences of Sir Henry Irving*.

1907
A seguito di alcune difficoltà finanziarie, è costretto a cambiare casa e con la famiglia va ad abitare in un piccolo appartamento al 4 di Durham Place; sebbene la salute non migliori, Stoker continua a lavorare come giornalista per la pagina culturale del «Daily Telegraph» e per la rivista newyorkese «World», per la quale intervista numerose personalità dell'epoca, tra cui Win-

ston Churchill, allora sottosegretario alle Colonie. Incontra Mark Twain, venuto in Inghilterra per ricevere la laurea *honoris causa* conferitagli dalla Oxford University.

1908-1909
Riunisce sotto il titolo *Snowbound* una raccolta di racconti e pubblica il romanzo *Lady Athlyne. The Record of a Theatrical Touring Party*. Sulla rivista «The Nineteenth Century and After» esce l'articolo *The Censorship of Fiction*. L'anno seguente vede la luce il romanzo *The Lady of the Shroud* (*La dama del sudario*).

1910
In maggio ha un secondo infarto. Il 30 luglio il figlio Irving, di professione contabile, sposa, dopo un fidanzamento di sei anni, Nellie Sweeting. Esce *Famous Imposters*.

1911
Le pressanti condizioni economiche spingono Stoker a rivolgersi al Royal Literary Fund nella speranza di ottenere un aiuto finanziario; pur avendo ricevuto in dono 100 sterline, si vede costretto a lasciare il quartiere di Chelsea dove aveva vissuto per trent'anni e, con la moglie, si trasferisce in un piccolo appartamento al 26 di George's Square, nel più modesto quartiere di Pimlico. Il 3 marzo inizia a scrivere *The Lair of the White Worm* (*La tana del verme bianco*), che porta a termine nel giro di tre mesi. Il libro sarà, dopo *Dracula*, la sua opera più letta.

1912
Sofferente da tempo di atassia, il 20 aprile si spegne all'età di sessantaquattro anni; blocco renale e tabe dorsale, in alcuni casi una delle manifestazioni della sifilide terziaria, vengono indicati come le cause del decesso. Il 7 luglio dell'anno seguente vengono messi all'asta presso Sotheby, Wilkinson & Hodge 317 oggetti personali di Stoker, inclusi libri e manoscritti. Nel 1914 esce postumo *Dracula's Guest* (*L'ospite di Dracula*), una raccolta di racconti in parte curata dalla moglie Florence. La prima versione cinematografica di *Dracula*, intitolata *Nosferatu: eine Symphonie des Grauens*, viene diretta nel 1922 dal trentaduenne Friedrich Wilhelm Murnau. La sceneggiatura, a cura dello stesso Murnau e di Henrik Galeen, è liberamente ispirata al capolavoro di Stoker, mentre la prima rappresentazione teatrale risale al 14 febbraio 1927 al Little Theatre di Londra.

(a cura di Valentina Olivastri)

Bibliografia essenziale

Opere di Bram Stoker

ROMANZI

The Snake's Pass, Sampson Low, Marston, Searle and Rivington, London 1891 [ma 1890].

Crooken Sands, Théo L. DeVinne, New York 1894.

The Watter's Mou', Theo L. DeVinne, New York 1894.

The Shoulder of Shasta, Archibald Constable, Westminster 1895.

Dracula, Archibald Constable, Westminster 1897 (*Dracula*, trad. it. di F. Saba Sardi, Mondadori, Milano 1979).

Miss Betty, C. Arthur Pearson, London 1898.

The Mystery of the Sea, Doubleday, Page, New York 1902.

The Jewel of Seven Stars, William Heinemann, London 1903 (*Il gioiello delle sette stelle*, trad. it. di F. Oddera, Rizzoli, Milano 1996).

The Man, William Heinemann, London 1905.

Lady Athlyne, William Heinemann, London 1908.

The Lady of the Shroud, William Heinemann, London 1909 (*La dama del sudario*, trad. it. di G. Ruggero, Editori Riuniti, Roma 1996).

The Lair of the White Worm, William Rider, London 1911 (*La tana del verme bianco*, trad. it. di F. Basso e S. Giusti, Mondadori, Milano 1995).

RACCOLTE DI RACCONTI

Under the Sunset, Sampson Low, Marston, Searle and Rivington, London 1882 [ma 1881] (*Il paese del tramonto*, a cura di e trad. it. di F. Giovannini, Stampa Alternativa, Roma 1999).

Snowbound. The Record of a Theatrical Touring Party, Collier, London 1908.

Dracula's Guest and Other Weird Stories, Routledge, London 1914 (*L'ospite di Dracula*, a cura di e trad. it. di R. Reim, Armando, Roma 2000).

RACCONTI

The Crystal Cup, in «London Society», XXII, 1872, pp. 228-35.

Buried Treasures, in «The Shamrock», XII, 1875, pp. 376-79, 403-406.

The Chain of Destiny, in «The Shamrock», XII, 1875, pp. 446-49, 498-99, 514-16, 530-33, 546-48 (*La catena del destino*, a cura di e trad. it. di A. Lanzoni, Theoria, Roma 1990).

The Primrose Path, in «The Shamrock», XII, 1875, pp. 289-93, 312-17, 330-34, 345-49, 360-65.

Our New House, in «The Theatre Annual for 1886», 1886, pp. 71-78.

The Dualitists or the Death Doom of the Double Born, in «The Theatre Annual for 1887», 1887, pp. 18-28.

The Judge's House, in «The Illustrated Sporting and Dramatic News», 5 dicembre 1891, pp. 10-11.

The Secret of the Growing Gold, in «Black and White», III, 23 gennaio 1892, pp. 118-21.

The Squaw, in «The Illustrated Sporting and Dramatic News», 2 dicembre 1893, pp. 24-25.

A Dream of Red Hands, in «The Sketch», VI, 1894, pp. 578-80.

The Man from Shorrox, in «The Pall Mall Magazine», II, febbraio 1894, pp. 656-69.

The Red Stockade: A Story Told by the Old Coastguard, in «Cosmopolitan Magazine», XVII, 1894, pp. 619-30.

The Eros of the Thames: The Story of a Frustrated Advertisement, in «The Royal Magazine», ottobre 1908, pp. 566-70.

The Way of Peace, in «Everybody's Story Magazine», dicembre 1909, pp. 204-209.

Greater Love, in «The London Magazine», XXXIII, 1914-1915, pp. 161-68.

OPERE TEATRALI

Dracula or the Un-Dead in a Prologue and Five Acts, Royal Lyceum Theatre, London 1897.

Miss Betty. A Play in Four Acts, Royal Lyceum Theatre, London 1898.

The Mystery of the Sea. A Drama in a Prologue and Five Acts, Royal Lyceum Theatre, London 1902.

OPERE VARIE

The Necessity for Political Honesty, James Charles, Dublin 1872.

The Duties of Clerks of Petty Sessions in Ireland, John Falconer, Dublin 1879.

A Glimpse of America, Sampson Low, Marston, Searle and Rivington, London 1886.

Sir Henry Irving and Miss Ellen Terry in «Robespierre», «Merchant of Venice», «The Bells» etc., Doubleday & McClure, New York 1899.

The One Thing Needful, in *A Volunteer Haversack*, The Queen's Rifle Volunteer Brigade: The Royal Scots, Edinburgh 1902, pp. 173-74.

Personal Reminiscences of Henry Irving, 2 voll., William Heinemann, London 1906.

Famous Imposters, Sidgwick & Jackson, London 1910.

Studi critici

SAGGI

N. Auerbach - D.J. Skal (a cura di), *Dracula: Authoritative Text, Contexts, Reviews and Reactions, Dramatic and Film Variations, Criticism*, Norton, New York - London 1997.

G. Byron (a cura di), *Dracula: Bram Stoker*, Macmillan, Basingstoke 1999.

M.L. Carter, *Dracula: The Vampire and the Critics*, UMI Research Press, Ann Arbor (MI) 1988.

M. Centini, *Dracula: un mito immortale*, Ananke, Torino 1997.

F. Giovannini, *In viaggio con Dracula*, Il Minotauro, Milano 1994.

D. Glover, *Vampires, Mummies, and Liberals: Bram Stoker and the Politics of Popular Fiction*, Duke University Press, Durham (NC) - London 1996.

P. Haining, *The Dracula Centenary Book*, Souvenir, London 1987.

—, *The Un-Dead: The Legend of Bram Stoker and Dracula*, Constable, London 1997.

W. Hughes, *Beyond Dracula: Bram Stoker's Fiction and Its Cultural Context*, Macmillan, Basingstoke 2000.

W. Hughes - A. Smith (a cura di), *Bram Stoker: History, Psychoanalysis, and the Gothic*, Macmillan, Basingstoke 1998.

W.L. Joslin, *Count Dracula Goes to the Movies: Stoker's Novel Adapted, 1922-1995*, McFarland & Company, Jefferson (NC) - London 1999.

D. Lapin, *The Vampire, Dracula and Incest: The Vampire Myth, Stoker's Dracula, and Psychotherapy of Vampiric Sexual Abuse*, Gargoyle Publishers, San Francisco 1995.

C. Leatherdale, *Dracula: The Novel and the Legend: A Study of Bram Stoker's Gothic Masterpiece*, Aquarian, Wellingborough 1985 (*Dracula: il romanzo e la leggenda. Uno studio sul capo-*

lavoro gotico di Bram Stoker alle fonti di un mito culturale del ventesimo secolo, trad. it. di A. Coffa, Atanor, Roma 1989).

S. Lennon, *Irish Gothic Writers, Bram Stoker and the Irish Supernatural Tradition*, Dublin Corporation Public Libraries, Dublin [1999].

M. Lörinczi Angioni, *Paesaggio marino con dame vittoriane: tre saggi su Dracula*, CUEC, Cagliari 1995.

E. Miller (a cura di), *Dracula: The Shade and the Shadow. Papers Presented at «Dracula 97», a Centenary Celebration at Los Angeles*, August 1997, Desert Island Books, Westcliff-on-Sea 1998.

—, *Dracula: Sense & Nonsense*, Desert Island Books, Westcliff-on-Sea 2000.

E.R. Miller, *Reflections on Dracula: Ten Essays*, Transylvania Press, White Rock 1997.

C.A. Senf (a cura di), *The Critical Response to Bram Stoker*, Greenwood, Westport Conn., London 1993.

—, *Dracula: Between Tradition and Modernism*, Twayne Publishers, New York 1998.

D.J. Skal, *Hollywood Gothic: The Tangled Web of Dracula from Novel to Stage to Screen*, Deutsch, London 1992.

J. Valente, *Dracula's Crypt: Bram Stoker, Irishness, and the Question of Blood*, University of Illinois Press, Urbana 2002.

SCRITTI SU "DRACULA"

B. Alexander, *Dracula and the Gothic Imagination of War*, in «Journal of Dracula Studies», II, 2000, pp. 15-23.

M.C. Brennan, *The Novel as Nightmare: Decentering of the Self in Bram Stoker's Dracula*, in «Journal of the Fantastic in the Arts», VII, 4, 1996, pp. 48-59.

M. Cerreta, *A Structural Analysis of Dracula by Bram Stoker*, in «Rivista di Studi Vittoriani», I, 2, 1996, pp. 173-83.

R.J. Clougherty Jr, *Voiceless Outsiders: Count Dracula as Bram Stoker*, in «New Hibernia Review/Iris Eireannach Nua: A Quarterly Record of Irish Studies», IV, 1, 2000, pp. 138-51.

G. Day, *The State of Dracula: Bureaucracy and the Vampire*, in A. Jenkins - J. John (a cura di), *Rereading Victorian Fiction*, Macmillan, St Martin's, New York, Houndmills 2000, pp. 81-95.

D. Glover, *«Our Enemy Is Not Merely Spiritual»: Degeneration and Modernity in Bram Stoker's Dracula*, in «Victorian Literature and Culture», XXII, 1994, pp. 249-65.

L. Hopkins, *Vampires and Snakes: Monstrosity and Motherhood in Bram Stoker*, in «Irish Studies Review», XIX, 1997, pp. 5-8.

H. Hustis, *Black and White and Read All Over: Performative Textuality in Bram Stoker's Dracula*, in «Studies in the Novel», XXXIII, 1, 2001, pp. 18-33.

B.E. McDonald, *The Vampire as Trickster Figure in Bram Stoker's Dracula*, in «Extrapolation: A Journal of Science Fiction and Fantasy», XXXIII, 2, 1992, pp. 128-44.

J. Marigny, *Secrecy as Strategy in Dracula*, in «Journal of Dracula Studies», II, 2000, pp. 3-7.

V. Pedlar, *Dracula: Narrative Strategies and Nineteenth-Century Fears*, in D. Walder (a cura di), *The Nineteenth-Century Novel: Identities*, Open University, Routledge, London 2001, pp. 217-41.

D. Perry, *Whitman's Influence on Stoker's Dracula*, in «Walt Whitman Review», III, 3, 1986, pp. 29-35.

P.S. Petersen, *Vampirizing the New Woman: Masculine Anxiety and Romance in Bram Stoker's Dracula*, in «BAS: British and American Studies», VI, 2000, pp. 31-39.

L.M. Wyman – G.N. Dionisopoulos, *Transcending the Virgin/Whore Dichotomy: Telling Mina's Story in Bram Stoker's Dracula*, in «Women's Studies in Communication», XXIII, 2, 2000, pp. 209-37.

(a cura di Valentina Olivastri)

Dracula

Al mio caro amico Hommy-Beg

I

DIARIO DI JONATHAN HARKER
(stenografato)

3 maggio, Bistrita. Lasciata Monaco alle 20.35 del 1°
maggio, giunto a Vienna il mattino dopo presto; saremmo dovuti arrivare alle 6.46, ma il treno aveva un'ora di
ritardo. Stando al poco che ho potuto vederne dal treno
e percorrendone brevemente le strade, Budapest mi
sembra una bellissima città. Non ho osato allontanarmi
troppo dalla stazione, poiché, giunti in ritardo, saremmo però ripartiti quanto più possibile in orario. Ne ho
ricavato l'impressione che, abbandonato l'Occidente,
stessimo entrando nell'Oriente, e infatti anche il più occidentale degli splendidi ponti sul Danubio, che qui è
maestosamente ampio e profondo, ci richiamava alle
tradizioni della dominazione turca.

Siamo partiti quasi in perfetto orario, e siamo giunti
a buio fatto a Klausenburg, dove ho pernottato all'albergo Royale. A pranzo, o meglio a cena, mi è stato
servito pollo cucinato con pepe rosso, buonissimo, ma
che mi ha messo una gran sete. (*Ric.*: farsi dare la ricetta per Mina.) Ne ho parlato con il cameriere, il quale mi ha spiegato che si chiama *paprika hendl*, e che,
essendo un piatto nazionale, avrei potuto gustarlo
ovunque nei Carpazi. Ho trovato assai utile la mia infa-
rinatura di tedesco; in verità, non so come potrei ca-
varmela senza.

Poiché a Londra avevo avuto un po' di tempo a disposizione, mi ero recato al British Museum, nella cui bi-

3

blioteca avevo consultato libri e mappe sulla Transilvania: mi era balenata l'idea che avrebbe potuto essermi utile qualche informazione sul paese, visto che dovevo entrare in rapporti con un nobile del luogo. Ho scoperto che il distretto da questi indicato si trova ai limiti orientali del paese, proprio alla convergenza di tre stati, Transilvania, Moldavia e Bucovina, al centro della regione carpatica, una delle più selvagge e meno conosciute di Europa. Non sono riuscito a scovare su nessuna mappa o testo l'esatta localizzazione di Castel Dracula poiché non esistono carte di questo paese paragonabili alle nostre, edite dall'Ufficio Topografico Militare; comunque ho constatato che Bistrita, la città di guarnigione indicata dal Conte Dracula, è piuttosto nota. Riporto qui alcuni appunti da me presi in quell'occasione e che mi serviranno da promemoria quando racconterò del mio viaggio a Mina.

In Transilvania vivono quattro nazionalità diverse: al Sud, Sassoni, cui si mescolano i Valacchi discendenti dei Daci; Magiari a ovest, e Szekely a oriente e a nord. Sto recandomi tra questi ultimi, i quali si affermano discendenti da Attila e dagli Unni. E può essere benissimo, perché quando i Magiari conquistarono il paese nell'undicesimo secolo, vi trovarono già stanziati gli Unni. A quanto ho letto, non v'è superstizione al mondo che non si annidi nel ferro di cavallo dei Carpazi, quasi fosse il centro di una sorta di vortice dell'immaginazione; se così fosse, il mio soggiorno può rivelarsi molto interessante. (*Ric.*: devo chiedere al Conte informazioni su queste genti.)

Non ho avuto un buon sonno, benché il letto fosse abbastanza comodo, a causa di ogni sorta di strani sogni. Un cane ha ululato tutta notte sotto la mia finestra, e forse anche questo ha avuto effetto; o può darsi sia stata colpa della paprika, tanto che ho bevuto tutta l'acqua della caraffa senza riuscire a estinguere la sete. Mi sono addormentato verso mattino, e mi sono svegliato a un insistente bussare all'uscio, sicché penso di aver dormito sodo. Per colazione, ancora paprika, una specie di semolino di granturco che chiamano *mamaliga*, e melanzane ripiene di carne trita, un piatto eccellente che è detto *impletata*. (*Ric.*: farsi dare anche questa ricetta.) Ho dovuto sbrigarmi perché il treno partiva poco prima delle otto o meglio avrebbe dovuto, visto che, arrivato di corsa in stazione alle sette e mezzo, mi è toccato aspettare in carrozza per più di un'ora prima della partenza. Ho l'impressione che, più si va a est, meno puntuali siano i treni. Chissà come funzioneranno in Cina?

Per tutto il giorno mi è parso che si andasse quasi bighellonando per un paese ricco di bellezze di ogni sorta. Di tanto in tanto si scorgevano villaggi o castelli in cima a erti colli quali si vedono in antichi messali; a volte procedevamo lungo fiumi e torrenti che, stando ai larghi argini di pietra su entrambe le rive, devono essere soggetti a violente piene. Occorre molta acqua, e rapinosa, per spogliare della vegetazione, come qui, la riva di un fiume. A ogni stazione, gruppi di gente, a volte vere folle, in costumi d'ogni sorta. Alcuni erano tali e quali i contadini su da noi o quelli che ho visto attraversando Francia e Germania, con corte giacche, cappelli rotondi e calzoni di stoffa tessuta in casa; ma ve n'erano altri assai pittoreschi. Le donne parevano graziose finché non le si vedeva da vicino, quando ci si accorgeva che erano troppo larghe di fianchi. Tutte avevano grandi maniche bianche di questo o quel tipo, e la maggior parte di esse cinture a bustino ornate di strisce di non so che tessuto, svolazzanti come i tutù delle ballerine, sotto le quali però, com'è ovvio, portavano gonnelle. Più strani di tutti erano gli slovacchi, di aspetto più barbarico degli altri, con larghi cappelli da mandriani, ampi calzoni bianco sporco, camicie di lino bianco ed enormi cinturoni di cuoio, alti una trentina di centimetri e ornati di borchie d'ottone. Portavano stivaloni in cui erano ficcati i calzoni, lunghe chiome e baffoni neri. Sono molto pittoreschi, ma nient'affatto tranquillizzanti. Visti su un palcoscenico, li si scambierebbe senz'altro per un'antica banda di briganti orientali, anche se, a quanto mi hanno detto, sono del tutto innocui e piuttosto timidi.

Il crepuscolo trapassava nella notte quando siamo arrivati a Bistrita, che è una vecchia città molto interessante. Posta com'è quasi sul confine – il Passo Borgo porta infatti da essa in Bucovina –, ha avuto un passato assai turbolento di cui conserva indubbie tracce. Cinquant'anni fa si è verificata una serie di grandi incendi che, per cinque volte di seguito, hanno prodotto terribili devastazioni. All'inizio del diciassettesimo secolo la città ha subito un assedio di tre settimane, e ha perduto tredicimila anime, agli stermini della guerra vera e propria sommandosi fame ed epidemia.

Il Conte Dracula mi aveva indirizzato alla locanda Golden Krone, che si è rivelata in tutto e per tutto vecchio stile, e con mia gran gioia perché, com'è ovvio, vorrei conoscere più a fondo possibile le usanze del paese. Ero evidentemente atteso, perché sulla soglia sono stato accolto da una donna anziana dall'aria cordiale, con indosso il solito costume contadino: camicia bianca con un lungo grembiule doppio, davanti e dietro, di stoffa colorata e quasi troppo attillato per essere modesto. Al mio avvicinarsi, la donna ha fatto la riverenza e ha chiesto: «Voi Herr inglese?». «Sì» ho risposto «sono Jonathan Harker.» Lei ha sorriso e ha detto qualcosa a un uomo anziano in maniche di camicia bianca che l'aveva seguita, il quale è scomparso per riapparire subito dopo con una lettera:

Caro amico,
      benvenuto nei Carpazi. Vi attendo con ansia. Dormite bene questa notte. Domattina alle tre parte la diligenza per la Bucovina, sulla quale è stato fissato un posto per voi. Al Passo Borgo sarete atteso dalla mia carrozza che vi condurrà da me. Spero che il viaggio da Londra sia stato buono, e che vi sia piacevole il soggiorno nel mio bel paese.
      Il vostro amico

Dracula

4 maggio. Ho scoperto che il mio locandiere ha ricevuto una lettera del Conte con l'incarico di prenotarmi il miglior posto sulla diligenza; ma quando ho cercato di saperne di più, è parso reticente e ha finto di non capire il mio tedesco, cosa che potrebbe anche non essere vera, perché fino a quel momento l'aveva compreso, e bene; per lo meno, rispondeva alle mie domande esattamente come se così fosse. Egli e la moglie, la donna anziana che mi aveva accolto, si scambiavano occhiate che direi impaurite. Ha borbottato che il denaro era stato spedito per lettera, e che era tutto quanto sapeva. Quando gli ho chiesto se conosceva il Conte Dracula, e se poteva dirmi qualcosa del castello di questi, sia lui che la moglie si sono segnati e, affermando di essere all'oscuro di tutto, si sono semplicemente rifiutati di aprir bocca. L'ora della partenza era così prossima che non ho avuto il tempo di interrogare altri; tutto è assai misterioso e nient'affatto rassicurante.

Proprio prima che lasciassi l'albergo, la donna è venuta in camera mia e ha preso a blaterare concitatamente:

«Dovete voi andare? Oh, giovane Herr, dovete voi proprio andare?» Era in uno stato di agitazione tale che sembrava aver dimenticato quel po' di tedesco che sapeva, al punto che lo mischiava a un'altra lingua che ignoravo completamente: sono riuscito a seguirla solo chiedendole più e più volte di ripetere. Quando ho detto che dovevo partire subito, che avevo importanti affari da sbrigare, ha insistito:

«Ma voi sapete quale giorno è oggi?» Le ho risposto che era il quattro di maggio. Lei ha scosso la testa, e poi:

«Oh, sì! Io so, io so bene! Ma sapete voi che giorno è questo?» Ho replicato che non capivo a che cosa si riferisse, e lei:

«È vigilia di giorno di San Giorgio. E non sapete voi che a mezzanotte in punto forze malefiche di mondo hanno pieno potere? Voi non sapete dove andate, e verso che cosa?» Appariva in così palesi angustie che ho cercato di confortarla, ma invano, e alla fine si è gettata in ginocchio, implorandomi di non partire, di aspettare almeno un giorno o due. Era una situazione ridicola, e tuttavia non mi sentivo affatto a mio agio. Comunque,

avevo impegni precisi e non potevo tollerare intralci.
Ho cercato quindi di sollevarla, dicendole, con tutta la
serietà possibile, che la ringraziavo ma che non potevo
rinviare il mio appuntamento, e che dovevo andare. Lei
allora si è rimessa in piedi, asciugandosi gli occhi, e si è
tolta una crocetta che portava al collo, porgendomela.
Non sapevo che fare perché, essendo anglicano, mi era
stato insegnato a considerare oggetti simili poco meno
che idolatrici, e d'altra parte mi sembrava assai poco
gentile opporre un rifiuto a una donna anziana animata
da così buone intenzioni e nello stato d'animo in cui si
trovava. Suppongo che lei mi abbia letto il dubbio in viso, perché mi ha messo al collo il rosario cui era appesa
la crocetta, dicendo: «Per amore di vostra madre» e se
n'è andata. Sto scrivendo queste righe mentre aspetto la
diligenza che, naturalmente, è in ritardo; e la croce l'ho
ancora al collo. Non so se è per via delle paure della locandiera, delle molte, lugubri tradizioni di questi luoghi, o addirittura della crocetta, fatto sta che mi sento
inquieto come non mai. Se questo quaderno dovesse
pervenire a Mina prima che io torni da lei, che le rechi
il mio addio. Ecco la diligenza!

5 maggio. Al castello. Il pallore del mattino è trascorso, e il sole è alto sul lontano orizzonte che appare fra-
stagliato, non so se da alberi o alture: è così remoto, che
le cose grandi e piccole risultano indistinguibili. Voglia
di dormire non ne ho, e poiché è inutile che me ne stia
senza far niente, sveglio e in attesa di una chiamata, tanto vale che scriva finché il sonno non arriva. Ci sono
molte cose strane da registrare e, per timore che chi le
legge possa pensare che io abbia cenato troppo copiosa-
mente prima di lasciare Bistrita, ecco di che è consistito
il mio pasto: ho mangiato quella che chiamano «bistec-
ca del ladro» – pezzetti di pancetta, cipolla e bue, insa-
poriti con pepe rosso, infilzati su spiedini e arrostiti sulla brace, proprio come si fa a Londra con la carne di
manzo! Il vino era un Mediasch bianco, che lascia uno
strano ma niente affatto sgradevole pizzicorino sulla lingua. Ne ho bevuti solo un paio di bicchieri, e basta.

Quando sono salito in vettura, il cocchiere non era ancora montato a cassetta e l'ho visto chiacchierare con la locandiera. Stavano evidentemente parlando di me, poiché di quando in quando mi sogguardavano, e alcuni di coloro che stavano seduti sulla panca fuori dall'uscio – quella che qui indicano con un termine che significa "portaparola" – si sono avvicinati ad ascoltare, per poi squadrarmi, per lo più con aria compassionevole. Sentivo ripetere più e più volte certe parole, strane parole, perché del gruppo facevano parte individui di varie nazionalità. E allora, zitto zitto, ho cavato dalla sacca da viaggio il dizionario poliglotta e le ho cercate. Devo ammettere che non mi sono piaciute affatto, perché tra esse erano *Ordog*, "Satana", *pokol*, "inferno", *stregoica*, "strega", *vrolok* e *vloslak*, entrambi aventi lo stesso significato: l'uno in slovacco e l'altro in serbo, vogliono dire qualcosa come "lupo mannaro" o "vampiro". (*Ric.*: devo parlare con il Conte di queste superstizioni.)

Al momento della partenza, quanti formavano capannello all'uscio della locanda – e nel frattempo era divenuto una piccola folla – si sono tutti segnati, puntandomi contro due dita. Solo con una certa difficoltà sono riuscito a convincere uno dei miei compagni di viaggio a spiegarmene il significato; dapprima egli non voleva aprir bocca, ma poi, saputo che ero inglese, ha detto trattarsi di un incantesimo o scongiuro contro il malocchio. Non era una cosa molto lusinghiera per me che mi accingevo a partire verso un luogo sconosciuto, per incontrarmi con uno sconosciuto; ma sembravano tutti gente di buoncuore, e così rattristati e partecipi, che non potevo non esserne commosso. Non scorderò mai l'ultima immagine del cortile della locanda con la sua folla di figure pittoresche intente a segnarsi al riparo dell'ampio portale, sullo sfondo del fitto fogliame di oleandri e aranci raccolti in verdi vasi al centro. Poi il cocchiere, i cui ampi calzoni candidi – *gotza* li chiamano – coprivano l'intero sedile, ha fatto schioccare la frusta sulle groppe dei quattro cavallini, e il viaggio ha avuto inizio.

Grazie alla bellezza del paesaggio che attraversavamo, ho ben presto dimenticato ogni ultraterrena paura, benché forse, se avessi conosciuto la lingua, o meglio le lingue parlate dai miei compagni di viaggio, non mi sarebbe riuscito altrettanto facile. Davanti a noi, una terra verde e ondulata, coperta di foreste e boschi, e di quando in quando erti colli coronati da folteti o da fattorie con il nudo retro aguzzo prospiciente la strada. Ovunque, una rigogliosissima fioritura di alberi da frutto – meli, pruni, peri, ciliegi; e, passando, vedevo l'erba fresca ai loro piedi cosparsa di petali. Addentrandosi tra quei verdi colli, e sbucandone, la strada serpeggiava per questa che chiamano *Mittel Land*, ora sparendo alla vista dietro una svolta erbosa, ora nascosta dalle cime irregolari delle pinete che svettavano sui pendii come lingue di fiamma. La strada era irregolare, pure sembravamo volarvi sopra con fretta febbrile. Non mi rendevo conto, allora, del perché di tanta furia, ma era evidente che il cocchiere voleva giungere a Borgo Prund, cioè a Passo Borgo, senza por tempo in mezzo. Mi è stato detto che questa strada è ottima d'estate, ma che non è stata ancora riassestata dopo le nevi invernali. Da questo punto di vista, dunque, differirebbe dal modo in cui generalmente sono tenute le strade dei Carpazi, per tradizione assai trascurate. In antico, gli *hospadar* si rifiutavano di ripararle per timore che i turchi pensassero che le stessero apprestando all'arrivo di truppe straniere, in tal modo affrettando una guerra sempre in procinto di scoppiare.

Oltre le verdi colline ondulate della *Mittel Land* si levavano imponenti pendici boscose fino ai maestosi dirupi dei Carpazi veri e propri. Torreggiavano a destra e a sinistra, e la luce del sole pomeridiano, investendole in pieno, faceva risaltare tutti gli splendidi colori di questa bella catena, l'azzurro cupo e il viola all'ombra dei picchi, il verde e il bruno là dove rocce ed erba si confondevano, e una prospettiva illimitata di rocce frastagliate e creste aguzze, che si perdeva in lontananza, dove picchi innevati si drizzavano maestosi. Qua e là, imponenti crepacci spaccavano i monti, e in essi il sole ormai declinante di tanto in tanto rivelava il bianco schiumare di una cascata. Uno dei miei compagni di viaggio mi ha toccato il braccio mentre, aggirata la base di una collina, compariva l'alta cima incappucciata di neve d'un monte che, per via delle tortuosità del cammino, sembrava starci proprio di faccia.

«Guardate! *Isten szek*» – "il trono di Dio" –, e si è segnato con riverenza.

E via e via si andava per la nostra lunghissima strada tutta curve, e il sole sempre più scendeva alle nostre spalle, mentre le ombre della sera cominciavano ad addensarsi all'intorno, rese tanto più cupe dal fatto che la cima innevata, ancora colpita dall'astro al tramonto, pareva ardere d'un rosa delicato. Ogni tanto sorpassavamo cechi e slovacchi nei loro pittoreschi costumi ma, ho notato, per lo più affetti da gozzo. Ai bordi della strada, si vedevano numerose croci e, transitando, i miei compagni non mancavano mai di segnarsi. Di quando in quando, davanti a una cappelletta sostava in ginocchio un contadino, una contadina, che neppure volgevano il capo al nostro passaggio, talmente assorti nella preghiera da non avere occhi né orecchie per il mondo esterno. Molte erano le cose per me insolite: per esempio, le biche di fieno tra i rami degli alberi, e qua e là bellissimi ciuffi di betulle resinose i cui bianchi tronchi splendevano come argento tra il verde delicato del fogliame. A volte superavamo un carro a pianale – il tipico veicolo dei contadini – con la sua lunga spina dorsale serpentina, fatta apposta per adeguarsi alle irregolarità della strada. Su di esso sedevano i contadini che tornavano a casa, i cechi con pelli di pecora bianche, colorate quelle degli slovacchi, e questi impugnanti, a mo' di lance, i lunghissimi manici delle loro scuri. Col calare dell'oscurità ha cominciato a fare un gran freddo, e il buio avanzante sembrava sommergere in una sola fosca caligine le macchie cupe degli alberi, querce, faggi e pini, sebbene nelle vallate che si insinuavano profondamente tra i contrafforti delle colline, nel mentre che si saliva verso il passo, singoli, neri abeti si stagliassero su residue chiazze di neve. Talvolta, là dove la strada tagliava per pinete che nell'oscurità sembravano

11

sul punto di piombarci addosso, i grandi banchi di foschia, qua e là insinuantisi fra i tronchi, producevano un effetto singolare, lugubre e solenne, risuscitatore di pensieri e sinistre fantasie già evocati dalla sera incipiente, allorché il sole al tramonto aveva conferito strano spicco alle nuvole che nei Carpazi sembrano incessantemente sfilare per le valli. A volte le salite erano così erte che, nonostante la fretta del nostro conducente, i cavalli dovevano andare al passo. Ho proposto di scendere dalla diligenza e seguirla a piedi, come si fa da noi, ma il cocchiere non ha voluto saperne. «No, no» diceva «qui non possibile andare a piedi; cani troppo pericolosi» soggiungendo poi – e doveva essere chissà che gran battuta, perché ha volto lo sguardo in giro, a cogliere il sorriso d'intesa degli altri – «e ne avete poi basta, di cose simili, prima che voi andare a letto.» L'unica sosta che si è concesso è stata quella, rapidissima, per accendere i fanali. Quando si è fatto buio, i passeggeri sono parsi in preda a notevole agitazione, e continuavano a parlare con il conducente, uno dopo l'altro, quasi a sollecitarlo ad andare più in fretta. Ed egli frustava spietatamente i cavalli con la sua lunga sferza, e con aspre grida li incitava a ulteriori sforzi. Poi, nel buio ho scorto qualcosa come una chiazza di luce grigia davanti a noi, quasi nel colle si aprisse un varco. Maggiore si è fatta l'agitazione dei passeggeri; la sgangherata carrozza ondeggiava sui molloni di cuoio, rollando come una imbarcazione sballottata da un mare in tempesta. Dovevo tenermi. La strada si è fatta più piana, e pareva che adesso volassimo. Poi, i monti sono parsi avvicinarcisi da ogni lato, guardandoci arcigni; stavamo per entrare al Passo Borgo. Uno a uno, parecchi passeggeri mi hanno offerto doni, insistendo perché li accettassi con una partecipazione alla quale non si davano dinieghi; ed erano oggetti di specie varia e singolare, ciascuno però dato con semplice buona fede, accompagnato da una parola gentile, da una benedizione, e con quello strano miscuglio di gesti esprimenti paura, che già avevo notato davanti alla locanda di Bistrita – il segno di croce, lo scongiuro contro il malocchio. E a un certo punto, mentre si andava di carriera, ecco il cocchiere protendersi in avanti, e da ambo i lati i passeggeri, sporgendosi dalla carrozza, spiare ansiosi nel buio. Era evidente che stava per succedere, o ci si attendeva, qualcosa di assai emozionante, ma, per quanto ne chiedessi a ogni mio compagno di viaggio, nessuno ha voluto fornirmi la benché minima spiegazione. Uno stato d'animo che è durato per un certo tempo; e finalmente eccoci all'imboccatura orientale del passo. Sul nostro capo, nubi nere, trascorrenti, e, nell'aria, la sensazione greve, opprimente, che precede il tuono. Si sarebbe detto che la catena montana separasse due diverse atmosfere, e che ora noi fossimo entrati in quella tempestosa. Anch'io adesso scrutavo fuori dalla carrozza, alla ricerca della vettura che doveva portarmi dal Conte. Di momento in momento, m'aspettavo di scorgere nel buio il barlume dei fanali; ma tutto era tenebra. Unica luce, il riflesso tremolante dei lumi della diligenza, e nel suo alone il vapore dei nostri cavalli spronati senza requie si levava in nuvola bianca. Ora si scorgeva la strada sterrata stendersi bianca di fronte a noi, ma su di essa nessuna traccia di veicolo. I passeggeri si sono ritratti con un sospiro di sollievo che è parso suonare beffa al mio disappunto. Già mi chiedevo che cosa mi convenisse fare, allorché il conducente, data un'occhiata all'orologio, ha detto agli altri qualcosa che ho afferrato a stento, tanto sommesso e appena udibile ne era stato il tono; mi è parso che fosse: «Siamo in anticipo di un'ora». Poi, volgendosi a me, in un tedesco peggiore del mio:

«Nessuna carrozza qui. L'Herr si vede che non è aspettato. Lui viene con noi avanti in Bucovina, e ritorna domani o il giorno dopo domani; meglio il giorno dopo domani.» Mentre così diceva, i cavalli si sono dati a nitrire, sbuffare e scalpitare nervosi, sì che il cocchiere ha dovuto tirare fortemente sulle redini. Poi, tra un coro di grida da parte dei contadini, tutti intenti a farsi gran segni di croce, un calesse tirato da quattro cavalli ci ha raggiunto, vi si è affiancato, si è arrestato accanto alla diligenza. Ho potuto vedere, al lume dei nostri fanali, come i raggi sono caduti su di essi, che i cavalli erano neri come carbone, ed erano splendidi animali. A guidarli era un uomo d'alta statura, con una lunga barba scura e un gran cappello nero, che sembrava volerne celare il volto. Ho scorto appena il luccichio d'un paio di occhi assai brillanti, che sono parsi rossi alla luce delle lampade, come si rivolgeva a noi dicendo al cocchiere:

«Siete in anticipo, questa sera, amico mio.» L'altro ha balbettato in risposta:

«L'Herr inglese aveva fretta» al che lo sconosciuto:

«Ed è per questo, suppongo, che volevate condurlo in Bucovina. Non potete ingannarmi, caro amico; so troppe cose, io, e i miei cavalli sono veloci.» Parlando ha sorriso, e i fanali hanno rivelato una bocca dal taglio duro, con labbra assai rosse e denti aguzzi, bianchi come avorio. Uno dei miei compagni ha sussurrato a un altro quel verso della *Lenore* di Bürger che dice:

Denn die Toten reiten schnell
(Poiché i morti cavalcano lesti)

Lo strano conducente evidentemente ha udito le parole, perché ha volto gli occhi con il balenio di un sorriso, e il passeggero ha girato il viso, in pari tempo puntando due dita e segnandosi. «Datemi il bagaglio dell'Herr» ha ingiunto il nero conducente; e, con eccessiva alacrità, le mie valigie sono state passate e poste sul calesse. Poi sono disceso dal lato della diligenza vicinissimo al quale stava il calesse, aiutato dal nero conducente la cui mano mi ha afferrato il braccio in una stretta d'acciaio: doveva avere una forza prodigiosa. Senza una parola, ha scosso le redini, i cavalli hanno compiuto un giro, e ci siamo sprofondati nell'oscurità del passo. Volgendo lo sguardo all'indietro, ho scorto il vapore salire dalle rozze della diligenza, reso visibile dalla luce dei fanali e, su quello sfondo, le figure dei miei compagni di viaggio intenti a segnarsi e segnarsi; e poi il loro cocchiere ha fatto schioccare la frusta dando una voce alle bestie, e via sono corsi verso la Bucovina. Come sono scomparsi nel buio, ho provato uno strano brivido, una penosa sensazione di solitudine; ma un mantello mi è stato gettato sulle spalle, una coperta sulle ginocchia, e il conducente ha detto, in un ottimo tedesco:

«La notte è fresca, *mein Herr*, e il Conte mio padrone mi ha ordinato di aver cura di voi. C'è una bottiglia di slivovitz (la grappa di prugne tipica della zona) sotto il sedile, qualora ne abbiate bisogno.» Non ne ho bevuto, ma era comunque confortante sapere che era lì. Mi sentivo sbalestrato e non poco impaurito. Penso che, vi fosse stata un'alternativa, ne avrei approfittato, anziché proseguire quel viaggio notturno verso l'ignoto. Il calesse filava diritto e veloce, quindi un giro completo e abbiamo imboccato un'altra strada diritta. Ho avuto l'impressione che percorressimo semplicemente, più e più volte, la stessa carreggiata, e allora ho preso mentalmente nota di certi punti salienti, e ho constatato che era proprio così. Volentieri avrei chiesto al conducente che cosa tutto questo significasse, ma a dire il vero temevo di farlo, pensando che, nella situazione in cui mi trovavo, nessuna protesta sarebbe valsa ad alcunché, qualora vi fosse effettivamente l'intento di tirarla in lungo. A un certo punto, tuttavia, curioso com'ero di sapere quanto tempo fosse passato, ho acceso un fiammifero, e alla sua fiammella ho dato un'occhiata all'orologio; mancavano pochi minuti a mezzanotte, e alla constatazione ho avuto un sobbalzo: suppongo che la diffusa superstizione circa la mezzanotte avesse trovato alimento nelle mie recenti esperienze. E ho atteso con un trepidante senso di malessere.

Poi un cane ha cominciato a ululare chissà dove, in una fattoria lontana – un lungo, angosciato lamento, come di paura. E il suono è stato ripreso da un altro cane, e poi da un altro e da un altro ancora, finché, portato dal vento che ora spirava tenue attraverso il passo, ha preso il via un selvaggio coro di latrati, che sembrava provenire da ogni parte della regione, quale almeno la mia immaginazione la concepiva nella tenebra notturna. Al primo ululato, i cavalli hanno cominciato a impennarsi e arretrare, ma il conducente ha rivolto loro parole tranquillizzanti, e le bestie si sono acquetate, pur tremando e sudando come dopo una fuga causata da un'improvvisa paura. Poi, remoto, dai monti ai nostri fianchi ha preso il via un ululato più sonoro e più aspro – quello di lupi – che ha colpito allo stesso modo i cavalli e me, perché ho provato l'impulso di balzare dal calesse e mettermi a correre, mentre le bestie tornavano a rinculare, impennandosi pazzamente, sì che il conducente ha dovuto far ricorso a tutta la sua grande forza per impedir loro di scattar via imbizzarriti. Nel giro di brevi istanti, tuttavia, il mio orecchio si è abituato al suono, e i cavalli si sono tranquillizzati al punto che il conducente ha potuto scendere di cassetta e portarsi di fronte a essi, carezzandoli e placandoli, e sussurrando qualcosa al loro orecchio, come ho udito che fanno gli addomesticatori di cavalli; straordinario l'effetto: sotto le sue carezze, quelli sono tornati affatto mansueti, pur continuando a tremare. Il conducente è risalito a cassetta e, scosse le redini, è ripartito a gran velocità. Questa volta, dopo essersi spinto sino all'altra estremità del passo, d'un tratto ha imboccato una stretta carreggiata che svoltava bruscamente a destra.

Ben presto, eccoci attorniati da alberi, che in certi punti formavano arco sopra la carreggiata, sì che passavamo come attraverso una galleria; o ancora grandi, arcigne rupi ci sovrastavano minacciose da ambo i lati. Sebbene fossimo al riparo, potevo udire il vento levarsi e gemere e fischiare tra le rocce, e i rami degli alberi cozzare assieme mentre si filava. La temperatura continuava a calare e calare, e una neve fine, polverosa, ha preso a cadere, sicché ben presto noi e quanto ci circondava siamo stati coperti da una coltre bianca. Il vento penetrante tuttora portava l'ululare dei cani, sebbene questo si facesse più fioco a mano a mano che si procedeva. Più vicino, sempre più vicino, risuonava il latrare dei lupi, quasi che convergessero su di noi da ogni parte. Sono stato colto da una terribile paura, condivisa dai cavalli. Ma il cocchiere non era minimamente turbato; lui continuava a volgere il capo a destra e a sinistra, sebbene io non scorgessi nulla nell'oscurità.

Improvvisamente, laggiù, alla nostra sinistra, ho visto una debole, tremolante fiammella bluastra. Nello stesso istante, anche il cocchiere l'ha vista, e subito ha bloccato i cavalli e, balzato a terra, è scomparso nella tenebra. Non sapevo che fare, tanto più che l'ululato dei lupi s'avvicinava, s'avvicinava; ma mentre me lo chiedevo, riecco il cocchiere che, senza una parola, si è rimesso a cassetta e abbiamo continuato la corsa. Penso di essermi addormentato e di aver continuato a sognare l'episodio, perché è sembrato ripetersi all'infinito, e ora, a ripensarci, è come una sorta di spaventevole incubo. A un certo punto, la fiammella è comparsa così vicina alla strada, che persino nell'oscurità circostante ho potuto notare i gesti del conducente. Il quale è corso svelto al punto da cui la luce bluastra si era sprigionata – e doveva essere tenuissima, poiché non sembrava affatto illuminare la zona circostante – e, raccolto qualche sasso, li ha disposti secondo un suo certo disegno. Una volta, si è verificato anche uno strano effetto ottico: interponendosi tra me e la fiamma, non l'ha nascosta, tant'è che ho continuato a vederne lo spettrale lucore. Ne sono rimasto sbalordito ma, essendosi trattato di un effetto solo momentaneo, ne ho concluso che i miei occhi debbano avermi ingannato a furia di fissare il buio. Poi, per qualche tempo, nessuna fiamma azzurrastra, e noi siamo corsi veloci nell'oscurità, con l'ululato dei lupi attorno, quasi ci accompagnassero in mobile cerchio.

Alla fine, c'è stato un momento che il conducente si è addentrato nella campagna più di quanto avesse fatto prima, e durante la sua assenza i cavalli hanno cominciato a tremare più che mai e a sbuffare e a nitrire di paura. Non riuscivo a individuarne causa alcuna, dato che gli ululati dei lupi erano completamente cessati; ma proprio in quel momento la luna, veleggiante tra nere nuvole, è comparsa da dietro la cresta frastagliata di un roccione strapiombante, irto di pini, e alla sua luce ho visto tutt'attorno una cerchia di lupi, bianche zanne, rosse lingue penzolanti, lunghe membra scarne, pelame irsuto. Erano cento volte più terribili nel torvo silenzio

17

in cui erano immersi, che non prima, ululanti. Quanto a me, mi sono sentito come paralizzato dalla paura. Solo allorché accada che un uomo si trovi faccia a faccia con siffatti orrori, può egli capirne la vera entità.

All'improvviso, i lupi hanno ripreso a ululare, quasi che la luna avesse avuto chissà che effetto su di essi. I cavalli si sono imbizzarriti rinculando, guardandosi attorno alla disperata, con occhi roteanti in modo pietoso a vedersi; ma il vivente anello di terrore li circuiva da ogni parte, e non restava loro che rimanervi assediati. Ho dato una voce al conducente perché tornasse, sembrandomi unica nostra risorsa tentare di rompere il cerchio, in modo da permettergli di riavvicinarsi alla carrozza. Gridavo, battevo il fianco del calesse, sperando col rumore di spaventare i lupi e allontanarli da quella parte, sì da dargli modo di saltare sul predellino. Come sia giunto, lo ignoro, ma so di averne udito la voce levarsi in tono di imperioso comando e, volgendo lo sguardo a quella volta, l'ho visto ritto sulla carreggiata. Come ha agitato le lunghe braccia, quasi a rimuovere qualche invisibile ostacolo, ecco i lupi arretrare, arretrare sempre più. E in quel preciso istante, un nuvolone ha nascosto il volto della luna, ripiombandoci nell'oscurità.

Quando sono tornato a vederci, il cocchiere stava rimettendosi a cassetta, e i lupi erano scomparsi. Era, tutto questo, talmente bizzarro e sinistro, che mi sono sentito invadere da una paura tale, che non osavo parlare né muovermi. Correvamo per la strada e il tempo sembrava interminabile, e ora eravamo nell'oscurità quasi completa, poiché le nuvole trascorrenti celavano la luna. Si continuava ad ascendere, con brusche discese di tanto in tanto, ma nel complesso sempre in salita. D'un tratto, mi sono reso conto che il cocchiere stava portando il calesse nel cortile di un gran castello in rovina, dalle cui alte, nere finestre non traspariva raggio di luce, e i cui merli diroccati si disegnavano frastagliati contro il cielo rischiarato dalla luna.

II

5 maggio. Sì, devo aver dormito, perché, se fossi stato del tutto sveglio, non avrei potuto non notare l'approccio a un luogo così singolare. Nella semioscurità, la corte pareva di notevoli dimensioni, e siccome parecchi anditi bui se ne dipartivano da sotto grandi archi a tutto sesto, forse sembrava più spaziosa di quanto non fosse in realtà. Ancora non ho avuto modo di vederla di giorno.

Fermatosi il calesse, il cocchiere ne è balzato a terra, porgendomi la mano per aiutarmi a scendere, e una volta ancora mi sono meravigliato della sua prodigiosa forza: una mano che sembrava in realtà una morsa d'acciaio che, a suo capriccio, avrebbe potuto stritolare la mia. Poi ha preso il mio bagaglio, mettendolo a terra ai miei piedi, di fronte a un grande portone, antico e guarnito di grosse borchie di ferro, incastonato in un portale aggettante di pietra massiccia. Potevo vedere, nonostante la poca luce, che il portale era tagliato in un solo pezzo, ma che i rilievi erano assai consunti dal tempo e dalle intemperie. Mentre me ne stavo lì, il cocchiere è rimontato a cassetta e ha scosso le redini; i cavalli sono ripartiti, e il veicolo e quant'altro sono scomparsi in un buio andito.

Sono rimasto in silenzio dov'ero, non sapendo che fare. Non vi era traccia né di campanello né di picchiotto, ed era improbabile che la mia voce riuscisse a farsi udire di là da quelle arcigne mura e da quelle nere aperture di finestre. Il tempo che sono rimasto in attesa mi è parso interminabile, e mi sentivo assediato da dubbi e paure. A che razza di luogo ero mai approdato, e tra che gente? Che tetra avventura era quella in cui mi ero imbarcato? Dovevo considerarlo un episodio corrente nella vita dell'impiegato di uno studio legale spedito a delucidare a uno straniero l'acquisto di una proprietà a Londra? Impiegato di uno studio legale! A Mina la definizione non piacerebbe. Procuratore legale, piuttosto, perché, proprio sul punto di lasciare Londra, m'è giunta comunicazione che avevo superato l'esame; e ora sono un procuratore legale a pieno diritto! Ho cominciato a fregarmi gli occhi e a pizzicottarmi, per vedere se ero davvero sveglio. Mi sembrava, tutto questo, un orrido incubo, e mi aspettavo di risvegliarmi d'un tratto e di ritrovarmi a casa, l'alba intrufolandosi per le finestre, come tante volte mi era accaduto dopo un giorno di intenso lavoro. Ma la mia carne ha reagito alla prova dei pizzicotti, e i miei occhi, impossibile ingannarli. Ero proprio sveglio, e tra i Carpazi, e altro non mi restava che pazientare e attendere l'arrivo del mattino.

Ero appena giunto a questa conclusione, quando ho udito un passo pesante venire alla mia volta di là dal gran portone e, attraverso le fessure, è filtrato il raggio di una luce che s'avvicinava. Poi, lo strepito di catene, il clangore di pesanti catenacci tirati. Una chiave ha girato con l'acuto stridore di un lungo disuso, e il grande battente si è spalancato.

Dentro, stava un vecchio alto, accuratamente sbarbato a parte i lunghi baffi bianchi, e nerovestito da capo a piedi, senza una sola macchia di colore in tutta la persona. In mano reggeva una vetusta lucerna d'argento, la cui fiamma ardeva senza tubo di vetro né globo di sorta, proiettando lunghe, oscillanti ombre come palpitava nello spiffero dell'uscio aperto. Con la destra, il vecchio mi ha rivolto un cortese cenno d'invito, dicendo in un ottimo inglese, ancorché di singolare cadenza:

«Benvenuto nella mia casa! Entrate liberamente!»
Non ha accennato a venirmi incontro ma è rimasto im-

mobile, come una statua, quasi che il gesto di benvenuto l'avesse pietrificato. Tuttavia, non appena ho varcato la soglia, si è mosso subito e, stendendo la mano, ha afferrato la mia con un vigore tale da farmi sobbalzare, risultato nient'affatto sminuito dal sembrare essa fredda come ghiaccio – più la mano di un morto che di un vivo. E ha ripetuto:

«Benvenuto nella mia casa! Entrate liberamente. Andatevene poi sano e salvo, e lasciate alcunché della felicità che arrecate!» La forza della stretta di mano era talmente simile a quella del cocchiere, di cui non avevo scorto il volto, che per un istante mi ha assalito il dubbio che si trattasse della stessa persona; per accertarmene, ho chiesto:

«Il Conte Dracula?» Quegli ha abbozzato un compito inchino, rispondendo:

«Sono Dracula; e vi do il benvenuto, signor Harker, in casa mia. Entrate; l'aria notturna è fredda, e avrete bisogno di mangiare e di riposarvi.» Così dicendo, ha collocato la lucerna su un braccio portalampada e, uscito, ha preso il mio bagaglio, che ha portato dentro prima che potessi impedirglielo. E alle mie proteste ha replicato:

«Orsù, signore, siete mio ospite. È tardi, e la mia servitù si è già ritirata. Lasciate che mi occupi io stesso di voi.» Ha insistito per portare il mio bagaglio attraverso il corridoio e poi su per uno scalone a spirale, e lungo un altro ampio corridoio, sul cui pavimento di pietra i nostri passi echeggiavano cupi. In fondo a questo, ha aperto un uscio pesante, e mi sono rallegrato alla vista di una stanza bene illuminata in cui era una tavola apparecchiata con la cena, e nell'immenso camino della quale fiammeggiava e splendeva un gran fuoco di ceppi rincalzati di fresco.

Il Conte si è fermato, ha posato le mie valigie, ha chiuso l'uscio, ha attraversato la stanza, ha aperto un'altra porta che dava in una piccola camera ottagonale illuminata da una sola lampada, in apparenza senza finestra di sorta. Attraversata anche questa, ha aperto una seconda porta, facendomi cenno di entrare. Una vista che mi ha rallegrato: una grande camera da letto bene illuminata e riscaldata da un altro fuoco di legna – questo però acceso solo di recente, perché i ceppi non erano consumati – che mandava il suo crepitio su per l'ampia cappa. Il Conte ha portato dentro il mio bagaglio e si è ritirato, dicendo, prima di richiudere l'uscio:

«Avrete bisogno, dopo il vostro viaggio, di rinfrescarvi e di rassettarvi. Spero che troverete tutto quanto vi occorre. Quando siete pronto, favorite nell'altra stanza, dove troverete la cena che vi aspetta.»

La luce e il calore, uniti al cortese benvenuto del Conte, sembravano aver fugato ogni mio dubbio e paura; e così, ritrovato il mio solito equilibrio, ho scoperto di essere letteralmente morto di fame; e, fatta una frettolosa toletta, sono tornato di là.

La cena era già servita. Il mio anfitrione, in piedi a un angolo del grande camino, appoggiandosi alla spalletta, con un aggraziato cenno della mano mi ha indicato la tavola, dicendo:

«Accomodatevi, vi prego, e mangiate a vostro piacimento. Vorrete scusarmi, spero, se non vi faccio compagnia; ma ho pranzato, e non ceno mai.»

Gli ho porto la lettera sigillata che il signor Hawkins mi aveva affidato, ed egli l'ha aperta e letta con grande attenzione; quindi, con accattivante sorriso, me l'ha tesa perché la leggessi a mia volta. Almeno un passo m'ha dato un brivido di piacere:

Mi rincresce molto che un attacco di gotta, malattia di cui cronicamente soffro, per qualche tempo mi vieti del tutto ogni viaggio; posso però dirmi lieto di mandare un valido sostituto, in cui ripongo assoluta fiducia. Egli è un giovane, pieno di energia e di talento, e capace di grandissima fedeltà. È discreto e riservato, ed è al mio servizio che ha raggiunto la maggiore età. Sarà a vostra completa disposizione durante il suo soggiorno presso di voi, eseguendo ogni vostra istruzione.

Il Conte mi è poi venuto accanto, a levare il coperchio di un piatto, e subito mi sono trovato alle prese con un eccellente pollo arrosto. Questo, insieme a del formaggio, un'insalata e una bottiglia di vecchio Tokay, di cui ho bevuto due bicchieri, è stata la mia cena. Mentre la consumavo, il Conte mi ha rivolto molte domande circa il mio viaggio e, a mano a mano, io gli andavo riferendo le mie esperienze.

Nel frattempo avevo terminato il pasto e, obbedendo al desiderio dell'anfitrione, avevo avvicinato una seggiola al fuoco, accendendomi un sigaro offertomi dal Conte, che però si è scusato per il fatto di non fumare a sua volta. Ora avevo modo di osservarlo bene e di constatare che aveva una fisionomia dai tratti assai marcati.

Il volto era grifagno, sporgente l'arco del naso sottile con le narici particolarmente dilatate; la fronte era alta, a cupola, e i capelli erano radi attorno alle tempie, ma altrove abbondanti. Assai folte le sopracciglia, quasi unite alla radice del naso, cespugliose tanto che i peli sembravano attorcigliarvisi. La bocca, per quel tanto che mi riusciva di vederla sotto i baffi folti, era dura, d'un taglio alquanto crudele, con bianchi denti segnatamente aguzzi, i quali sporgevano su labbra la cui rossa pienezza rivelava una vitalità stupefacente in un uomo così attempato. Quanto al resto, orecchie pallide, assai appuntite all'estremità superiore; mento marcato e deciso, guance sode ancorché affilate. L'effetto complessivo era di uno straordinario pallore.

Finora avevo notato solo il dorso delle sue mani posate sulle ginocchia, alla luce del fuoco: sembravano piuttosto bianche e fini; ma, trovandomele adesso proprio sott'occhio, ho constatato che erano invece piuttosto grossolane – larghe, con dita tozze. Strano a dirsi, peli crescevano in mezzo al palmo. Le unghie erano lunghe e di bella forma, e assai appuntite. Come il Conte si è chinato verso di me e le sue mani mi hanno sfiorato, non ho potuto reprimere un brivido. Può darsi che il suo alito fosse fetido, certo è che un'orribile sensazione di nausea mi ha invaso e, per quanto facessi, mi è stato impossibile celarla. Il Conte, evidentemente accortosene, si è ritratto; e, con una sorta di tetro sorriso, che gli ha messo in mostra più che mai i denti prominenti, è tornato a sedersi dall'altra parte del camino. Per un po', entrambi abbiamo taciuto; e, volgendo lo sguardo alla finestra, ho scorto la prima, pallida striscia dell'alba nascente. Uno strano silenzio sembrava posarsi su ogni cosa; ma, tendendo l'orecchio, ho udito, come se provenisse dal fondovalle, l'ululare di molti lupi. Gli occhi del Conte hanno avuto un lampo, ed egli ha detto:

«Ascoltateli, i figli della notte. Che musica fanno, eh?» Colta sul mio viso, così suppongo, un'espressione che gli riusciva strana, ha soggiunto:

«Ah, signore, voi cittadini non potete far vostri i sentimenti del cacciatore.» Quindi, levandosi:

«Ma dovete essere stanco. La vostra camera da letto è pronta, e domani potrete dormire quanto vorrete. Io dovrò assentarmi sino al pomeriggio; e così, dormite bene e sogni propizi!» E, con un cortese inchino, mi ha aperto l'uscio dello stanzino ottagonale, e io sono entrato nella mia camera...

Sono immerso in un mare di interrogativi. Dubito; temo; penso cose strane, che non oso confessare allo stesso mio cuore. Dio mi protegga, non fosse che per l'amore di coloro che mi sono cari!

7 maggio. È di nuovo mattina presto, ma ho riposato e nelle ultime ventiquattr'ore mi sono rinfrancato. Ho dormito fino a tardi, ieri, svegliandomi spontaneamente. Vestitomi, sono andato nella stanza dove avevo cenato e dove ho trovato apparecchiata una colazione fredda, il caffè tenuto al caldo in una cuccuma posta sul focolare. Sulla tavola un biglietto:

"Devo assentarmi per qualche ora. Non aspettatemi. D." Mi sono seduto e ho preso a mangiare di gusto. Finito il pasto, ho cercato un campanello con cui informare i domestici che avevo terminato, ma di campanelli neppure uno. Questa mancanza, insieme ad altre, è indubbiamente curiosa in questa casa, stando almeno alle straordinarie testimonianze di ricchezza di cui sono circondato. Il vasellame è d'oro, e così bellamente lavorato che deve essere di immenso valore. I tendaggi, i rivestimenti delle seggiole e dei divani e il baldacchino del mio letto sono delle stoffe più preziose e più belle, che dovevano essere estremamente costose quando sono state fatte, perché vecchie di secoli ancorché in ottimo stato. Ho visto qualcosa di simile a Hampton Court, solo che lì i tessuti erano lisi, logori, tarmati. E d'altro canto, non uno specchio in nessuna delle stanze; non ce n'è neanche uno piccolo, per la toletta, sul mio tavolo, e ho dovuto tirar fuori dalla valigia lo specchietto da barba per potermi radere e pettinare. Finora, non ho visto alcun domestico, e attorno al castello non ho udito un rumore, eccezion fatta per l'ululare di lupi. Dopo aver finito il pasto – non so se chiamarlo colazione o pranzo, perché dovevano essere ormai le cinque o le sei di sera – mi sono guardato in giro alla ricerca di qualcosa da leggere, non volendo andarmene per il castello senza averne prima chiesto il permesso al Conte. Nulla, assolutamente nulla nella stanza: né libro, né giornale, né l'occorrente per scrivere; e allora ho aperto un altro uscio, ed eccomi in una sorta di biblioteca. Ho tentato di aprire la porta dirimpetto: è chiusa.

In biblioteca ho trovato, con vera delizia, una gran quantità di libri inglesi, scaffali e scaffali, anzi, e riviste e giornali rilegati in volumi. Periodici e quotidiani inglesi stavano sparpagliati anche su un tavolo al centro, ancorché nessuno di data molto recente. Quanto ai libri, del genere più vario – storia, geografia, politica, economia politica, botanica, geologia, giurisprudenza –, tutti attinenti all'Inghilterra e alla vita, costumi e usanze inglesi. Ve n'erano persino di consultazione, quali la Guida di Londra, i libri "Rossi" e "Azzurri", l'Almanacco Whitaker, gli annuari dell'esercito e della marina e – il cuore mi si è aperto – l'Annuario di Giurisprudenza.

Mentre osservavo i libri, l'uscio è girato sui cardini, è entrato il Conte, mi ha salutato cordialmente, ha detto che sperava che avessi riposato bene la notte, e ha soggiunto:

«Sono lieto che abbiate trovato la biblioteca perché sono certo che contiene parecchio di interesse per voi. Questi compagni» e ha posato la mano su alcuni dei li-

25

bri «sono stati cari amici per me, e per parecchi anni, dacché ho concepito l'idea di andare a Londra, mi hanno regalato molte, molte ore piacevoli. Tramite essi, sono giunto a conoscere la vostra grande Inghilterra; e conoscerla equivale ad amarla. Non vedo l'ora di percorrere le strade affollate della vostra smisurata Londra, di trovarmi nel pieno del turbine e del tumulto di umanità, di condividerne la vita, il divenire, la morte, e tutto ciò che la fa quale è. Purtroppo, però, finora la vostra lingua la conosco solo attraverso libri. È a voi, amico mio, che mi rivolgo per sapere se la parlo e come.»

«Ma Conte» ho replicato «voi conoscete e parlate l'inglese alla perfezione!» Si è inchinato con gravità.

«Vi ringrazio, amico mio, per il vostro anche troppo lusinghiero apprezzamento, ma temo di essere ancora molto indietro lungo la strada che intendo percorrere. Vero, conosco la grammatica e i vocaboli, ma non so come pronunciarli.»

«Dico il vero» ho ribattuto «la vostra pronuncia è eccellente.»

«Suvvia, suvvia» ha fatto lui. «Be', so che, se mi trovassi nella vostra Londra, ad aggirarmici e parlare, nessuno o pochi mi scambierebbero per uno straniero. Ma questo non mi basta. Qui io sono un nobile, un *boyar*; la gente del popolo mi conosce, io sono il signore. Ma uno straniero in terra straniera non lo è affatto; la gente non lo conosce, e non conoscere equivale a non rispettare. Mi piace essere come gli altri, di modo che nessuno, al vedermi, si fermi per la strada o cessi di parlare udendo la mia voce e commenti: "Ahah, uno straniero". Sono stato così a lungo signore, che vorrei esserlo ancora, o per lo meno che nessun altro abbia potestà su di me. Voi siete venuto da me, non soltanto in veste di agente del mio amico Peter Hawkins di Exeter, per darmi tutte le delucidazioni sulla mia nuova proprietà a Londra: confido che restiate con me per un pezzo, sì che, parlando con voi, io possa far mio l'accento inglese; e gradirei che mi faceste rilevare gli errori che commetto parlando, anche i minimi. Mi dispiace di essermi dovuto assentare tanto a lungo quest'oggi, ma confido che voi saprete perdonare chi ha tante incombenze di estrema importanza per le mani.»

Naturalmente, ho fatto del mio meglio per mostrargli la mia buona disposizione, e gli ho chiesto se potevo entrare a mio piacimento in quella stanza, e lui: «Ma certo», e poi ha soggiunto:

«Potete andare ovunque vi piaccia nel castello, eccezion fatta per le stanze la cui porta sia chiusa a chiave. Lì, naturalmente non entrerete. Ci sono buoni motivi perché le cose stiano così e, se voi poteste vederle con i miei occhi, se sapeste quello che so io, forse capireste meglio.» Ho replicato che ne ero certo, e il Conte ha proseguito:

«Siamo in Transilvania. E la Transilvania non è l'Inghilterra. Le nostre costumanze non sono le vostre, e molte cose potranno apparirvi fuori del comune. Ordunque, da quanto m'avete già detto delle vostre esperienze, una idea di quali cose strane si tratti, già l'avete.»

Questo ci ha portati a discorrere ancora a lungo; ed era evidente che il Conte desiderava parlare, non fosse che per il gusto della conversazione, e gli ho rivolto molte domande riguardo a eventi già accadutimi o ai quali avevo assistito. A volte egli sfuggiva o cambiava l'argomento, fingendo di non capire; di solito, però, rispondeva con la massima franchezza a quanto gli andavo chiedendo. A mano a mano, mi sono fatto più audace, e l'ho sondato su alcune delle stranezze della notte precedente, ad esempio perché il cocchiere correva verso i punti dove aveva visto le fiamme azzurre, e il Conte allora mi ha spiegato essere credenza popolare che, in una certa notte dell'anno – per l'esattezza, proprio la scorsa, quando si ritiene che gli spiriti maligni possano fare quanto loro aggrada –, una fiamma azzurra si scorga là dove sono sepolti tesori. «E che tesori siano stati nascosti» ha proseguito «nella regione da voi attraversata la notte scorsa, difficilmente può esser messo in dubbio, trattandosi di luoghi nei quali per secoli Valacchi, Sassoni e Turchi si sono battuti, e si può ben dire che non ci sia metro di terreno in tutta questa regione che non sia stato fecondato dal sangue di uomini, patrioti o invasori. In tempi andati, c'erano periodi turbolenti in cui gli austriaci o gli ungheresi piombavano a orde, e i patrioti salivano ad affrontarli – uomini e donne, i vecchi e persino i bambini –, e si appostavano sulle rocce sovrastanti i passi, sì da far piombare loro addosso lo sterminio sotto forma di valanghe artificiali. E quando l'invasore trionfava, trovava ben poco, perché tutto quanto vi era era stato messo al sicuro nel suolo amico.»

«Ma come si spiega» ho chiesto io «che sia rimasto così a lungo celato, dal momento che ve n'è un sicuro indizio, purché gli uomini si prendano la briga di tenere gli occhi aperti?» Il Conte ha sorriso e, scostandoglisi le labbra a scoprire le gengive, i lunghi, acuminati canini hanno acquistato strano risalto; ha risposto:

«Perché il nostro contadino in fondo in fondo è un vile e uno sciocco! Quelle fiamme appaiono solo durante quell'unica notte; e in essa, nessun uomo di questa terra, se può evitarlo, metterà piede fuori dal suo uscio. E poi, caro signore, anche se lo facesse non saprebbe che pesci prendere Lo stesso contadino di cui m'avete parlato, quello che ha segnato il luogo della fiamma, non saprebbe, alla luce del giorno, dove cercare, neppure se fosse quello il suo mestiere specifico. Neanche voi, pronto a giurarlo, sareste in grado di ritrovare quei punti.»

«Qui avete ragione» ho replicato «Io non saprei più di un morto dove cercare.» E a questo punto, siamo passati ad altri argomenti.

«Forza» mi ha detto alla fine «raccontatemi di Londra e della casa che mi avete procurato.» Borbottando una scusa per la mia negligenza, sono andato in camera mia a prendere le carte dalla sacca. Mentre le riordinavo, ho udito nella stanza vicina un acciottolio di piatti e posate, e attraversandola ho notato che la tavola era stata apparecchiata e la lampada accesa, poiché ormai era buio. Le lampade erano accese anche nello studio o biblioteca che fosse, e vi ho trovato il Conte adagiato sul divano, intento a leggere, guarda caso, una guida Bradshaw in inglese. Al mio apparire, ha sgomberato il tavolo di libri e di carte, e abbiamo preso a discutere piani, cifre e progetti d'ogni specie. Di tutto s'interessava, e mi ha bombardato di domande circa il sito e i dintorni. Era chiaro che aveva studiato in precedenza tutto quanto era riuscito a procurarsi in merito alla zona, tant'è che in fin dei conti ne sapeva più di me. Gliel'ho fatto notare, e lui:

«Be', amico mio, ma non è giusto che sia così? Quando me ne andrò laggiù, sarò solo, e il mio amico Harker Jonathan – perdonatemi, mi faccio prendere la mano dall'abitudine del mio paese di anteporre il cognome al nome –, volevo dire il mio amico Jonathan Harker non sarà al mio fianco a correggermi e ad aiutarmi. Sarà a Exeter, a miglia e miglia di distanza, probabilmente alle prese con documenti legali, insieme con l'altro mio amico, Peter Hawkins. Ecco perché!»

Abbiamo esaminato a fondo l'atto di acquisto della casa di Purfleet. Gli ho esposto i fatti, gli ho fatto firmare i necessari documenti, e ho scritto una lettera indirizzata al signor Hawkins con cui accompagnare i documenti stessi; e a questo punto, il Conte ha voluto sapere come abbia fatto a scovare un sito a lui così congeniale. Gli ho letto gli appunti da me presi all'epoca, e che qui riporto:

A Purfleet, in una strada secondaria, ho trovato una casa che sembrava rispondere ai requisiti richiesti, e sulla quale faceva bella mostra un logoro cartello da cui s'apprendeva che era in vendita. È circondata da un alto muro di antica costruzione, fatto di grosse pietre e che da molti anni non ha subito riparazioni di sorta. I cancelli sbarrati sono di pesante, vecchia quercia e ferro smangiato dalla ruggine.

La proprietà è detta Carfax, senza dubbio corruzione dell'antico *Quatre Face*, essendo che la casa ha quattro lati corrispondenti ai punti cardinali. La proprietà comporta una ventina di acri, ed è interamente circondata dal muro suddetto. Vi sorgono molti alberi, che qui e là rendono il luogo tetro, e vi si trova uno stagno o laghetto che sia, profondo e buio, evidentemente alimentato da qualche sorgente, poiché l'acqua è limpida e defluisce in abbondanti rivoli. La casa, molto vasta, risale a periodi assai antichi, direi addirittura al Medioevo perché una parte di essa è di pietra di enorme spessore, con solo poche finestre alte e munite di pesanti inferriate, che sembrerebbe il residuo di un mastio; ha accanto una vecchia cappella o chiesetta. Non ho potuto entrarvi, non avendo la chiave della porta per cui vi si accede direttamente dalla casa, ma ne ho ripreso fotografie da vari punti. La casa è frutto di una serie di disordinate addizioni, ma non mi resta che indovinare l'entità della superficie coperta, che deve essere grandissima. Accanto, solo poche case, una delle quali, assai vasta, riattata di recente e trasformata in manicomio, che tuttavia non è visibile dall'interno della proprietà.

Quando ho finito, il Conte ha commentato:

«Sono lieto di sapere che è grande e vasta. Io stesso sono di una antica famiglia, e vivere in una casa nuova mi riuscirebbe insopportabile. Un edificio non può esser reso abitabile in un giorno; e in fondo, quanti pochi ne occorrono per fare un secolo! Mi compiaccio anche che ci sia un'antica cappella. Noi nobili della Transilvania non amiamo pensare che le nostre ossa debbano giacere tra morti qualsiasi. Non cerco né allegria né gioia, e neppure la luminosa voluttà del sole e le acque scintillanti che piacciono ai giovani e agli spensierati. Giovane non sono più; e il mio cuore, dopo tanti anni di lutto per i defunti, non è incline alla gaiezza. E poi, le mura del mio castello sono diroccate; molte sono le ombre, e il vento soffia gelido tra merli e bifore. Amo l'ombra e l'oscurità, e desidero restare solo con i miei pensieri non appena posso.» Non so perché, le sue parole e il suo aspetto non sembravano in accordo, o forse era perché l'espressione del volto rendeva maligno, saturnino il suo sorriso.

A questo punto, con una scusa, se ne è andato, pregandomi di riordinare i documenti. È rimasto assente per qualche tempo, e io ho preso a esaminare i libri agli scaffali. Uno era un atlante, che si è aperto alla mappa dell'Inghilterra, come se fosse stato usato molto a lungo.

Esaminandolo, ho notato in certi punti dei cerchietti, e uno di essi era alla periferia di Londra, verso est, evidentemente dove si trovava la nuova proprietà; altri due segnavano Exeter e Whitby, sulla costa dello Yorkshire.

Era trascorsa quasi un'ora quando finalmente il Conte è tornato. «Ahah» ha commentato «ancora sui vostri libri? Benone, ma non dovreste lavorare di continuo. Venite, m'è parso che la vostra cena sia pronta.» Mi ha preso per il braccio e siamo passati nella stanza accanto, dove ho trovato un eccellente pasto ad attendermi in tavola. Il Conte anche questa volta si è scusato, dicendomi che aveva mangiato fuori casa, ma come la sera prima si è seduto e, mentre cenavo, abbiamo chiacchierato. Finito di mangiare, sempre come la sera prima ho acceso un sigaro e il Conte si è trattenuto con me, parlando del più e del meno, ponendomi domande su ogni argomento pensabile, e questo per ore e ore. Avevo l'impressione che fosse ormai molto tardi, ma non ho detto nulla, sentendomi in dovere di assecondare in ogni modo i desideri del mio anfitrione. Né avevo sonno, perché la lunga dormita del giorno prima mi aveva ritemprato; e d'altro canto, non riuscivo a reprimere la sensazione di quel brivido che giunge all'approssimarsi dell'alba e che, in certo qual modo, è paragonabile al cambiamento di marea. Dicono che coloro i quali sono in punto di morte, per lo più rendano l'anima nei momenti di transizione, all'alba e al mutare della marea; e chiunque abbia sperimentato, quando sia stanco, e come incollato al suo posto, quella trasformazione che ha luogo nell'atmosfera, non faticherà a credermi. D'un tratto abbiamo sentito il canto di un gallo giungere a noi, con innaturale acutezza, nella mattutina aria limpida, e il Conte Dracula, balzando in piedi, ha esclamato:

«E che, è tornato il mattino! Come sono indiscreto a farvi restare alzato così a lungo. Dovreste rendere meno interessante la vostra conversazione sul mio nuovo e già amato paese, l'Inghilterra, per modo che io non abbia a dimenticarmi di come vola il tempo» e, con un breve inchino, se ne è andato in fretta.

Io sono tornato in camera mia e ho scostato le tende,

ma c'era ben poco da vedere: la finestra dava sul cortile, e null'altro vedevo, se non il grigio di un cielo che andava rapidamente dorandosi. Ho chiuso allora le cortine e ho scritto queste annotazioni.

8 maggio. Accingendomi a scrivere questo diario, temevo che riuscisse troppo prolisso; ora però sono lieto di essermi soffermato fin dall'inizio sui particolari, perché v'è qualcosa di così strano, in questo luogo e in quanto vi si trova, che non posso non sentirmi a disagio. Vorrei essere via di qui, al sicuro, vorrei non esserci mai venuto. Può darsi che io risenta di quest'insolita vita notturna; ma fosse tutto qui! Se avessi qualcuno con cui parlare, mi riuscirebbe tollerabile, ma non c'è nessuno. Non ho che il Conte con cui conversare, e... be', temo di essere l'unica creatura vivente in questa casa. Mi sia permesso di essere prosaico quanto i fatti stessi: mi aiuterà a sopportarli, né l'immaginazione prenderà il sopravvento su di me. Se così accadesse, sarei perduto. Voglio dire subito qual è la mia situazione – o quale mi sembra che sia.

Coricatomi, ho dormito solo poche ore e, con la sensazione di non poter dormire dell'altro, mi sono alzato. Avevo appeso lo specchietto alla finestra e ho cominciato a radermi. E d'un tratto, mi sono sentito una mano sulla spalla e ho udito la voce del Conte che mi diceva: «Buongiorno». Ho sussultato, stupito com'ero di non averlo visto, dal momento che lo specchio rifletteva l'intera stanza alle mie spalle. Nel sobbalzo, m'ero fatto un piccolo taglio, ma non l'ho notato subito. Dopo aver risposto al saluto del Conte, ho girato lo specchio per rendermi conto di come non lo avessi notato. Ma questa volta, impossibile l'errore: mi stava vicino, lo vedevo da sopra la spalla, ma nello specchio egli non si rifletteva! Scorgevo l'intera stanza dietro di me, ma in essa non vi era traccia di creatura umana, a parte me. Era sorprendente e, aggiungendosi a tante altre stranezze, non faceva che accrescere quella vaga sensazione di disagio che avevo sempre provato in presenza del Conte; e proprio in quella mi sono accorto che dalla ferita era uscita qualche goccia di sangue, e che questo mi colava sul mento. Ho deposto il rasoio, volgendomi alla ricerca di un cerotto. Come il Conte ha scorto il mio volto, eccone gli occhi accendersi di una sorta di demoniaco furore, eccolo fare un gesto, come per afferrarmi alla gola. Mi sono ritratto, e la sua mano ha sfiorato il rosario cui è appeso il crocifisso. Un subitaneo mutamento si è verificato in lui: il furore è scomparso con tanta rapidità, da farmi dubitare che ci fosse stato.

«Attento» mi ha detto «attento a non tagliarvi! È più pericoloso di quanto non crediate, in questo paese.» Quindi, dato di piglio allo specchio, ha soggiunto: «È questo dannato oggetto che ha combinato il misfatto. È un lurido strumento di umana vanità. Via!». E, aprendo la pesante finestra con uno strattone solo della mano possente, ha lanciato fuori lo specchio che è andato a frantumarsi in mille pezzi laggiù, sul selciato del cortile. Quindi, senza aggiungere verbo, se n'è andato. È una faccenda molto irritante, perché non so come farò a radermi, a meno di non servirmi della cassa del mio orologio o del fondo della scodella per il sapone, che per fortuna è di metallo.

Quando sono entrato in sala da pranzo, la colazione era pronta; ma del Conte, nessuna traccia. Ho mangiato da solo. Strano, ma finora non ho visto il Conte né mangiare né bere. Dev'essere un uomo assai singolare! Dopo colazione, mi sono dedicato a una piccola esplorazione del castello. Sono uscito sul pianerottolo e ho trovato una stanza che guarda a sud. Un panorama stupendo, che dal punto in cui mi trovavo potevo scorgere in tutta la sua magnificenza. Il castello si erge proprio sull'orlo di un orrido precipizio: una pietra gettata dalla finestra cadrebbe per mille piedi prima di toccar fondo! Fin dove giunge lo sguardo, null'altro che un mare di verdi cime d'alberi, interrotto di quando in quando da una profonda fenditura, dove c'è un abisso. Qua e là, si scorgono argentei fili, e sono i fiumi che serpeggiano in profonde gole per le foreste.

Ma non sono dell'umore più adatto a descrivere la

bellezza. Così, ammirato il panorama, ho proseguito nelle mie esplorazioni: porte, porte, porte dappertutto, e tutte chiuse e sbarrate. Nelle mura del castello, eccezion fatta per le finestre, non esistono vie d'uscita praticabili.

Il castello è un vero e proprio carcere, e io ne sono prigioniero!

III

Quando ho constatato di essere prigioniero, sono stato preso da un'ira selvaggia. Mi sono precipitato su e giù per le scale, tentando ogni uscio, guardando fuori da ogni finestra che trovassi; ma, ben presto, ogni mio sentimento è stato soverchiato dalla consapevolezza della mia impotenza. Riandando a quel momento adesso a qualche ora di distanza, ritengo di essere stato fuori di senno, perché mi sono comportato suppergiù come un topo in trappola. Pure, una volta convintomi della mia impotenza, mi sono seduto tranquillamente – sereno come se nulla mi fosse accaduto – e ho cominciato a riflettere sul da farsi. Continuo a farlo, e tuttora non sono giunto a una soluzione. Di un'unica cosa son certo, ed è che è perfettamente inutile parlarne al Conte. Questi sa bene che sono prigioniero; anzi, siccome ne è lui il responsabile, e avrà i suoi buoni motivi per farlo, non farebbe che ingannarmi dell'altro se gliene chiedessi ragione. A quel che ne capisco, non mi resta che tenere per me quanto so e le mie paure, e stare con gli occhi bene aperti. Non me lo nascondo: o sono fuorviato, come un bimbo, dai miei stessi timori, oppure mi trovo in una situazione disperata; e, qualora sia valida questa seconda ipotesi, ho bisogno, e ancor più avrò bisogno, di tutta la mia lucidità per uscirne.

Ero appena giunto a questa conclusione, quando ho udito chiudersi il gran portone d'ingresso, e ho capito che il Conte era rientrato. Non è venuto subito in biblioteca, e allora in punta di piedi sono tornato in camera mia e l'ho trovato intento a rifarmi il letto. Cosa strana, certo, ma non faceva che confermare quanto avevo fino a quel momento pensato: che non ci sono domestici in casa. Quando, più tardi, dalla fessura tra porta e stipite l'ho visto intento ad apparecchiare la tavola in sala da pranzo, ne ho avuto la riprova: giacché, se si dedica egli stesso a queste minute incombenze, è certo che non c'è nessun altro che se ne occupi. Questo mi ha dato un brivido perché, se nessun altri è presente al castello, evidentemente il cocchiere del calesse che mi ci ha portato era il Conte in persona. Terribile pensiero! Se le cose stanno così, cosa significa che abbia potuto dominare i lupi, come ha fatto, semplicemente protendendo in silenzio la mano? E come si spiega che tutta la gente di Bistrita e i passeggeri della diligenza temessero tanto per me? E che cosa vuol dire il dono del crocifisso, dell'aglio, della rosa selvatica, del pezzo di frassino? Benedetta sia quella buona, buonissima donna che m'ha messo il rosario al collo!, perché, ogniqualvolta lo tocco, mi è di conforto e mi dà forza. È strano che un oggetto che mi è stato insegnato a considerare con diffidenza, come qualcosa di idolatrico, possa essere di tanto aiuto in momenti di solitudine e turbamento. C'è qualcosa, nell'essenza stessa dell'oggetto, o questo è soltanto un veicolo, un tangibile ausilio che fa tornare a galla ricordi amabili, confortanti? Un giorno o l'altro, se sarà possibile, devo riflettere sul problema e tentare di venirne a capo. Nel frattempo, devo scoprire tutto quel che posso sul Conte Dracula, posto che ciò possa aiutarmi a capire. Questa notte, se conduco abilmente la conversazione, può darsi che mi parli di sé. Devo però stare molto attento a non risvegliarne i sospetti.

Mezzanotte. Ho avuto una lunga conversazione con il Conte. Gli ho posto alcune domande sulla storia della Transilvania, e l'argomento lo ha interessato moltissimo. Parlando di cose e persone, ma soprattutto di battaglie, lo faceva come se ne fosse stato sempre testimone oculare. Me l'ha spiegato dicendomi che, per un *boyar*, l'orgoglio della casata e del nome è il suo stesso orgoglio, che la loro gloria è la sua gloria, il loro fato il suo fato. Parlando della sua casata, diceva sempre "noi", quasi col plurale majestatis, come un sovrano. Mi piacerebbe riuscire a trascrivere esattamente tutto ciò che ha detto: per me è stato estremamente affascinante. Mi sembra che ci sia dentro l'intera storia del paese. Parlando, il Conte si è eccitato, e ha preso a passeggiare su e giù per la stanza, tirandosi i lunghi baffi bianchi e dando di piglio a quanto gli capitava sottomano, quasi a volerlo stritolare con quella sua forza terribile. E una cosa, ha detto, che desidero mettere su carta con la maggior fedeltà possibile, poiché riassume, in certo qual modo, la storia della sua stirpe:

«Noi Szekely abbiamo il diritto di essere orgogliosi, perché nelle nostre vene scorre il sangue di molte razze valorose che hanno combattuto, come leoni, per la signoria. Qui, nel calderone delle razze europee, le tribù ugre hanno portato dall'Islanda lo spirito combattivo conferito loro da Thor e da Odino, e di cui i loro guerrieri furibondi han dato prova, con tanta selvaggia furia, sulle rive dei mari, non solo d'Europa, ma anche d'Asia e d'Africa, al punto da far credere alle genti che fossero calati i lupi mannari stessi. E qui, quando giunsero, trovarono gli Unni, il cui guerresco furore aveva spazzato la terra come vivida fiamma, tanto che i popoli agonizzanti pensarono che nelle vene di quelli scorresse il sangue di quelle antiche streghe che, scacciate dalla Scizia, si erano accoppiate con i demoni del deserto. Imbecilli, imbecilli! Quale demone, quale strega può essere grande come Attila, il cui sangue scorre in queste mie vene?» E nel pronunciarlo ha levato alte le braccia. «È forse da stupirsi che fossimo una razza di conquistatori, che ne fossimo fieri, che allorché i Magiari, i Longobardi, gli Avari, i Bulgari o i Turchi si riversavano a migliaia sulle nostre frontiere, noi li respingessimo? È forse strano che quando Arpad e le sue legioni invasero la patria magiara trovassero noi qui, a guardia del confine, e che qui si sia compiuto l'Honfo

glalás? E quando la marea ungara dilagò verso est, gli
Szekely vennero proclamati consanguinei dai Magiari
vittoriosi, e a noi per secoli fu affidata la guardia alla
frontiera con la terra dei Turchi, ma che dico: la guardia in eterno perché, come affermano i Turchi stessi,
"l'acqua dorme ma il nemico veglia". Chi più lietamente
di noi, in tutte le Quattro Nazioni, accolse la "spada in-
sanguinata", e chi più veloce di noi volò al richiamo del
re, quando venne vendicata la grande onta della mia
nazione, la vergogna di Cassovia, allorché gli stendardi
dei Valacchi e dei Magiari si umiliarono alla Mezzalu-
na? E chi è stato, se non un voivoda della mia razza,
che varcò il Danubio e sconfisse i Turchi sul loro stesso
suolo? Era un Dracula! E fu gran vergogna che il suo
indegno fratello, egli caduto, vendesse il suo popolo al
Turco, riducendolo all'onta della schiavitù! E non è stato forse quel primo Dracula a ispirare quell'altro della
sua razza che, in età successiva, più e più volte guidò le
sue forze di là dal Grande Fiume, in terra turchesca; e
che, respinto, tornò ancora, e ancora, e ancora, sebbene gli toccasse riparare quasi solo dal campo insanguinato dove le sue truppe erano state massacrate, poiché
sapeva che lui, e soltanto lui, alla fine avrebbe trionfato? Dicevano che pensasse unicamente a se stesso.
Bah, che valgono dei contadini senza un capo? E che
scopo avrebbe la guerra senza un cervello e un cuore
che la guidino? E ancora, quando, dopo la battaglia di
Mohács, ci liberammo del giogo magiaro, noi del sangue dei Dracula eravamo tra i loro condottieri, poiché il
nostro spirito non poteva accettare che non fossimo liberi. Ah, giovin signore, gli Szekely – e i Dracula sono il
sangue del loro cuore, la loro mente, la loro spada –
possono vantare un passato che schiume della terra come gli Asburgo e i Romanov non possono neppure sognare! I giorni guerreschi sono finiti. Il sangue è una
cosa troppo preziosa, in questi tempi di disonorevole
pace; e le glorie delle grandi razze sono una narrazione
ormai conclusa.»

Era quasi mattino, adesso, e siamo andati a letto.
(N.B. questo diario assomiglia terribilmente all'inizio

delle *Mille e una notte*, perché tutto deve interrompersi al canto del gallo – oppure alla storia di Amleto e dello spettro di suo padre.)

12 maggio. Mi sia concesso di iniziare con fatti – fatti nudi e crudi, verificati con libri e cifre alla mano e a proposito dei quali non può sussistere dubbio. Non devo confonderli con esperienze che si fondano sulla mia sola osservazione o sul mio ricordo. Ieri sera, quando il Conte è venuto da me, ha cominciato a pormi domande su questioni legali e sul modo di condurre certe transazioni. Avevo trascorso un'uggiosa giornata sui libri e, al puro scopo di distrarre la mente, sono riandato a materie sulle quali ho passato i miei bravi esami alla Lincoln's Inn. Le domande del Conte seguivano un certo metodo, e cercherò dunque di trascriverle nel loro ordine, essere al corrente del quale potrebbe anche rivelarmisi utile, non so come né quando.

Tanto per cominciare, mi ha chiesto se in Inghilterra si possono avere uno o più legali. La mia risposta è suonata che, chi lo desideri, può averne anche una dozzina, ma che non sarebbe saggio averne più di uno per una certa transazione, dal momento che a uno solo alla volta è lecito intervenire e un cambiamento indubbiamente danneggerebbe i propri interessi. Ne è sembrato affatto convinto, e ha proseguito domandandomi se ostavano difficoltà d'ordine pratico all'assumerne uno che si occupasse, ad esempio, degli aspetti bancari, e un altro di spedizioni, nel caso fosse necessario un ausilio locale in luogo distante dalla residenza del procuratore incaricato delle operazioni bancarie. L'ho pregato di spiegarsi meglio, per non correre il rischio di metterlo fuori strada, e lui:

«Vi farò un esempio. Il nostro comune amico, il signor Peter Hawkins, all'ombra della vostra bella cattedrale di Exeter, che è lontana da Londra, acquista, per conto mio e per vostro tramite, una residenza a Londra. Benone! Ora, concedetemi di dirvi francamente, affinché non troviate strano che abbia sollecitato gli uffici di una persona così lontana da Londra anziché di qualcuno che vi risieda, che ero mosso dall'intento di evitare che interessi locali pregiudicassero o intralciassero i miei desideri; e siccome un procuratore residente a Londra potrebbe fors'anche avere scopi suoi personali o di amici da favorire, ecco che il mio agente me lo son ocercato tanto lontano: un agente le cui fatiche fossero a mio esclusivo beneficio. Ora, supponiamo che io, che di affari ne ho tanti, desideri spedire merci, diciamo, a Newcastle o a Durham, a Harwich o a Dover: ebbene, non sarei agevolato se potessi affidare l'incarico a un agente in uno di questi porti?» Gli ho risposto che senza dubbio sarebbe così, e che d'altra parte noi procuratori abbiamo un sistema di reciproci collegamenti, ragion per cui qualsiasi operazione può essere eseguita in loco su istruzioni di qualsiasi legale. Così il cliente, affidandosi alle mani di un'unica persona, può contare su un servizio completo senz'altre preoccupazioni.

«Ma» ha replicato il Conte «potrei essere anche libero di agire personalmente. Non è così?»

«Certamente» è stata la mia risposta, e ho soggiunto che «molti uomini d'affari spesso lo fanno, qualora non vogliano che l'insieme delle loro transazioni sia noto ad altri.»

«Bene!» ha commentato il Conte, e poi è passato a interrogarmi sui mezzi atti a compiere consegne e alle pratiche necessarie, nonché sulle difficoltà d'ogni genere che potrebbero insorgere, ma contro le quali sia possibile premunirsi. Gli ho delucidato tutti questi aspetti meglio che potevo, e indubbiamente mi ha dato l'impressione che sarebbe stato un procuratore abilissimo, nulla essendoci che non prendesse in considerazione o non prevedesse. Per essere un uomo che non ha mai messo piede in Inghilterra, e che evidentemente non ha una grande esperienza d'affari, devo dire che dimostra un'intelligenza e un acume straordinari. Soddisfatta la sua curiosità circa i problemi intavolati, e dopo che gli ho convalidato le mie risposte nei limiti del possibile con il ricorso ai libri disponibili, all'improvviso eccolo alzarsi in piedi e domandare:

«Avete scritto di nuovo al nostro amico Peter Hawkins

o a qualcun altro, dopo quella prima lettera?» È stato col cuore alquanto pesante che ho risposto di no, non avendo avuto sino a quel momento l'occasione di spedire missive a chicchessia.

«E allora, scrivete adesso, mio giovane amico» mi ha esortato posandomi una greve mano sulla spalla. «Scrivete al nostro amico o a chi volete e diteglì, se non vi dispiace, che vi tratterrete con me ancora per un mese.»

«Volete che resti qua così a lungo?» ho domandato, e al pensiero mi sono sentito gelare il cuore.

«Lo desidero moltissimo, e non ammetterò dinieghi. Quando il vostro principale, datore di lavoro o quel che volete, mi ha annunciato che avrebbe mandato qualcuno al suo posto, era sottinteso che solo delle mie esigenze si dovesse tener conto. Non ho posto limiti. Non è forse così?»

Che potevo fare, se non chinare il capo in segno di assenso? Ero lì per fare gli interessi del signor Hawkins, non certo i miei, ed era a lui, non a me, che dovevo pensare; e poi, mentre parlava, negli occhi e nell'atteggiamento del Conte Dracula c'era qualcosa che mi ricordava che io ero un prigioniero e che, anche volendolo, non avevo scelta. Nel mio cenno, il Conte ha letto la sua vittoria, il suo predominio nel turbamento sul mio volto, e infatti non ha esitato un istante a farne uso, sia pure con quei suoi modi cortesi, irresistibili:

«Vi prego, mio buon amico, di non parlare, nelle vostre lettere, di null'altro che d'affari. Senza dubbio, i vostri amici saranno lieti di apprendere che state bene e che desiderate tornare a casa a rivederli. Non è così?» E, dicendolo, mi ha porto tre fogli di carta e altrettante buste. Erano di quelle sottilissime, destinate all'estero, e a guardarle per poi volgere gli occhi a lui e notarne il sorriso tranquillo e i lunghi canini acuminati sporgenti sul rosso labbro inferiore, ho capito, con la stessa chiarezza che se l'avesse detto, di dover stare attento a ciò che scrivevo, perché non avrebbe mancato di leggerlo. Ho deciso pertanto di scrivere, al momento, solo di cose ufficiali, ma segretamente di rivelare per iscritto ogni cosa al signor Hawkins, e anche a Mina, alla quale potevo farlo in stenografia, in forma cioè illeggibile per il Conte Scritte le mie due lettere, me ne sono rimasto tranquilla mente a sedere leggendo un libro mentre il Conte pren deva appunti compulsando, per farlo, certi libri che ave va sul tavolo. Quindi ha preso le mie due missive, le ha unite alle sue, ha riposto il servizio da scrittoio, dopodi ché, non appena l'uscio gli si è chiuso alle spalle, mi so no chinato a guardare le lettere, che stavano capovolte sul tavolo. E non ho provato rimorso alcuno perché, da te le circostanze, ho sentito di dovermi difendere con ogni mezzo.

Una delle lettere era indirizzata a Samuel F. Billing ton al numero 7 del Crescent, Whitby, un'altra a Herr Leutner, Varna; la terza alla ditta Coutts & Co., Londra, e la quarta ai signori Clopstock & Billreuth, banchieri, Budapest. La seconda e la quarta non erano sigillate. Stavo per sfilarle dalla busta, quando ho visto la mani glia della porta muoversi. Mi sono lasciato ricadere nel la poltrona, appena in tempo a rimettere le missive al loro posto e a riprendere il libro prima che il Conte, te nendo in mano un'altra lettera, rientrasse nella stanza. Ha preso quelle sul tavolo, le ha accuratamente sigilla te, quindi mi ha detto:

«Spero che vorrete perdonarmi, ma questa sera ho molte faccende da sbrigare in privato. Spero che trove rete tutto quanto fa al caso vostro.» Sull'uscio si è volta to, e dopo una breve pausa ha soggiunto:

«Mi sia concesso di darvi un consiglio, mio giovane amico, anzi di avvertirvi in tutta serietà che, se lasciaste queste stanze, non avreste la possibilità di dormire in nessun'altra parte del castello. È vetusto, contiene mol te memorie e riserva brutti sogni a coloro che si metto no a dormire mossi da imprudenza. In guardia, dun que! Se ora o in un altro momento vi cogliesse il sonno, o lo sentiste arrivare, affrettatevi a tornare nella vostra camera o in queste stanze, dove dormirete in pace. Ma se foste imprudente, allora...» Ha concluso il discorso in modo da farmi rabbrividire: con il gesto di chi si lava le mani. Ho capito perfettamente; avevo un unico dubbio, e cioè se i miei sogni sarebbero stati più terribili dell'orrenda, innaturale rete di cupezza e mistero che sembrava serrarmisi attorno.

Più tardi. Confermo le ultime parole scritte, ma adesso non ho dubbi. Non avrò più paura di dormire dove che sia, purché lontano da lui. Ho messo il crocifisso a capo del mio letto, e penso che così il mio riposo sarà senza brutti sogni; e ve lo lascerò.

Quando il Conte se n'è andato, sono tornato in camera mia. Di lì a poco, non udendo alcun rumore, sono uscito e ho imboccato la scala di pietra che portava al punto da cui potevo spaziare con lo sguardo verso sud. Da quell'ampia distesa, per quanto mi fosse inaccessibile, mi veniva un senso di libertà se la paragonavo all'angusta oscurità del cortile. E d'altro canto, distogliere lo sguardo da questo mi faceva sentire realmente in un carcere, e mi dava il desiderio di una boccata d'aria fresca, sia pure notturna. Comincio ad avere la sensazione che questo vegliare nottetempo produca effetti negativi su di me: i miei nervi stanno andando a pezzi. Sussulto alla vista della mia stessa ombra, e sono tormentato da ogni sorta di orribili fantasie. Dio sa se in questo maledetto castello non esistono motivi di terrore! Spingevo lo sguardo per la splendida distesa bagnata dal morbido raggio argenteo della luna sì che sembrava giorno, e nella dolce luce le alture distanti era come se si stemperassero, e le ombre delle vallate e delle gole apparivano di velluto nero. Bastava la bellezza a ridarmi animo; c'era pace e conforto in ogni respiro che traevo. Mentre mi sporgevo dalla finestra, il mio sguardo è stato attratto da qualcosa che si muoveva un piano sotto al mio e verso sinistra, là dove pensavo che, stando alla disposizione delle stanze, si dovessero trovare le finestre di quella del Conte. La finestra alla quale mi affacciavo era alta e profonda, con il davanzale di pietra che, per quanto logorato dal tempo, era ancora intero; da molto però mancavano gli infissi. Tenendomi al riparo dello stipite, ho guardato con maggior attenzione.

Quella che avevo scorto era la testa del Conte che si

sporgeva dalla finestra. Non ne vedevo il volto, ma lo riconoscevo dal collo e dal movimento di spalle e braccia. E comunque, non avrei potuto sbagliarmi sulle mani che avevo avuto tante occasioni di studiare. Dapprima ne sono stato interessato e alquanto divertito, poiché è straordinario come un prigioniero possa distrarsi con un nonnulla. Ma questa mia prima impressione si è tramutata in ripugnanza e in terrore, allorché ho visto l'uomo tutto quanto uscire lentamente dalla finestra, e prendere a strisciare giù per il muro del castello, al di sopra dello spaventevole abisso; *a faccia in giù*, il mantello aperto a guisa di due grandi ali. Dapprima non sono riuscito a credere ai miei occhi. Ho pensato che fosse un miraggio prodotto dalla luce della luna, un bizzarro gioco di ombre; ma ho continuato a guardare: non m'ingannavo. Vedevo le dita delle mani e dei piedi aggrapparsi ai margini delle pietre, messi a nudo dagli anni che avevano asportato la malta, e così il Conte, servendosi di ogni aggetto e irregolarità, si muoveva verso il basso con notevole rapidità, esattamente come una lucertola su un muro.

Che razza d'uomo è questi, o che specie di creatura è sotto sembianze umane? Il terrore di questo luogo orribile mi sovrasta; sono in preda alla paura, a una paura schiacciante, e per me non c'è scampo; sono accerchiato da terrori ai quali non oso neppure pensare...

15 maggio. Ho visto ancora il Conte uscire a mo' di lucertola. Si dirigeva verso il basso, in diagonale, a una trentina di metri sotto di me, e parecchio a sinistra. È scomparso in un foro o finestra. Non appena la testa è penetrata all'interno, mi sono sporto di più per vedere meglio, ma invano: la distanza era eccessiva per permettere una perfetta visuale. Ora sapevo che aveva lasciato il castello, e mi sono proposto di approfittare dell'occasione per esplorarlo più di quanto non avessi osato fino a quel momento. Sono tornato in camera mia, ho preso una lampada, ho tentato tutte le porte: tutte sbarrate, come m'aspettavo, e con chiavistelli relativamente nuovi. Ma ho sceso la scala di pietra, giungendo all'atrio nel quale ho messo piede al momento del mio arrivo, e ho constatato che potevo far scorrere chiavistelli e catenacci senza troppa fatica; però il portone era anche chiuso a chiave, e questa mancava! Deve trovarsi nella stanza del Conte; devo andare a vedere, mi son detto, se per caso l'uscio ne è aperto, impadronirmene e fuggire. E intanto, ho continuato il mio attento esame di scale e corridoi, tentando di aprire tutte le porte che davano su di essi. Un paio di stanze vicino all'atrio erano aperte, ma in esse null'altro che vecchi mobili, impolverati e tarlati. Finalmente, in cima alla scala, ho trovato una porta che, sebbene sembrasse chiusa, ha ceduto leggermente alla mia pressione. Ho spinto con più forza, constatando che non era sbarrata e che la resistenza derivava dal fatto che i cardini avevano ceduto, sicché il pesante uscio gravava sul pavimento. Era un'occasione che forse non si sarebbe ripresentata e, raccogliendo le mie forze, sono riuscito ad aprirla tanto da poter entrare. Mi trovavo adesso in un'ala del castello più a destra del gruppo di stanze che conoscevo, un piano più in basso. Dalle finestre, potevo constatare che quell'appartamento era situato nell'ala sud del castello; le finestre dell'ultima camera guardavano tanto a ovest quanto a meridione, entrambe sovrastanti un grande precipizio. Il castello si erge sullo sperone di una grande roccia, sì da essere del tutto imprendibile da tre lati, e grandi finestre si aprivano qui, fuori tiro da catapulte, archi o colubrine, e pertanto qui si poteva godere di luce e comodità impossibili in posizioni che andassero vigilate. A ovest una grande valle, e quindi, lontani, immensi massicci frastagliati, picco dopo picco, nude rocce macchiate di frassini e dumeti le cui radici si aggrappano alle fessure, ai crepacci, alle cavità tra le pietre. Era quella, evidentemente, l'ala del castello abitata in tempi andati dalle donne, e infatti l'arredamento aveva un'aria più comoda che nelle altre. Le finestre erano prive di tende, e la gialla luce della luna, filtrando dalle vetrate diamantine, permetteva di riconoscere persino i colori, in pari tempo vellutando lo strato di polvere che copriva tutto e in parte mascherava i danni del tempo e dei tarli. La lampada serviva a ben poco, nella chiara luce lunare, ma ero lieto di averla con me, perché in quel luogo regnava una solinga tetraggine che mi gelava il cuore e mi faceva tremare le vene. Pure, sempre meglio che starmene solo nelle stanze che ero giunto a odiare per via della presenza del Conte, e dopo qualche sforzo inteso a ferrarmi i nervi, ho avvertito una dolce calma invadermi. Eccomi qui, seduto a un tavolino di quercia al quale forse, in tempi andati, una bella dama era intenta a vergare, con molte esitazioni e mille rossori, una sgrammaticata lettera d'amore, e intento a mia volta a stenografare nel mio diario tutto quanto è accaduto da quando l'ho chiuso l'ultima volta. Siamo nel diciannovesimo secolo, oggigiorno, ed è un secolo implacabile. Pure, se i sensi non m'ingannano, quelli andati avevano e conservano poteri loro propri, che la "modernità" non basta a uccidere.

Più tardi, mattino del 16 maggio. Dio preservi il mio equilibrio mentale, perché a tanto son giunto! Quanto all'incolumità e alla garanzia di incolumità, son cose del passato. Finché resto qui, c'è da sperare solo in una cosa, ed è di non impazzire, se già non lo sono. E se pazzo non sono, indubbiamente c'è da perdere il senno a pensare che, di tutte le luride cose che si celano in questo luogo odioso, il Conte è per me la meno spaventosa; che solo da lui posso aspettarmi salvezza, ma questo soltanto finché servo ai suoi scopi. Gran Dio! Dio misericordioso! Dammi la calma, perché appena fuori da questa strada sta in agguato la follia. Comincio a vedere sotto una nuova luce cose che mi avevano lasciato perplesso. Fino a questo momento, non avevo capito appieno quel che intendeva Shakespeare quando fa dire ad Amleto:

> *My tablets! Quick, my tablets!*
> *'tis meet that I put it down,* ecc.[1]

---

[1] "Le mie tavolette! Presto le mie tavolette! È bene che io registri questo" ecc. (*Amleto*, I, v). Le "tavolette" erano una sorta di agenda dell'epoca. (*NdT*)

perché ora, con la sensazione che il mio cervello se ne sia andato a spasso o che il colpo toccatomi debba segnare la fine del mio equilibrio, mi aggrappo al diario per trovar requie. L'abitudine di registrare tutto con accuratezza non può non avere un effetto lenitivo.

Il misterioso avvertimento del Conte, sul momento mi aveva spaventato; ma adesso, se ci ripenso, più ancora mi spaventa, perché significa che in futuro egli eserciterà un malefico potere su di me. Avrò paura di dubitare di qualsiasi cosa mi dirà!

Dopo aver vergato il diario e averlo accuratamente riposto in tasca insieme con la penna, mi sono sentito assonnato. Mi è tornato, sì, alla mente l'avvertimento del Conte, ma mi piaceva l'idea di disobbedirgli. Il sonno si impadroniva di me, con l'insistente torpore che lo precede. La morbida luce della luna era distensiva, e l'ampio panorama mi dava un senso di confortante libertà. Ho deciso di non far ritorno nelle stanze visitate dalla tetraggine, ma di dormire là dove, in tempi andati, dame gentili se ne stavano a cantare e a condurre dolci vite, i cuori gentili rattristati dalla lontananza dei loro uomini impegnati in distanti, spietate guerre. Ho cavato un gran divano da un angolo, in modo che, standovi disteso, potessi ammirare l'amabile panorama a est e a sud, e senza pensare affatto alla polvere, a essa del tutto indifferente, mi sono accinto a dormire. Penso di essermi addormentato; anzi lo spero, ma temo di no, perché tutto ciò che è accaduto era straordinariamente reale – così reale che, a starmene seduto qui ora, nella grande, chiara luce del sole mattutino, non riesco assolutamente a convincermi che di sonno si sia trattato.

Non ero solo. La stanza era la stessa, immutata sotto ogni riguardo dacché vi avevo messo piede; scorgevo sul pavimento, al lume della luna, le orme dei miei passi là dove avevo disturbato il lungo accumulo di polvere. Di fronte a me, nel raggio dell'astro notturno, erano tre donne giovani, dame nell'abbigliamento e nel tratto. Al primo vederle, ho creduto di sognare perché, sebbene avessero la luna alle spalle, non proiettavano ombra alcuna sul pavimento. Mi si sono accostate, guardandomi per un po', quindi sussurrando tra loro. Due erano brune, con nasi aquilini come quello del Conte, e grandi occhi scuri, penetranti, che sembravano quasi rossi nel lucore giallo pallido della luna. La terza era bionda come più non si può essere, con grandi masse di capelli d'oro ondulati, e occhi come pallidi zaffiri. Avevo l'impressione, non so perché, di conoscerne il volto, e che fosse correlato a un onirico timore, ma non sono riuscito a ricordare, al momento, il dove e il come. Tutte e tre avevano candidi denti smaglianti che scintillavano come perle sulle labbra rosse e voluttuose. Provavo, per esse, qualcosa che mi metteva a disagio, una brama e in pari tempo una paura mortale. Avvertivo in cuor mio un perverso, ardente desiderio di essere baciato da quelle rosse labbra. Non è bene che io lo scriva; ma è la verità. Le tre bisbigliavano tra loro, e quindi tutt'e tre si sono messe a ridere – una risata argentina, musicale, ma aspra da far sembrare che mai suono simile potesse uscire da molli bocche umane. Era come l'intollerabile, tinnante dolcezza di un'armonica a bicchieri suonata da un'abile mano. La fanciulla bionda ha scosso il capo con civetteria, e le altre due l'hanno incoraggiata. Una ha detto:

«Avanti, sei la prima. Dopo tocca a noi. Hai il diritto di cominciare.» E l'altra:

«È giovane e forte; ci sono baci per tutte noi.» Io me ne stavo immobile, sogguardando di sotto le palpebre, in un tormento di deliziosa attesa. La fanciulla bionda si è accostata e si è chinata su di me tanto che sentivo il suo alito sfiorarmi. Dolce, era, in un certo senso dolce come il miele, e mi ha comunicato lo stesso brivido della sua voce, ma con qualcosa di acre sotteso alla dolcezza, alcunché di oltraggiosamente acre, come odor di sangue.

Non osavo sollevare le palpebre, ma guardavo e vedevo perfettamente. La ragazza si è inginocchiata e si è protesa su di me, con avidità, sì. C'era una manifesta voluttà che era insieme elettrizzante e repulsiva, e mentre piegava il collo si è leccata le labbra proprio come un animale, e al lume di luna ho veduto scintillare le labbra umide e scarlatte, e la lingua rossa lambire i denti bianchi e appuntiti. Giù, sempre più giù scendeva il suo capo, e le labbra si sono allontanate dalla mia bocca e dal mio mento, sì che parevano prossime ad attaccarmisi alla gola. Poi si è arrestata, e ho udito il risucchio della lingua che leccava denti e labbra, e ho potuto avvertire il fiato caldo sul collo. E la pelle mi si è accapponata come quando una mano ci si accosta per farci il solletico, vicina, sempre più vicina. Quindi il tocco delle labbra duttili, frementi, sulla pelle sensibilissima della gola, e il duro contatto di due denti acuminati, che sfiorano appena e si fermano. Ho chiuso gli occhi in un'estasi di languore, e ho atteso, atteso col cuore che mi batteva forte.

Ma proprio in quell'istante, un'altra sensazione mi ha attraversato, rapida come un lampo. Ero consapevole della presenza del Conte, del suo essere lì, in preda a una tempesta d'ira. Gli occhi mi si sono riaperti involontariamente, e ho visto la sua forte mano afferrare il fragile collo della donna bionda e, con gigantesca possanza, tirarla indietro, e gli occhi azzurri della fanciulla erano stravolti dall'ira, i denti bianchi digrignanti, le belle guance ardenti di collera. Ma il Conte! Mai avrei immaginato simili rabbia e furore, neppure tra i diavoli dell'inferno. Aveva gli occhi letteralmente fiammeggianti, e la luce rossa in essi era immonda, come se le fiamme dell'abisso ardessero dietro le sue pupille. Aveva il volto mortalmente pallido, e i tratti ne erano tesi come cavi d'acciaio; le folte sopracciglia, che sopra il naso s'univano, sembravano ora una pesante barra di metallo incandescente. Con un violento strattone ha scagliato la donna lontano da sé, e alle altre due ha indirizzato un gesto di ripulsa: lo stesso, imperioso movimento che gli avevo visto fare di fronte ai lupi. Con voce che, sebbene bassa, anzi quasi un sussurro, sembrava squarciare l'aria e rimbombare nella stanza, ha detto:

«Come osate toccarlo, voialtre? Come osate mettergli gli occhi addosso, quando io ve l'ho proibito? Indietro, vi dico! Quest'uomo appartiene a me! Attente a non tentare di avvicinarlo, o avrete a che fare con me.» La fanciulla bionda, con una risata di ribalda civetteria, ha ribattuto:

«Tu, tu che mai hai amato, che sei incapace di amare!» Le altre si sono unite a lei in una risata priva di gaiezza, dura, inanimata, che ha echeggiato nella stanza, e all'udirla mi sono sentito poco meno che svenire: la si sarebbe detta un'allegria da demoni. Poi il Conte si è volto e, dopo avermi scrutato attentamente, ha detto in un lieve sussurro:

«Sì, anch'io so amare, e voi stesse ne avete avuto la riprova in passato. Non è forse così? Be', vi prometto che, quando avrò finito con lui, potrete baciarlo a volontà. Ma ora via, via! Devo svegliarlo, perché c'è del lavoro da compiere.»

«E per noi niente, questa notte?» ha chiesto una delle tre con una bassa risata, indicando la sacca che il Conte aveva gettato sul pavimento e che si muoveva come se contenesse qualcosa di vivo. Per tutta risposta, egli ha annuito, e allora una delle donne è balzata ad aprirla. Se le orecchie non mi hanno ingannato, c'è stato un ansito e un breve vagito, come di un bambino semisoffocato. Le donne si sono assiepate attorno alla sacca, mentre io ero impietrito dall'orrore; ma quando ho riaperto gli occhi erano scomparse, e con esse l'orrido involto. Non c'era uscio vicino a esse, né avrebbero potuto passarmi accanto senza che me ne avvedessi. Erano semplicemente parse svanire nei raggi della luna e uscire dalla finestra, perché per un istante ne ho scorto, lì fuori, le vaghe figure nebulose, prima che si dileguassero del tutto.

Poi l'orrore mi ha sopraffatto, e sono sprofondato nell'incoscienza.

IV

DIARIO DI JONATHAN HARKER
(continuazione)

Mi sono svegliato nel mio letto. Sempreché io non abbia sognato, a portarmici deve esser stato il Conte. Ho tentato di darmi una spiegazione, ma senza riuscire a giungere a conclusioni certe. Senza dubbio, c'erano alcuni piccoli indizi, come ad esempio il fatto che i miei indumenti fossero ripiegati in maniera diversa dalle mie abitudini, che l'orologio non fosse stato ricaricato mentre io ho la ferrea abitudine di farlo come ultima cosa prima di addormentarmi, e altri particolari del genere. Ma nessuno di essi è una prova, poiché possono costituire altrettante conferme che la mia mente non era nel suo solito stato e, per un motivo o per l'altro, ero certamente assai sconvolto. Devo cercare prove. Di una cosa sono lieto: se è stato il Conte a portarmi qui e a spogliarmi, doveva avere molta fretta, perché le mie tasche sono quali erano. Sono certo che il diario avrebbe rappresentato per lui un mistero che non gli sarebbe riuscito di risolvere, e se ne sarebbe impadronito o l'avrebbe distrutto. Mi guardo in giro per la stanza la quale, sebbene prima mi ispirasse tanto timore, ora è per me una sorta di santuario, poiché nulla può esserci di più spaventoso di quelle atroci donne, le quali volevano – le quali *vogliono* – succhiarmi il sangue.

18 maggio. Sono sceso a dare un'altra occhiata a quella stanza alla luce del giorno, perché *devo* sapere la verità. Giunto all'uscio in cima alla scala, l'ho trovato chiuso: era stato sbattuto contro lo stipite con tanta forza che il pannello era scheggiato. Il chiavistello, come mi sono accorto, non era stato tirato: la porta era sbarrata dall'interno. Temo proprio che non si sia trattato di un sogno, e devo comportarmi di conseguenza.

19 maggio. Non c'è dubbio, sono in trappola. Ieri sera il Conte mi ha pregato, con il più soave dei toni, di scrivere tre lettere, una in cui si dica che il mio lavoro qui è quasi finito e che partirò tra pochi giorni, un'altra che partirò la mattina successiva alla data della lettera, e la terza che ho lasciato il castello e sono arrivato a Bistritz. Sono stato tentato di ribellarmi, ma poi mi sono detto che, date le circostanze, sarebbe follia contrariare apertamente il Conte, ora che sono così totalmente in suo potere; e opporre un rifiuto significherebbe risvegliare i suoi sospetti e provocarne la collera. Egli si rende conto che so troppe cose, e che non devo sopravvivere, altrimenti costituirei un pericolo per lui; unica mia via d'uscita è tentare di guadagnar tempo. Può accadere qualcosa che mi offra una possibilità di fuga. Nei suoi occhi ho scorto i prodromi di quell'ira che si è manifestata quando ha scagliato lontano da sé la donna bionda. Mi ha spiegato che le diligenze sono poche e malsicure, e che scrivendo quelle lettere avrei rassicurato i miei amici; e mi ha garantito con tanto vigore che avrebbe fermato le ultime due, facendole restare a Bistritz fino al momento giusto, caso mai dovessi prolungare ancora la mia permanenza, che oppormi a lui avrebbe voluto dire insospettirlo ancor più. Sicché ho finito per accondiscendere alle sue proposte, chiedendogli quali date dovessi apporre alle missive. Dopo un istante di riflessione, mi ha risposto:

«Sulla prima, il 12 giugno, il 19 giugno sulla seconda, e il 29 giugno sulla terza.»

Adesso so quanto ancora mi resta da vivere. Che Dio mi aiuti!

28 maggio. C'è una possibilità di fuga, o per lo meno di far giungere mie notizie a casa. Un gruppo di Szgany è giunto al castello e si è accampato nel cortile. Questi Szgany sono zingari; ne ho trovato notizia nel mio libro. Sono tipici di queste regioni, per quanto apparentati con tutti gli altri zingari del mondo. Ve ne sono migliaia in Ungheria e in Transilvania, e campano ai margini della legge. Di norma, si mettono al servizio di qualche grande aristocratico o *boyar*, di cui assumono il nome. Sono impavidi e non hanno religione, ma solo superstizioni e parlano unicamente i vari dialetti della lingua *roman*.

Scriverò qualche lettera indirizzata ai miei, e cercherò di convincerli a spedirle. Ho già parlato con loro dalla finestra, tanto per fare conoscenza, e quelli si sono tolti il cappello e hanno abbozzato inchini, e fatto molti altri gesti che non ho capito più di quanto comprenda ciò che dicono...

Ho scritto le lettere. Quella a Mina è stenografata, e in quella indirizzata al signor Hawkins gli chiedo semplicemente di mettersi in contatto con lei, alla quale ho spiegato la situazione in cui mi trovo, tralasciando però gli orrori che del resto posso solo sospettare. Se dovessi scriverle a cuore aperto, la getterei nell'angoscia e nel più mortale dei terrori. Se le lettere non partissero, ebbene, il Conte non perverrà a conoscere il mio segreto né l'entità di ciò che ho scoperto...

Ho consegnato le lettere; le ho lanciate attraverso le sbarre della finestra insieme a una moneta d'oro, cercando di far capire, con tutti i gesti possibili, che dovevano essere spedite. L'uomo che le ha raccolte se le è premute sul cuore, si è inchinato, se le è messe nel berretto. Di più non potevo fare. Sono tornato in punta di piedi nello studio e mi sono messo a leggere. Visto che il Conte non veniva, ho vergato queste righe...

Il Conte è venuto. Mi si è seduto accanto e, con la più garbata delle voci, aprendo due delle lettere ha detto:

«Gli Szgany m'hanno dato queste, non so donde provengano ma naturalmente me ne accerterò. Guarda,

guarda!» evidentemente gli era bastata un'occhiata «una è scritta da voi, e al mio amico Peter Hawkins L'altra...» e a questo punto ha notato gli strani caratteri, e il volto gli si è oscurato, gli occhi hanno avuto un lampo perfido «l'altra è una cosa indegna, un oltraggio all'amicizia e all'ospitalità! Non è firmata. Bene, quand'è così non ci interessa.» E, con tutta tranquillità, ha avvicinato lettera e busta alla fiamma della lampada, fino a ridurle in cenere. Poi ha proseguito:

«La lettera a Hawkins... Be', quella naturalmente la spedirò, visto che è vostra. Le vostre missive per me sono sacre. Vogliate scusarmi, amico mio, se inconsapevolmente ho spezzato il sigillo. Non volete richiuderla?» Mi ha porto la lettera e, con un corretto inchino, mi ha dato una busta nuova. Non ho potuto far altro che riscrivere l'indirizzo e consegnargliela in silenzio. Quand'è uscito dalla stanza, ho udito la chiave girare piano nella serratura. Un istante dopo, sono corso all'uscio, l'ho tentato: era serrato.

Quando, un paio d'ore dopo, il Conte è tornato in silenzio nella stanza, mi ha risvegliato perché mi ero addormentato sul divano. I suoi modi sono apparsi estremamente cortesi e cordiali; accortosi che avevo dormito, ha detto:

«Oh, amico mio, siete stanco? Andate a letto. È quello il miglior luogo di riposo. Questa sera può darsi che io non abbia il piacere di conversare con voi, perché ho molte incombenze da sbrigare. Ma voi dormite pure, ve ne prego.» Sono andato in camera mia e mi sono messo a letto e, strano a dirsi, ho dormito senza sogni. La disperazione ha le sue calme.

31 maggio. Stamane, quando mi sono svegliato, ho pensato di prendere carta e buste dalla mia valigia e di tenermele in tasca, allo scopo di poter scrivere se me ne si fosse offerto il destro, ma un'altra sorpresa, un nuovo colpo m'attendevano!

Sparito fin l'ultimo pezzo di carta, e con esso tutte le mie annotazioni, i miei appunti relativi a ferrovie e altri mezzi di trasporto, la mia lettera di credito, in una parola tutto quanto potrebbe essermi utile una volta fuori dal castello. Sono rimasto seduto a riflettere, quindi mi è balenata un'idea: sono andato a frugare nel mio baule e nell'armadio in cui avevo riposto gli abiti.

Il vestito con il quale sono arrivato era scomparso, e lo stesso dicasi del cappotto e della coperta da viaggio: non ce n'era più traccia. Deve trattarsi di una nuova macchinazione...

17 giugno. Stamane, mentre, seduto sull'orlo del letto, mi lambiccavo il cervello, dall'esterno mi è giunto uno schioccare di fruste e il tuonare e il raschiare di zoccoli equini per il sentiero sassoso di là dal cortile. Gioiosamente sono volato alla finestra, e ho visto entrare nel cortile due grandi carri tirati ognuno da otto robusti cavalli, e alla testa di ogni pariglia uno slovacco con il suo grande cappello, il cinturone borchiato, sudice pelli di pecora, stivaloni. In mano, costoro reggevano lunghe stanghe. Mi sono precipitato alla porta con l'intento di scendere da basso e raggiungerli passando per l'atrio, persuaso che il portone fosse stato aperto per farli entrare. Altra sorpresa: il mio uscio era chiuso dall'esterno.

Sono allora corso alla finestra, mi son messo a gridare. Hanno alzato la testa con aria inebetita indicandomi l'uno all'altro, ma proprio in quella ecco uscire lo *hetman* degli Szgany e, accortosi che accennavano alla mia finestra, ha detto qualcosa, e quelli giù a ridere. Da quel momento, nessun mio sforzo, nessuna disperata supplica, nessun grido di strazio è bastato a far sì che anche solo volgessero lo sguardo a me. Mi davano ostentatamente le spalle. I carri contenevano grandi casse rettangolari con maniglie di robusta corda; erano evidentemente vuote, a giudicare dalla facilità con cui gli slovacchi le maneggiavano, oltre che dal suono che producevano mentre venivano spostate senza troppi riguardi. Una volta che sono state tutte scaricate e accatastate in un angolo del cortile, lo Szgany ha dato del denaro agli slovacchi i quali, sputando sulle monete in segno di buon augurio, pigramente sono tornati ai loro cavalli. E poco dopo, ho sentito lo schiocco delle fruste svanire in lontananza.

24 giugno, prima dell'alba. Ieri sera il Conte mi ha lasciato di buon'ora e si è chiuso nella sua stanza. Non appena ho osato farlo, ho imboccato di corsa la scala a chiocciola, e mi sono affacciato alla finestra che dà a sud. La mia intenzione era di sorvegliare il Conte, perché sta accadendo qualcosa. Gli Szgany si sono acquartierati in qualche punto del castello, e stanno lavorando non so a che. Ne ho la certezza perché, di tanto in tanto, odo un rumore lontano, attutito, come di vanghe e zappe, e comunque deve trattarsi della conclusione di un qualche atto efferato.

Ero alla finestra da meno di mezz'ora, quando ho scorto qualcosa sbucare dalla finestra del Conte. Mi sono ritratto il più possibile, tenendo però gli occhi bene aperti, e ho visto emergerne l'intera figura. E che nuovo trauma, per me, accorgermi che indossava l'abito che avevo al mio arrivo, e a tracolla l'orribile borsa che avevo visto portar via dalle donne! Non poteva esservi dubbio di sorta sulla sua ricerca – e nei miei panni, per giunta! Questo, dunque, il suo nuovo, malvagio proposito: che altri mi scorgano o che lo credano, e in tal modo egli lascerà la prova che sono stato visto nelle città o nei villaggi intento a imbucare le mie lettere, e tutte le malvagità che commetterà dalla gente del luogo saranno attribuite a me.

Mi fa andare in bestia l'idea che, mentre sono qui rinchiuso, in tutto e per tutto un prigioniero, pur senza la protezione della legge che è il diritto e il conforto anche del criminale, le cose possano andare a questo modo.

Ho pensato di attendere il ritorno del Conte, e a lungo mi sono ostinato a starmene alla finestra. Poi ho notato che, nei raggi della luna, fluttuavano strani puntini luminosi. Li si sarebbe detti minuscoli granelli di polvere, e roteavano e si addensavano a formare come delle nebulose. Guardarli mi dava una sensazione di tranquillità, una pace mi penetrava tutto. Mi sono appoggiato alla strombatura della finestra, cercando una posizione più comoda, in modo da potermi godere maggiormente quelle aeree evoluzioni.

Qualcosa mi ha fatto sobbalzare: un sommesso, lamentoso uggiolio di cani, chissà dove, laggiù nella valle nascosta alla mia vista, e l'uggiolio pareva risuonare sempre più forte alle mie orecchie, e le fluttuanti particelle di polvere assumere nuove forme mentre, a quel suono, danzavano nel chiar di luna. Mi sono sentito lottare per rispondere a un richiamo del mio istinto; che dico, l'anima mia stessa si dibatteva, i miei sensi semiattutiti si sforzavano di rispondere all'appello. Stavo per essere ipnotizzato! Rapida, sempre più rapida danzava la polvere; i raggi della luna sembravano palpitare mentre quella, trascorrendomi vicina, scivolava nell'oscurità sottostante. E sempre più numerose erano le particelle che si radunavano, fino ad assumere forme fantomatiche. E a questo punto, con un sussulto, mi sono risvegliato del tutto e, ripreso pieno possesso dei miei sensi, sono fuggito urlando. Le forme fantomatiche, che erano andate a mano a mano materializzandosi dai raggi della luna, erano quelle delle tre donne spettrali alle quali ero destinato. Sono fuggito, e un po' più al sicuro mi sono sentito nella mia stanza, dove il chiar di luna non penetrava e dove la lampada era accesa.

Trascorso un paio d'ore, ho sentito qualcosa accadere nella camera del Conte, qualcosa di simile a un acuto gemito subito represso. Poi, silenzio, profondo, spaventoso silenzio, e ne sono stato raggelato. Con il cuore in tumulto ho tentato l'uscio, ma ero serrato nella mia prigione, nulla potevo fare. Mi sono seduto e mi sono messo a piangere, ecco tutto.

Mentre così me ne stavo, ho udito un suono fuori, nel cortile – il grido disperato di una donna. Mi sono precipitato alla finestra e, spalancatala, ho guardato di tra le sbarre. C'era sì, una donna, i capelli scarmigliati, le mani strette al cuore, come esausta dopo una corsa. Si appoggiava a uno stipite del portale e, scorgendo il mio volto alla finestra, si è buttata in avanti urlando con voce gravida di minaccia:

«Mostro, ridammi mio figlio!»

Si è gettata in ginocchio, ha levato le braccia al cielo, ripetendo quelle stesse parole con tono tale da straziarmi il cuore. Poi si è strappata i capelli, si è battuta il petto, si è abbandonata a tutte le violenze di una disperazione senza limiti, e alla fine è corsa ai piedi del castello, dove più non potevo vederla, ancorché la sentissi picchiare con le mani nude contro il portone.

Da qualche punto, lassù in alto, probabilmente dalla torre, ho udito allora la voce del Conte, ed era un appello lanciato in un sussurro aspro, metallico: un richiamo che è sembrato trovare eco nel lontano, vasto ululare di lupi. E pochi istanti dopo, ecco una muta di belve riversarsi nel cortile, come acqua che erompa da una diga infranta, attraverso l'ampio portale.

Non ci sono state grida da parte della donna, e il latrare dei lupi è stato breve. E poco dopo sono scivolati via uno alla volta, leccandosi il muso.

Non provavo pietà per lei, perché ora sapevo che cosa ne era stato del suo bambino, ed era meglio per lei che fosse morta.

Che fare? Che cosa posso fare? Come sfuggire a questa cosa atroce, fatta di notte, tenebre e paura?

25 giugno, mattina. Nessuno, finché non abbia passato una notte di tormenti, può sapere quanto dolce, quanto caro al suo cuore e al suo occhio può essere il mattino. E stamane, quando il sole è salito tanto da toccare con i suoi raggi la cima del grande portale di fronte alla mia finestra, mi è parso quello il punto dove si era posata la colomba uscita dall'arca. La paura mi è caduta di dosso quasi fosse un vaporoso sudario dissoltosi al tepore del giorno. Devo agire, fare qualcosa finché ho dalla mia il coraggio che mi infonde la luce dell'astro diurno. Ieri sera una delle mie lettere postdatate è partita – la prima di quella serie fatale destinata a cancellare dalla faccia della terra fin l'ultima traccia della mia esistenza.

Non devo pensarci. Agire, devo!

È stato sempre nottetempo che mi sono toccati turbamenti o minacce, che in un modo o nell'altro mi sono trovato in pericolo o in preda alla paura. Ancora non ho visto il Conte alla luce del giorno. Che dorma quando gli altri vegliano, e vegli quando altri dormono? Se solo potessi entrare nella sua stanza! Ma è impossibile. L'uscio è sempre serrato, per me non vi si dà accesso.

Pure, un modo c'è, ma bisogna osare. Dov'è passato il suo corpo, perché non dovrebbe passarne un altro? L'ho visto con questi occhi strisciare fuori dalla finestra. E perché non dovrei imitarlo, perché non dovrei entrare per la sua finestra? È un'impresa disperata, ma ancor più disperata è la mia situazione. Rischierò. Nella peggiore delle ipotesi, sarà la morte; e la morte di un uomo non è quella di un vitello, e può darsi che il temuto Aldilà sia per me una liberazione. Dio mi aiuti nel mio compito! Addio, Mina, se fallisco; addio, fedele amico e secondo padre; addio a tutti, e per ultimo a Mina!

Lo stesso giorno, più tardi. Ho compiuto il tentativo e, con l'aiuto di Dio, sono tornato sano e salvo in questa stanza. E adesso, devo trascrivere per ordine tutti i particolari. Prima che il coraggio mi abbandonasse, sono andato senz'altro alla finestra che dà a sud, subito uscendone per trovarmi sullo stesso cornicione di sasso che corre lungo l'edificio su quel lato. Le pietre sono grosse e rozzamente tagliate, e con l'andar del tempo la malta tra esse è stata dilavata. Mi sono tolto le scarpe, avventurandomi per quella disperata via. Una sola volta ho guardato in basso, per esser certo che un'improvvisa visione dello spaventoso abisso ai miei piedi non mi sopraffacesse, poi però non ho più volto gli occhi in giù. Conoscevo fin troppo bene direzione e distanza della finestra del Conte, e a quella volta ho proceduto come potevo, approfittando di ogni appiglio. Non ho provato vertigini – forse perché ero troppo teso – e mi è parso che sia trascorso un tempo ridicolmente breve tra l'inizio del percorso, e il momento in cui mi sono trovato in piedi sul davanzale della finestra, a cercare di sollevare l'impennata. Tuttavia, ero in preda a una grande agitazione quando, abbassandomi, ho infilato i piedi all'interno. Mi sono guardato intorno, alla ricerca del Conte ma, con grande sorpresa e gioia, ho scoperto che la stanza era vuota! Era spartanamente ammobiliata con vecchi arredi, che avevano l'aria di non essere mai stati usati: suppergiù dello stesso tipo di quelli delle camere che danno a sud, e del pari coperti di polvere. Ho cercato la chiave, ma non era nella serratura, né sono riuscito a trovarla in nessun posto. L'unica cosa che ho scovato è stato un gran mucchio d'oro in un angolo – coni di tutte le specie, romani e britannici, austriaci e ungheresi, greci e turchi, ricoperti di una patina di sudiciume, come se a lungo fossero stati sotterra. Nessuno di quelli che ho esaminato contava meno di trecento anni. C'erano anche catene e gioielli, alcuni tempestati di pietre preziose, tutti però antichi e opachi.

Dall'altra parte della stanza, un uscio pesante. Ho tentato di aprirlo poiché, non riuscendo a trovare la chiave di quella stanza né del portone, che costituiva l'oggetto principale delle mie ricerche, non mi restava che compierne altre, pena sennò di vanificare tutti i miei sforzi. L'uscio era aperto e, per un corridoio di pietra, dava adito a una scala a chiocciola che scendeva ripida. L'ho seguita, facendo bene attenzione a dove mettevo i piedi, poiché la scala era buia, illuminata solo da feritoie praticate nella spessa muraglia. In fondo, un corridoio buio, simile a una galleria, dal quale emanava un lezzo mortifero, vomitevole, di vecchia terra rivoltata di fresco. E, mentre mi addentravo nel corridoio, sempre più vicino e più pesante si faceva il puzzo. Alla fine, ho spalancato un'altra, pesante porta che ho trovato socchiusa, ed eccomi in una vecchia cappella diroccata, che evidentemente era stata usata come sepolcreto. Il tetto era crollato, e in due punti vi erano gradini che conducevano a cripte, ma il suolo era stato di recente sconvolto, e la terra deposta nelle grandi casse di legno portate dagli slovacchi. Non si vedeva nessuno, e ho cercato un'altra uscita, ma invano. Allora ho esaminato pollice per pollice il terreno, per non lasciarmi sfuggire nessuna possibilità. Sono sceso persino nelle cripte, là dove la luce fioca giungeva a stento, sebbene questo abbia significato far violenza all'anima mia. In due delle cripte, sono penetrato, ma nulla vi ho visto se non frammenti di vecchie bare e cumuli di polvere; nella terza, invece, una scoperta.

Perché lì, in una delle grandi casse, ed erano cinquanta in tutto, sopra uno strato della terra di recente scavata, giaceva il Conte! Morto o dormiente, impossibile dirlo – poiché gli occhi erano spalancati e impietriti, non però vitrei come quelli dei cadaveri –, e le guance, nonostante il pallore, conservavano il calore della vita; e le labbra, rosse come sempre. Ma non c'era traccia di movimento: né polso, né respiro, né battito del cuore. Mi sono chinato su di lui, ho cercato qualche segno di vita, ma invano. Non poteva essere lì disteso da molto, perché l'odore di terra smossa è solito attenuarsi in poche ore. Accanto alla cassa, il coperchio, qua e là trapassato da fori. Ho pensato che avesse su di sé le chiavi, e stavo per frugarlo, quando ho scorto gli occhi morti, e in essi, per quanto morti, ho visto uno sguardo di odio tale, sebbene non fosse consapevole di me o della mia presenza, che da quel luogo sono fuggito e, uscendo dalla stanza del Conte per la finestra, mi sono riarrampicato lungo il muro del castello. Riguadagnata la mia stanza, ansimando mi sono gettato sul letto, sforzandomi di riflettere.

29 giugno. Oggi è la data della mia ultima lettera, e il Conte ha preso precauzioni atte a comprovare che è genuina, e infatti l'ho visto di nuovo lasciare il castello per la solita finestra, con indosso i miei abiti. Mentre calava lungo la muraglia a mo' di lucertola, ho desiderato di avere una pistola, un'arma letale qualsiasi, sì da poterlo distruggere; temo però che nessun'arma, brandita da mani semplicemente umane, avrebbe effetto su di lui. Non ho osato attenderne il ritorno, per timore di ritrovarmi di fronte a quelle tre parche. Sono tornato in biblioteca, e ci sono rimasto a leggere fino a cadervi addormentato.

A svegliarmi è stato il Conte, che mi è parso sinistro come nessun uomo può sembrare, mentre diceva:

«Domani, amico mio, dobbiamo separarci. Voi tornerete alla vostra bella Inghilterra, io a incombenze tali che possono concludersi in modo da escludere che ci si incontri ancora. La vostra lettera a casa è stata spedita; domani non sarò qui, ma tutto sarà pronto per il vostro viaggio. Al mattino verranno gli Szgany, i quali hanno compiti da assolvere qui, e verranno anche alcuni slovacchi. Quando se ne saranno andati, la mia carrozza verrà a prendervi e vi porterà al Passo Borgo, dove prenderete la diligenza dalla Bucovina a Bistritz. Spero tuttavia che vi rivedrò a Castel Dracula.» Lo tenevo in gran sospetto, e ho deciso di mettere alla prova la sua sincerità. Sincerità! Sembra di profanare questa parola, scrivendola a proposito di un siffatto mostro, ragion per cui gli ho domandato a bruciapelo:

«Perché non posso partire questa sera?»

«Perché, caro signore, il mio cocchiere e i miei cavalli sono via per un'incombenza.»

«Ma non mi dispiacerebbe camminare. Vorrei andarmene subito.» Ha sorriso: un sorriso così morbido, soave, diabolico, da farmi intuire che dietro quella soavità s'annidava un inganno. Ha chiesto:

«E il vostro bagaglio?»

«Non me ne curo. Posso mandarlo a prendere successivamente.»

Il Conte si è levato in piedi e, con un'incredibile cortesia, tale che ho creduto di avere le traveggole, così vera sembrava, ha replicato:

«Voi inglesi avete un detto che mi è assai caro, poiché risponde allo stesso spirito che governa i nostri *boyar*: "Sia benvenuto all'arrivo chi si affretterà a partire". Venite con me, mio caro, giovane amico. Neanche un'ora sosterete in casa mia contro la vostra volontà, per quanto la vostra partenza mi addolori non meno del fatto che all'improvviso tanto la desideriate. Venite!» Con maestosa gravità, reggendo una lampada mi ha preceduto giù per la scala, lungo l'atrio. Qui si è arrestato sui due piedi.

«Udite!»

Vicinissimo, sentivo l'ululare di molti lupi. Era come

se il suono sgorgasse dal gesto della sua mano, così co
me la musica di una grande orchestra sembra fluire
dalla bacchetta del direttore. Un attimo di pausa, poi,
con quel suo incedere maestoso, è andato al portone,
ha tirato i poderosi chiavistelli, ha sganciato le pesanti
catene, ha cominciato a socchiuderlo.

Con mia immensa sorpresa, mi sono accorto che chiuso non era. Sospettoso, l'ho esaminato ben bene, ma non
ho visto chiavi di sorta.

Mentre il battente si apriva, l'ululato dei lupi lì fuori
si è fatto più alto e rabbioso; rosse fauci armate di denti che sbattevano, zampe munite di artigli smussi sono
comparse nello spiraglio. E mi sono reso conto che lottare allora con il Conte sarebbe stato vano. Con alleati
simili ai suoi ordini, nulla io potevo. Ma la porta lentamente continuava ad aprirsi, e solo il corpo del Conte
stava nel varco. E all'improvviso, mi è balenato che
quello poteva essere il momento e il mezzo della mia fine: sarei stato consegnato ai lupi, e per mia stessa volontà. C'era una diabolica malvagità in quell'idea, gran-
diosa abbastanza da essere degna del Conte, e, ultima
risorsa, ho gridato: «Chiudete la porta; aspetterò sino a
domattina!». E mi sono coperto il volto con le mani, a
nascondere lacrime di amara delusione. Con un gesto
solo del braccio possente, il Conte ha richiuso il portone, i grandi chiavistelli sferraglianti ed echeggianti nel-
l'atrio mentre tornavano a scivolare nelle guide.

In silenzio siamo tornati in biblioteca, e pochi istanti
dopo mi sono chiuso in camera mia. L'ultima immagine del Conte è stata di lui che mi inviava un bacio sulla
mano: con un rosso barbaglio di trionfo negli occhi, e
con un sorriso da far invidia a Giuda giù all'inferno.

Una volta nella mia stanza, sul punto di coricarmi,
ho avuto l'impressione di udire un bisbiglio all'uscio.
Mi ci sono accostato in punta di piedi, tendendo l'orecchio. E, a meno che l'udito non m'abbia ingannato, ho
sentito la voce del Conte:

«Indietro, indietro, al vostro posto! La vostra ora non
è ancora suonata. Attendete! Abbiate pazienza. Questa
notte è mio. Domani notte sarà vostro!» C'è stato un

sommesso, dolce gorgoglio di risatine, e infuriato ho spalancato l'uscio, e lì stavano le tre terribili donne, a leccarsi le labbra. Al mio apparire, sono scrosciate in un'orribile sghignazzata, e via!

Sono tornato dentro, mi sono gettato in ginocchio. È dunque così prossima la fine? Domani! Domani! Signore, soccorri me e coloro cui sono caro!

30 giugno, mattina. Queste sono forse le ultime parole che scrivo in questo diario. Ho dormito fino a un istante prima dell'alba, e svegliandomi mi sono gettato in ginocchio, poiché ho deciso che, se morte deve essere, deve trovarmi pronto.

Alla fine ho avvertito quell'infinitesimale mutamento nell'aria, e ho intuito che il mattino era giunto. Poi s'è fatto udire il benvenuto canto del gallo, e ho saputo di essere salvo. Col cuore traboccante di gioia, ho aperto l'uscio, mi sono precipitato giù, nell'atrio. Il portone, l'avevo visto, non era sbarrato, e ormai lo scampo mi era dinnanzi. Con mani tremanti di brama, ho sciolto le catene, ho sfilato i massicci chiavistelli.

Ma il battente non si è mosso. La disperazione mi ha colto. Ho tirato, tirato, l'ho scosso finché, pesante com'era, ha vibrato sui cardini. E allora mi sono accorto che la serratura era stata chiusa. Chiusa dopo che mi ero separato dal Conte!

E allora, mi ha preso un selvaggio desiderio di procurarmi la chiave a ogni costo, e seduta stante ho deciso di scalare nuovamente il muro e di raggiungere la camera del Conte. Poteva uccidermi, ma la morte adesso mi sembrava, tra i tutti i mali, la scelta migliore. Senza un attimo di sosta, mi sono precipitato alla finestra che dà a est, mi sono calato lungo la muraglia e, come la prima volta, rieccomi nella stanza del Conte. Vuota, ma era quanto m'aspettavo. Chiavi non se ne vedevano da nessuna parte, ma il mucchio d'oro sì. Ho infilato la porta di fronte, e giù per la spirale della scala e lungo il buio corridoio, alla vecchia cappella. Ora lo sapevo bene, dove trovare il mostro che cercavo.

La grande cassa era allo stesso punto, contro la parete, ma il coperchio era posato su di essa, non sigillato ma con i chiodi già al posto loro, pronti per esservi conficcati. Sapevo di dover frugare il corpo in cerca della chiave, per cui ho sollevato il coperchio, l'ho appoggiato alla parete: e allora ho visto qualcosa che mi ha riempito d'orrore sino in fondo all'anima. Lì giaceva il Conte, ma si sarebbe detto che la giovinezza in lui fosse rinata, poiché i capelli e i baffi bianchi erano divenuti grigio ferro; le guance erano più piene, la pelle sembrava soffusa di rosa; più rossa che mai la bocca, poiché sulle labbra erano gocce di sangue fresco che ruscellavano dagli angoli, scivolando sul mento e il collo. Persino gli occhi incavati, ardenti, sembravano incastonati in turgida carne, poiché le palpebre e le borse sotto di essi sembravano rigonfie. Si sarebbe detto che quell'immonda creatura fosse tutta repleta di sangue. Giaceva lì, come un'oscena sanguisuga, esausta per essersene ingozzata. Rabbrividendo mi sono chinato a toccarlo, e ogni mio senso si è rivoltato al contatto; ma dovevo cercare, o sarei stato perduto. La notte successiva avrebbe potuto vedere il mio proprio corpo oggetto di un simile banchetto per le tre orribili. L'ho frugato in tutto il corpo, ma non ho trovato traccia della chiave. Allora mi sono arrestato e ho guardato il Conte. Sul suo volto congestionato aleggiava un sorriso beffardo che m'ha fatto quasi impazzire. Quello era l'essere cui davo una mano per trasferirsi a Londra dove, forse per secoli e secoli, tra i milioni di abitanti della città brulicante, avrebbe saziato la sua brama di sangue e creato una nuova, sempre più vasta genia di mezzi demoni con cui dare addosso agli indifesi. Un pensiero che mi faceva salire le fiamme al cervello, e sono stato colto dal violento desiderio di liberare il mondo da siffatto mostro. Non avevo armi mortifere a portata di mano, ma ho dato di piglio a una vanga usata dagli operai per riempire le casse, e l'ho levata in alto, menandola, con la lama di taglio, verso il volto odioso. Ma, in quel mentre, la testa si è voltata, gli occhi mi si sono puntati addosso, quand'erano grandi, con il loro ardore di orribile basilisco. E quella vista mi ha paralizzato, la vanga mi si è girata in pugno e ha colpito di piatto, aprendo null'altro che uno squarcio sulla fronte. Poi l'arnese mi è caduto di mano, e, come ho fatto per riafferrarlo, l'orlo della lama si è impigliato in quello del coperchio che è ricaduto, nascondendo al mio sguardo quell'orribile cosa. L'ultima visione che ne ho avuto è stata del volto rigonfio, macchiato di sangue, immobilizzato in un sorriso maligno che avrebbe fatto la sua figura nel peggiore degli inferni.

A lungo, a lungo, ho riflettuto sulla mia prossima mossa, ma mi sembrava di avere il fuoco dentro il cranio, e attendevo, mentre un sentimento di disperazione si impadroniva di me. E mentre aspettavo, ho udito in distanza una canzone zingaresca intonata da voci allegre che andavano avvicinandosi e, tra le note, l'acciottolio di ruote pesanti e lo schiocco di fruste; gli Szgany e gli slovacchi di cui aveva parlato il Conte stavano giungendo. Con un'ultima occhiata attorno a me e alla cassa contenente l'immondo corpo, sono fuggito di corsa riguadagnando la stanza del Conte, deciso a precipitarmi fuori non appena il portone si fosse aperto. Ascoltavo, le orecchie tese, e di sotto ho udito la chiave cigolare nella gran toppa, ho udito spalancarsi il pesante battente. Dovevano esserci altre vie d'accesso, ovvero qualcuno era in possesso di un'altra chiave. Poi, il suono di molti piedi scalpiccianti e allontanantisi lungo un corridoio che ne rimandava una sonora eco. Ho fatto dietrofront, pronto a precipitarmi nuovamente verso il sotterraneo, nella speranza di trovare l'ingresso che prima non avevo notato; ma proprio in quella mi è parso di avvertire una violenta folata di vento, e la porta della scala a chiocciola si è richiusa con tonfo tale da levare la polvere da sugli stipiti. Sono corso a riaprirla, ma solo per avvedermi che era disperatamente serrata. Ero nuovamente prigioniero, e la rete della sorte mi stringeva sempre più.

Mentre scrivo, mi giunge dal corridoio sottostante il trepestio di molti piedi, e il tonfo di oggetti pesanti che vengono spostati a fatica, senza dubbio le casse con il loro carico di terra. C'è un suono di martelli; i coperchi vengono inchiodati. Ed ecco ora passi pesanti nell'atrio, seguiti da quelli di molti altri piedi strascicati.

Il portone si chiude, le catene tintinnano; la chiave cigola nella serratura; sento che la ritirano: poi, un'altra porta s'apre e si chiude, e ancora il cigolio del chiavistello.

Odi! Nel cortile e giù per il sentiero sassoso, il fragore di pesanti ruote, lo schiocco delle fruste, il coro degli Szgany che vanno e s'allontanano.

Sono solo nel castello con quelle atroci donne. Puah! Anche Mina è una donna, ma tra loro non c'è niente in comune. Quelle sono demoni dell'abisso!

Non resterò solo con loro; tenterò di calarmi lungo il muro del castello, spingendomi più in là di quanto non abbia fatto finora. Prenderò con me un po' di quell'oro, forse ne avrò bisogno. Può darsi che riesca a trovare la via che conduce lontano da questo luogo spaventevole.

E poi, a casa! Verso il treno più vicino e più rapido! Via da questo posto maledetto, da questa terra dannata, dove il diavolo e i suoi rampolli ancora camminano con piedi umani!

Meglio comunque affidarsi alla misericordia di Dio che a quella di questi mostri, e il precipizio è erto e profondo. Ai suoi piedi, un uomo può dormire – ed essere ancora uomo. Addio tutti! Mina!

V

9 maggio

Cara Lucy,

perdonami se ti scrivo con tanto ritardo, ma sono stata veramente sopraffatta dal lavoro. La vita di un'assistente scolastica, a volte è faticosa. Vorrei essere con te, in riva al mare, dove potremmo parlare liberamente e costruire i nostri castelli in aria. In quest'ultimo periodo ho lavorato assai duro, perché voglio tenermi alla pari con gli studi di Jonathan, e mi esercito con assiduità nella stenografia. Quando saremo sposati, potrò essere utile a Jonathan, e se riuscirò a stenografare abbastanza bene potrò trascrivere quello che dice, e come lo dice, e ricopiarlo a macchina, e anche su questa mi esercito senza requie. Lui e io a volte ci scriviamo lettere in stenografia, e lui tiene un diario stenografico dei suoi viaggi all'estero. Quando verrò da te, anch'io farò lo stesso. Ma naturalmente non sarà certo uno di quei diari di due paginette la settimana, con due righe appena per la domenica, bensì una sorta di brogliaccio in cui mettere i miei pensieri, ogniqualvolta ne abbia voglia. Non credo che interesserà molto ad altri; ma non è destinato a loro. Un giorno potrò forse mostrarlo a Jonathan, se ci sarà qualcosa che valga la pena di mettere in comune, ma in realtà si tratta di un quaderno di esercizi. Cercherò di fare come le giornaliste: intervistare, compilare descrizioni, riferire conversazioni.

A quel che mi dicono, si riesce a rammentare tutto, proprio tutto ciò che accade o che si sente dire nel corso di una giornata. Insomma, vedremo. Quando ci incontreremo, ti racconterò i miei piccoli progetti. Da Jonathan ho avuto solo poche righe affrettate dalla Transilvania. Sta bene e tornerà tra una settimana circa. Non vedo l'ora che mi racconti tutto. Deve essere fantastico, visitare paesi stranieri. Mi chiedo se noi due – voglio dire Jonathan e io – ci andremo mai assieme. La campana suona le dieci. Arrivederci.

Con tanto affetto

Mina

P.S. Quando mi scrivi, raccontami tutte le novità. È da un pezzo che non mi dici più niente. Ho sentito certe chiacchiere, soprattutto su un bell'uomo alto e ricciuto...

LETTERA DI LUCY WESTENRA A MINA MURRAY

Chatham Street n. 17
mercoledì

Carissima Mina,

devo dire che mi accusi assai ingiustamente di scriverti poco. L'ho fatto *due volte* da quando ci siamo lasciate, e la tua ultima lettera era soltanto la *seconda*. E poi, non ho niente da dirti, davvero non c'è nulla che possa interessarti. Qui in città adesso è molto piacevole, andiamo a vedere molte mostre, ci dedichiamo a passeggiate e a cavalcate nel parco. Quanto all'uomo alto e ricciuto, deve essere quello che era con me all'ultimo concerto. Evidentemente, qualcuno mette in giro chiacchiere. Si trattava del signor Holmwood che viene spesso a trovarci, e lui e mamma vanno perfettamente d'accordo; sapessi quante cose hanno da dirsi! Qualche giorno fa abbiamo conosciuto un tale che ti andrebbe a pennello, se tu non fossi già fidanzata con Jonathan. È un ottimo partito, poiché è bello, benestante, di buoni natali. È medico, e molto intelligente. Ma ci pensi? Ha solo ventinove anni, e dirige, tutto da solo, un enorme manicomio. Il signor Holmwood me l'ha presentato, e lui è venuto a trovarci, e adesso torna sovente. Lo ritengo uno degli uomini più energici che abbia mai visto, e insieme il più controllato. È assolutamente imperturbabile. Oh, riesco benissimo a immaginare lo straordinario potere che esercita sui suoi pazienti. Ha una maniera singolare di fissarti negli occhi, quasi volesse leggerti nel pensiero. Lo fa molto spesso anche con me, ma io mi lusingo all'idea che in me trovi un osso duro da rodere. Me lo dice il mio specchio. Hai mai provato a leggere il tuo volto? Io lo faccio, e ti assicuro che non è affatto uno studio da niente, e ti crea più problemi di quanto non possa credere chi non l'abbia mai tentato. Lui dice che io gli do modo di compiere una singolare indagine psicologica, e in tutta umiltà penso proprio che sia così. Come tu ben sai, non mi interesso abbastanza di abiti da parlarti dell'ultima moda. È una barba. Che maniera di esprimersi, dirai, ma non farci caso: Arthur parla sempre così. Be', sì, è proprio tutto. Mina, ci siamo confidate a vicenda tutti i nostri segreti fin da quando eravamo bambine; abbiamo dormito assieme, e mangiato assieme, e riso e pianto assieme; e adesso, dopo averti detto questo, vorrei dirti di più. Oh, Mina, ma non lo capisci? Lo amo. Arrossisco nello scriverlo, perché, sebbene *pensi* che anche lui mi ama, non me l'ha ancora detto. Ma, Mina, oh, come lo amo; lo amo, lo amo! Ecco, adesso mi sento meglio. Mi piacerebbe essere con te, mia cara, seduta accanto al fuoco, a prepararci per la notte come facevamo un tempo; e proverei a dirti quel che sento. Non so come trovo il coraggio di scrivere queste cose, sia pure a te. Ho paura di smettere, perché potrebbe capitarmi di fare a pezzi la lettera, e non voglio fermarmi, perché sapessi quanto desidero raccontarti tutto! Scrivimi immediatamente, e dimmi che cosa ne pensi. Mina, qui devo terminare. Buonanotte. Ricordami nelle tue orazioni e, cara Mina, prega per la mia felicità.

Lucy

P.S. Inutile che ti dica che è un segreto. Buonanotte ancora.

L.

24 maggio

Carissima Mina,

grazie, grazie, grazie ancora per la tua cara lettera. È stato così bello poterti dire tutto e avere la tua comprensione.

Mia cara, è proprio vero che piove sul bagnato. Come sono saggi i vecchi proverbi! Eccomi qui, avrò vent'anni a settembre, e finora non avevo mai ricevuto una proposta di matrimonio che fosse davvero tale, e oggi ne ho ricevute tre. Ci pensi? *Tre* proposte in un giorno solo! Non è spaventoso? Mi dispiace, mi dispiace proprio tanto, per due di quei poverini. Oh, Mina, sono così felice che non so che cosa farei di me stessa. Tre proposte! Ma, per l'amor del cielo, non dirlo a nessuna delle ragazze, altrimenti si faranno chissà che idee stravaganti e si sentirebbero sminuite e offese se, il primo giorno che passeranno a casa, di proposte di matrimonio non ne ricevessero almeno sei. Certe ragazze sono così vanesie! Tu e io, Mina cara, che siamo fidanzate e ci apprestiamo a sistemarci assai presto, da vecchie signore sposate, la vanità possiamo anche disprezzarla. Be', ma adesso devo dirti dei tre, tu però devi mantenere il segreto, mia cara, e mantenerlo *con tutti*, eccezion fatta, beninteso, per Jonathan. Glielo racconterai perché io farei lo stesso se fossi al tuo posto; lo direi senz'altro ad Arthur. Una donna deve dire tutto al marito – non sei di quest'avviso, mia cara? – e io devo essere leale. Agli uomini piace che le donne, soprattutto le loro mogli, siano sincere come sono loro; e le donne, temo, non sempre sono leali come dovrebbero. Dunque, mia cara, il n. 1 è arrivato esattamente prima di pranzo. Te ne ho già parlato, è il dottor John Seward, quello del manicomio, con la mascella forte e la bella fronte. Esteriormente era molto freddo, ma si vedeva che era nervoso. Con ogni evidenza si era preparato fin nei più minuti particolari, e se li ricordava bene; ma poco è mancato che non si sedesse sul suo cappello di seta, cosa che gli uomini generalmente non fanno quando sono padroni di sé, e poi, per fingersi a suo agio, ha continuato a giocherellare con un bisturi in modo tale da farmi quasi urlare. Mi ha parlato con molta franchezza, cara Mina, mi ha detto quanto mi è affezionato, sebbene mi conosca così poco, e quella che sarebbe la sua vita se ci fossi io ad aiutarlo e rallegrarlo. Stava per dirmi quanto infelice sarebbe se non mi curassi di lui, ma come mi ha vista piangere se n'è uscito a dire che era un bruto e che non voleva turbarmi ulteriormente. Poi, cambiando argomento, mi ha chiesto se, col tempo, potrò amarlo; e quando m'ha visto scuotere il capo in segno di diniego, le mani hanno cominciato a tremargli, e quindi, con una certa esitazione, mi ha domandato se ero già legata a un altro. L'ha messa con molta gentilezza, soggiungendo che non voleva certo estorcermi confidenze, ma solo sapere, perché un uomo può sperare soltanto se il cuore di una donna è libero. E a questo punto, Mina cara, ho sentito letteralmente il dovere di dirgli che sì, qualcuno c'era. Soltanto questo, gli ho detto, e lui si è alzato, con l'aria molto grave e molto decisa, mi ha preso tutt'e due le mani e mi ha detto che mi augurava una grande felicità e che, se mai avessi avuto bisogno di un amico, potevo contare su di lui in tutto e per tutto. Oh, Mina cara, non riesco a trattenere le lacrime, e vorrai scusarmi se questa lettera è tutta macchiata. Ricevere una domanda di matrimonio è bellissimo e tutto il resto, ma non è affatto una cosa che ti rende felice quando devi vedere un poveruomo, che sai che ti ama sinceramente, andarsene col cuore infranto, e sapere che, qualsiasi cosa possa dire in quel momento, tu esci per sempre dalla sua vita. Mia cara, ora devo smetterla, mi sento così sconfortata, pur essendo tanto felice.

Sera

Arthur è appena andato via, e mi sento molto più rianimata di quando ho smesso di scrivere, al punto che adesso posso continuare a raccontarti di questa giornata. Ordunque, mia cara, il n. 2 è venuto dopo pranzo. È un tipo molto simpatico, un americano del Texas, ed è così giovane e fresco che sembra quasi impossibile che sia stato in tanti luoghi e abbia avuto tali avventure. Capisco la povera Desdemona quando si è sentita versare nell'orecchio tutti quei pericolosi fiumi di parole, ancorché a farlo fosse un negro. Ritengo che noi donne siamo così vili da pensare che un uomo possa redimerci dalle nostre paure, ed è per questo che lo sposiamo. Adesso so quel che vorrei fare se fossi un uomo e volessi indurre una ragazza ad amarmi. Macché, non lo so, perché c'era il signor Morris intento a raccontarci tante storie, e Arthur neanche una, e tuttavia... Ma sto divagando, mia cara. Il signor Quincey P. Morris mi ha trovato sola. Si direbbe che gli uomini riescano sempre a trovare le ragazze sole. Ma no, neanche questo è vero, perché Arthur ci ha tentato due volte, e io facevo del mio meglio per aiutarlo, né mi vergogno affatto di dirlo, adesso. Devo premettere che il signor Morris non sempre parla in *slang*, o per meglio dire non lo fa mai rivolgendosi a estranei o in loro presenza, perché è davvero molto beneducato e ha modi squisiti; ha però scoperto che io mi divertivo a sentirlo parlare lo *slang* americano e, ogni volta che ero presente, e non c'era nessun altro che potesse scandalizzarsene, diceva cose così divertenti! Immagino, mia cara, che inventi sempre tutto, perché le sue storie si adattano sempre alle circostanze. Ma è proprio tipico, questo, dello *slang*. Non so se, per quanto mi riguarda, riuscirei a parlarlo; ignoro poi se ad Arthur piacerebbe, perché a tutt'oggi non l'ho mai udito servirsene. Bene, il signor Morris mi si è seduto accanto e, con l'aria più lieta e felice del mondo – ma riuscivo ad accorgermi benissimo che era assai nervoso – mi ha preso la mano e mi ha detto con tanta dolcezza:

«Signorina Lucy, so perfettamente di non essere degno di allacciarvi le scarpine, ma penso che, se voi aspettate di trovare quello che faccia proprio al caso vostro, finirete in gruppo con quelle sette fanciulle che reggevano le lampade. Non ci stareste a fare società con me, e a percorrere insieme la lunga strada, in tiro a due?»

Be', aveva un'aria così allegra e divertente, che dirgli di no mi è sembrato assai meno difficile che non con il povero dottor Seward; e così, col tono più leggero possibile, gli ho detto che non ne sapevo niente di tiri a due, e che non sono ancora pronta per imbarcarmi. Lui allora ha replicato che aveva parlato in tono scanzonato, ma che sperava che, se aveva commesso un errore facendolo a proposito di un argomento tanto serio e tanto decisivo per lui, potessi perdonarlo. E pronunciando queste parole, aveva davvero l'aria seria, e anche io non ho potuto fare a meno di sentirmi tale – oh, lo so, Mina, che mi giudicherai un'orribile civetta –, anche se non ho potuto impedirmi una certa esultanza all'idea che in un giorno solo me ne fossero già capitati due. E poi, mia cara, prima che potessi aprire bocca, eccolo riversarmi addosso un vero e proprio torrente di dichiarazioni d'amore, mettendo il suo cuore e la sua anima ai miei piedi. Aveva un'aria così compresa, che mai più penserò che un uomo sempre spensierato non possa mai essere serio. Credo che abbia scorto qualcosa nel mio viso che lo ha fermato, perché d'un tratto ha taciuto e poi, con una sorta di appassionato fervore, tale che, fossi stata libera, mi sarei innamorata di lui, mi ha detto:

«Lucy, voi siete una ragazza dal cuore sincero, lo so. E io non sarei qui a parlare come sto facendo, se non credessi nel puro coraggio che vi pervade l'anima fin nelle più riposte pieghe. Ditemi, da persona come si deve a un'altra, c'è qualcun altro che occupa il vostro cuore? E se sì, non vi darò mai più il benché minimo fastidio, ma se me lo permetterete sarò vostro fedelissimo amico.»

Mia cara Mina, perché gli uomini sono così nobili e noi donne tanto poco degne di loro? Poco è mancato che io non mi facessi beffe di quell'essere dal gran cuore, di quel vero gentiluomo. Sono scoppiata in lacrime – temo, mia cara, che questa lettera sia fradicia, bagnata e ribagnata – e mi sentivo davvero tristissima. Perché non si permette a una ragazza di sposare tre uomini, o per lo meno tanti quanti la desiderano, in modo da evitarci tutti questi fastidi? Ma la mia è un'eresia, non dovrei pronunciarla. Comunque, sebbene piangessi, sono lieta di poterti dire che sono riuscita a guardare dritto il signor Morris negli onesti occhi, e a dirgli chiaro e tondo:

«Sì, c'è uno che amo, anche se finora non mi ha detto di amarmi a sua volta.» E ho fatto bene a parlargli con tanta franchezza, perché il volto gli si è illuminato, e tendendo le mani ha preso entrambe le mie – o forse sono stata io a porgergliele – e ha detto con tono cordiale:

«Questa sì che è una ragazza coraggiosa. È meglio arrivare in ritardo alla possibilità di avere in premio voi, che giungere in tempo per avere qualsiasi altra ragazza al mondo. Non piangete, mia cara. Se è per me, io ho la pelle dura; e so sopportare le avversità. Se quell'altro ignora la sua fortuna, bene, meglio che se l'assicuri al più presto, o avrà a che fare con me. Ragazza mia, la vostra sincerità e dirittura vi hanno procurato un amico, cosa più rara di un innamorato, perché comunque è meno egoista. Mia cara, adesso me ne andrò a fare una bella passeggiata solitaria fino a Kingdom Come. Non volete darmi un bacio? Servirà a scacciare le tenebre ora e in seguito. Lo potete fare, se volete, perché l'altro brav'uomo – e non può che essere tale, mia cara, un uomo tutto d'un pezzo, altrimenti voi non lo amereste – finora non si è dichiarato.» Questo mi ha convinto del tutto, Mina cara, perché era coraggioso e gentile da parte sua, e nobile, anche, nei confronti di un rivale – non ti sembra? –, e poi è così triste; così mi sono tesa in avanti e l'ho baciato. Si è alzato tenendomi le due mani nelle sue e, chinando il capo a guardarmi – e temo di essere arrossita moltissimo –, ha soggiunto:

«Ragazza mia, vi tengo le mani e voi mi avete dato un bacio, e se queste cose non ci rendono amici, nient'altro potrebbe farlo. Vi ringrazio per la vostra dolce sincerità, e addio.» Mi ha stretto la mano e, preso il cappello, è uscito dalla stanza senza voltarsi indietro, senza una lacrima, un fremito, un'incertezza; e io piangevo come una bambina. Oh, perché mai un uomo simile deve essere infelice quando ci sono centinaia di ragazze che adorerebbero il suolo che egli calpesta? So che lo farei se fossi libera – ma non voglio essere libera. Mia cara, tutto questo mi ha assai sconvolta, e sento di non essere in grado di parlare subito di felicità dopo averti raccontato queste cose; né desidero riferirti del n. 3 finché non mi sentirò del tutto a posto.

La tua

Lucy
che ti vuol sempre tanto bene.

P.S. Oh, circa il n. 3 – non c'è bisogno che te ne parli, vero? E poi, è stato tutto così confuso; mi è sembrato che sia trascorso solo un istante dal momento in cui ha messo piede nella stanza a quello in cui mi sono trovata tra le sue braccia, e lui mi baciava. Sono tanto, tanto felice, e non so che cosa abbia fatto per meritarmelo. In futuro, devo solo dimostrare di non essere ingrata verso Dio per la bontà di cui m'ha fatto segno inviandomi un tale innamorato, un tale marito, un tale amico.

Arrivederci.

DIARIO DEL DOTTOR SEWARD
(registrazione fonografica)

25 maggio. Bassa marea dell'appetito, quest'oggi. Non riesco a mangiare, non riesco a riposare, per cui mi dedico al diario. Dopo il rifiuto toccatomi ieri, provo una sensazione di vuoto; non c'è nulla al mondo che mi sembri valga la pena di esser fatto... E, poiché so che l'unica cura in questi casi è il lavoro, sono andato tra i pazienti, e ne ho prescelto uno che già mi ha offerto l'interessantissima materia di studio. È così strampalato, che sono deciso a comprenderlo meglio che posso. Oggi mi è sembrato di avvicinarmi come mai prima al nocciolo di questo mistero.

L'ho interrogato più a fondo del solito, cercando di penetrare il perché delle sue allucinazioni. Nel mio modo di fare, ora me ne accorgo, c'era una punta di crudeltà, quasi desiderassi configgerlo nella sua follia – cosa che evito con i pazienti come eviterei la bocca dell'inferno.

(N.B. Ma in quali circostanze *non* eviterei l'abisso infernale?) *Omnia Romae venalia sunt.* L'inferno ha il suo prezzo! *Verb. sap.* Se c'è qualcosa, dietro quest'istinto, varrebbe la pena di sondarlo *accuratamente*, ora e in seguito, per cui farei meglio a cominciare subito, e dunque...

Ecco qui: R.M. Renfield, anni 59. Temperamento sanguigno; grande forza fisica; eccitabilità morbosa; periodi di depressione che culminano in idee fisse da cui non riesce a liberarsi. Suppongo che il temperamento sanguigno di per sé e l'alterazione mentale si compongano in un quadro ben definito, quello di un uomo potenzialmente pericoloso, tale anzi con ogni probabilità, sebbene non egoista. Negli uomini egoisti, la cautela costituisce una corazza altrettanto impenetrabile ai loro nemici e a loro stessi. E in proposito io ritengo che qualora sia il proprio io a costituire il perno, la forza centripeta è in equilibrio con la centrifuga; qualora invece a costituirlo sia il dovere, un ideale, e simili, la seconda di tali forze ha il sopravvento, e soltanto il caso o una serie di casi possono farle da contrappeso.

LETTERA DI QUINCEY P. MORRIS
AD ARTHUR HOLMWOOD

25 maggio

Caro Art,

ci siamo raccontati favole accanto al falò sulle praterie; ci siamo medicati l'un l'altro le ferite dopo un tentato sbarco alle Marchesi; e abbiamo brindato sulle rive del Titicaca. Ma ci sono altre storie ancora da raccontare, altre ferite da medicare, altri brindisi da fare. Non ti andrebbe di venire domani sera al mio accampamento? Te lo chiedo senza esitazioni di sorta, perché so che una certa signora ha un impegno per una certa cena, e tu sarai libero. Ci sarà solo un altro invitato, il nostro vecchio compagno di Corea, Jack Seward. Viene anche lui, ed entrambi desideriamo mescolare le nostre lacrime sopra la coppa di vino e bere con tutto il nostro cuore alla salute dell'uomo più fortunato di quest'ampio mondo, che ha conquistato il più nobile cuore che Dio abbia creato, e il più degno di essere vinto. Ti promettiamo una cordiale accoglienza, un saluto affettuoso e un brindisi sincero quanto il tuo animo. E tutti e due giuriamo di riportarti a casa, se tu dovessi brindare eccessivamente a un certo paio d'occhi. Vieni!

Tuo, come sempre,

Quincey P. Morris

TELEGRAMMA DI ARTHUR HOLMWOOD
A QUINCEY P. MORRIS

26 maggio. Puoi contare come sempre su di me. Sono latore di notizie che vi faranno fischiare le orecchie.

VI

Whitby, 24 luglio. Lucy, venuta a prendermi alla stazione, era più carina e tenera che mai, e siamo andate alla casa sul Crescent dove abitano. È un posto delizioso. Il fiumiciattolo che ha nome Esk scorre in una profonda vallata che si allarga ad accogliere il porto. L'attraversa un grande viadotto su alti pilastri, e a vederlo attraverso questi il panorama sembra più vasto di quanto non sia in realtà. La vallata è tutta meravigliosamente verde, ed è così incassata che, quando si è su un versante, si scorge direttamente l'altro, a meno di non spingersi proprio all'orlo ed estendere lo sguardo in basso. Le case della città vecchia – che si sviluppa sulla riva opposta – hanno tutte i tetti rossi e sembrano accatastate l'una sull'altra, proprio come in certe stampe di Norimberga. Sulla città, a dominarla, si levano le rovine dell'abbazia di Whitby che è stata saccheggiata dai danesi, e in essa si svolgono alcune scene del *Marmion*, quelle in cui la ragazza viene murata viva. È una nobilissima rovina, di immani dimensioni, piena di scorci belli e romantici; una leggenda vuole che a una delle finestre si scorga una dama bianca. Tra essa e la città, un'altra chiesa, la parrocchiale, a pianta rotonda con un gran cimitero fitto di lastre tombali. È, a mio giudizio, il più bel sito di Whitby, posto com'è proprio al di sopra della città, sì che la vista ne spazia su tutto il porto e la baia, da cui si protende in mare il promontorio che ha nome Kettleness. La scarpata scende a picco sul porto e in parte è crollata, causando la distruzione di alcune tombe. In un punto, una parte dei cenotafi sovrasta esattamente il sentiero sabbioso che corre al di sotto. Ci sono passeggiate con sedili per tutto il cimitero; e la gente va a riposarsivi a tutte le ore del giorno, per ammirare il bel panorama e godersi la brezza. Anch'io ci andrò assai spesso a sedermici, e lavorare. Ci sono anche adesso, intenta a scrivere con il diario sulle ginocchia, e presto orecchio alle chiacchiere di tre vecchi seduti accanto a me. Si direbbe che tutto il giorno non facciano altro che starsene qui a conversare.

Ai miei piedi si stende il porto, all'altra estremità del quale una lunga muraglia di granito si protende in mare, curvandosi all'estremità, e a metà di quest'arco sorge un fanale; è bardata all'esterno da poderosi frangiflutti. Da questa parte, il molo forma un gomito in senso opposto, e anche alla sua estremità si trova un fanale. Fra le due gettate, un'angusta apertura dà accesso al bacino, che s'allarga subito al di qua.

È molto bello con l'alta marea; quando invece è bassa, non restano che secche, secche a non finire, e non c'è altro che il rivolo dell'Esk che scorre tra banchi di sabbia qua e là punteggiati di rocce. Fuori dal porto, da questa parte, si erge, prolungandosi per circa mezzo miglio, una grande scogliera dall'aguzzo profilo che inizia esattamente al di là del faro meridionale. Davanti alla punta della scogliera, una boa con una campana che suona quando il tempo è cattivo, spandendo al vento funebri rintocchi. Una leggenda dice che, quando una nave naufraga, sul mare si odono campane. Lo chiederò a quel vecchio che sta venendo verso di me.

È un vecchio strano. Deve essere molto, molto avanti con gli anni, perché ha il volto grinzoso e scavato come la corteccia di un albero. Mi dice che ha quasi cent'anni e che era marinaio della flotta da pesca di Groenlandia ai tempi della battaglia di Waterloo. Dev'essere, temo, un tipo assai scettico, perché quando gli ho domandato delle campane sul mare e della Dama Bianca dell'abbazia, ha replicato con tono brusco:

«Io non ci farei molto caso a 'ste storie, signorina.

Roba di altri tempi. Sia chiaro, non dico che non hanno mai state, ma ai miei tempi c'erano mica. Roba che va bene per gitanti, turisti e simili, mica per una giovane signora carina come voi. Quella gente che piove qui da York e da Leeds, e non fanno che abboffarsi di aringhe affumicate e tè, e vogliono sempre comprare di tutto per quattro soldi, quelli bevono 'ste balle. E mi domando se neanche vale la pena di contargliele, a quelli – non lo fanno neanche i giornali, che ne spacciano, di fandonie.» Ho pensato che fosse una persona dalla quale apprendere cose interessanti, e gli ho chiesto se non gli dispiaceva parlarmi della caccia alla balena dei vecchi tempi. Stava accingendosi a farlo, quando l'orologio ha suonato le sei, e allora si è alzato a fatica dicendo:

«Adesso devo filare a casa, signorina. A mia nipote non gli piace di stare ad aspettare quando che il tè è pronto, e a me ce ne vuole, per arrivare a casa, il sentiero mica sono due passi. E poi, cara signorina, a quest'ora io mi sento un vuoto qui, allo stomaco.»

E se n'è andato con passo incerto, zampettando più in fretta che poteva giù per i gradini. La scalinata è una delle migliori caratteristiche del luogo; conduce dalla città alla chiesa, e ci sono centinaia di gradini – non so esattamente quanti – che si susseguono in una curva elegante, e la pendenza è così lieve, che potrebbe scenderla e salirla senza difficoltà anche un cavallo. Penso che in origine la scalinata fosse in qualche modo collegata con l'abbazia. Bah, me ne andrò a casa anch'io. Lucy è uscita per andare in visita con la madre, e siccome si trattava soltanto di un atto di cortesia, non mi sono unita a loro. Ormai saranno rientrate.

1° agosto. Sono venuta quassù un'ora fa con Lucy e abbiamo avuto un'interessantissima conversazione con il mio rugoso amico e i due vecchi che sempre si uniscono a lui. Evidentemente, ai loro occhi è il Signor Oracolo, e credo che, ai suoi tempi, sia stato un personaggio parecchio autoritario. Non la dà mai vinta a nessuno, contraddice sempre tutti. E quando non riesce a convincerli, taglia corto in malo modo, e scambia il silenzio altrui per approvazione. Lucy era molto carina nel suo abito bianco da pomeriggio; da quando è qui, ha un magnifico colorito. Ho notato che i vecchi non hanno esitato a venire e a sedercisi accanto, non appena siamo arrivate. Lucy è tanto gentile con le persone anziane, e credo che tutti e tre si siano innamorati di lei seduta stante. Anche il mio vecchietto si è lasciato sedurre e non l'ha contraddetta, ma in compenso a me ne è toccata una dose doppia. L'ho trascinato sul terreno delle leggende, e lui subito ha attaccato con una specie di sermone. Cerco di trascriverlo come lo ricordo:

«Tutte balle dalla prima all'ultima; ecco cosa sono, e chiuso. Tutte quelle storie di fantasmi, ombre, spettri e spiriti, e tutto il resto, buone solo per donnette picchiate in testa. Bolle di sapone, dico io. Altro che brivido, presagi e ammonimenti: inventate da parroci e da gente tocca nel cervello, sono, per mettere paura agli altri e fargli fare cose che altrimenti non si sognerebbero neanche. Mi rende furioso il solo pensarci. Perché, accidenti, quella gente, non gli basta di scrivere balle sulla carta e di predicarle dal pulpito, no, le va anche a scrivere sulle tombe. Basta girarsi qui intorno: to', to' queste lapidi, con quell'aria così seria che hanno, cascano a pezzi, in briciole vanno, sotto il peso delle frottole che ci sono scritte su: "Qui giace il Tale", oppure "Sacro alla memoria", eccetera eccetera, e pensare che sotto la metà almeno di quelle pietre, neanche una salma, c'è più, e del loro ricordo nessuno si cura neanche così, altro che sacro! Balle, tutte balle, frottole e storie! Bello spettacolo, porca miseria, dico io, il giorno del Giudizio, quando arriveranno tutti madidi nei loro sudari, tutti insieme, trascinandosi dietro le loro belle pietre tombali per dimostrare quanto che erano bravi e buoni, e qualcuno di loro non ce la farà, di sicuro, con quelle mani marce e scivolose che si ritrova a furia di stare sott'acqua, che non potrà neanche afferrarla, la sua pietra.»

Dall'espressione soddisfatta del vecchietto e da come si guardava attorno in cerca dell'approvazione dei compagni, ho capito che stava recitando la sua parte, per cui ho gettato lì una parolina giusto per dargli corda:

«Oh, signor Swales, mica parlerà sul serio! Quelle iscrizioni sulle tombe non possono essere menzognere.»

«Stupidaggini! Ce ne saranno forse un paio che non lo sono, quelle che non dicono troppo bene dei defunti, ma c'è gente che crede che il mare è una tazza di latte e miele. Macché, macché, tutte frottole. Ma guardatevi attorno, voi che siete forestia e che in questo giardinetto dei morti ci venite in visita!» Ho annuito, pensando che fosse la cosa migliore da fare, anche se il dialetto che parlava lo capivo solo in parte; comunque, era chiaro che stava parlando della chiesa e del cimitero. Ha riattaccato: «E come che vedete, sotto tutte queste pietre c'è gente che dovrebbe trovarsi qui, con tutte le sue ossicine, no?». Ho annuito un'altra volta. «Bene, è qui che non ci siamo. Ce ne sono dozzine, di questi letti da salma, che sono vuoti come che è la bettola del vecchio Dun il venerdì sera, dico bene?» E ha dato di gomito a uno dei suoi compagnoni, e quelli giù a ridere. «E miseria zozza, come potria essere che non è così? Ma guardate un po' quella, lì, dietro la panca. Ma leggetela!» Sono andata alla tomba e ho letto:

"Edward Spencelagh, marinaio, assassinato dai pirati al largo della costa di Andres, aprile 1854, *aet. s. 30*." Sono tornata dal signor Swales, il quale ha riattaccato:

«E chi lo ha riportato a casa, mi chiedo, e chi lo ha seppellito là sotto, eh? Assassinato al largo della costa di Andres! E mi vogliono far credere che la sua salma sta là sotto! Ah, ve ne posso nominare una dozzina, che le loro ossa stanno in fondo al mare di Groenlandia» e così dicendo ha indicato verso nord «o dove che le correnti li hanno trascinati. Ce ne sono, di pietre, qui attorno. E voi avete gli occhi buoni, no?, così potete leggere finanche da qui le balle scritte in caratteri piccoli così. Quel Braithwaite Lourey, per esempio – conoscevo suo padre, perdutosi col *Lively* al largo della Groenlandia, nel Venti. Oppure quell'Andrew Woodhouse, annegato in quegli stessi mari nel 1777; o John Paxton, annegato al largo di capo Farewell un anno dopo. E il vecchio John Rawlings, che suo nonno navigava con me, annegato nel golfo di Finlandia nel

Cinquanta. E voi ci credete che tutti questi uomini corrono dritti filati a Whitby, quando che le trombe suonano? Io ho i miei dubbi! Credetemi se vi dico che, se vogliono venire tutti qui, spintonandosi e facendola a gomitate, ci è una bella confusione, ci è, su quei ghiacci lassù a nord, e qua saremo tutti uno sopra l'altro, a tentare di caricarci sul groppino le nostre lapidi alla luce dell'aurora boreale.» Doveva essere una battuta di spirito locale, perché il vecchio, giù a ridere, e gli altri a fargli eco.

«Ma» gli ho fatto notare «io credo che non siate proprio nel giusto, perché partite dal presupposto che tutti quei poveri diavoli, o le loro anime, il giorno del Giudizio debbano portarsi appresso le pietre tombali. Credete che sia proprio necessario?»

«Be', e a che altro servono le pietre tombali, sennò? Sentiamo voi, signorina!»

«Per far piacere ai parenti, direi.»

«Per far piacere ai parenti!» Il suo tono era di profondo disprezzo. «E credete che gli faccia tanto piacere, ai parenti, di sapere che sulle lapidi stanno scritte tutte quelle balle, e che tutti quanti qui attorno sanno che sono frottole?» Ha indicato una pietra ai nostri piedi, proprio sull'orlo del dirupo, alla quale si appoggiava la panchina. «Ma leggetela, leggetele le balle che sono scritte su quel sasso» ha esortato. Dal punto in cui mi trovavo, la scritta appariva capovolta, ma Lucy, che sedendo all'altra estremità la vedeva meglio, si è chinata e ha letto:

«"Sacro alla memoria di George Canon che morì, nella speranza di una gloriosa resurrezione, addì 29 luglio 1873 cadendo dalle rocce di Kettleness. Questa sua tomba è stata eretta dalla madre desolata al caro figlio amato. Era l'unico figlio di sua madre, ed essa è vedova." A dire il vero, signor Swales, non ci vedo proprio niente di buffo.» Lucy aveva pronunciato questo suo commento con tono grave, anzi con una punta di rimprovero.

«Ah, non ci vedete niente di buffo! Buona questa! Ma forse non sapete che la madre desolata era una vera strega che lo odiava perché lui era storto, quello che si dice un gobbo, era, e lui la odiava tanto che si è suicidato per impedirle di incassare l'assicurazione che gli aveva fatto sulla vita? Si è fatto volar via la zucca del cranio, si è fatto, con un vecchio fucile che gli serviva per scacciare i corvi. Ma mica l'ha usato contro i corvi, eh, no, per cacciarsi nella testa un pugno di pallini, gli è servito. Ecco come che è caduto dalle rocce. E, per quel che riguarda la speranza di una gloriosa resurrezione, cara signorina, l'ho udito con queste mie orecchie ripetere tante di quelle volte che sperava di finire all'inferno, perché sua madre era talmente bigotta che era sicura che andava in paradiso, e lui non voleva ritrovarsela tra i piedi. E allora, quella pietra tombale» e così dicendo ha preso a battervi su il bastone «è o non è un sacco di balle? E non farà crepar dal ridere Gabriele, quando il vecchio Georgie se ne arriverà ansimando su per il sentiero, con la lapide in bilico sulla gobba, e pretenderà che gliela passino per prova valida?»

Non sapevo che dire, ma Lucy ha cambiato argomento, alzandosi e dicendo:

«Oh, ma perché ci avete detto tutte queste cose? Questa è la mia panchina preferita, le sono tanto affezionata, e adesso mi toccherà continuare a sedere sulla tomba di un suicida!»

«Non vi farà certo male, bella mia; e al povero Georgie gli farà piacere avere una ragazza così carina che gli sta seduta sulle ginocchia. No, no, a voi non farà certo male. Ma come, io che vengo qua a sedermi da più di venti anni ormai, e non mi è mai capitato niente. Non dovete prendervela tanto a cuore per quelli che stanno sotto di voi, e tanto meno per quelli che non ci stanno mica! Volete che vi dico io, quando che sarà il momento di aver paura? Quando che le lapidi le vedrete scappar via di corsa, e qui resterà vuoto che sembra un campo di stoppie. To', suonano le sei, devo andare. I miei ossequi, signore» e via zoppicando.

Lucy e io siamo rimaste ancora un po', ed era così bello lo spettacolo che avevamo di fronte, che ci siamo prese per mano; e Lucy mi ha raccontato tutto da capo, di Arthur e del loro prossimo matrimonio, e questo mi ha reso un tantino triste, perché ormai è da più di un mese che non ho notizie di Jonathan.

Lo stesso giorno. Sono venuta quassù da sola perché mi sento molto giù. Nessuna lettera per me. Spero che a Jonathan non sia accaduto niente di male. L'orologio ha suonato or ora le nove. Vedo le luci accese da un capo all'altro della città, qua allineate, ove ci sono le strade, là sparse; corrono lungo l'Esk e scompaiono alla curva della vallata. Alla mia sinistra, la veduta è interrotta dalla sagoma nera del tetto della vecchia casa vicino all'abbazia. Pecore e agnelli belano nei campi, lontano alle mie spalle, e si odono zoccoli di somaro salire per la strada lastricata qui in basso. Sul molo, la banda sta suonando un allegro valzer ritmato con vigore, e più in là, lungo la banchina, all'angolo di una stradina, c'è un raduno dell'Esercito della Salvezza. I componenti le due bande non si odono a vicenda, ma di quassù io le sento e le vedo entrambe. Chissà dov'è Jonathan e se pensa e me. Come vorrei che fosse qui!

DIARIO DEL DOTTOR SEWARD

5 giugno. Il caso di Renfield si fa più interessante via via che lo sondo. Il paziente possiede certe caratteristiche molto sviluppate: egoismo, riservatezza, determinazione. Mi piacerebbe tanto capire quale sia l'obiettivo di quest'ultima. Si direbbe che egli abbia un suo preciso proposito, ma quale, lo ignoro. La qualità che lo riscatta è l'amore per gli animali, sebbene a volte questo si manifesti in forme così singolari, da farmi pensare che sia solo mostruosamente crudele. I suoi beniamini sono di strane specie. Al momento attuale, il suo passatempo preferito consiste nel catturare mosche, e ne ha ormai una tale quantità che sono stato costretto a fargli le mie rimostranze. Con mia grande sorpresa, non ha avuto un'esplosione d'ira, come mi aspettavo, ma ha preso la cosa con tranquilla serietà. Ci ha pensato su un istante, e quindi ha chiesto: «Mi concedete tre giorni? Le farò sparire tutte». Naturalmente gli ho detto di sì. Ma devo tenerlo d'occhio.

18 giugno. Adesso si dedica ai ragni, e in una scatola ne tiene alcuni molto grossi. Continua a nutrirli con le sue mosche, che diminuiscono sensibilmente di numero, anche se metà delle sue razioni alimentari le usa per attrarne altre nella sua stanza.

1° luglio. I suoi ragni stanno diventando non meno fastidiosi delle mosche, e oggi gli ho detto che deve sbarazzarsene. È sembrato molto rattristato, per cui mi sono affrettato a soggiungere che deve per lo meno eliminarne alcuni, e lui ha accondisceso tutto lieto; gli ho concesso, per procedere allo sfoltimento, lo stesso periodo di tempo. Sono rimasto profondamente disgustato perché, proprio in quella, un moscone schifoso, gonfio di fetido cibo, è entrato ronzando, e Renfield l'ha catturato, per qualche istante l'ha tenuto, tutto esultante, tra indice e pollice e, prima che mi rendessi conto delle sue intenzioni, se l'è infilato in bocca e l'ha inghiottito. Gli ho dato una lavata di capo, ma lui ha replicato, con tutta tranquillità, che il moscone era buonissimo e assai nutriente; che era vita, vita piena di energia, e che dava vita a lui. Questo mi ha suggerito un'idea, o per lo meno un barlume di idea. Devo vedere come si sbarazza dei ragni. Con ogni evidenza, al fondo della sua mente c'è un problema che lo assilla, perché tiene un taccuino in cui di continuo annota qualcosa. Ci sono pagine e pagine fitte di cifre, per lo più singoli numeri sommati a gruppi, i totali a loro volta raccolti a gruppi, come se si trattasse di quelli che i contabili chiamano riporti.

8 luglio. C'è metodo nella sua follia, e nel mio cervello un'idea appena abbozzata prende corpo. Tra poco, anzi, sarà un'idea bell'e fatta; e poi, inconscia attività cerebrale, dovrai cedere il posto alla tua conscia sorella. Ho evitato il mio amico per qualche giorno, in modo da poter notare se si verificano mutamenti. Tutto resta come prima, salvo il fatto che si è sbarazzato di alcuni dei suoi beniamini e ora ne ha uno nuovo. È riuscito a procurarsi un passero, e in parte almeno l'ha addomesticato. Per farlo, ricorre a un metodo assai semplice: i ragni sono già in diminuzione. Quelli che rimangono, in compenso, sono ben nutriti, perché continua a catturare mosche attirandole con il suo cibo.

19 luglio. Facciamo progressi. Il mio amico ha ora a disposizione un'intera colonia di passeri, e mosche e ragni sono quasi scomparsi. Quando sono entrato, mi è corso incontro e mi ha detto che aveva da chiedermi un grande favore – un grandissimo favore, anzi; e parlando, mi scondinzolava attorno come un cane. Gli ho chiesto di che si trattasse, e lui, con voce ed espressione rapite:

«Un gattino, un bel gattino, un micino giocherellone, perché possa baloccarmici, e istruirlo, e dargli da mangiare, mangiare, mangiare!» Non ero impreparato alla sua richiesta, avendo notato come i suoi beniamini crescano in dimensioni e voracità, ma non mi piaceva l'idea che quella lieta famiglia di passerotti addomesticati venisse spazzata via allo stesso modo delle mosche e dei ragni; ragion per cui gli ho risposto che ci avrei pensato e gli ho chiesto se non preferiva un gatto adulto a uno cucciolo. L'impazienza lo ha tradito, e la sua risposta è suonata:

«Oh, sì, mi piacerebbe sì, un gatto! Vi ho chiesto un gattino soltanto perché temevo che un gatto me lo rifiutaste. E un gattino, nessuno me lo rifiuterebbe, vero?» Ho scosso il capo, dicendo che per il momento temo sia impossibile, ma che ci avrei pensato. Il volto gli si è incupito, e vi ho letto un'avvisaglia di pericolo, perché c'è stata un'improvvisa occhiata sbieca, torva, assassina. Quest'uomo è affetto da mania omicida repressa. Terrò sotto controllo questo suo nuovo ghiribizzo per seguirne gli sviluppi; così ne saprò di più.

Ore 22. Sono stato di nuovo da lui, e l'ho trovato immusonito in un angolo. Come mi ha visto, mi si è gettato alle ginocchia, implorandomi di concedergli un gatto: ne andava della sua salvezza! Ma sono stato irremovibile, e gli ho detto che era impossibile, e lui allora si è allontanato senza una parola, morsicandosi le dita e accoccolandosi nell'angolo dove stava prima. Lo vedrò domattina presto.

20 luglio. Ho visitato Renfield molto presto, prima che l'infermiere facesse il suo giro. L'ho trovato in piedi che canticchiava. Era intento a spargere lo zucchero che aveva messo da parte sul davanzale della finestra: evidentemente, ha ricominciato ad acchiappare mosche, e lo fa tutto allegro, di buona lena. Mi sono guardato in giro, alla ricerca degli uccelli, e non vedendoli gli ho chiesto dove fossero. Ha risposto, senza voltarsi, che erano volati via tutti. Qua e là nella stanza c'erano delle piume e, sul suo cuscino, una goccia di sangue. Non ho detto nulla, ma sono uscito e ho dato ordine al sorvegliante di avvertirmi subito se durante il giorno avesse notato qualcosa di strano.

Ore 11. L'infermiere è venuto un momento fa a dirmi che Renfield è stato malissimo e ha vomitato un mucchio di piume. «Secondo me, dottore,» mi ha detto l'infermiere «ha mangiato gli uccelli, buttandoli giù crudi, così come erano.»

Ore 23. Questa sera ho somministrato a Renfield un potente sedativo, sufficiente a farlo dormire della grossa, e mi sono impadronito del suo taccuino per esaminarlo. Il pensiero che mi frullava nella mente da un po' di tempo in qua aveva preso finalmente forma, e la teoria risulta comprovata. Il mio maniaco omicida è di un tipo particolare. Dovrò elaborare una nuova classificazione a suo uso e consumo: lo chiamerò "zoofago", vale a dire mangiatore di esseri vivi; ciò cui aspira, è di ingurgitare quante più vite gli riesce, e si è proposto di farlo per graduale accumulo. Ha dato molte mosche a un unico ragno, e molti ragni a un unico uccello, e poi voleva un gatto perché mangiasse i molti uccelli. E il passo successivo? Quasi quasi, varrebbe la pena di portare agli estremi limiti l'esperimento. Lo si potrebbe fare, ci fosse solo un motivo sufficiente. Gli uomini hanno sempre protestato contro la vivisezione, ma guardiamone oggi i risultati! Perché non far progredire la scienza in quello dei suoi campi che è il più arduo e decisivo: la conoscenza del cervello? Se mai riuscissi a cogliere il segreto di almeno una mente siffatta – se possedessi la chiave delle fantasie di almeno un lunatico –, potrei far progredire la branca della scienza che mi è propria, portandola a un livello rispetto al quale la fisiologia di Burdon-Sanderson o le conoscenze del cervello di Ferrier sarebbero quisquilie. Ah, ci fosse un motivo valido! Non devo pensarci troppo, altrimenti potrei sentirmene tentato; una causa sufficiente rischierebbe di indurmi al gran passo, perché come escludere che anch'io sia in potenza dotato di un cervello eccezionale?

Come ragionava bene, quell'uomo! I pazzi sempre lo fanno, nel contesto che è loro proprio, e mi chiedo quante vite secondo lui valgono un uomo, o se questo ne vale una sola. Ha compiuto il suo calcolo con la massima precisione, e oggi ne ha cominciato uno nuovo. E quanti di noi ogni giorno della propria vita non cominciano un nuovo computo?

Mi sembra soltanto ieri che la mia vita precedente è finita insieme alla mia nuova speranza, e ho cominciato un nuovo computo. E così sarà finché il Grande Calcolatore non avrà tirato le somme che mi riguardano, chiudendo il mio conteggio con un bilancio di profitti e perdite. Oh, Lucy, Lucy, non posso essere adirato con te, né avercela con il mio amico la cui felicità è la tua; non mi resta che continuare ad attendere senza speranza e lavorare. Lavorare, lavorare!

Se almeno avessi uno scopo valido come quello del mio povero amico pazzo – un valido motivo altruistico che mi sproni a lavorare: e allora sì che sarei felice.

26 luglio. Sono in ansia e scriverne serve a tranquillizzarmi; è come sussurrare a se stessi e in pari tempo ascoltare. E poi, nei simboli stenografici c'è qualcosa che li rende diversi dalla scrittura corrente. Sono in pena per Lucy e per Jonathan. È da un pezzo che non ho più notizie di lui, ed ero molto preoccupata; ma ieri il caro signor Hawkins, che è sempre così gentile, mi ha mandato una sua lettera. Gli avevo scritto chiedendogli se ne aveva notizie, e mi ha risposto dicendomi che quella allegata gli era appena giunta. Solo poche righe, con l'intestazione "Castel Dracula", in cui Jonathan gli comunica che sta per partirne. Non è da lui. Non riesco a capire, e questo mi fa sentire sulle spine. E poi, Lucy, benché stia così bene, di recente è ricascata nella vecchia abitudine del sonnambulismo. Ne ho parlato con sua madre, e abbiamo deciso che, la sera, chiuderò a chiave l'uscio della nostra camera. La signora Westenra si è fissata che i sonnambuli vadano sempre sui tetti delle case e sull'orlo di precipizi, e poi si sveglino di colpo e cadano con un grido disperato e terribile. Poverina, naturalmente è in ansia per Lucy, e mi ha detto che suo marito, il padre della mia amica, aveva lo stesso vizio: anche lui nottetempo si alzava, si vestiva e usciva, a meno che non lo fermassero. Lucy si sposerà in autunno, e già pensa al corredo e a come arrederà casa sua. La capisco, perché faccio lo stesso, solo che Jonathan e io cominceremo la vita in comune in maniera assai modesta, preoccupandoci di arrivare a fine mese. Il signor Holmwood – si tratta dell'onorevole Arthur Holmwood, figlio unico di Lord Godalming – sarà qui quanto prima, non appena potrà lasciare la città perché suo padre sta tutt'altro che bene, e penso che la cara Lucy conti i minuti. Vuole portarlo alla panchina sulla punta del cimitero, per mostrargli le bellezze di Whitby. Probabilmente è l'attesa che la mette sossopra; starà perfettamente non appena Arthur sarà qui.

27 luglio. Nessuna notizia di Jonathan. Comincio a essere davvero in ansia, anche se non so perché; ma desidero tanto che scriva, sia pure due parole. Lucy è più sonnambula che mai, e non passa notte senza che mi svegli aggirandosi per la stanza. Per fortuna fa tanto caldo che non può prendersi un malanno, ma comincio a essere provata dalla tensione e dal fatto di venire di continuo svegliata, e io stessa sto facendomi nervosa e insonne. Grazie a Dio, la salute di Lucy non ne risente. Il signor Holmwood è stato chiamato d'urgenza a Ring, da suo padre colpito da grave malore. Lucy scalpita per il ritardo frapposto al suo arrivo, ma questo non influisce affatto sul suo aspetto; è anzi un pochino più in carne, e le guance sono incantevolmente rosate. Ha perduto quell'aspetto anemico che aveva. Speriamo che duri.

3 agosto. Un'altra settimana trascorsa senza notizie da Jonathan, neppure al signor Hawkins, da cui le ho avute in precedenza. Oh, spero proprio che non sia malato. Non può non avermi scritto. Torno a esaminare la sua ultima lettera, ma c'è qualcosa che non mi convince. Non sembra sua, eppure la grafia lo è. Quanto a questo, impossibile sbagliarsi. Durante l'ultima settimana, Lucy non ha avuto molte crisi di sonnambulismo, ma sembra stranamente assorta, e non la capisco. Anche quando dorme, si direbbe che mi sorvegli. Tenta la porta e, quando la trova chiusa, si aggira per la stanza alla ricerca della chiave.

6 agosto. Altri tre giorni, e nessuna notizia. Quest'attesa diventa atroce. Se solo sapessi dove scrivere o dove andare, mi sentirei meglio. Ma non mi resta che pregare il Signore che mi dia pazienza. Lucy è più nervosa che mai, ma per il resto sta bene. La notte scorsa è stata di gran brutto tempo, i pescatori dicono che si avvicina una tempesta. Devo imparare a stare con gli occhi aperti e a riconoscere le avvisaglie del maltempo. Quest'oggi, giornata grigia, e mentre scrivo il sole è nascosto dietro grevi nuvole, torreggianti sopra Kettleness. Ogni cosa è grigia, eccezion fatta per l'erba verde, che contro il grigio sembra smeraldo; grigie rocce terrose; grigie nuvole tinte, ai margini, dal riverbero del sole gravano

sul mare grigio nel quale le lingue di sabbia si proten-
dono come grigie dita. Il mare si sommuove, sopra secche e banchi di sabbia, con un fragore attutito dalle
brume che s'intrufolano nell'entroterra. L'orizzonte è
perso in una nebbia grigia. Tutto è vastità; le nubi s'ac-
cumulano quasi rocce giganti, e sul mare si diffonde
un'eco cava, bruum, bruum, che sembra un presagio di
sciagura. Qua e là, sulla spiaggia, sono nere figure, di
quando in quando semivelate dalla bruma, e sembrano
«più che uomini, alberi vaganti». I battelli da pesca
rientrano in gran fretta, alzandosi e sprofondando nella
risacca mentre filano in porto, inclinati fino all'ombri-
nale. Ecco che arriva il vecchio signor Swales. Viene diritto verso di me, e mi avvedo, da come si leva il cappello, che vuole parlarmi...

Sono stata profondamente scossa dal mutamento ve-
rificatosi nel povero vecchio. Non appena mi si è seduto
accanto, ha detto con tono gentilissimo:
«Voglio dirvi una cosa, signorina.» Vedevo però che
era sulle spine, e allora gli ho preso la vecchia mano
grinzosa e l'ho esortato a parlare liberamente. E lui, lasciando la sua mano tra le mie:
«Cara signorina, ho paura di avervi scandalizzata
con quelle brutte robe che vi ho detto dei morti e di tutto il resto in queste settimane; ma mica parlavo sul serio, e desidero che ve lo ricordate quando me ne sarò
andato. Noi vecchi che siamo già segnati, che abbiamo
già un piede nella fossa, non ci piace, a noialtri, pensarci, non vogliamo che ci dia la tremarella, e così io ci
scherzo su, perché mi tira un po' su di morale. Ma chiamo Dio a testimone, cara signorina, io non ho paura di
crepare, neanche un poco; solo che non mi va di morire
se posso tirare a campare. Ormai la mia ora è vicina,
perché sono vecchio e cento anni sono più di quello che
chiunque ha diritto di aspettarsi; e ci sono anzi così vicino, che la Comare Secca sta già affilando la sua falce.
Ma che volete farci, mica posso perdere di colpo l'abitudine di farci su quattro risate; i buontemponi non perdono mai la voglia di scherzare. Uno di questi giorni,

l'angelo della morte suonerà la tromba per me, e zac! Ma non rattristatevi troppo, mia cara!» Perché si era accorto che stavo piangendo «Anche se viene questa notte, io mica mi rifiuto di rispondere alla chiamata. Perché la vita in fondo cos'è? Solo l'attesa di qualcosa d'altro, no? E la morte l'unica cosa che possiamo essere sicuri che viene. Ma io sono contento che sta venendo da me, e di corsa, anche. Magari arriva che ce ne stiamo qui, a chiederci quando. Magari è quel vento laggiù sul mare, che porta rovina e distruzione, e tanto dolore e cuori tristi. Guardate, guardate» ha gridato all'improvviso. «C'è qualcosa, in quel vento e nel nembo che viene con lui, che sa di morte: l'aria, l'aspetto, la puzza della morte. È nell'aria; lo sento arrivare. Signore, fa' che io rispondo come si deve quando che viene la chiamata!» Ha congiunto devotamente le mani, togliendosi il cappello. La bocca gli si muoveva come se stesse pregando. Dopo qualche istante di silenzio, si è alzato, mi ha stretto la mano, mi ha impartito la sua benedizione, mi ha detto arrivederci e se n'è andato zoppicando. Tutto questo mi ha commosso e profondamente sconvolto.

E sono stata ben lieta quando è passata di lì la guardia costiera con il suo cannocchiale sotto il braccio. Si è fermata a chiacchierare con me, come sempre fa, in pari tempo però continuando a tener d'occhio uno strano battello.

«Non riesco a capire» diceva. «Dev'essere russo, stando all'aspetto; ma sbanda in modo che più strano non potrebbe essere. Si direbbe che non sappia quel che fa, che senta arrivare la tempesta ma non riesca a decidere se puntare a nord, verso il largo, o venire qui a ripararsi. Date un'occhiata! È pilotato nella maniera più stramba, non obbedisce neanche un po' al timone; a ogni alito di vento, va di qua e di là. Be', ne sapremo di più prima di domattina.»

VII

Whitby, 8 agosto

Dal nostro corrispondente

Una delle più violente e improvvise tempeste di cui si abbia memoria si è or ora abbattuta su questa località, con conseguenze più uniche che rare. Il tempo era afoso, ma non in misura fuor dal comune per il mese d'agosto. La sera di sabato è stata splendida, e gran parte dei gitanti ieri si è messa in cammino alla volta dei Mulgrave Woods, della baia di Robin Hood, del Rig Mill, di Runswick, di Staithes e delle varie mete di escursione nei dintorni di Whitby. I vapori *Emma* e *Scarborough* facevano la spola lungo la costa, e il movimento da e per Whitby è stato eccezionale. Giornata straordinariamente bella fino al pomeriggio, quando qualcuna delle comari che frequentano il cimitero di Eastcliff e da quell'altura vigilano l'ampia distesa marina che si domina con lo sguardo a nord e a est, ha richiamato l'attenzione sull'improvvisa comparsa di trombe marine alte nel cielo nordoccidentale. Il vento stava soffiando mite da sudovest con quella che nel gergo dei meteorologhi è classificata "forza due: leggera brezza". Il guardacoste di servizio ha fatto immediatamente rapporto, e un vecchio pescatore, che da oltre mezzo secolo continua a sorvegliare i segni del tempo dall'Eastcliff, ha previsto con tono deciso l'arrivo di una tempesta improvvisa. Il tramonto era vicino, e così bel-

95

lo, così grandioso con le sue masse di nuvole splendidamente colorate, che una gran folla è andata raccogliendosi sulla passeggiata lungo la scogliera del vecchio cimitero per godersi lo spettacolo. Prima che il sole sprofondasse dietro la nera massa di Kettleness che si staglia fiera contro l'orizzonte occidentale, la sua discesa è stata accompagnata da miriadi di nuvole d'ogni gradazione di colore, dal rosso fiamma al porpora, dal rosa al verde, al viola e a tutte le sfumature dell'oro: e qui e là, masse non grandi, ma in apparenza di un nero assoluto, e d'ogni forma, alcune dai bordi netti come enormi silhouettes. Un'esperienza che i pittori non hanno voluto perdersi, e senza dubbio alcuni degli schizzi di quel "preludio alla grande tempesta" il maggio prossimo faranno bella mostra di sé sulle pareti della Royal Academy e del Royal Institute. Più di un capitano di mare ha deciso che, per il momento, la sua "carretta" o "mulo", come qui usano definire le varie classi di battelli, sarebbe rimasto in porto finché la tempesta non fosse passata. Nel corso della serata, il vento è cessato del tutto, e a mezzanotte erano una calma mortale, un caldo afoso e quella crescente tensione che, nell'imminenza del temporale, influisce su persone di natura sensibile. Sul mare si scorgevano solo poche luci, perché anche i vapori costieri, che di solito "sfiorano" così da vicino la costa, si tenevano bene al largo, e i battelli da pesca in vista si potevano contare sulle dita. L'unico veliero era una goletta straniera con tutta la tela al vento, in apparenza diretta a ovest. La ignoranza o la stoltezza degli ufficiali di bordo ha dato ampia esca ai commenti finché è rimasta in vista, e si son fatti tentativi intesi a segnalarle la necessità di ridurre la velatura in previsione del pericolo. Prima che la notte calasse, è stata vista con le vele che sbattevano floscie mentre il veliero rollava pigramente sull'ondante gonfiarsi del mare,

Inerte come nave dipinta su un dipinto oceano.

Poco prima delle ventidue, l'immobilità dell'aria è divenuta assai opprimente, e il silenzio di tale intensità che il belato di una pecora nell'entroterra o il latrato di un cane in città era nitidamente udibile, e la banda sulla calata, con le sue allegre arie francesi, era come una nota discordante nella grande armonia del silenzio della natura. Poco prima di mezzanotte, dal mare è giunto un bizzarro suono, e lassù in alto l'aria ha cominciato a veicolare uno strano, debole, vuoto rimbombo.

Poi, senza preavviso, la tempesta è scoppiata. Con una rapidità che, al momento, è apparsa incredibile, e anche a ripensarci è impossibile creder vera, l'aspetto tutto quanto della natura d'un tratto è stato sconvolto. Le onde si sono levate con crescente furia, ciascuna travalicando la precedente, sicché nel giro di pochi istanti il mare, fino a un attimo prima vetroso, è divenuto tale e quale un mostro ruggente e divorante. Cavalloni bianco-crestati battevano pazzamente le piatte sabbie, arrampicandosi su per i faraglioni aggettanti; altri si rompevano sui moli, e con la schiuma spazzavano le lanterne dei fari che sorgono alla estremità di ciascuna delle calate del porto di Whitby. Il vento rumoreggiava come tuono, soffiando con tanta furia che solo a stento un uomo, per forte che fosse, riusciva a reggersi in piedi quando non dovesse aggrapparsi impaurito ai corrimano di ferro. Si è ritenuto indispensabile sgombrare i moli dalla folla di spettatori, pena altrimenti che gli incidenti notturni si moltiplicassero in maniera imprevedibile. Ad aggiungere alle difficoltà e ai pericoli del momento, masse di nebbia sono penetrate nell'entroterra – bianche, umide nuvole che trascorrevano spettralmente, così molli e zuppe e fredde, che bastava un minimo sforzo di fantasia per ritenere che gli spiriti dei perdutisi in mare sfiorassero i loro fratelli viventi con le mani viscide della morte, e molti e molti rabbrividivano al trascorrere delle spirali di bruma marina. Di tanto in tanto, questa si squarciava, e allora il mare lo si scorgeva per un certo tratto alla luce dei lampi, che ora si susseguivano fitti e rapidi, accompagnati da così abrupti scrosci di tuono che l'intero cielo al di sopra sembrava tremare scosso dai passi della tempesta.

Certe scene così svelate erano di incommensurabile

grandezza e di straordinario interesse: il mare che saliva ad altezze montane, lanciava verso il cielo a ogni ondata gigantesche quantità di bianca spuma, che la tempesta sembrava rubare e mulinare via nello spazio; qua e là un peschereccio, con un cencio di vela, che correva all'impazzata in cerca di un rifugio davanti al turbine; di tanto in tanto, le candide ali di un uccello marino travolto dalla tempesta. Sulla sommità dell'Eastcliff, il nuovo faro era pronto all'uso, ancorché non fosse stato neppure collaudato. I faristi l'hanno messo in funzione, e nelle pause tra un irrompere e l'altro della nebbia, la sua luce spazzava la superficie marina. Una o due volte è stata quanto mai utile, come ad esempio allorché un peschereccio, con la frisata sommersa, si è precipitato nel porto, riuscendo, grazie alla guida del raggio protettore, a scansare il pericolo di infrangersi contro le calate. A ogni imbarcazione che raggiungeva la sicurezza del porto, si levava un grido di gioia dalla folla assiepata sulla riva, così forte che per un istante sembrava vincere la burrasca, ma poi veniva spazzato via dal suo impeto.

Ben presto, il faro ha fatto risaltare a una certa distanza una goletta con le vele issate, a quanto sembra lo stesso vascello che era stato notato ore prima. Nel frattempo, il vento era girato a est, e un brivido è corso tra gli spettatori sulla falesia, quando si sono resi conto del terribile pericolo che il veliero adesso correva. Tra la goletta e il porto era la grande, piatta scogliera, sulla quale tante forti navi sono andate a dar di cozzo e, con il vento soffiante da quella direzione, sarebbe stato quasi impossibile per quella imboccare l'entrata al porto. S'era ormai prossimi all'alta marea, ma le onde erano di misura tale che nel loro incavo quasi trasparivano i bassifondi sottocosta, e la goletta, con le vele spiegate, filava con tanta velocità che, per dirla con un vecchio lupo di mare, doveva comunque "finire da qualche parte, fosse pure all'inferno". Poi è sopraggiunta un'altra folata di foschia marina, più densa di ogni altra precedente, un cumulo di nebbia stillante che pareva aderire a tutte le cose come un grigio sudario e lasciava agli esseri umani l'uso soltanto dell'udito, poiché anzi il fragore della tempesta, e lo scrosciare del tuono, e il rombo dei possenti marosi giungevano attraverso quell'umido velario più sonori che mai. I raggi del faro erano tenuti fissi sull'imboccatura al porto, alla testata della calata est, dove ci si aspettava il cozzo, e uomini e donne stavano col fiato sospeso. D'un tratto, ecco il vento girare a nordest, e la nebbia dissolversi al soffio; e poi, *mirabile dictu*, tra i moli, balzando d'onda in onda a folle velocità, la strana goletta è saettata davanti alla raffica, con tutte le vele alzate, guadagnando il ridosso. La luce del faro l'ha seguita, e un sussulto ha colto quanti stavano a guardare, poiché, legato alla ruota del timone, era un cadavere, il capo ciondolante che oscillava qua e là orribilmente a ogni moto della nave. Nessun'altra forma umana era visibile sul ponte. Un grande sgomento è piombato su tutti allorché si sono resi conto che la nave, come per miracolo, aveva raggiunto il porto, non guidata se non dalla mano di un morto. Pure, tutto è avvenuto in un tempo più breve di quanto non ne occorra per scrivere queste parole. La goletta non si è fermata ma, filando attraverso il bacino, è andata a incagliarsi in quel mucchio di sabbia e ghiaia che molte maree e molte tempeste hanno accumulato in corrispondenza dell'angolo sudorientale del molo che si innesta sotto l'Eastcliff, e che è noto localmente come molo Tate Hill.

Inutile dire che l'urto è stato violento allorché il vascello è andato a sbattere sul mucchio di sabbia. Ogni attrezzo, cima, straglione è stato divelto, e alcuni dei pennoni sono precipitati con fragore. Ma, cosa massimamente strana, nell'istante preciso in cui la nave ha toccato la riva, un enorme cane, quasi espulso dall'urto è balzato sul ponte dalla stiva e, correndo a prua da questa è balzato sulla sabbia. Puntando diritto alla ripida scogliera, là dove il cimitero pende sul sentiero che conduce al molo orientale talmente a picco che alcune delle piatte pietre tombali – "traversoni", come vengono chiamate nel vernacolo di Whitby – addirittura pencolano sull'abisso laddove la roccia sottostante si è sfaldata, ed è scomparsa nell'oscurità, che sembrava più densa oltre il raggio del riflettore.

Caso ha voluto che in quel momento sul Tate Hill non ci fosse nessuno, e tutti coloro che hanno casa nelle immediate vicinanze stessero a letto o sulle alture sovrastanti. Ragion per cui, la guardia costiera di servizio nel settore est del porto, che subito è corsa verso il piccolo molo, è stata la prima a salire a bordo. I faristi, dopo aver spazzato con il raggio luminoso l'entrata al porto senza null'altro vedere, l'hanno volto al relitto, su di esso fissandolo. La guardia costiera è corsa verso poppa e, giunta alla ruota, si è chinata a esaminarla, ma subito è arretrata come in preda a improvvisa emozione. Ciò è parso stimolare la curiosità generale, e una folla è subito accorsa. C'è un bel tratto di strada da West Cliff, accanto al ponte mobile, al Tate Hill, ma il vostro corrispondente, che ha gambe abbastanza buone, è giunto sul posto con notevole anticipo sugli altri. Ma quando ci sono arrivato, già ho trovato assiepato sul molo un capannello, cui guardacoste e poliziotti impedivano di salire a bordo. Graze ai buoni uffici del comandante della capitaneria di porto, a me, in qualità di corrispondente, è stato permesso di accedere al ponte, e sono stato così uno dei pochi a vedere il marinaio morto ancora legato alla ruota.

Non c'è da meravigliarsi che il guardacoste fosse rimasto sorpreso, addirittura sgomento, perché non accade spesso di assistere a un simile spettacolo. L'uomo era legato soltanto per i polsi, incrociati e avvinti a un raggio del timone. Tra la mano che aderiva al legno e questo, un crocifisso, e il rosario dal quale era fermato, era avvolto a entrambi i polsi e all'impugnatura della ruota, il tutto bloccato dalle corde che legavano il cadavere. Il povero diavolo può darsi che stesse seduto, ma lo sbattere delle vele si era comunicato alla ruota del timone, spostandolo di qua e di là tanto che le funi che lo imprigionavano avevano tagliato la carne sino all'osso. È stato compiuto un accurato sopralluogo, e un medico, il dottor J.M. Caffyn, abitante al 33 di East Elliot Place, giunto subito dopo di me, ha dichiarato, al termine di un'ispezione della salma, che l'uomo deve essere morto da almeno due giorni. In tasca gli è stata trovata una bottiglia accuratamente tappata, contenente solo un pezzo di carta arrotolato, che è risultato essere un brano del giornale di bordo. La guardia costiera ha detto che l'uomo deve essersi legato da solo, stringendo i nodi con i denti. Il fatto che a essere salito a bordo per primo sia stato il guardiano può comportare complicazioni in seguito, quando se ne discuterà al tribunale marittimo; la guardia costiera, infatti, non può accampare diritti sul relitto, che spettano al primo civile che sale a bordo. Ma già le lingue dei leguleii sono in movimento, e un giovane studente di legge proclama a gran voce che i diritti dell'armatore sono affatto decaduti, in quanto contraddetti dalle norme statutarie sulla manomorta, poiché il timone, emblema della nave se non addirittura prova di un'avvenuta delega, è impugnato da una *mano morta*. Inutile dire che il timoniere defunto è stato devotamente tolto dal luogo dove era rimasto a compiere il suo dovere fino all'ultimo – una tenacia non meno nobile di quella del giovane Casabianca – e traslato all'obitorio in attesa dell'inchiesta.

Ormai l'improvvisa tempesta sta trascorrendo, la sua violenza si acqueta; la folla si disperde verso le case, il cielo comincia ad arrossarsi sopra le brughiere dello Yorkshire. Invierò, in tempo utile per la prossima edizione, ulteriori particolari riguardanti il relitto che così miracolosamente ha trovato la via del porto nella tempesta.

Whitby, 9 agosto. Il seguito dello strano arrivo del relitto durante la tempesta della notte scorsa è quasi più stupefacente ancora del fatto in sé. È risultato che la goletta è russa, di Varna, e si chiama *Demeter*. È quasi interamente zavorrata di sabbia argentifera, e reca a bordo solo un piccolissimo carico: un certo numero di grandi casse di legno riempite di terriccio. Il carico è stato consegnato a un procuratore di Whitby, il signor S.F. Billington, al 7 del Crescent, che stamane è salito a bordo e ha preso formale possesso dei beni consegnatigli. Dal canto suo, il console russo, in rappresentanza dell'armatore, ha preso formale possesso della nave, pagando le tasse portuali e quant'altro. Oggi qui non si parla che del singolare caso; i funzionari della locale camera di commercio si sono mostrati molto pignoli nell'assicurarsi che tutte le operazioni venissero eseguite in conformità alle norme vigenti. In effetti, si tratta di un vero e proprio portento, ed essi sono fermamente decisi a escludere l'eventualità di successive contestazioni. Molto interesse ha suscitato il cane che è balzato a terra al momento del cozzo, e più di un membro della Società per la Protezione degli Animali, che a Whitby gode di grande autorità, si è messo alla sua ricerca. Ma, con delusione di tutti, non è stato possibile trovarlo: si direbbe che sia scomparso affatto dalla città. Può darsi che, spaventato, sia fuggito verso la brughiera, ove ancora si nasconde in preda al terrore. Né manca chi si preoccupa di quest'eventualità, per timore che in seguito diventi pericoloso, trattandosi con ogni evidenza di un bestione inselvatichito. Stamattina presto, un grosso cane, un bastardo di mastino di proprietà di un mercante di carboni che ha magazzino nei pressi del Tate Hill, è stato trovato morto in un vicolo di fronte al recinto del suo padrone. Aveva sostenuto un combattimento, e con ogni evidenza si era trovato alle prese con un feroce avversario, poiché la gola risultava squarciata e il ventre aperto come da un terribile artiglio.

Più tardi. Per cortesia dell'ispettore della Camera di Commercio, ho avuto modo di esaminare il giornale di bordo del *Demeter*, regolarmente tenuto sino a tre giorni fa, ma che nulla contiene che sia di particolare interesse, eccezion fatta per quanto riguarda la scomparsa degli uomini dell'equipaggio. Di ben maggiore interesse è invece il pezzo di carta trovato nella bottiglia, che oggi è stato esibito nel corso dell'inchiesta; e mai mi è capitato di imbattermi in eventi più singolari di quelli che risultano da esso e dal giornale di bordo. Poiché non c'è motivo di tenerli segreti, sono autorizzato a farne uso, ragion per cui ve ne invio copia, omettendo null'altro che particolari tecnici circa la proprietà della nave e l'agente marittimo. Si direbbe dunque che il capitano sia stato colto da una sorta di follia prima ancora di essersi portato molto al largo, e che durante tutto il viaggio l'insania mentale sia andata via via accentuandosi. Com'è ovvio, queste mie affermazioni vanno prese *cum granu salis* perché scrivo sotto dettatura di un impiegato del consolato russo, che gentilmente si è prestato a tradurre a mio beneficio, poiché il tempo stringe.

LIBRO DI BORDO DEL "DEMETER"
DA VARNA A WHITBY

Scritto 18 luglio. Cose così strane accadono di cui terrò accurato resoconto d'ora in poi fino allo sbarco.

6 luglio. Abbiamo finito di caricare, sabbia argentifera e casse di terra. Salpati a mezzogiorno. Vento da est, sostenuto. Equipaggio: cinque marinai, nostromo, secondo, cuoco e io (capitano).

11 luglio. All'alba entrati Bosforo. Saliti a bordo funzionari dogana turca. *Bakshish*. Tutto in regola. Ripartiti ore 16.

12 luglio. Attraversati Dardanelli. Altri ufficiali di dogana e battello di comando squadra vigilanza. Altro *bakshish*. Lavoro dei funzionari accurato ma rapido. Vogliono che partiamo al più presto. Al tramonto, giunti all'Arcipelago.

13 luglio. Doppiato capo Matapan. Equipaggio inquieto, non so perché. Sembrano spaventati, ma non vogliono aprir bocca.

14 luglio. Piuttosto preoccupato per ciurma. Uomini tutti d'un pezzo, che hanno già navigato con me. Secondo non è riuscito a capire che cosa non va; gli hanno detto solo che c'è *qualcosa*, e si sono segnati. Nostromo

ha perduto pazienza con uno di loro, e l'ha percosso. Nostromo sta perdendo pazienza con loro; temevo rissa, ma tutto tranquillo.

17 luglio. Ieri uno degli uomini, Olgaren, è venuto mia cabina e tutto tremante confidatomi che secondo lui a bordo c'è un tipo strano. Ha detto che, durante suo turno di guardia, stava a riparo dietro tuga, perché pioveva a dirotto, e ha visto un uomo alto, magro, che non somigliava a nessuno dell'equipaggio, venire su per scaletta di boccaporto, procedere lungo ponte verso prua e sparire. Lo ha seguito con cautela, ma giunto a prua non ha trovato nessuno, e boccaporti tutti chiusi. Era in preda a panico e paura superstiziosa, e temo che panico possa diffondersi. Per impedirlo, oggi farò perquisire attentamente tutta nave da poppa a prua.

Più tardi, sempre ieri. Radunato tutto equipaggio e detto loro, siccome evidentemente pensavano che qualcuno fosse a bordo, che avremmo cercato da prua a poppa. Secondo irritato; ha detto che è sciocco e che cedere a idee così stupide demoralizzerà gli uomini; ha detto che si impegna lui a tenerli tranquilli a colpi di manovella. Gli ho affidato il timone, mentre gli altri iniziavano attenta perquisizione, tutti avanzando a ventaglio, con lanterne; nessun angolo lasciato inesplorato. Essendoci solo le grandi casse di legno, non c'erano nascondigli per nessuno. Uomini assai sollevati al termine di perquisizione, tornati di buon umore al lavoro. Secondo immusonito, ma non ha detto niente.

22 luglio. Tempesta per ultimi tre giorni, e uomini tutti occupati con vele – non c'era tempo per paura. Uomini sembrano aver dimenticato timori. Secondo tornato di buon umore, e tutti in ottimi rapporti. Elogiati uomini per lavoro durante tempesta. Passata Gibilterra, e usciti dallo Stretto. Tutto bene.

24 luglio. Sembra che sulla nave ci sia un malocchio. Avevamo già perduto un uomo, ed entrando nel golfo di

Biscaglia, con prospettiva di tempo cattivo, ieri notte abbiamo perso un altro uomo – scomparso. Come il primo, è andato a fare il suo turno di guardia e non si è più rivisto. Uomini in preda al panico; mandato da me un delegato per chiedere turni doppi, hanno paura di farlo da soli. Secondo arrabbiato. Teme che ci saranno guai, perché lui o gli uomini scenderanno a vie di fatto.

28 luglio. Quattro giorni d'inferno, sbattuti qua e là in una specie di maelstrom, con vento di tempesta. Nessuno ha chiuso occhio. Uomini esausti. Non so come stabilire turni di guardia, perché nessuno è in condizioni di farlo. Nostromo offertosi di stare a timone e tenere occhi aperti, lasciando uomini dormire qualche ora. Il vento cala; mare ancora spaventoso, ma si sente meno, perché nave più stabile.

29 luglio. Un'altra tragedia. Turno di guardia singolo questa notte, perché equipaggio troppo stanco per doppio. Quando guardia mattutina venuta ponte, non ha trovato nessuno tranne timoniere. Messo a gridare, tutti accorsi sopra. Attenta ricerca senza risultato. Adesso senza nostromo, e con equipaggio in panico. Secondo e io abbiamo deciso vigilare d'ora in poi armati per ogni evenienza.

30 luglio. Ultima notte. Sollevati perché ci avviciniamo Inghilterra. Tempo buono, vele tutte spiegate. Andato letto stanchissimo; dormito sodo; svegliato da secondo che mi ha detto: due uomini di guardia e timoniere scomparsi. Solo io, secondo e due marinai rimasti a governare nave.

1° agosto. Due giorni di nebbia, neanche una vela in vista. Avevo sperato, nella Manica, di poter fare segnali di soccorso o di raggiungere un porto. Ma mancando di braccia per manovrare vele, costretti a correre davanti vento. Non oso ammainare, per paura di non poterle più alzare. Ho l'impressione che andiamo alla deriva verso malasorte. Secondo adesso più demoralizzato dei

105

due uomini. Sua fibra più forte sembra aver lavorato contro di lui interiormente. Uomini ormai istupiditi da paura, lavorano come buoi e pazientemente, rassegnati al peggio. Sono russi, secondo rumeno.

2 agosto, mezzanotte. Svegliato dopo pochi minuti di sonno da un grido, apparentemente fuori mio oblò. Nella nebbia non vedo niente. Corso sul ponte, ho incontrato il secondo. Mi dice: udito grido e accorso. Uomo di guardia scomparso. Un altro in meno. Signore, aiutaci! Secondo dice che dobbiamo aver superato lo Stretto di Dover perché in un momento in cui nebbia si è levata ha scorto North Foreland, proprio quando ha sentito il grido. Se è così, siamo nel Mare del Nord e soltanto Dio può guidarci nella nebbia che sembra spostarsi con noi; e Dio sembra averci abbandonati.

3 agosto. A mezzanotte, andato a dare il cambio all'uomo al timone, ma non trovato nessuno. Vento teso, nave filava senza straorzare. Non osavo lasciare la ruota, così ho chiamato a gran voce il secondo. Poco dopo è corso sul ponte in mutande e maglia, occhi fuori dalla testa, viso sconvolto, come se cervello gli avesse dato di volta. Si è avvicinato e in un sussurro, la bocca all'orecchio, come se l'aria notturna potesse udirlo, mi fa: «È qui; ora lo so. Ieri sera, durante il turno di guardia, l'ho visto, è simile a un uomo, alto e magro, orribilmente pallido. Era a prua, guardava lontano. Gli sono scivolato alle spalle, gli ho tirato una coltellata, ma la lama l'ha attraversato come se fosse d'aria». Così dicendo, ha cavato il coltello e l'ha agitato furiosamente nel vuoto. Ha proseguito: «Ma se è qui, lo troverò. È giù nella stiva, forse in una di quelle casse. Le schioderò una a una e le esaminerò. Voi tenete il timone». E, con una occhiata d'intesa e un dito sulle labbra, è sceso di sotto. Si stava levando un vento rotto, non potevo lasciare la ruota. L'ho visto riapparire sul ponte con una cassetta di attrezzi e una lanterna, poi calarsi per il boccaporto di prua. È pazzo, pazzo furioso, impossibile fermarlo. Non può far niente con quelle grosse casse: dai docu-

menti di carico risultano contenere "argilla", e per quanto si dia da fare le sue fatiche saranno vane. Per cui me ne sto qui a badare al timone e a scrivere questi appunti. Non posso che sperare in Dio e aspettare che la nebbia si diradi. Poi, se riesco a entrare in qualche porto col favore del vento, taglierò le sartie, getterò l'ancora e farò segnali di soccorso.

Ormai è quasi finita. Proprio mentre speravo che il secondo tornasse sul ponte più calmo – l'ho sentito martellare nella stiva, e il lavoro gli fa bene –, dal boccaporto è uscito un improvviso urlo di sgomento che m'ha fatto raggelare il sangue, e il secondo è schizzato sul ponte come sparato da un cannone – un pazzo scatenato, gli occhi stravolti, il viso contorto dal terrore. «Salvatemi, salvatemi!» gridava, e volgeva lo sguardo attorno a sé, nel muro di nebbia. Il suo orrore si è tramutato in disperazione, e con voce ferma ha detto: «Meglio che veniate anche voi, capitano, prima che sia troppo tardi. Lui è lì. Ora conosco il segreto. Il mare mi salverà da lui, altro non resta!». E prima che potessi dire una parola o balzare ad afferrarlo, è salito sul parapetto e si è gettato in mare. Credo di conoscerlo anch'io il segreto, adesso. È stato questo pazzo che si è sbarazzato degli uomini uno a uno, e ora li ha seguiti a sua volta. Che Dio mi aiuti! Come fare a spiegare tutti questi orrori, una volta in porto? *Se* arriverò in porto! Ce la farò mai?

4 agosto. Ancora nebbia, che il sole sorgente non riesce a diradare. So che è l'alba perché sono un marinaio, ma quanto al resto non c'è più nulla. Non ho osato scendere da basso, non ho osato lasciare il timone, e così tutta la notte sono rimasto qui, e nella semioscurità ho visto quella cosa – lui! Dio mi perdoni, ma il secondo ha fatto bene a gettarsi in mare. Meglio morire da uomo, perché morire da marinaio in alto mare è cosa sulla quale nessuno può trovare da obiettare. Ma io sono il capitano e non posso lasciare la nave. E tuttavia la farò in barba a quel demone o mostro che sia, perché mi legherò le mani alla ruota quando comincerò a sen-

tirmi mancare le forze, e insieme con le mani legherò
ciò che lui – quella cosa! – non osa toccare; e così, vento
favorevole o contrario che sia, mi salverò l'anima e salverò il mio onore di capitano. Mi sento sempre più debole, e la notte avanza. Se lo vedessi ancora in faccia,
forse non avrei il tempo di agire... Se naufraghiamo,
può darsi che trovino questa bottiglia, e chi la troverà
può darsi che capisca; altrimenti... Be', per lo meno tutti sapranno che ho tenuto fede alla mia missione. Dio e
la Beata Vergine e i Santi tutti aiutino una povera anima ignorante a compiere il suo dovere...

Com'è ovvio, il verdetto è stato di non luogo a procedere. Non ci sono corpi del reato; e ormai non c'è nessuno che possa testimoniare se il capitano ha commesso o meno gli assassini. La gente di qui ritiene quasi
all'unanimità che il capitano sia addirittura un eroe, e
gli tributeranno pubbliche esequie. Si è già deciso che
la salma sarà traslata con un convoglio di imbarcazioni
su per l'Esk per un tratto, quindi riportata al Tate Hill e
da qui all'abbazia salendo per la scalinata, per essere
seppellita nel cimitero sulla scogliera. I proprietari di
più di cento battelli si sono già messi in lista per seguirla in corteo sino alla tomba.

Finora, nessuna traccia del grosso cane, con grande
disappunto della popolazione perché, dato l'attuale stato dell'opinione pubblica, penso che finirebbe per essere
adottato dalla municipalità. Domani ci saranno i funerali; e così avrà fine quest'ennesimo "mistero del mare".

DIARIO DI MINA MURRAY

8 agosto. Lucy è stata assai inquieta tutta notte, e anch'io non sono riuscita a dormire. La tempesta era spaventosa, e con i suoi assordanti ululati tra i comignoli
mi faceva rabbrividire. Un'improvvisa folata è sembrata
il colpo di un lontano cannone. Strano a dirsi, Lucy
non si è svegliata, anche se due volte si è alzata e si è ve-
stita. Per fortuna, mi sono a mia volta ridestata in tem-

po e sono riuscita a spogliarla senza riscuoterla dal sonno, rimettendola a letto. Davvero singolare, questo sonnambulismo, perché, non appena la sua volontà viene repressa da interventi fisici, i suoi propositi, posto che ne abbia, si dileguano, e lei ritorna come se nulla fosse ai soliti atti.

Stamane di buon'ora ci siamo alzate e siamo scese al porto, per vedere se nottetempo era successo qualcosa. Pochissima gente in giro e, sebbene il sole splendesse e l'aria fosse limpida e fresca, le grandi ondate dall'aspetto protervo che sembravano scure per contrasto con la schiuma che le coronava nivea, si forzavano il passo attraverso la stretta imboccatura del porto, come un bullo che si faccia largo a spintoni tra una folla. Dopo tutto, ero contenta che Jonathan questa notte non fosse in mare, bensì in terraferma. Ma, ahimè, è davvero in terraferma? O non invece in mare? Dov'è dunque? E come sta? Comincio a essere terribilmente ansiosa per lui. Oh, se solo sapessi che fare, e se potessi fare qualcosa!

10 agosto. Le esequie del povero capitano, celebrate oggi, sono state quanto mai commoventi. Sembrava che ci fossero tutti i battelli del porto, e la bara è stata portata a spalla da capitani di mare dal Tate Hill al cimitero. Lucy è venuta con me, e ci siamo affrettate a raggiungere la nostra solita panchina mentre il corteo di imbarcazioni risaliva il fiume sino al viadotto e tornava indietro. Era un bellissimo spettacolo, la processione era visibile quasi da un capo all'altro. Quel povero diavolo è stato deposto per l'ultimo riposo accanto al nostro sedile, e al momento buono noi siamo salite in piedi sulla panchina e abbiamo visto tutto. La povera Lucy sembrava profondamente sconvolta, agitata e a disagio per tutto il tempo, e non posso fare a meno di pensare che i suoi sogni notturni comincino a logorarle i nervi: cosa assai strana, si rifiuta di ammettere con me che ci siano motivi di inquietudine; o forse lei stessa non se ne rende conto. Adesso ce n'è un motivo in più: il povero vecchio signor Swales è stato trovato morto stamane sulla nostra panchina, con il collo spezzato. Evidentemente, così dice il medico, è caduto all'indietro per effetto di uno spavento, perché sul suo volto era stampata un'espressione di terrore e orrore che, han detto gli uomini, li ha fatti rabbrividire. Povero vecchietto! Forse, con gli occhi dell'agonizzante, ha visto la Morte! Lucy, che è così dolce e sensibile, si sente più toccata da questi eventi di quanto non accada ad altri. Un istante fa, è apparsa sconvolta da una quisquilia cui non ho fatto gran caso, sebbene io stessa ami molto gli animali. Uno degli uomini che viene spesso quassù a sorvegliare i battelli in mare, era seguito dal suo cane. La bestia è sempre con lui, e sono entrambi creature miti, mai m'è capitato di vedere l'uomo stizzito, mai di udire il cane abbaiare. Ma durante il servizio funebre, la bestia non voleva saperne di avvicinarsi al suo padrone che stava sulla panchina con noi, ma si teneva a qualche passo di distanza, latrando e uggiolando. Il padrone gli ha rivolto parole prima gentili, poi aspre, infine irritate; ma quello né si avvicinava né taceva. Era in preda a una sorta di furia, negli occhi una luce selvaggia, il pelo dritto come la coda di un gatto quando scende sul sentiero di guerra. Alla fine l'uomo si è a sua volta infuriato ed è balzato dalla panchina per prendere a calci il cane, poi lo ha afferrato per la collottola trascinandolo e quasi scaraventandolo sulla pietra tombale su cui poggia la panchina. Nell'istante stesso in cui ha toccato la lapide, la povera bestia si è acquetata, mettendosi a tremare tutta. Non ha pensato neppure di svignarsela, ma si è raggomitolata, scossa da un tremito, in uno stato di terrore così pietoso che, sia pure invano, ho cercato di consolarla. Anche Lucy era piena di compassione, ma non ha osato toccare il cane, accontentandosi di guardarlo con occhi angosciati. Temo assai che sia una natura troppo sensibile per vivere in questo mondo senza incorrere in guai. Questa notte, ne sono certa, sognerà l'episodio, anzitutto l'insieme di eventi: la nave pilotata in porto da un cadavere; la posizione del morto, legato al timone con il crocifisso e un rosario tra le mani; le commoventi esequie; il cane, prima furioso e poi terrorizzato. Ne avrà, di materiale per i suoi sogni.

Penso che la cosa migliore per lei sarebbe di andarsene a letto fisicamente estenuata, e così la porterò a fare una lunga passeggiata lungo i faraglioni, fino alla baia di Robin Hood e ritorno. Può darsi che, così, mostri meno propensione al sonnambulismo.

VIII

Stesso giorno, ore 23. Oh, ma come sono stanca! Se non avessi fatto del mio diario un dovere, questa sera non lo aprirei di certo. Abbiamo fatto una splendida passeggiata. Dopo un po', Lucy è riapparsa di ottimo umore, credo a causa di certe mucche così carine che sono venute ammusando alla nostra volta in un campo vicino al faro, anche se ci hanno messo addosso una gran paura. Ritengo che abbiamo dimenticato tutto, a parte il timore per la nostra incolumità personale, ed è stato come se la lavagna venisse cancellata e si potesse ricominciare. Ci siamo concesse un "tè coi fiocchi" alla baia di Robin Hood in una graziosa locandina vecchio stile, La donna moderna, con una veranda che dà sulle rocce coperte di alghe che costellano la spiaggia. Credo però che l'abbiamo scandalizzata, la "donna moderna", con il nostro appetito. Gli uomini sono più tolleranti, benedetti loro! Poi siamo tornate a casa con alcune, anzi molte, tappe per riposarsi, i cuori che ci battevano all'idea di eventuali incontri con tori selvaggi. Lucy era stanca morta, e abbiamo deciso di coricarci al più presto. Ma è venuto il giovane curato, e la signora Westenra lo ha invitato a cena. Lucy e io abbiamo dovuto sostenere una dura lotta con l'omino del sonno; e posso dire che da parte mia è stata proprio una bella battaglia: mi sento un'eroina. A mio giudizio, un giorno o l'altro i vescovi dovrebbero riunirsi e decidere di allevare una nuova razza di curati che non accettino mai inviti a cena, per quanto insistenti siano, e si accorgano quando le ragazze sono stanche. Lucy dorme e respira piano. Ha le guance più colorite del solito e che aria soave! Se il signor Holmwood si è innamorato di lei solo per averla vista in salotto, mi chiedo che cosa direbbe se la vedesse ora. Chissà che qualcuno degli autori di *New Women* prima o poi non lanci l'idea che a uomini e donne dovrebbe essere permesso di vedersi a vicenda addormentati prima di avanzare o accettare una domanda di matrimonio? Ma penso che la Nuova Donna in futuro non acconsentirà semplicemente ad accettare: sarà lei stessa a fare la proposta. E sono certa che saprà cavarsela bene! Una prospettiva consolante. Sono così felice, questa sera, perché la mia cara Lucy sembra star meglio. Penso proprio che abbia superato il punto critico, e che i suoi accessi di sonnambulismo siano finiti. Se solo avessi notizie di Jonathan, sarei felice... Che Dio lo benedica e lo conservi.

11 agosto, 3 del mattino. Ancora diario. Ormai non dormo, tanto vale scrivere. Troppo agitata per dormire. Abbiamo avuto un'avventura, un'esperienza così angosciosa... Mi ero addormentata non appena chiuso il diario, e all'improvviso mi sono svegliata, mi sono levata a sedere, in preda a un'orrenda sensazione di paura e come di vuoto tutt'attorno a me. La stanza era buia, tanto che non vedevo il letto di Lucy; mi sono alzata e l'ho tastato. Deserto. Ho acceso un fiammifero: Lucy non era nella stanza. La porta era chiusa, non però a chiave come l'avevo lasciata. Non me la sentivo di svegliare sua madre, che da un po' di tempo in qua sta peggio del solito, e allora mi sono messa qualcosa addosso, accingendomi ad andare in cerca di Lucy. Stavo per uscire, quando m'è balenata l'idea che gli indumenti che indossava potevano darmi un'idea delle sue sonnamboliche intenzioni. Vestaglia, avrebbe significato casa; abito, fuori. Vestaglia e abito erano entrambi al loro posto. «Grazie a Dio» mi sono detta «non può essere lontana, ha indosso solo la camicia da notte.» Corro da basso, guardo in salotto. Non c'è. Vado a dare un'occhiata in tutte le altre stanze della casa che siano aperte, mentre la paura mi stringe sempre più il cuore. Alla fine, arrivo alla porta d'ingresso: è aperta. Non spalancata, semplicemente la serratura non è scattata. In casa la chiudono con attenzione ogni sera, per cui ho cominciato a temere che Lucy fosse uscita così come si trovava. Non c'era tempo di riflettere su quel che poteva accadere: un timore vago, onnidominante, mi impediva di vedere i particolari. Ho afferrato un grosso scialle pesante e sono corsa fuori. Il campanile suonava l'una quando mi sono trovata nel Crescent: non c'era un'anima. Sono corsa sino alla North Terrace, ma senza scorgere traccia della bianca figura che speravo di vedere. All'orlo della West Cliff, sopra la gettata, ho puntato lo sguardo di là dal porto alla East Cliff, non so se nella speranza o nel timore di scorgere Lucy sulla nostra panchina preferita. La luna splendeva al suo pieno, tra nere, pesanti nuvole trascorrenti che facevano dell'intero scenario un fuggente diorama di luci e ombre. Per qualche istante, nulla ho visto, siccome l'ombra di una nuvola oscurava la chiesa di St Mary e i suoi dintorni. Poi la nuvola è passata, e le rovine dell'abbazia sono riemerse; e al margine di una sottile striscia di luce, netta come il taglio di una spada, chiesa e cimitero un po' alla volta sono tornati distinti. Quali fossero le mie aspettative, fatto sta che non sono andate deluse: lì, sulla nostra panchina preferita, il raggio argenteo della luna si posava su una figura semireclina, bianca come neve. Il sopraggiungere di un'altra è stato troppo subitaneo perché vedessi molto altro, l'ombra avendo escluso quasi immediatamente la luce; pure, mi è parso che qualcosa di scuro stesse dietro il sedile dove la bianca figura splendeva, e le si chinasse sopra. Che cosa fosse, se uomo o animale, impossibile dirlo; né ho atteso di poter dare un'altra occhiata, ma sono volata giù per la scalea, fino alla gettata e lungo questa, passando davanti al mercato del pesce, fino al ponte, unica via per raggiungere l'East Cliff. La città la si sarebbe detta morta, perché non ho incontrato anima viva; e ne sono stata lieta, perché non desideravo alcun testimone delle condizioni di Lucy. La distanza e il tempo necessario a percorrerla mi sono parsi senza fine, e le ginocchia mi tremavano, avevo il fiato mozzo mentre salivo e salivo i molti gradini che menano all'abbazia. Devo essere andata di fretta, pure avevo l'impressione che i miei piedi fossero di piombo, e che ogni giuntura del mio corpo fosse rugginosa. Ero giunta quasi in cima, quando ho potuto vedere la panchina e la bianca figura: adesso finalmente ero abbastanza vicina da distinguerla bene, sia pure nelle pause di luce. Indubbiamente c'era qualcosa, lunga e nera, piegata sopra la bianca sagoma semireclina. Ho chiamato «Lucy, Lucy!» con voce impaurita, e il qualcosa ha sollevato – ma sì, una testa, e dal luogo dove mi trovavo ho potuto intravvedere un volto pallidissimo e occhi rossi, balenanti. Lucy non ha risposto, e io sono corsa all'ingresso del cimitero. Quando vi ho messo piede, la chiesa è venuta a interporsi tra me e la panchina, e per un secondo, non di più, ho perduto Lucy di vista. Girato l'angolo, la nube era passata, e il lume di luna era così brillante, che ho scorto perfettamente Lucy abbandonata sul sedile, con la testa sulla spalliera. Era assolutamente sola: nessun segno di cosa vivente tutt'attorno.

Mi sono chinata su di lei, e mi sono accorta che ancora dormiva. Aveva le labbra dischiuse e respirava – ma non dolcemente, come fa di solito, bensì a lunghi, grevi ansiti, come se stentasse a riempirsi i polmoni. Al mio avvicinarsi, nel sonno ha levato la mano e si è stretta alla gola il collo della camicia. E, nel farlo, ha avuto un lieve tremito, come se sentisse freddo. Le ho gettato addosso lo scialle caldo, stringendoglielo bene al collo, per timore che non si buscasse un brutto malanno a causa dell'aria notturna, scoperta com'era. Non osavo svegliarla subito, quindi, per avere le mani libere per poterla aiutare, le ho appuntato lo scialle alla gola con un grosso spillo di sicurezza; ma devo averlo fatto maldestramente, in preda all'ansia com'ero, e averla punta o graffiata, perché, mentre il respiro le si faceva più calmo, è tornata a portarsi la mano alla gola e ha emesso un gemito. Dopo averla avvolta ben bene, le ho infilato ai piedi le mie scarpe, e solo allora ho cominciato a svegliarla con mille precauzioni. Dapprima, nessuna reazione; un po' alla volta, però, il suo sonno si è fatto più inquieto, inframezzato da gemiti e sospiri. Alla fine, poiché il tempo passava, e per molte ragioni, desideravo portarla a casa al più presto, l'ho scossa con maggior forza, finché non ha aperto gli occhi e non si è riscossa. Non è parsa sorpresa di vedermi: evidentemente, sulle prime non si è resa conto di dove si trovava. Lucy si ridesta sempre con grazia, e anche in quell'istante, in cui il suo corpo doveva essere gelato e la sua mente alquanto sbigottita allo svegliarsi svestita, nottetempo, in un cimitero, non ha perduto la compostezza. Scossa da un lieve tremito, si è aggrappata a me; le ho detto di venire subito con me, e lei si è alzata senza una parola, obbediente come un bimbo. Procedevamo sulla ghiaia, e i piedi mi dolevano; Lucy si è accorta della mia smorfia, si è fermata, ha insistito perché riprendessi le mie scarpe, ma ho rifiutato. Tuttavia, quando siamo arrivati al viale fuori dal cimitero, dove era rimasta una pozza d'acqua dal temporale, mi sono sporcata i piedi di fango, impiastricciandoli l'uno con l'altro, per far sì che, se per caso avessimo incontrato qualcuno rincasando, non si avvedesse che ero scalza.

La fortuna è stata dalla nostra, siamo rientrate senza imbatterci in chicchessia. Abbiamo scorto un uomo, che sembrava non del tutto sobrio, il quale attraversava una strada di fronte a noi; ma ci siamo nascoste in un androne ad aspettare che scomparisse, e infatti si è infilato in uno di quegli stretti vicoli che qui in Scozia son detti *wynds*. Il cuore intanto mi batteva così pazzamente che a volte avevo l'impressione di svenire. Ero in ansia per Lucy, preoccupata non solo per la sua salute, perché temevo le conseguenze del freddo notturno, ma anche per la sua reputazione qualora la cosa si fosse risaputa. Finalmente in casa, e dopo che ci siamo lavate i piedi e insieme abbiamo detto una preghiera di ringraziamento, l'ho rimessa a letto. Prima di ripiombare nel sonno, mi ha chiesto – che dico, implorato – di non far parola a nessuno, neppure alla madre di quella sua avventura notturna. Dapprima ho esitato ad acconsentire; poi, pensando allo stato di salute della signora Westenra, e consapevole del fatto che esser messa al corrente di un episodio simile assai la turberebbe, e che una storia del genere potrebbe – sarebbe anzi inevitabile – venire deformata, e quanto, caso mai venisse alla luce, ho pensato più saggio prometterle il silenzio. Spero di aver fatto bene. Ho chiuso a chiave l'uscio, la chiave me la sono legata al polso, e così forse potrò stare in pace. Lucy dorme della grossa; il riflesso dell'alba è alto e remoto sul mare...

Stesso giorno, pomeriggio. Tutto va bene. Lucy ha continuato a dormire finché l'ho svegliata, e sembrava che non si fosse neppure mossa. L'avventura non pare aver lasciato il minimo strascico; al contrario, le ha fatto bene, perché stamane sembra star meglio che non da parecchie settimane a questa parte. Ho notato con dispiacere che con la mia goffaggine nel maneggiare la spilla di sicurezza l'ho ferita, e avrei potuto anche farlo in maniera grave, perché la pelle della gola appare forata. Devo averle pizzicato, per l'esattezza, una piega della pelle, trapassandogliela, perché ci sono due macchioline rosse che sembrano proprio punture di spillo, e c'è una goccia di sangue sull'orlo della camicia. Le ho chiesto scusa, me ne sono preoccupata, ma lei ha riso, mi ha coccolata, ha detto che non se ne è neppure accorta. Per fortuna non resterà cicatrice, troppo minuscola è la ferita.

Stesso giorno, sera. È stata una bella giornata. Il cielo era sereno, il sole splendente, soffiava una fresca brezza. Siamo andate a far colazione nel bosco di Mulgrave, la signora Westenra in birroccio, seguendo la strada, Lucy e io abbiamo camminato lungo il sentiero della scogliera. Ci siamo ritrovate al cancello d'ingresso. Mi sentivo un tantino triste, perché non potevo fare a meno di dirmi quanto felice sarei stata se avessi avuto Jonathan con me. Ma basta, non mi resta che essere paziente. La sera, siamo andate sulla spianata del casinò, ad ascoltare un po' di buona musica di Spohr e di Mackenzie, e poi a letto presto. Lucy sembra più tranquilla di quanto non sia stata da qualche tempo in qua, e si è addormentata subito. Chiuderò la porta e terrò la chiave al polso come ho già fatto, sebbene questa notte preveda che non succederà nulla.

12 agosto. Mi sono sbagliata: due volte, nel corso della notte, sono stata svegliata da Lucy che cercava di uscire. Sembrava, pur dormendo, un tantino irritata di trovare l'uscio sbarrato, ed è tornata a letto con l'aria di chi protesti. Sono stata ridestata all'alba dal cinguettio degli uccelli fuori dalla finestra. Anche Lucy ha riaperto gli occhi, e ho notato con piacere che era in condizioni ancora migliori del mattino precedente. Si direbbe che abbia ritrovato l'allegria e il brio di un tempo, ed è venuta nel mio letto e, rannicchiata al mio fianco, mi ha raccontato tutto di Arthur. A mia volta le ho confessato le mie pene per Jonathan, e lei ha cercato di consolarmi, e be', in qualche modo ci è riuscita poiché, sebbene l'affetto non basti a cambiare la realtà di fatto, può però contribuire a renderla più sopportabile.

13 agosto. Altra giornata tranquilla, e a letto con la chiave ancora legata al polso. Sveglia di nuovo durante la notte, e ho visto Lucy seduta sul letto, ancora addormentata, che indicava la finestra. Sono scesa pian piano dal letto e, scostando la tenda, ho guardato fuori. C'era chiaro di luna, e il soffondersi della luce sul mare e del cielo, fusi assieme in un unico, immane, silenzioso mistero, era ineffabilmente bello. Tra me e la luna svolazzava un grosso pipistrello, che andava e veniva in grandi cerchi. Un paio di volte è giunto vicinissimo, ma credo che si sia spaventato alla mia vista, ed è frullato via sopra il porto, in direzione dell'abbazia. Allontanatami dalla finestra, ho constatato che Lucy si era rimessa giù e dormiva tranquilla, né più si è mossa per tutta la notte.

14 agosto. Sull'East Cliff a leggere e scrivere tutto il giorno. Lucy sembra essersi innamorata del posto al pari di me, e fatico a strapparvela quando è l'ora di tornare a casa per la colazione, il tè o la cena. Questo pomeriggio se n'è uscita con una buffa osservazione. Stavamo rincasando per il pranzo, eravamo giunti in cima ai gradini che salgono dalla calata occidentale e, come facciamo di solito, ci siamo fermate ad ammirare il panorama. Il sole calante, basso sull'orizzonte, stava scomparendo dietro Kettleness, e il rosso riverbero proiettato sull'East Cliff e l'antica abbazia avvolgeva ogni cosa in un bellissimo alone infuocato. Siamo rimaste in silenzio per un po', poi d'un tratto Lucy ha mormorato, quasi tra sé:

«Ancora quei suoi occhi rossi! Proprio gli stessi!» Era un'uscita così bizzarra e priva affatto di riferimenti, da lasciarmi a bocca aperta. Mi sono girata a mezzo, per guardare ben bene Lucy senza che se ne accorgesse, e ho notato che era in uno stato di trasognatezza, con un'espressione singolare in volto che non sono riuscita a decifrare; non ho detto nulla, ma ne ho seguito lo sguardo. Questo era rivolto alla nostra panchina, dove una negra figura sedeva solinga. Sono rimasta anch'io un tantino sorpresa: per un istante mi è parso che lo sconosciuto avesse grandi occhi di fiamma ardente; ma una seconda occhiata ha dissipato l'illusione. La vampa del sole si rifletteva nelle vetrate della chiesa di St Mary alle spalle della nostra panchina, e mentre l'astro sprofondava si è verificato, nella rifrazione, un mutamento bastante a dare l'impressione che la luce si muovesse. Ho richiamato l'attenzione di Lucy su quel curioso fenomeno, e lei è tornata in sé con un sussulto, però come se al contempo fosse triste; forse pensava alla terribile notte che ha trascorso quassù. Non ne parliamo mai; e neanche questa volta l'ho fatto, e siamo andate a casa. Lucy aveva l'emicrania e si è messa presto a letto; io invece sono andata a passeggiare lungo i faraglioni occidentali, ed ero colma di una dolce malinconia, perché pensavo a Jonathan. Mentre tornavo a casa – adesso splendeva la luna, di una luce così chiara che, sebbene la parte del Crescent in cui abitiamo fosse immersa nell'ombra, ogni cosa risultava perfettamente visibile – ho alzato gli occhi alla finestra di camera nostra: la testa di Lucy ne sporgeva. Ho pensato che forse stesse aspettandomi, e allora ho cavato il fazzoletto e l'ho agitato. Lei non se n'è accorta, non ha fatto un gesto. Proprio in quel momento, la luna è spuntata da dietro l'angolo dell'edificio, e la luce ha colpito la finestra. Non c'era dubbio: lì stava Lucy, il capo appoggiato allo stipite, gli occhi chiusi. Dormiva, e sodo, e accanto a lei, appollaiato sul davanzale, era qualcosa che somigliava a un uccello di grosse proporzioni. Temevo che prendesse freddo e sono corsa di sopra, ma al mio ingresso nella stanza lei era già tornata a letto, e dormiva respirando pesantemente; si teneva una mano sulla gola, quasi a proteggerla dal freddo.

Non l'ho svegliata, ma le ho rimboccato ben bene le coperte; mi sono assicurata che l'uscio fosse chiuso e la finestra serrata.

È così carina, mentre dorme; ma è più pallida del solito, e sotto gli occhi ha un'ombra scura che non mi piace. Temo che in lei ci sia qualcosa che non va. Ah, potessi scoprire di che si tratta!

15 agosto. Svegliata più tardi del solito. Lucy era languida e stanca, e ha continuato a dormire anche dopo che ci hanno chiamate. A colazione, una lieta sorpresa. Il padre di Arthur sta meglio, e desidera che il matrimonio venga celebrato al più presto. Lucy è piena di una pacata gioia, e sua madre è lieta e triste insieme. Più tardi, me ne ha detto la ragione. Il cuore le duole all'idea di perdere Lucy che è tutto il suo bene, e d'altro canto è felice che tra poco abbia qualcuno a proteggerla. Povera, cara, amabile signora! Mi ha confidato di aver avuto la sentenza di morte. A Lucy non l'ha detto, e mi ha fatto promettere il segreto; le ha comunicato il medico che, al massimo tra qualche mese, per lei sarà la fine perché il suo cuore è sempre più malandato. In ogni istante, anche in questo preciso momento, un trauma improvviso potrebbe quasi sicuramente ucciderla. Ah, quanto bene abbiamo fatto a nasconderle la terribile notte di sonnambulismo di Lucy!

17 agosto. Niente diario per due giorni interi. Non ho avuto cuore di scrivere. Una sorta di cupa ombra sembra incombere sulla nostra felicità. Nessuna notizia da Jonathan, e Lucy appare sempre più debole, mentre le ore di sua madre sono ormai contate. Non capisco perché Lucy sia così esaurita. Mangia di buon appetito e dorme bene, si gode l'aria fresca, pure il roseo delle sue guance se ne sta andando, e giorno per giorno si fa sempre più debole e languida; nottetempo la sento ansimare come in cerca d'aria. In quelle ore, tengo sempre la chiave della nostra porta legata al polso, ma lei si alza e cammina per la stanza e va a sedersi alla finestra aperta. La notte scorsa, svegliandomi, l'ho trovata che si sporgeva dal davanzale, ho tentato di svegliarla ma non ci sono riuscita: era svenuta. Quando sono riuscita a farla rinvenire, era debolissima e ha pianto in silenzio tra lunghi, penosi ansiti. Le ho chiesto perché fosse alla finestra, ma ha scosso il capo e ha volto altrove lo sguardo. Spero proprio che il suo malessere non sia conseguenza di quella malaugurata puntura con la spilla di sicurezza. Le ho esaminato la gola un momento fa, mentre dormiva: le minuscole ferite non sembrano essersi rimarginate. Sono ancora aperte, e semmai più grandi di prima, con i margini biancastri. Sono come puntini bianchi con il centro rosso. Se non guariranno entro un paio di giorni, esigerò che un medico la visiti.

LETTERA DI SAMUEL F. BILLINGTON & FIGLIO,
PROCURATORI A WHITBY,
AI SIGG. CARTER, PATERSON & CO., LONDRA

17 agosto

Egregi signori,
    la presente per accompagnare la fattura di merci spedite tramite la Great Northern Railway, alcune delle quali da consegnarsi a Carfax, presso Purfleet, non ap-

pena giunte alla stazione merci di King's Cross. La casa al momento è vuota, ma accluse troverete le chiavi, debitamente contrassegnate.

Vi preghiamo di depositare le casse, in numero di cinquanta, che costituiscono la partita, nell'edificio parzialmente in rovina che fa parte della dimora ed è contraddistinto con la lettera A nella piantina allegata. Il Vs. agente saprà riconoscere senza difficoltà il sito, trattandosi dell'antica cappella della dimora. Le merci partiranno per ferrovia questa sera alle 21.30 e saranno a King's Cross alle 16.30 di domani. Poiché il nostro cliente desidera che la consegna venga eseguita al più presto, vi saremo grati se all'ora sopra indicata i vostri incaricati saranno alla stazione di King's Cross, per prendere in consegna le merci e portarle a destinazione. Per evitare qualsiasi ritardo a causa di eventuali intralci per quanto riguarda il pagamento delle vostre prestazioni, allegato troverete assegno di £ 10 (dieci), di cui attendiamo ricevuta. Qualora le spese dovessero risultare inferiori a tale cifra, vi preghiamo di farci tenere la differenza. Se dovessero superarla, appena informati, provvederemo all'immediato invio di un assegno per l'ammontare della differenza. Le chiavi vanno lasciate nell'atrio d'ingresso della casa, dove il proprietario potrà ritirarle quando entrerà in casa servendosi del duplicato in suo possesso.

Vogliamo sperare che non considererete indiscreta la nostra preghiera di accelerare in ogni modo possibile la consegna.

Ringraziandovi, porgiamo i nostri più distinti saluti,

Samuel F. Billington & Figlio

LETTERA DELLA DITTA CARTER, PETERSON & CO.
ALLA SPETT. SAMUEL F. BILLINGTON & FIGLIO, WHITBY

21 agosto

Egregi signori,
    con la presente accusiamo ricevuta della somma di £ 10 e accludiamo assegno per l'importo di £ 117 s. 9 d., cifra in sovrappiù come da conteggio accluso. La merce

è stata recapitata in esatta conformità alle istruzioni inviateci, e le chiavi, come richieste, si trovano in un pacchetto lasciato nell'atrio d'ingresso.

Distinti saluti,

per Carter, Peterson & Co.

DIARIO DI MINA MURRAY

18 agosto. Oggi sono felice e sto a scrivere sulla panchina nel cimitero. Lucy sta tanto, tanto meglio. Questa notte ha dormito benissimo senza disturbarmi neppure una volta. Le guance tornano a colorirlesi un pochino, sebbene continui a essere tristemente pallida e con l'aria sfinita. Soffrisse di una forma di anemia, lo capirei, ma anemica non è. È di ottimo umore e piena di vita e di brio. Quella sua morbosa reticenza sembra scomparsa, e or ora mi ha parlato – quasi occorresse ricordarmelo! – di *quella* notte, soggiungendo che è stato qui, su questa stessa panchina, che l'ho trovata dormiente. Mentre lo diceva, batteva scherzosamente col tacco sulla lastra di pietra dicendo: «I miei poveri piedini dunque non hanno fatto molto rumore! Il vecchio signor Swales avrebbe detto, sono pronta a scommetterci, che è stato perché non volevo svegliare Georgie». Visto che era così espansiva, le ho chiesto se quella notte aveva sognato. Le è allora riapparsa in viso quell'aria dolcemente assente che Arthur – lo chiamo così perché lo fa anche lei – sostiene di amare tanto; e a dire il vero, non me ne meraviglio per nulla. Poi ha risposto, con un'aria come trasognata, quasi cercasse di richiamarselo alla mente:

«Non lo definirei proprio un sogno; sembrava piuttosto alcunché di reale. Avevo voglia di venire qui, ecco tutto, senza saperne la ragione, perché qualcosa mi impauriva, ma non so cosa. Ricordo, benché supponga che stessi dormendo, di aver percorso le strade e di essere passata sul ponte. Mentre lo facevo, un pesce è saltato fuori dall'acqua, e mi sono chinata a guardare, e ho udito un gran numero di cani che ululavano – l'intera città sembrava zeppa di cani urlanti – mentre salivo la

123

scalinata. Poi c'è stata la vaga sensazione di qualcosa di lungo e nero con occhi rossi, la stessa cosa che abbiamo vista al tramonto, ed ero immersa in un'atmosfera molto dolce e amara insieme; poi mi è sembrato di calare in un'acqua verde e profonda, e nelle mie orecchie c'era un canto, come mi hanno detto che succede a chi annega; e quindi tutto è parso allontanarsi da me, quasi che l'anima mi uscisse dal corpo e fluttuasse nell'aria. Ricordo anche, se non mi sbaglio, che a un certo punto il fanale sulla testata del molo ovest era esattamente al di sotto di me, e poi una sensazione tormentosa, come se fossi travolta da un terremoto, e sono ripiombata indietro e c'eri tu che mi scuotevi. Ti ho visto farlo prima di avvertirlo davvero.»

A questo punto è scoppiata a ridere. A me è parso un pochino assurdo, e la stavo ad ascoltare col fiato sospeso. Non mi piace affatto, e mi son detta che era meglio non lasciare che la sua mente si fissasse su quell'argomento, e così abbiamo cambiato discorso, e Lucy è tornata quella di sempre. Quando siamo rincasate, la brezza fresca l'aveva rinvigorita, le guance pallide apparivano davvero più rosate. Sua madre a vederla si è rallegrata, e tutte e tre abbiamo passato una bella serata assieme.

19 agosto. Gioia, gioia, gioia! Anche se non tutto è gioia. Finalmente, notizie di Jonathan. Il povero caro è stato male, ecco perché non mi scriveva. Adesso che lo so, non ho paura né di pensarlo né di dirlo. Il signor Hawkins mi ha mandato la lettera e mi ha scritto lui stesso, e oh!, con quanta gentilezza! Stamane parto e vado da Jonathan, per contribuire a curarlo, se necessario, e per riportarlo a casa. Il signor Hawkins dice che non sarebbe male se ci sposassimo laggiù. Ho pianto sulla lettera della buona suora, tanto che la sento umida qui sul mio cuore, perché lui è nel mio cuore. Il viaggio è già deciso, il mio bagaglio è pronto. Prendo con me solo un cambio d'abiti; Lucy porterà il mio baule a Londra e lo terrà presso di sé finché non manderò a prenderlo, perché può darsi che... Basta, non voglio aggiungere altro; il resto debbo tenerlo per Jonathan, mio marito. La lettera che lui ha visto e toccato sarà il mio viatico fino al momento dell'incontro.

12 agosto

Gentile signora,

le scrivo su richiesta del signor Jonathan Harker, che dal canto suo non ha sufficienti forze per farlo, sebbene stia migliorando rapidamente, grazie a Dio, a san Giuseppe e alla Madonna. È affidato alle nostre cure da quasi sei settimane, colpito da una violenta febbre cerebrale. Mi prega di esprimervi il suo amore e di comunicarvi che contemporaneamente scrivo al signor Peter Hawkins a Exeter per porgergli i suoi rispetti e dirgli che è addolorato del ritardo, ma che il suo compito è stato portato a termine. Il signor Harker avrà bisogno di qualche settimana ancora di riposo nel nostro sanatorio in collina, dopodiché potrà tornare a casa. Mi prega anche di avvertirvi che non ha abbastanza denaro con sé, e che vorrebbe pagare le spese del suo soggiorno in questo luogo, in modo che altri, più bisognosi di lui, non manchino del necessario soccorso.

Con simpatia e con tutte le benedizioni, vostra

suor Agatha

P.S. Approfitto del fatto che il mio paziente dorme, per riaprire la lettera e mettervi al corrente anche di altro. Mi ha detto tutto di voi, e che tra poco sarete sua moglie. Porgo a entrambi tutte le mie benedizioni! Il signor Harker ha subito un terribile shock – così dice il medico – e nel delirio farneticava di cose spaventose, lupi, veleni e sangue, spettri e demoni, e non oso dire di più. Vi raccomando di stare sempre bene attenta a evitargli emozioni d'ogni sorta ancora per molto tempo, perché le tracce di una malattia del genere sono lunghe a scomparire. Avremmo dovuto scrivervi molto tempo fa, ma non sapevamo nulla dei suoi amici, e indosso non aveva nulla che ci aiutasse a identificarli. È giunto in treno da Klausenburg, e il capotreno ha riferito che il capostazione lo ha visto precipitarsi in stazione gridando che voleva un biglietto per tornare a casa. Nonostante il suo stato confusionale, si è capito che era inglese, e gli hanno dato un biglietto per la stazione terminale di quella linea.

Siate certa che è assistito come si deve. Si è conquistato la simpatia di tutti con la sua cortesia e bontà d'animo. Si sta rimettendo rapidamente, e non dubito che tra poche settimane sarà tornato in possesso di tutte le sue facoltà. Ma abbiate cura di lui, per amore della sua incolumità. Prego Dio, san Giuseppe e la Santa Vergine che per voi due vi siano molti, molti, molti anni felici.

DIARIO DEL DOTTOR SEWARD

19 agosto. Strano e improvviso cambiamento in Renfield, questa notte. Verso le venti, ha cominciato ad agitarsi e a fiutare tutt'attorno come un cane quando punta. L'infermiere, sorpreso dal suo comportamento, e ben conoscendo l'interesse che ho per lui, ha cercato di indurlo a parlare. Renfield di solito si mostra rispettoso nei confronti dell'infermiere, a volte anzi servile; ma ieri sera, mi ha detto l'uomo, aveva un atteggiamento altero e scostante. Non voleva saperne di rivolgergli la parola, limitandosi semplicemente a dire:

«Non intendo parlare con voi. In questo momento non contate affatto. Il Maestro è vicino.»

L'infermiere è dell'avviso che Renfield sia stato colto da un improvviso accesso di mania religiosa. Se così è, dobbiamo prospettarci l'eventualità di accessi furiosi, perché un uomo robusto, affetto da mania omicida e religiosa insieme, può diventare assai pericoloso. Si tratta infatti di una combinazione esplosiva. Alle ventuno mi sono recato personalmente da lui. L'atteggiamento che ha assunto nei miei riguardi era lo stesso di quello verso l'infermiere; nel suo altero distacco, la differenza tra me e l'inserviente gli appariva nulla. Sì, sembra proprio mania religiosa, e tra poco Renfield si convincerà di essere Dio. E le minuscole diversità tra individuo e individuo sono troppo spregevoli per un Essere Onnipotente. Come sono scoperti, questi pazzi! Il vero Dio si preoccupa del passero che cade; ma il Dio creato dall'umana vanità non scorge differenza tra un'aquila e un passero. Oh, se gli uomini capissero!

Per più di mezz'ora, l'eccitazione di Renfield ha continuato a crescere e crescere. Fingevo di non tenerlo d'occhio, ma lo vigilavo con estrema attenzione, e d'un tratto nei suoi occhi è apparsa quell'espressione obliqua che sempre si nota allorché un pazzo si è impadronito di una idea, e con essa quei movimenti furtivi della testa e delle spalle che i sorveglianti di asili per alienati conoscono così bene. Si è fatto assolutamente tranquillo, ed è andato a sedersi sulla sponda del letto con aria rassegnata, fissando il vuoto con occhi spenti. Ho deciso di scoprire se la sua apatia era vera o finta, e ho cercato di indurlo a parlare dei suoi animali, argomento che non manca mai di interessarlo. Dapprima non ha risposto, ma alla fine ha esclamato con aria petulante:

«Non me ne importa, non me ne importa un bel nulla! Neanche tanto così!»

«Come?» ho detto io. «Non mi direte che i ragni non vi interessano!» (Al momento attuale, i ragni costituiscono il suo hobby, e il suo taccuino si riempie di colonne di piccole cifre.) Al che, ha risposto con tono enigmatico:

«Le damigelle della sposa rallegrano gli occhi che attendono l'arrivo della sposa; ma quando la sposa si avvicina, le damigelle più non splendono a occhi che sono già colmi di gioia.»

Si è rifiutato di fornire altre spiegazioni, ed è rimasto ostinatamente seduto sul letto finché non me ne sono andato.

Questa sera, sono stanco e giù di morale. Non posso

fare a meno di pensare a Lucy e a quanto diversa avrebbe potuto essere la situazione. Se non riesco a dormire, cloralio, il moderno Morfeo, $C_2HCl_3OH_2O$! Devo stare attento a non trasformarla in abitudine. No, questa sera non ne prenderò! Ho pensato a Lucy, e non voglio profanarla mescolando le due cose. Se necessario, questa notte sarà insonne...

Più tardi. Lieto di aver preso quella decisione; più lieto ancora di averle tenuto fede. Ero a letto, ad agitarmi invano, e avevo udito il campanile suonare solo due rintocchi, quando il sorvegliante del turno di notte è venuto ad avvertirmi che Renfield era evaso. Mi sono vestito in gran fretta e mi sono precipitato dabbasso: il mio paziente è un individuo troppo pericoloso per lasciarlo in circolazione. Le idee di onnipotenza da cui è posseduto costituiscono una minaccia per gli estranei. L'infermiere mi aspettava. Ha detto di averlo visto non più di dieci minuti prima, a letto, apparentemente addormentato, quando ha dato un'occhiata dallo spioncino. Poi, la sua attenzione è stata attirata dal rumore di una finestra scardinata. È tornato indietro di corsa, in tempo per vedere i piedi di Renfield uscirne, e subito mi ha mandato a chiamare. Renfield indossava solo la camicia da notte, e non può essere lontano. L'infermiere ha pensato che sarebbe stato più utile notare semplicemente in che direzione andava anziché cercare di seguirlo, anche perché rischiava di perderlo di vista uscendo dall'edificio per la porta; l'infermiere è infatti un uomo corpulento, che non potrebbe passare per la finestra. Io invece sono magro e, col suo aiuto, sono uscito facilmente, a differenza di Renfield con i piedi in avanti e, siccome la finestra dista solo pochi piedi dal suolo, sono atterrato incolume. L'infermiere mi ha detto che il paziente andava verso sinistra, sempre diritto, e mi sono messo a correre più in fretta possibile. Mentre uscivo dalla zona alberata che circonda l'edificio ho scorto una bianca figura scalare l'alto muro che separa i nostri terreni da quelli della vicina casa abbandonata.

Sono corso allora indietro, ho detto al guardiano di riunire immediatamente tre o quattro uomini che venissero con me nel parco di Carfax, nell'eventualità che il nostro amico si rivelasse pericoloso. Ho preso io stesso una scala e, superato il muro, sono sceso dall'altro lato, appena in tempo per scorgere la figura di Renfield scomparire dietro l'angolo della casa. L'ho inseguito. L'ho trovato sul lato opposto dell'edificio, appiccicato al vecchio uscio di quercia borchiato di ferro della cappella. Stava parlando, in apparenza con qualcuno, ma non ho osato avvicinarmi tanto da udire ciò che diceva, per timore di spaventarlo e di metterlo in fuga. Seguire uno sciame d'api migranti è nulla, a paragone del tener dietro a un matto nudo, quando vien preso dall'uzzolo di tagliare la corda! Qualche istante dopo, tuttavia, mi sono reso conto che non si avvedeva minimamente di quanto gli accadeva attorno, e allora ho osato avvicinarmi ulteriormente, anche perché nel frattempo i miei uomini avevano a loro volta superato il muro e stavano serrando sotto. E così l'ho udito dire:

«Sono qui ai tuoi ordini, Maestro. Io sono il tuo schiavo, e tu non potrai non ricompensarmi perché ti sarò fedele. Ti ho adorato a lungo e da lontano. E ora che tu sei vicino, attendo i tuoi comandamenti, e tu non mi dimenticherai, vero, caro Maestro, nella distribuzione di doni che farai?»

Renfield ha l'animo del vecchio accattone egoista, che pensa ai pani e ai pesci anche quando si crede di fronte alla Presenza. Le sue manie compongono un bizzarro miscuglio. Quando gli siamo stati addosso, si è dibattuto come una tigre. È dotato di forza immane, ed era più simile a una bestia selvaggia che a un uomo. Mai visto prima un lunatico in preda a un simile parossismo di furia; e spero di mai più vederlo. Fortuna, davvero fortuna, che ci siamo accorti in tempo di quanto sia forte e pericoloso. Con un'energia e una perseveranza del genere, prima di essere rimesso sotto chiave avrebbe potuto combinare guai irreparabili. Adesso, comunque, è al sicuro. Neppure il celebre Jack Sheppard riuscirebbe a liberarsi dalla camicia di forza che lo immobilizza, e per di più è incatenato alla parete della cella imbottita. A tratti, le sue grida sono atroci, ma i silenzi che le seguono sono più mortali ancora, perché ogni suo gesto e moto significano assassinio.

Proprio adesso, per la prima volta, ha pronunciato parole coerenti:

«Sarò paziente, Maestro. Ecco che viene, è qui, è qui!»

Ho accolto il suggerimento e sono venuto via. Ero troppo teso per dormire, ma queste annotazioni mi hanno rilassato, e penso che adesso finalmente riuscirò a riposare.

IX

Budapest, 24 agosto

Carissima Lucy,

immagino che sarai ansiosa di sapere tutto quel che è accaduto dacché ci siamo salutate alla stazione di Whitby. Ti dirò dunque, mia cara, che sono arrivata a Hull in perfetto orario, là ho preso il piroscafo per Amburgo e poi il treno fin qui. Ho l'impressione di non ricordare quasi nulla del viaggio, a parte che sapevo di recarmi da Jonathan e che, siccome avrei dovuto fargli un po' da infermiera, dovevo dormire il più possibile. Ho trovato il mio caro, vedessi quanto magro, pallido, l'aria esausta! Dai suoi cari occhi era scomparsa ogni luce di energia, e sul volto non gli si leggeva più quella tranquilla dignità di cui t'ho parlato. Non è che un rottame di se stesso, e non ricorda nulla di quel che gli è accaduto da molto tempo a questa parte. O, per lo meno, così vuol farmi credere, e io non gli chiederò mai nulla. Deve aver subito un terribile trauma, e temo che sarebbe una tortura, per il suo povero cervello, se cercasse di rammentarselo. Suor Agatha, che è una cara persona e un'infermiera nata, mi ha raccontato che, quand'era fuori di sé, farneticava di cose spaventevoli. Avrei voluto che me le riferisse, ma lei s'è limitata a segnarsi, dicendo che mai, mai l'avrebbe raccontato; che le farneticazioni del malato sono un segreto di Dio, e che se a un'infermiera nel corso della carriera capita di udirle, non deve venir meno alla fiducia riposta in lei. È

131

una anima dolce e buona, e il giorno dopo, accortasi che ero turbata, è tornata sull'argomento e, dopo aver ribadito che mai potrebbe riferire ciò di cui il mio povero caro farneticava, ha soggiunto: «Questo però posso assicurarvi, mia cara, che non si tratta di male azioni da lui commesse; e voi, sua futura sposa, non avete ragione di preoccuparvene. Non vi ha dimenticato né ha scordato quanto vi deve. Il suo era un terrore per cose grandi e terribili, di cui a nessun essere mortale è lecito parlare». Penso proprio che quella cara anima mi creda gelosa all'idea che il mio povero caro si sia innamorato di un'altra ragazza. Ma ci pensi? Io gelosa di Jonathan! Eppure, mia cara, lascia che ti sussurri che mi sono sentita pervadere da un brivido di gioia quando ho saputo che non c'era di mezzo nessun'altra donna. Ora sono al suo capezzale, e posso osservarlo bene mentre dorme. Si sta svegliando!

Riaperti gli occhi, mi ha chiesto della sua giacca, perché voleva cercare qualcosa in tasca; a mia volta l'ho chiesta a suor Agatha, la quale ha portato tutta la sua roba. C'era anche, ho notato, il suo taccuino, e stavo per chiedergli di permettermi di darvi un'occhiata – perché ho capito subito che avrei trovato il bandolo della matassa – ma credo che mi abbia letto quel desiderio nello sguardo, perché mi ha spedito alla finestra, con la scusa che doveva fare qualcosa in segreto. Poi mi ha richiamata, e l'ho visto con la mano sul taccuino; mi ha detto con tono quanto mai solenne:

«Wilhelmina» e ho capito allora che era terribilmente serio, perché non mi ha più chiamata a quel modo da quando mi ha chiesta in sposa, «tu, mia cara, sei al corrente delle mie idee circa la fiducia che deve esistere tra marito e moglie: nessun segreto, nessuna dissimulazione. Ho subito un grave trauma, e quando mi sforzo di pensarci, mi sento girare la testa e non so dirti se è stato realtà o soltanto il sogno di un malato di mente. Come tu sai, ho avuto una febbre cerebrale, il che equivale a dire che avevo perduto la ragione. Il segreto è qui dentro, e io non voglio più saperne. Desidero iniziare subito una nuova vita, con il nostro matrimonio.» Infatti, mia cara, avevamo deciso di sposarci non appena compiute le formalità. «Sei disposta, Wilhelmina, a condividere la mia ignoranza? Questo è il diario, prendilo e conservalo, leggilo se vuoi, ma non parlarmene mai; a meno, beninteso, che per un dovere imprescindibile mi costringa a riandare con la mente a quelle ore amare che, dormendo o vegliando, sano di mente o folle che fossi, ho qui registrato.» È ricaduto all'indietro esausto, e io ho posto il taccuino sotto il suo guanciale e gli ho dato un bacio. Ho chiesto a suor Agatha di pregare la superiora di fare in modo che il nostro matrimonio sia celebrato questo pomeriggio, e attendo la sua risposta...

È venuta e mi ha detto che il cappellano della chiesa anglicana è stato mandato a chiamare. Ci sposiamo tra un'ora, o non appena Jonathan si sveglia...

Lucy, il momento è venuto ed è trascorso. Mi sento molto compresa, ma tanto, tanto felice. Jonathan si è svegliato poco più di un'ora dopo, e tutto era pronto, e lui si è messo a sedere sul letto, sostenuto da cuscini, e ha risposto con voce ferma «sì». Io riuscivo a stento a spiccicar parola: avevo il cuore a tal punto traboccante, che persino quella breve esclamazione minacciava di soffocarmi. Le buone suore sono state tanto gentili. A Dio piacendo, mai, mai le dimenticherò, come non dimenticherò la grave e dolce responsabilità che mi sono assunta. Ma devo dirti del mio regalo di nozze. Quando il cappellano e le suore mi hanno lasciata sola con mio marito – oh, Lucy, è questa la prima volta che scrivo le parole "mio marito" –, quando dunque m'hanno lasciata sola con lui, ho cavato il taccuino da sotto il suo guanciale, l'ho avvolto in un foglio di carta bianca che ho legato con un nastro azzurro pallido che avevo al collo, e il nodo l'ho sigillato con cera, servendomi allo scopo dell'anello matrimoniale. Quindi ho baciato il diario e l'ho mostrato a mio marito, gli ho detto che così lo terrò e che costituirà un segno esteriore e visibile, per tutta la durata delle nostre esistenze, della nostra reciproca fiducia; e che mai lo aprirò, a meno che non ne vada di mezzo la sua vita o che non sia in nome di un imperativo imprescindibile. Allora lui mi ha preso la mano e, oh, Lucy, è stata la prima volta che ha preso la mano di *sua moglie*, e ha detto che era questa la cosa più cara di tutto il mondo quant'è vasto, poiché per ottenerla sarebbe disposto, se necessario, a ripercorrere tutto il suo passato. Il povero caro evidentemente intendeva una parte del suo passato, ma a volte è ancora confuso, e non mi meraviglierei se confondesse, non solo i mesi, ma anche gli anni.

Be', mia cara, che potevo dirgli? Semplicemente, che ero la donna più felice del mondo, e che null'altro avevo da offrirgli, se non me stessa, la mia vita, la mia fiducia e insieme tutto il mio amore e la mia dedizione per tutti i giorni della mia esistenza. E, mia cara, quando mi ha baciato e mi ha attirato a sé con quelle sue povere, deboli mani, è stato come un solenne giuramento scambiato tra noi...

Lucy cara, sai perché ti racconto tutto questo? Lo faccio non soltanto perché mi riempie di tanta gioia, ma anche perché tu mi sei stata e mi sei così cara. È stato mio privilegio esserti amica e guida quando sei uscita dalla scuola per prepararti alla vita nel mondo. E ora desidero che tu veda, con gli occhi di una moglie molto felice, dove mi ha condotto il senso del dovere, per modo che anche tu nella vita matrimoniale possa essere felice quanto me. Mia cara, per grazia di Dio onnipotente la tua esistenza può essere tutto ciò che promette: una lunga giornata di sole, senza aspri venti, nella perenne fedeltà al dovere, e nella fiducia più completa. Non posso augurarti di non soffrire mai, perché sarebbe impossibile; ma spero fermamente che tu sarai sempre felice come lo sono io ora. Arrivederci, mia cara. Imbuco questa lettera immediatamente, e forse ti scriverò ancora quanto prima. Devo fermarmi qui, perché Jonathan sta svegliandosi – e devo occuparmi di mio marito!

La tua sempre affezionata

Mina Harker

LETTERA DI LUCY WESTENRA A MINA HARKER

Whitby, 30 agosto

Carissima Mina,

oceani di affetto e milioni di baci, e che tu possa essere quanto prima in casa tua con tuo marito. Vorrei che tornassi abbastanza presto per poter stare qui con noi. Quest'aria tonificante rimetterebbe rapidamente in salute Jonathan; ha ristorato anche me. Ho un appetito degno di un cormorano, sono piena di vita, dormo bene. Sarai lieta di sapere che ho definitivamente smesso di essere sonnambula. Ritengo di non essermi mossa dal letto da una settimana a questa parte: di notte, beninteso. Arthur dice che ingrasso. A proposito, ho dimenticato di dirti che Arthur è qui. Facciamo tante passeggiate, gite in carrozza e cavalcate, e andiamo a remare, giochiamo a tennis, peschiamo assieme; e io lo amo più che mai. Lui dice di amarmi più di quanto lo ami io, ma ne dubito, perché un tempo sosteneva che più di così non poteva amarmi. Ma sono tutte sciocchezze. Ecco che mi chiama. E dunque, per il momento ti basti questo dalla tua affezionata

Lucy

P.S. Mamma ti manda tutto il suo affetto. Sembra che stia un po' meglio, povera cara.

P.P.S. Ci sposiamo il 28 settembre.

DIARIO DEL DOTTOR SEWARD

20 agosto. Il caso Renfield diventa sempre più interessante. Adesso il paziente è tranquillo tanto che a momenti cessa dalle sue esaltazioni. Durante la prima settimana dopo la crisi che ha avuto, è stato violento senza un attimo di tregua. Poi, una sera, proprio mentre la luna sorgeva, si è calmato e ha continuato a mormorare tra sé: «Ora posso aspettare, ora posso aspettare». L'infermiere è venuto a dirmelo, e sono corso dabbasso a dargli un'occhiata. Renfield era sempre con indosso la camicia di forza e nella cella imbottita, ma il suo viso non era più sconvolto, e gli occhi avevano ripreso in parte l'espressione supplice di un tempo – la definirei addirittura "umile". Ero soddisfatto del suo attuale stato, e ho dato ordine di slegarlo. Gli infermieri esitavano, ma alla fine hanno eseguito l'ordine senza proteste. Strano a dirsi, il paziente si è mostrato dotato di tanta lucidità da notarne subito la diffidenza perché, avvicinatomisi, mi ha sussurrato, intanto scoccando a quegli altri occhiate furtive:

«Loro pensano che potrei farvi del male! Ma vi rendete conto: io far del male a voi! Poveri scemi!»

Era in qualche modo gratificante vedermi distinto dagli altri fin nei pensieri di quel povero pazzo; e tuttavia, non riesco a seguirlo. Devo interpretare le sue parole nel senso che ho qualcosa in comune con lui, per cui in fin dei conti noi due dovremmo intendercela, oppure intende ricavare da me non so che vantaggi, di importanza per lui tale che il mio benessere gli è indispensabile? Ne verrò a capo. Questa sera si rifiuta di aprir bocca, e neppure l'offerta di un gattino, persino di un gatto adulto, è valsa a tentarlo. Si limita a dire: «Non mi interessano i gatti. Ho qualcosa di più importante cui pensare, adesso, e posso aspettare, posso aspettare».

Dopo un po' l'ho lasciato. L'infermiere mi riferisce che è rimasto tranquillo fino a un attimo prima dell'alba, dopodiché ha cominciato a dar segni di inquietudine prima e poi di violenza, per piombare alla fine in un parossismo che l'ha esaurito al punto da farlo sprofondare in una sorta di coma.

... Per tre notti, sempre lo stesso: violento tutto il giorno, poi tranquillo dal sorgere della luna all'alba. Vorrei riuscire a scoprirne il perché. Si direbbe che sia all'opera un influsso intermittente. Ma sì, ottima idea! Questa sera giocheremo una partita tra mente sana e mente malata. In precedenza, Renfield è fuggito senza il nostro aiuto; questa sera evaderà con il nostro. Gli offriremo un'occasione, tenendo gli uomini pronti a seguirlo per ogni evenienza ...

23 agosto. L'inaspettato accade sempre, come diceva Disraeli che la vita la conosceva. Il nostro uccello, trovata la gabbia aperta, non ha voluto prendere il volo, per cui tutte le nostre astuzie sono state a vuoto. Comunque sia, una cosa l'abbiamo dimostrata, ed è che i periodi di tranquillità durano piuttosto a lungo. In futuro, faremo in modo di scioglierli le pastoie per qualche ora ogni giorno. Ho dato ordine all'infermiere del turno di notte di chiuderlo semplicemente nella cella imbottita, una volta che appaia tranquillo, e di lasciarvelo sino a un'ora prima dell'alba. Il corpo di quel povero diavolo avrà così un po' di sollievo, anche se la sua mente non saprà apprezzarlo. To', altro evento inatteso! Mi chiamano: il paziente è fuggito di nuovo.

Più tardi. Altra avventura notturna. Astutamente, Renfield ha atteso che l'infermiere entrasse nella cella a ispezionarla, e allora ne è balzato fuori aggirandolo, e via lungo il corridoio. Ho ordinato agli infermieri di seguirlo. Anche questa volta è penetrato nel terreno della casa abbandonata, e l'abbiamo ritrovato nello stesso punto, schiacciato contro la porta della cappella. Al vedermi, è montato su tutte le furie e, se gli infermieri non l'avessero afferrato in tempo, avrebbe certo tentato di uccidermi. Mentre lo trattenevamo, è accaduto qualcosa di strano. Di scatto, ha raddoppiato gli sforzi e poi, con altrettanta subitaneità, si è fatto calmo. Istintivamente, ho volto gli occhi all'intorno, ma non ho visto niente. Poi ho colto lo sguardo del paziente e l'ho seguito, ma nulla ho scorto là dove era volto, cioè nel cielo illuminato dalla luna, a parte un grosso pipistrello che volava leggero, silenzioso e spettrale, verso ovest. Di solito i pipistrelli roteano e svolazzano qua e là, laddove quello sembrava andare diritto, quasi avesse una meta o un'intenzione precisa. E il paziente diveniva sempre più calmo, e alla fine ha detto:

«Inutile che mi leghiate, vengo di buon grado!» Senza altre difficoltà, siamo tornati al manicomio. Sento che c'è qualcosa di minaccioso nella sua calma, e non dimenticherò questa notte...

Hillingham, 24 agosto. Voglio seguire l'esempio di Mina e mettere le cose per iscritto, così potremo parlare a lungo quando ci rivedremo. Mi chiedo quando sarà. Vorrei che fosse qui ancora con me, perché mi sento così infelice. La notte scorsa ho avuto l'impressione di fare esattamente lo stesso sogno di quand'ero a Whitby. Forse il cambiamento d'aria, forse il ritorno a casa, fatto sta che tutto mi appare buio e orribile, ma nulla ricordo, anche se sono piena di una vaga paura e mi sento terribilmente debole ed esausta. Quando Arthur è venuto a pranzo, al vedermi ha avuto l'aria assai preoccupata, e io non ho avuto la forza di fingere allegria. Forse questa notte potrei dormire in camera con la mamma. Cercherò un pretesto e vedremo.

25 agosto. Un'altra brutta notte. Mamma non ha voluto saperne della mia proposta. Mi sembra che non stia molto bene neppure lei, e senza dubbio teme di darmi fastidio. Ho tentato di rimanere sveglia, e per un po' ci sono riuscita; ma poi i rintocchi della mezzanotte suonati dal campanile m'hanno riscosso dal dormiveglia, sicché devo essermi assopita. Alla finestra, era una sorta di battito o raschiare, ma non ci ho fatto caso e, siccome non ricordo altro, devo dedurne che sono stata vinta dal sonno. Altri brutti sogni. Mi piacerebbe ricordarli. Stamane mi sento debolissima, ho il viso d'un pallore atroce, la gola mi fa male. Dev'esserci qualcosa che non va nei miei polmoni, perché ho l'impressione che mi manchi l'aria. Cercherò di tirarmi su quando tornerà Arthur perché so che, altrimenti, si rattristerà di vedermi in questo stato.

LETTERA DI ARTHUR HOLMWOOD AL DOTTOR SEWARD

Albemarle Hôtel, 31 agosto

Caro Jack,

vorrei che tu mi facessi un favore. Lucy non sta bene; non direi che soffra di una particolare malattia, ma ha un aspetto da far paura, e peggiora ogni giorno. Le ho chiesto se vi sono motivi specifici; non oso chiederlo a sua madre, perché turbare la povera signora con preoccupazioni per la figlia, dato il suo attuale stato di salute, potrebbe esserle fatale. La signora Westenra mi ha confidato che la sua sorte è segnata – è malata di cuore –, sebbene la povera Lucy lo ignori ancora. Sono certo che c'è qualcosa che tormenta la mia amata, e quando ci penso, mi sembra di perdere la ragione; guardarla mi dà l'angoscia. Le ho detto che ti avrei chiesto di visitarla e, sebbene in un primo momento abbia puntato i piedi – so benissimo perché, vecchio mio –, alla fine ha acconsentito. Mi rendo conto che per te, amico mio, sarà un compito penoso, ma è per il suo bene, e non posso esitare a chiedertelo, né tu puoi esitare a farlo. Dovresti venire a pranzo a Hillingham alle quattordici, in modo da non destare sospetti nella signora Westenra, e dopo mangiato Lucy troverà modo di restare sola con te. Io tornerò per il tè, e tu e io potremo andare via assieme; sono pieno di ansia, e desidero parlarne con te a quattr'occhi non appena possibile, dopo che l'avrai visitata. Non mancare!

Arthur

TELEGRAMMA DI ARTHUR HOLMWOOD
AL DOTTOR SEWARD

1° settembre. Chiamato capezzale mio padre che est peggiorato. Stop. Scriverò. Stop. Scrivimi tutto questa sera stessa a Ring. Stop. Telegrafa se necessario.

LETTERA DEL DOTTOR SEWARD
AD ARTHUR HOLMWOOD

2 settembre

Caro vecchio amico,

   per quanto riguarda la salute della signorina Westenra mi affretto a comunicarti che, a mio giudizio, non sussiste alcun disturbo funzionale o alcuna malattia a me nota. D'altro canto, non sono per niente soddisfatto del suo aspetto; è terribilmente cambiata dall'ultima volta che l'ho vista. Naturalmente, devi tener presente che non ho avuto modo di visitarla come avrei desiderato; la nostra stessa amicizia costituisce un piccolo ostacolo che neppure la scienza medica o le consuetudini possono superare. Meglio sarà che ti riferisca esattamente come sono andate le cose, lasciando a te il compito, se possibile, di trarre le debite conclusioni. Poi ti dirò quel che ho fatto e che mi propongo di fare.

Ho trovato la signorina Westenra di ottimo umore, almeno in apparenza. Era presente sua madre, e pochi istanti mi sono bastati per convincermi che la signorina faceva del suo meglio per ingannare la madre e impedirle di allarmarsi. Sono certo che intuisce, sempreché non lo sappia con certezza, quanto sia necessaria, nel caso specifico, la cautela. Abbiamo pranzato soli noi tre, sforzandoci di mostrarci allegri e, come premio per le nostre fatiche, siamo riusciti a istituire un'atmosfera di effettiva serenità. Poi la signora Westenra è andata a riposare e Lucy è rimasta con me. Siamo andati nel suo salottino, e strada facendo la sua gaiezza ha resistito, perché i domestici andavano e venivano. Ma, non appena chiuso l'uscio, la maschera le è caduta dal volto, e la signorina si è abbandonata su una seggiola con un gran sospiro, sostenendosi il capo con una mano. Accortomi che la sua euforia si era volatilizzata, ho approfittato subito di tale reazione per tentare di addivenire a una diagnosi, ma lei mi ha detto con tono soave:

«Sapeste quanto detesto parlare di me stessa!» Le ho ricordato che per un medico il segreto professionale è sacro, e che tu sei terribilmente in pena per lei. Ha afferrato al volo il significato delle mie parole, e ha sistemato subito la faccenda: «Potete dire ad Arthur, tutto quel che volete, non m'importa di me, mi preoccupo solo per lui!». Sicché, non ho remore.

Mi sono accorto subito che ha carenza di sangue, ancorché non abbia rilevato i soliti sintomi di anemia, e il caso ha voluto che potessi controllare le caratteristiche del suo sangue perché, nell'aprire una finestra che opponeva resistenza, un listello ha ceduto, un vetro si è spezzato, e lei si è ferita leggermente alla mano. In sé e per sé, una cosa da nulla, che però mi ha fornito un ottimo pretesto: ho prelevato qualche goccia di sangue e l'ho analizzato. L'analisi qualitativa rivela condizioni assolutamente normali, e devo anzi dire che comprova, in sé e per sé, un ottimo stato di salute. Per quanto riguarda altri aspetti fisiologici, mi sono accertato che non esiste motivo d'ansia; ma, siccome una causa deve pur sussistere, sono approdato alla conclusione che deve essere di natura psichica. La signorina Lucy lamenta a volte difficoltà di respiro e sonno pesante, letargico, accompagnato da sogni che la spaventano, a proposito dei quali nulla però riesce a ricordare. Dice che, da bambina, era sonnambula, e che a Whitby è ricaduta nell'abitudine e che una notte è uscita di casa recandosi sull'East Cliff, dove è stata ritrovata dalla signorina Murray; mi assicura però che in questi ultimi tempi il sonnambulismo è scomparso. Sono perplesso, ragion per cui ho scelto quello che ritengo essere il partito migliore: ho scritto al mio vecchio amico e maestro, il professor Van Helsing di Amsterdam che ne sa più di chiunque altro al mondo in fatto di malattie misteriose. L'ho pregato di raggiungermi, e siccome tu mi hai detto che tutte le spese sarebbero state a tuo carico, gli ho ricordato chi sei, accennando ai tuoi rapporti con la signorina Westenra. Questo, mio caro, per soddisfare i tuoi desideri, perché sono fin troppo fiero e felice di fare qualsiasi cosa per lei. Dal canto suo, Van Helsing, come ben so, è disposto a fare qualsiasi cosa per me per motivi personali, sicché, quali che siano le ragioni che lo indurranno a venire, dovremo inchinarci alla sua volontà. Si tratta, in apparenza, di un personaggio autoritario, ma è solo perché conosce ciò di cui parla meglio di qualsiasi altro. È un filosofo e metafisico, e uno degli scienziati più all'avanguardia dei giorni nostri; e lo ritengo una mente assolutamente aperta. Questo, unito a nervi d'acciaio, a un carattere di ghiaccio, a una volontà indomabile, ad autodisciplina e tolleranza tali da non essere più semplici virtù ma benedizioni, oltre che al cuore più sincero e gentile che vi sia: ecco l'armamentario cui attinge nella nobile opera alla quale si dedica a pro dell'umanità, un'opera sia teorica che pratica, essendo che le sue concezioni sono di ampiezza non minore della sua capacità di suscitare simpatia. Ti espongo questi fatti in modo che tu possa renderti conto del perché ripongo tanta fiducia in lui. Gli ho chiesto di venire immediatamente. Domani rivedrò la signorina Westenra. Ci incontreremo ai grandi magazzini, per non allarmare sua madre con mie visite troppo frequenti.

    Fraterni saluti,

John Seward

LETTERA DI ABRAHAM VAN HELSING,
DOTTORE IN MEDICINA, DOTTORE IN FILOSOFIA,
DOTTORE IN LETTERE, ECC. ECC. AL DOTTOR SEWARD

2 settembre

Mio buon amico,

    ho appena ricevuto vostra lettera, e subito rispondo a voi. Per una felice fortuna, io posso partire immediatamente, senza far torto a nessuno che hanno messo loro fiducia in me. In caso diverso, per costoro sarebbe un guaio, perché io corro da mio amico che mi chiama per aiuto di quelli che sono lui cari. Dite al vostro amico che quando, quella volta, voi avete succhiato senza esitazione il veleno della cancrena provocata dal coltello di quell'altro nostro amico che, troppo nervoso, si è esso lasciato sfuggire di mano, voi siete fatto di più per lui che vuole il mio aiuto che tutte sue ingenti ricchezze. Ma è un piacere in più di poterlo fare per lui, vostro amico; ed eccomi dunque a voi. Prenotatemi un appartamento al Great Eastern Hotel, in modo che io posso essere sottomano, e vi prego di procurare che io posso vedere la giovane signora domani non troppo tardi perché è probabile che nottetempo io devo tornare in Amsterdam. Però in caso di necessità, io sarò nuovamente da voi fra tre giorni, e se indispensabile sto più a lungo. Per il momento arrivederci, mio amico John.

Van Helsing

LETTERA DEL DOTTOR SEWARD
AD ARTHUR HOLMWOOD

3 settembre

Caro Art,

Van Helsing è venuto e ripartito. Ci siamo recati insieme a Hilligham. Grazie alla discrezione di Lucy, sua madre era andata a pranzo fuori, per cui siamo rimasti soli con lei. Van Helsing ha visitato con estrema cura la paziente. Mi riferirà e io a mia volta ti terrò informato, perché, com'è ovvio, non ho assistito a tutta la visita. Temo che sia molto preoccupato, ma dice che deve riflettere. Gli ho raccontato della nostra amicizia, e della fiducia che riponi in me, e lui: «Dovete dire a lui tutto che voi pensate. E dite anche a lui, se voi volete, quello che io penso, se riuscite a intuire esso. No, questo non è scherzo, ma vita o di morte, e forse più ancora». Gli ho chiesto che cosa intendesse dire, perché aveva l'aria quanto mai grave. Questo accadeva dopo che eravamo tornati in città, e Van Helsing si concedeva una tazza di tè prima di ripartire per Amsterdam. Ma non ha voluto dirmi di più. Non prendertela con me, Art, perché la sua stessa reticenza è segno che la sua mente lavora per il bene di Lucy. Sta' certo che, quando sarà il momento, parlerà chiaro. Gli ho detto pertanto che mi limiterò a compilare un resoconto della nostra visita, come farei se dovessi scrivere un articolo di carattere specialistico per il «Daily Telegraph». Mi è parso che non mi desse troppo retta, e infatti se n'è uscito a dire che i moscerini a Londra sono assai meno fastidiosi di quando lui vi studiava. Domani, sempreché faccia in tempo a compilarlo, avrò il suo referto, e in ogni caso una lettera.

Veniamo ora alla visita. Lucy appariva di umore migliore della volta precedente, e indubbiamente sembrava più sollevata. Aveva perduto un po' di quel pallore spettrale che tanto ti preoccupa, e anche il suo respiro era normale. È stata molto gentile col professore (e del resto, quando non lo è?), e ha fatto del suo meglio per metterlo a proprio agio; ma si vedeva perfettamente che le costava una gran fatica. Credo che anche Van Helsing se ne sia accorto, perché ho visto balenare, sotto le sue folte sopracciglia, quel rapido sguardo che conosco così bene. Poi Van Helsing ha cominciato a parlare di ogni sorta di argomenti tranne che dei presenti o di malattie, e con una così consumata abilità, che sotto i miei occhi la finta allegria della povera Lucy si è trasformata in realtà. Poi, senza alcun apparente mutamento di tono, Van Helsing ha portato inavvertitamente il discorso sulle ragioni della sua visita, e con tono suadente ha detto:

«Cara giovane signorina, io ho il così grande piacere di conoscere voi così simpatica. È molto, mia cara, che qui io non vedo. Essi sono detto a me voi siete giù di morale, e di spettrale pallore. A loro io dico: "Pfui!".» Ha schioccato le dita a sottolineare la sua esclamazione, e ha proseguito: «Ma voi e io mostreremo loro quanto essi sbagliano. Come può lui» e ha puntato il dito verso di me, con lo stesso sguardo e lo stesso gesto con cui una volta mi ha ordinato di uscire dall'aula, in una certa occasione che mai manca di ricordarmi «conoscere qualcosa di giovani madame? Lui ha suoi mattami per giocare e riportare loro a felicità e a quanti amano loro. Danno molto da fare, e però sono molte soddisfazioni in fatto, che noi possiamo donare questa felicità. Ma le giovani signore! Lui non ha moglie o figlia, e i giovani non rivelano se stessi ai giovani, ai vecchi invece sì, come me, che conosce tanti dolori e le cause di loro. Ragion per cui, mia cara, noi manderemo lui via a fumare sua sigaretta in giardino, mentre voi e io avremo piccola conversazione tutta fra noi». Ho capito l'antifona e me la sono svignata, e poco dopo il professore si è affacciato alla finestra e mi ha richiamato in casa. Aveva l'aria grave, ma ha detto: «Ho compiuto accurata visita, ma qui non causa funzionale. Con voi convengo che molto sangue è andato perduto. Sangue che era ma non è più. Ma condizioni di lei non sono per niente anemiche. Ho chiesto lei di mandarmi sua cameriera, in modo da poter chiedere lei un paio di domande, e così avere quadro completo.

So benissimo cosa che essa dirà. E tuttavia, causa esiste, è sempre causa per ogni cosa. Devo tornare a casa e riflettere. Voi dovete mandarmi il telegramma ogni giorno; e se è causa, io torno di nuovo. La malattia – perché non stare bene è malattia – interessa me, e la dolce giovane signora interessa me anche. Lei affascina me, e per lei, se non per voi o per malattia, io vengo».

Come ti ho già detto, non ha aggiunto altro in merito, neppure quando siamo restati a quattr'occhi. E adesso, caro Art, sai tutto quanto so io. Terrò gli occhi bene aperti. Spero che tuo padre si riprenda. Dev'essere terribile, per te, vecchio mio, trovarti sospeso tra due affetti che ti sono altrettanto cari. Conosco le tue idee sui doveri verso il padre, e fai bene a tener loro fede; ma, se sarà necessario, ti avvertirò in modo che tu possa correre immediatamente da Lucy; e dunque, non preoccuparti troppo, a meno di ricevere altre mie notizie.

DIARIO DEL DOTTOR SEWARD

4 settembre. Il paziente zoofago continua a monopolizzare la nostra attenzione. Ha avuto una sola crisi, e precisamente ieri, a un'ora insolita. Pochissimo prima di mezzogiorno, ha cominciato ad agitarsi. L'infermiere, che conosce i sintomi, ha chiesto immediatamente aiuto, e per fortuna gli uomini sono subito accorsi: appena in tempo, perché a mezzogiorno in punto Renfield è divenuto tanto violento, che è occorsa tutta la loro forza per trattenerlo. Nel giro di cinque minuti, tuttavia, ha cominciato a calmarsi in misura via via crescente, per sprofondare infine in uno stato di malinconia, in cui è rimasto fino a ora. L'infermiere mi riferisce che, durante il parossismo, le sue urla sono tali da raggelare; ho avuto il mio bel daffare quando sono entrato nel reparto, per rassicurare alcuni altri pazienti che ne erano spaventati. Adesso è passata l'ora del pranzo al manicomio, ma il mio paziente continua a starsene rannicchiato in un angolo, intento a rimuginare con un'espressione torva, imbronciata e offesa che si direbbe più un indizio vago che un sintomo preciso. Non riesco a interpretarlo.

Più tardi. Altro mutamento nel paziente. Alle diciassette, sono andato a dargli un'occhiata e l'ho trovato allegro e contento come nei momenti migliori. Stava acchiappando mosche e le mangiava, annotando il numero delle prede mediante segni impressi con l'unghia sullo stipite della porta, tra i margini delle imbottiture. Come mi ha visto, mi si è accostato e ha chiesto scusa per il suo comportamento riprovevole, domandandomi con tono umilissimo, strisciante, di essere ricondotto nella sua solita camera e di riavere il taccuino. Ho ritenuto opportuno accontentarlo, e così rieccolo nella sua stanza, con la finestra aperta. Ha sparso lo zucchero del tè sul davanzale e cattura mosche a man salva. Adesso però non le mangia, ma le mette in una scatola, come faceva un tempo, e ha già ricominciato a frugare in tutti gli angoli alla ricerca di un ragno. Ho cercato di farlo parlare negli ultimi giorni, perché riuscire in qualche modo a penetrarne i pensieri mi sarebbe di enorme aiuto; ma niente da fare. Per un po', ha assunto un'espressione tristissima e ha detto con voce remota, come si rivolgesse a se stesso più che a me:

«Tutto finito, tutto finito! Mi ha abbandonato. Nessuna speranza, ormai, per me, se non lo faccio da solo!» Poi, all'improvviso volgendosi ha soggiunto con tono deciso: «Dottore, vorrebbe essere così buono da farmi avere un po' di zucchero in più? Credo che mi farebbe bene».

«E alle mosche?» gli ho chiesto.

«Oh, sì, piace alle mosche, e le mosche piacciono a me. È per questo che vorrei averne.» E pensare che certa gente ne sa così poco, dei matti, da ritenere che non ragionino. Gli ho fatto dare una doppia razione di zucchero, e l'ho lasciato che era l'uomo più felice della terra. Quanto mi piacerebbe sondarne la mente.

Mezzanotte. Un altro cambiamento. Mi ero recato dalla signorina Westenra, che ho trovato molto meglio, ed ero appena rientrato e, fermo al cancello del manicomio, stavo guardando il tramonto, quando ho udito Renfield riprendere a urlare. Siccome la sua stanza dà su questo lato della casa, lo sentivo meglio che al mattino. Per me è stato traumatizzante passare all'improvviso dalla vaporosa, splendida bellezza di un tramonto londinese, con i suoi cuprei riflessi e le sue ombre fonde e le tinte meravigliose che si effondono su nubi opache come acqua torbida, alla tetraggine di questo edificio di fredda pietra, traboccante di pulsanti miserie, e solo il mio cuore desolato per sopportarlo. Sono arrivato da Renfield proprio nel momento in cui il sole andava giù, e dalla sua finestra ho visto il rosso disco comparire all'orizzonte. E mentre questo accadeva, la frenesia di Renfield a mano a mano si è placata: nell'istante preciso in cui l'astro è scomparso, è scivolato di tra le mani che lo trattenevano, piombando, massa inerte, sul pavimento. È però sorprendente la capacità di recupero psichico dei matti: pochi istanti dopo, si è rialzato, perfettamente tranquillo, e si è guardato attorno. Ho fatto cenno agli infermieri di non trattenerlo, curioso com'ero di vedere che avrebbe fatto. Renfield è andato diritto alla finestra e ha spazzato via i granelli di zucchero; poi ha preso la scatola delle mosche, l'ha vuotata all'esterno e l'ha gettata; quindi ha chiuso la finestra ed è andato a sedersi sul letto. Ne sono rimasto assai sorpreso e gli ho chiesto: «Dunque, non ne tenete più, di mosche?».

«No» è stata la sua risposta «ne ho abbastanza di tutte quelle porcherie!» È davvero un caso straordinariamente interessante. Non so cosa darei per riuscire a penetrare anche solo un istante nel suo cervello e cogliervi la causa dei suoi improvvisi accessi. Basta; la chiave in fin dei conti deve esistere, se riuscissimo a capire perché quest'oggi i parossismi si sono verificati a mezzogiorno in punto e al tramonto. Si deve forse ammettere una maligna influenza del sole, che si manifesta in certi periodi e ha effetto su certi individui, come a volte su altri quella della luna? Staremo a vedere.

TELEGRAMMA DA SEWARD, LONDRA,
A VAN HELSING, AMSTERDAM

4 settembre. Paziente oggi meglio ancora.

TELEGRAMMA DA SEWARD, LONDRA,
A VAN HELSING, AMSTERDAM

5 settembre. Paziente assai migliorata. Stop. Ottimo appetito dorme regolarmente buon umore colorito sta tornando.

TELEGRAMMA DA SEWARD, LONDRA,
A VAN HELSING, AMSTERDAM

6 settembre. Terribile peggioramento. Stop. Venite subito senza perdere un istante. Stop. Attendo vostra venuta per telegrafare a Holmwood.

X

6 settembre

Caro Art,

le notizie che ho da darti oggi non sono molto buone. Stamane, Lucy è apparsa un po' peggiorata. Tuttavia, la cosa ha avuto anche un risvolto positivo; la signora Westenra, ovviamente preoccupata per Lucy, ha chiesto il mio intervento professionale, e io ho approfittato dell'occasione per dirle che il mio vecchio maestro, Van Helsing, il grande specialista, verrà a trovarmi, e che vorrei che si occupasse di Lucy insieme a me. Sicché, adesso possiamo andare e venire senza allarmare eccessivamente la signora, tenendo presente che un trauma per lei potrebbe significare morte improvvisa e, dato lo stato di debolezza di Lucy, per questa potrebbe essere disastroso. Siamo assediati da difficoltà, tutti noi, povero vecchio mio; ma, con l'aiuto di Dio, ne verremo a capo. Se necessario, ti scriverò; sicché se non ricevi mie notizie, vorrà dire semplicemente che attendo a mia volta novità. Per sempre tuo

John Seward

DIARIO DEL DOTTOR SEWARD

7 settembre. La prima cosa che Van Helsing mi ha detto quando ci siamo incontrati in Liverpool Street, è stata:

«Voi siete detto qualcosa a vostro giovane amico innamorato di lei?»

«No» ho risposto «aspettavo di vedere voi, come vi ho telegrafato. Gli ho scritto una lettera dicendogli soltanto che voi eravate in arrivo, perché la signorina Westenra non stava bene, e che in caso di necessità lo avrei avvertito immediatamente.»

«Bene, mio amico» ha replicato lui «molto bene! Meglio che lui non sappia ancora; forse non saprà mai. Io così prego. Ma, se necessario, allora lui saprà tutto. E, mio buon amico John, permettete a me che metto in guardia voi. Voi vi occupate di pazzi. Tutti uomini sono pazzi in un modo o nell'altro; e in quanto voi siete riservato con vostri matti, così trattate anche con matti di Dio, voglio dire il resto del mondo. Voi non dite a vostri matti quel che fate o perché voi fate; voi non dite loro cosa che pensate. Per cui voi terrete conoscenza in suo luogo, dove può restare, dove può raccogliere attorno a sé altre conoscenze e moltiplicarsi. Voi e io terremo per il momento quanto noi sappiamo qui e qui.» E, così dicendo, mi ha posato la mano sul cuore e sulla fronte, e poi ha ripetuto il gesto su se stesso. «Al momento io ho pensieri miei. Più tardi, io svelo essi a voi.»

«Perché non subito?» ho chiesto. «Può darsi che sia utile, che si possa arrivare a una decisione.» Van Helsing si è fermato, mi ha guardato ben bene, e ha replicato:

«Mio amico John, quando il grano cresce, prima che esso è maturo, quando in lui è il latte di sua madre terra, e il sole non ha ancora cominciato a dipingerlo di suo oro, il contadino lui prende spiga e strofina essa tra le sue rudi mani, e soffia via verde loppa e dice a voi: "Ecco! Questo è buon grano, che fa buon raccolto quando viene suo tempo".» Non ho afferrato il nesso, e gliel'ho detto. Per tutta risposta, mi ha preso per l'orecchio e me l'ha tirato scherzosamente, come tanto tempo fa durante le lezioni, e poi: «Il buon contadino dice a voi questo perché lui sa, ma non prima. Ma il bravo contadino voi non vedete che sradica sue pianticelle di grano per vedere se cresce; questa è cosa per bambini che giocano al contadino, non per quelli che fanno di agricoltura mestiere di propria vita. Capito adesso, mio amico John? Io ho seminato mio grano, e Natura deve fare sua opera perché germogli; se germoglia, bene, è una promessa, e io aspetto finché spiga comincia a gonfiare». A questo punto ha fatto una pausa, rendendosi conto che adesso avevo capito. Quindi ha ripreso, con tono estremamente grave:

«Voi sempre stato studente solerte, e vostra casistica era sempre più abbondante di quella di altri. Voi allora stato solo studente; ora siete medico, e spero che quella buona abitudine non sia andata da voi. Ricordate, mio amico, che scienza è più forte di memoria, e noi non dobbiamo fidarci di più debole. Anche se non avete conservato la buona abitudine, lasciatemi dire a voi che questo caso di nostra cara signorina è uno che può essere – badate, io dico può essere – di tanto interesse per noi e per altri che tutto il resto può non pesare una piuma, come dicono qui da voi. Prendete dunque nota. Niente è troppo piccolo, credete me, registrate per iscritto persino vostri dubbi e supposizioni. In seguito può essere interessante per voi vedere quanto giuste erano vostre ipotesi. Noi impariamo più da fiaschi che da successi!»

Quando gli ho descritto i sintomi di Lucy – gli stessi di prima, ma infinitamente più accentuati – si è fatto assai pensoso, ma non ha detto nulla. Aveva con sé una borsa contenente tutta una collezione di strumenti e sostanze medicinali "la triste parafernalia di nostro benefico mestiere", come l'ha definita durante una delle sue lezioni, vale a dire l'armamentario di un professionista dell'attività terapeutica. Ad accoglierci nell'ingresso è stata la signora Westenra. Era allarmata, ma non tanto quanto mi sarei aspettato. La natura, in uno dei suoi accessi di clemenza, ha prescritto che persino la morte comporti qualche antidoto ai suoi stessi terrori. E qui, in un caso in cui ogni trauma può rivelarsi fatale, le cose sono ordinate per modo tale che, quale che ne sia la causa, le cose che non la riguardano direttamente – e persino la terribile trasformazione verificatasi nella figlia, alla quale è tanto affezionata – sembrano non toccarla. Qualcosa che ricorda il modo con cui Madre Natura avvolge un corpo estraneo in un bozzolo di tessuto impermeabile, proteggere dal male ciò che altrimenti quello altererebbe per contatto. Si tratta di un preordinato egoismo? Ma dobbiamo andar cauti a condannare chicchessia per questo vizio: può darsi che i suoi moventi abbiano radici più profonde di quanto supponiamo.

Mi sono servito della mia conoscenza di manifestazioni simili della patologia psichica, per imporre la regola che la signora non sia presente mentre si visita Lucy, né sappia, della malattia della figlia, più di quanto sia assolutamente necessario. La signora Westenra ha prontamente accondisceso, tanto prontamente, anzi, che ho rivisto la mano della Natura tesa a protezione della vita. Van Helsing e io siamo stati accompagnati in camera di Lucy. Se, ieri, la sua vista mi ha lasciato colpito, oggi mi ha orripilato. Era di un pallore lugubre, color del gesso; sembrava che il rosa se ne fosse andato finanche dalle labbra e dalle gengive, e le ossa del viso aggettavano spigolose; era penoso vederla o udirla respirare. Il volto di Van Helsing si è fatto di marmo, e le sue sopracciglia si sono avvicinate l'una all'altra fin quasi a congiungersi alla radice del naso. Lucy giaceva immota, e sembrava non avere neppure la forza di parlare, sicché per un tratto siamo rimasti tutti in silenzio. Poi Van Helsing mi ha fatto un cenno, e in punta di piedi siamo usciti dalla stanza. Non appena chiuso l'uscio, eccolo in fretta percorrere il corridoio fino alla stanza successiva, la cui porta era aperta. Mi vi ha tirato dentro, ha chiuso il battente. «Mio Dio» ha commentato. «Questo è spaventoso. Non c'è tempo da perdere. Morirà per semplice mancanza di sangue che può far funzionare suo cuore. Bisogna trasfusione di sangue subito. Voi o io?»

«Io sono più giovane e più forte, professore. Tocca a me.»

«Allora preparatevi subito. Io porterò qui mia borsa. Sono pronto.»

Sono sceso dabbasso con lui, e proprio in quel momento si è udito bussare alla porta d'ingresso. Siamo arrivati nell'atrio mentre la cameriera apriva, ed ecco

Arthur entrare di corsa, precipitarsi verso di me, e dirmi, in un sussurro ansioso:

«Jack, non ce la facevo più a resistere. Ho letto tra le righe della tua lettera, ed ero in preda all'angoscia. Papà stava meglio, così sono corso qui per vedere con i miei occhi. Questo signore è il dottor Van Helsing? Vi sono grato di essere venuto, signore.» Se al primo vederlo gli occhi del professore si erano illuminati, Van Helsing ha però avuto un moto di stizza per essere stato distratto proprio in quel momento; ma, squadrato meglio Art, e notatene le proporzioni robuste e la giovane, sana virilità che emanava, gli occhi sono tornati a farglisi scintillanti, e senza pensarci su due volte, porgendogli la mano gli ha detto con gravità:

«Signore, siete arrivato giusto in tempo. Voi siete l'innamorato di nostra cara signorina. Essa è male, molto molto male. Orsù ragazzo mio, non fate così.» Perché all'improvviso Arthur si era fatto pallido e si era lasciato cadere su una seggiola come chi stia per svenire. «Voi siete per aiutare lei. Voi potete fare più di chiunque essere vivente, e vostro coraggio è vostro miglior ausilio.»

«Che posso fare?» ha chiesto Arthur con voce roca. «Ditemelo, e io obbedirò. La mia vita appartiene a Lucy, e sono disposto a dare per lei fin l'ultima goccia del mio sangue.» Ora, il professore è dotato di un notevole senso dell'umorismo, e per annosa esperienza ho potuto coglierne una traccia nella sua risposta:

«Mio giovane signore, io non chiedo a voi questo tanto, non proprio.»

«Che devo dunque fare?» Gli occhi di Arthur ardenti, le sue narici dilatate fremevano d'impazienza. Van Helsing gli ha dato un colpetto sulla spalla. «Venite» ha ordinato. «Voi siete un uomo, e di un uomo noi abbiamo bisogno. Voi siete meglio che me, meglio che mio amico John.» Arthur appariva sbalordito, e il professore ha continuato a spiegare con tono garbato:

«Giovane signorina è male, molto male. Ha bisogno di sangue, e sangue dovrà avere o altrimenti è morta. Mio amico John e io abbiamo avuto consulto e stiamo per intraprendere quella che noi chiamiamo trasfusione di sangue, che consiste nel trasferire sangue da vene piene di uno a vene vuote di un altro che ha bisogno di esso. John era per dare suo sangue siccome lui è più giovane e più forte che me» e a questo punto Arthur mi ha preso la mano e me l'ha stretta forte in silenzio «ma ora voi siete qui, voi siete più buono che noi, giovane e vecchio, che molto logoriamo noi nel mondo di pensiero. Nostri nervi non sono così calmi e nostro sangue così ardente che vostro!» E Arthur, rivolto al professore:

«Se solo sapeste quanto felice sarei di morire per lei, capireste che...»

E si è interrotto, la voce strozzata.

«Buono ragazzo!» ha commentato Van Helsing. «In non tanto tempo voi sarete felice che voi avete fatto tutto per lei vostro amore. Ora venite e siate silenzioso. Voi bacerete lei una volta prima che sia fatto, poi però voi dovete andare; e voi dovete andare a mio segnale. Non dite una parola a signora; voi sapete come sta essa! Non deve essere trauma, e semplice sapere questo sarebbe uno. Venite!»

Siamo saliti tutti nella stanza di Lucy. Come gli era stato ordinato, Arthur era rimasto fuori. Lucy ha volto il capo a guardarci, ma senza dir nulla, e non che stesse dormendo: semplicemente, era troppo stanca per compiere persino quel minimo sforzo. A parlare erano i suoi occhi, e questo bastava. Van Helsing ha cavato certi oggetti dalla borsa, deponendoli su un tavolinetto fuori vista. Quindi ha preparato un narcotico e, avvicinandosi al letto, ha detto con tono rincuorante:

«Ora, piccola signorina, qui è vostra medicina. Voi bevete tutta essa, da brava bambina, vedete, io alzo voi per modo che voi potete inghiottire più comodamente.» Lucy con uno sforzo era riuscita a mandare giù la pozione.

Mi sono meravigliato che la droga impiegasse tanto tempo per agire, ma in effetti proprio questo rivelava quanto Lucy fosse indebolita. È sembrata passare un'eternità prima che il sonno cominciasse a farle battere le palpebre; alla fine, però, il narcotico ha manifestato tutta la propria potenza, e Lucy è sprofondata in un sonno di piombo. Constatatolo, il professore ha chiamato Arthur, ordinandogli di togliersi la giacca, quindi: «Voi potete prendere quell'unico piccolo bacio mentre che io avvicino il tavolino. Amico John, aiutate me!». E così, nessuno di noi due è rimasto a guardare mentre Arthur si chinava su di lei.

E rivolto a me, Van Helsing ha osservato:

«Lui è così giovane e forte e di sangue così puro che non abbiamo bisogno di defibrinare esso.»

Quindi, con rapidità e insieme con impeccabile metodo, Van Helsing ha compiuto l'operazione. Mentre la trasfusione aveva luogo, era come se la vita tornasse alle guance della povera Lucy, e sebbene il viso di Arthur si andasse a sua volta facendo sempre più pallido, sembrava che la gioia lo rendesse addirittura luminoso. Dopo un po' ho cominciato a preoccuparmi, perché Arthur evidentemente risentiva della perdita di sangue, per robusto che fosse, ed è bastato a darmi un'idea di quanto terribile deve essere stato il logorio al quale è stato sottoposto l'organismo di Lucy se quel che indeboliva Arthur bastava appena a ridare a lei un po' di energia. Ma il professore, il volto di pietra, con un occhio controllava l'orologio e con l'altro ora la paziente ora Arthur. Sentivo il sangue pulsarmi in petto. Finalmente, il professore ha detto a mezza voce: «Non muovetevi neanche un istante. È sufficiente. Voi curatevi di lui, io mi curo di lei». Quando tutto è stato finito, ho potuto constatare quanto estenuato fosse Arthur. Gli ho medicato la ferita, e presolo per un braccio ho fatto per portarlo via, quando Van Helsing ha parlato senza voltarsi – si sarebbe detto che quell'uomo avesse occhi anche sulla nuca:

«Il coraggioso innamorato io penso merita altro bacio, che egli avrà adesso.» E, siccome ormai aveva finito l'intervento, prese a sistemare il cuscino sotto la testa della paziente. Mentre così faceva, il nastrino di velluto nero che, a quanto mi risulta, Lucy porta sempre al collo, e che era ornato con una spilla di diamanti dono del fidanzato, si è spostato leggermente, mettendo in mostra un segno rosso sulla gola. Arthur non se n'è accorto, ma io ho udito distintamente la forte inalazione che è uno dei modi di Van Helsing di manifestare le proprie emozioni. Sul momento, non ha fatto nessun commento ma, rivolto a me: «Ora voi portate dabbasso nostro valoroso giovane innamorato, date lui di vino di Porto, e lasciate lui stare disteso un po'. Poi lui deve andare a casa e riposare, molto dormire e molto mangiare, per recuperare di quanto lui ha dato a suo amore. Non deve restare qui. Alt, un momento. Posso constatare, signore, che voi siete ansioso di risultato. Portate dunque con voi la certezza che l'operazione è riuscita in tutti i sensi. Questa volta voi avete salvato sua vita di lei, e voi potete andare a casa e restare tranquillo in mente che tutto quanto è possibile è stato fatto. Io dirò a lei ogni cosa quando lei bene, e lei non amerà certo voi di meno per quanto voi fatto. Arrivederci».

Partito Arthur, son tornato di sopra. Lucy dormiva serena, e il respiro era più forte, al punto che adesso vedevo il copriletto sollevarsi e abbassarsi. Al capezzale sedeva Van Helsing, intento a osservarla. Il nastrino di velluto era tornato a coprire la rossa cicatrice. Ho chiesto al professore in un sussurro:

«Che ne pensate di quel segno alla gola?»

«E voi?»

«Non l'ho ancora esaminato» ho risposto, e seduta stante ho sciolto il nastro. Proprio in corrispondenza della vena giugulare esterna, si vedevano due forellini, piccoli ma alquanto repellenti. Non sembravano infetti, ma i margini erano biancastri e smangiati, quasi fossero stati masticati. Subito mi è balenata l'idea che quella ferita, o quel che fosse, potesse essere la causa dell'evidente perdita di sangue; ma ho lasciato immediatamente cadere l'ipotesi, perché non si reggeva. Il letto intero sarebbe stato rosso, rosso del sangue che la povera fanciulla deve aver perduto per ridursi al pallore che era scomparso solo in seguito alla trasfusione.

«Ebbene?» ha chiesto Van Helsing.

«Ebbene» ho risposto «non riesco a venirne a capo.»

Il professore si è alzato. «Questa sera io devo tornare in Amsterdam» ha detto. «Lì sono libri e oggetti che io ho bisogno. Voi dovete restare qui tutta la notte, e non dovete lasciare che vostro sguardo si distolga da lei.»

«Devo far venire un'infermiera?» ho chiesto.

«Noi siamo le migliori infermiere, voi e io. Voi montate guardia tutta notte; procurate che sia ben nutrita e che nulla disturbi lei. Voi non dovete dormire tutta notte. Più tardi noi potremo dormire, voi e io. Sarò di ritorno tanto presto quanto possibile. E allora noi possiamo cominciare.»

«Cominciare?» ho chiesto. «A che cosa vi riferite?»

«Vedremo!» è stata la sua risposta, e il professore si è precipitato fuori, solo per riapparire un istante dopo, cacciando la testa nello spiraglio della porta e dicendo, con un dito alzato in segno di monito:

«Ricordate, lei è vostra responsabilità. Se voi lasciate lei, e accade qualcosa di male, voi non dormirete più sonni tranquilli!»

DIARIO DEL DOTTOR SEWARD
(continuazione)

8 settembre. Sono rimasto tutta notte sveglio accanto a Lucy. Il narcotico ha cessato l'effetto verso il tramonto, e Lucy si è svegliata spontaneamente; sembrava una persona diversa da quella che era prima dell'intervento. Appariva di ottimo umore, piena di briosa vivacità, anche se risultavano ancora evidenti i residui dello stato di totale prostrazione da cui era uscita. Ho detto alla signorina Westenra che il dottor Van Helsing aveva ordinato che vegliassi la malata, e lei ha trovato l'idea quasi ridicola, mi ha fatto notare le rinate energie e l'eccellente umore della figlia. Ma io non ho ceduto e mi sono predisposto alla lunga veglia. Non appena la cameriera ha preparato Lucy per la notte, sono rientrato nella camera – nel frattempo avevo cenato – e mi sono seduto accanto al letto. Lucy non ha sollevato obiezioni di sorta, ma ogniqualvolta i nostri sguardi si incrociavano, nel suo leggevo gratitudine. A lungo andare, è sembrata sul punto di cedere al sonno, ma con uno sforzo si è riscossa. Lo stesso è accaduto a più riprese, ogni volta con maggior fatica da parte sua e a intervalli via via brevi. Era chiaro che non voleva dormire, e ne ho approfittato per abbordare senz'altro l'argomento.

«Non volete dormire?»

«No, ho paura.»

«Paura di dormire! E perché mai? Il sonno è un bene al quale tutti agognamo.»

«Ah, non quando si è nella mia situazione, quando il sonno è foriero di orrori.»

«Foriero di orrori! Ma che cosa state dicendo?»

«Non lo so, non lo so! Ed è proprio questo lo spaventoso! Questa debolezza sopravviene durante il sonno, e al solo pensiero inorridisco.»

«Ma mia cara, questa notte potete dormire. Sono qui a vegliare su di voi, e vi giuro che nulla accadrà.»

«Oh, lo so che di voi posso fidarmi!» ha replicato Lucy e io, colta la palla al balzo, ho soggiunto: «Vi prometto che, se dovessi notare il minimo segno di brutti sogni, vi sveglierò seduta stante».

«Davvero? Oh, lo farete davvero? Come siete buono con me! E allora dormirò!» E, pronunciata appena la parola, eccola far udire un gran sospiro di sollievo e sprofondare nel sonno.

Tutta la notte sono rimasto a vegliare. Non si è mossa neppure un istante, ma ha continuato a dormire e a dormire di un sonno profondo, tranquillo, foriero di vita e di salute. Le labbra erano semiaperte, il seno si alzava e si abbassava con la regolarità di un pendolo. E un sorriso le aleggiava sul volto, rendendo manifesto che nessun brutto sogno era venuto a turbare la pace del suo spirito.

Di prima mattina è entrata la cameriera, alle cui cure ho affidato Lucy, mentre io sono tornato a casa, ansioso per molte ragioni. Ho spedito un conciso telegramma a Van Helsing e uno ad Arthur, per informarli dell'ottimo esito dell'intervento. Il mio lavoro, con i suoi molti arretrati, mi ha occupato per tutta la giornata, e solo verso sera ho avuto modo di informarmi del mio paziente zoofago. Rapporto positivo: è rimasto tranquillo tutta la notte e la giornata trascorsa. Mentre cenavo, è arrivato un telegramma di Van Helsing da Amsterdam, in cui mi consiglia di recarmi questa sera a Hillingham, poiché sarebbe opportuno che mi trovassi a portata di mano; quanto a lui, parte con il postale della notte e mi raggiungerà nelle prime ore di domattina.

9 settembre. Ero piuttosto stanco e spossato quando sono arrivato a Hillingham. Erano due notti che non chiudevo occhio, e cominciavo ad avvertire in me quell'ottusità che è sintomo di esaurimento cerebrale. Lucy era in piedi e di ottimo umore. Stringendomi la mano, mi ha guardato bene in viso e ha detto:

«Niente veglia per voi stanotte. Siete troppo stanco. Io sono tornata in perfetta salute; ma sì, proprio così. E se si deve vegliare seduti, lo farò con voi.» Ho preferito non discuterne e andare a cena. Lucy mi ha fatto compagnia, rallegrandomi con la sua affascinante presenza; il pasto è stato eccellente, e ho bevuto un paio di bicchieri di quel Porto più che ottimo. Poi Lucy mi ha accompagnato di sopra e, indicandomi una stanza vicina alla sua, nel cui caminetto scoppiettava un bel fuocherello, mi ha detto: «Ecco, voi starete qui. Lascerò aperto l'uscio e anche la porta della mia stanza. Potete stendervi sul divano, perché so benissimo che nulla potrebbe indurre uno di voi medici a mettersi a letto se c'è un paziente all'orizzonte. Se avrò bisogno di qualcosa, chiamerò, e voi potrete accorrere subito da me». Non mi è restato che far buon viso a cattivo gioco, perché ero davvero stanco morto, e non ce l'avrei fatta a passare una notte su una seggiola. E così, dopo che Lucy mi ha rinnovato la promessa di darmi una voce se avesse avuto bisogno di qualcosa, mi sono adagiato sul sofà e mi sono dimenticato di tutto e di tutti.

9 settembre. Mi sento così felice, questa sera. Sono stata così disperantemente debole, che essere in grado di pensare e di muovermi è come rivedere il sole dopo un lungo periodo di tramontana e di cielo plumbeo. Sento Arthur molto, molto vicino a me. È come se la sua calda presenza mi circondasse. Ritengo che malattie e debolezza siano cose egoistiche, che hanno per effetto di concentrare il nostro sguardo interiore e l'interesse su noi stessi, mentre salute ed energia lasciano briglia sciolta ad Amore che può scorrazzare in lungo e in largo nei pensieri e nei sentimenti. I miei pensieri, so dove sono. Se Arthur sapesse! Mio caro, mio caro, devono fischiarti le orecchie, mentre dormi, come fanno le mie da sveglia. Oh, il benedetto riposo della notte scorsa! Come ho dormito, con quel caro, buon dottor Seward accanto a me a vegliarmi. E questa notte, non avrò paura di dormire, perché il dottor Seward è a portata di voce, a due passi. Grazie a tutti per essere così buoni con me. Grazie a Dio! Buonanotte, Arthur.

DIARIO DEL DOTTOR SEWARD

10 settembre. Mi sono sentita la mano del professore sulla fronte, e mi sono svegliato di colpo. È questa una delle tante cose che si imparano al manicomio.

«E la nostra paziente?»

«Bene quando l'ho lasciata, o meglio quando lei ha lasciato me» è stata la mia risposta.

«Venite, andiamo a vedere» ha detto lui, e insieme siamo entrati nella stanza.

La tenda era abbassata, e sono andato a sollevarla pian piano mentre Van Helsing, col suo passo felpato, felino, si accostava a lei.

La luce del sole ha inondato la stanza, e in quell'istante ho udito la lieve inspirazione del professore e, conoscendone la rarità, una mortale paura mi ha attanagliato il cuore. Sono andato verso di lui e l'ho visto arretrare, e la sua esclamazione di orrore, *«Gott in Himmel!»*, non avrebbe avuto certo bisogno di essere sottolineata dall'espressione angosciata che gli si era dipinta in volto. L'ho visto levare la mano a indicare il letto, con il volto marmoreo bianco come un lenzuolo. Le ginocchia mi si sono messe a tremare.

Lì sul letto, abbandonata come in deliquio, giaceva la povera Lucy, più orribilmente bianca e sfinita che mai. Bianche erano persino le labbra, e le gengive sembravano essersi rattratte dai denti, come accade di solito di constatare nella salma di chi sia morto dopo prolungata malattia.

Van Helsing ha levato il piede come per batterlo a terra rabbiosamente, ma il suo istinto e i lunghi anni di mestiere lo condizionavano troppo, e ha rimesso giù il piede con calma. «Presto,» ha detto «portate il brandy.» Sono volato in sala da pranzo, sono tornato con la caraffa, Van Helsing ha umettato le povere labbra pallide con il liquore, ed entrambi abbiamo massaggiato il palmo delle mani, i polsi e la regione cardiaca. Van Helsing ha auscultato Lucy, e dopo qualche istante di angosciosa attesa ha annunciato:

«Non è troppo tardi. Batte, anche se debolmente. Tutto nostro lavoro è in aria; noi dobbiamo cominciare di nuovo. Qui non c'è nessun giovane Arthur adesso, e questa volta io devo far appello a voi, amico John.» Così dicendo, già frugava nella borsa e ne cavava lo strumentario per la trasfusione, e io mi ero tolto la giacca e m'arrotolavo la manica della camicia. Impossibile, al momento, somministrare oppiacei, e del resto era inutile; e così, senza perdere un istante, abbiamo cominciato l'operazione. Dopo un po' – ed è sembrato un tempo lunghissimo, perché sentirsi cavare il sangue, per quanto volentieri lo si doni, è una prova terribile –, Van Helsing ha levato un dito ammonitore. «Voi non muovete voi» ha detto «ma temo che con crescente sua forza lei possa svegliare se stessa; e questo farebbe pericolo, oh, grande pericolo. Ma io vorrò prendere precauzioni. Io praticherò ipodermica iniezione di morfina.» E così ha fatto, con rapida efficienza. Il risultato è stato tutt'altro che negativo, perché Lucy è sembrata passare dallo svenimento al sonno prodotto dalla narcosi, ed è stato con un sentimento di orgoglio personale che ho visto una lieve sfumatura di colore tornarle sulle guance e sulle labbra esangui. Nessuno che non l'abbia sperimentato sa che cosa significhi sentire la propria linfa vitale penetrare nelle vene della donna che ama.

Il professore mi scrutava con occhio critico. «Questo basterà» ha detto. «Già?» ho protestato io. «Da Art ne avete cavato molto di più.» Al che lui ha abbozzato un sorriso triste e ha replicato:

«Lui è suo innamorato, suo *fiancé*. Voi avete lavoro, molto lavoro per lei e per altri da fare; e questo sarà basta.»

Compiuta la trasfusione, Van Helsing si è occupato di Lucy, mentre io mi comprimevo l'incisione. Mi sono disteso, in attesa che avesse il tempo di occuparsi anche di me, perché mi sentivo debole e provavo una lieve nausea. Finalmente, mi ha medicato la ferita e mi ha spedito di sotto a bermi un bicchiere di vino. È sceso con me e, in un mezzo sussurro, mi ha ordinato: «Badate, nulla di tutto questo deve essere detto. Se nostro giovane innamorato inaspettatamente torna come lui già fatto, non parola a lui. Ciò spaventa lui subito e anche ingelosisce lui. E nessuna simile cosa deve essere, sì?».

Mentre tornavamo di sopra, mi ha guardato ben bene e mi ha detto:

«Voi non siete tra i peggiori. Andate voi in stanza, distendetevi su vostro sofà e riposatevi un poco; quindi abbiate abbondante colazione, e poi tornate qui da me.»

Ho obbedito, ben sapendo quanto giuste e sagge fossero quelle istruzioni. La mia parte l'avevo fatta, e adesso era mio dovere conservare le forze. Mi sentivo assai debole, e la debolezza aveva per effetto di attenuare il mio stupore per quanto era accaduto. Sono crollato sul sofà, tuttavia non senza chiedermi più e più volte come mai Lucy avesse subìto un simile peggioramento e come si spiegasse una tale perdita di sangue senza alcun segno esteriore. Ritengo di aver continuato a interrogarmi anche nei sogni perché, dormissi o mi ridestassi, i miei pensieri tornavano sempre a quei due puntini sulla gola di Lucy e all'aspetto consumato, smangiato, dei loro margini, per minuscolo che ne fosse il calibro.

Lucy ha dormito a lungo, e quando finalmente si è svegliata si sentiva piuttosto bene e in forze, sebbene neppure lontanamente come il giorno prima. Dopo averla visitata, Van Helsing è andato a fare una passeggiata, lasciando me di guardia con l'ordine preciso di non allontanarmi neppure per un istante. Ho udito dall'atrio la sua voce chiedere dov'era l'ufficio telegrafico più vicino.

Lucy ha chiacchierato con me del più e del meno, in apparenza affatto inconsapevole di quant'era accaduto, e dal canto mio ho cercato di distrarla e tenerla allegra. Quando è venuta a vederla sua madre, è parsa non notare alcun cambiamento, e mi ha detto con tono grato:

«Sapeste quanto vi dobbiamo, dottor Seward, per tutto quello che avete fatto, ma adesso dovreste fare attenzione a non stancarvi troppo. Anche voi sembrate pallido. Voi avete bisogno di una moglie che vi curi e vi vizi un pochino, ecco quel che vi occorre!» A queste parole, Lucy è divenuta scarlatta, ma solo per un istante, poiché le sue povere vene drenate non potevano sostenere a lungo un così eccezionale afflusso di sangue al capo, e la reazione si è verificata sotto forma di un pallore eccessivo mentre rivolgeva a me occhi imploranti. Ho sorriso e annuito, portandomi un dito alle labbra; e, con un sospiro, Lucy si è lasciata ricadere sui cuscini.

Van Helsing è ricomparso di lì a un paio d'ore, e subito mi ha detto:

«Ora andate voi a casa e mangiate e bevete abbondante. Fate voi stesso forte. Io resterò qui questa notte, seduto in compagnia di piccola signorina. Voi e io dobbiamo studiare il caso, e non dobbiamo a nessun altro nulla far sapere. Ho per questo gravi motivi. No, voi non dovete chiedere me; per ora, pensate come volete. E non temete di prendere in considerazione la più improbabile anche spiegazione. Buonanotte.»

Nell'atrio, sono stato avvicinato da due cameriere le quali mi hanno chiesto se una di loro non dovesse andare a vegliare la signorina Lucy, e anzi mi hanno implorato di permetterlo loro; e quando ho replicato che era espresso desiderio del dottor Van Helsing che a farlo fossimo lui o io, mi hanno pregato, quasi piangendo, di intercedere presso il "signore straniero". Sono rimasto molto colpito dal loro altruismo. Forse, mostrano tanta devozione perché appaio anch'io tanto debole o forse sono sinceramente affezionate a Lucy; comunque sia, ho già assistito più volte a casi simili di femminile dedizione. Sono tornato appena in tempo per cenare; ho compiuto il mio solito giro: al manicomio, tutto bene. Poi ho scritto queste righe in attesa del sonno, che sta arrivando.

11 settembre. Questo pomeriggio mi sono recato a Hillingham. Ho trovato Van Helsing di ottimo umore e Lucy in condizioni assai migliori. Ero arrivato da poco, quando è stato recapitato un grosso pacco per il professore; proveniva dall'estero. Lui lo ha aperto con aria molto compresa (finta, naturalmente) e ha esibito un gran mazzo di fiori bianchi.

«Sono per voi, signorina Lucy» ha annunciato.

«Per me? Oh, dottor Van Helsing.»

«Sì, mia cara, ma essi non sono per vostro divertimento. Essi sono medicine.» Sul che, Lucy ha fatto una smorfia. «No, no, non dovete prendere essi come decotto o in forma disgustosa, non è necessità che voi arricciate vostro bel nasino, altrimenti dovrò far notare a mio amico Arthur quale dispiacere deve egli subire, che egli vede tanta bellezza la quale lui così ama talmente distorta. Ah, ah, mia bella signorina, ecco che questo riporta diritto vostro bel nasino. Questo è medicinale, ma voi non sapete come funziona. Io metto lui in vostra finestra, io faccio bella ghirlanda che metto attorno a vostro collo, sì che voi bene dormite. Oh, sì, essi a guisa di fiore di loto, fanno voi vostre pene dimenticare. Essi odorano come le acque di Lete e come quella fontana di giovinezza che i Conquistadores hanno andato in Florida a cercare, ma troppo tardi hanno trovato.»

Mentre così parlava, Lucy stava esaminando i fiori e odorandoli, e a questo punto li ha lasciati cadere, dicendo, tra divertita e disgustata:

«Ma professore, credo che voi vi stiate prendendo gioco di me. Questi non sono che fiori di comune aglio!»

Con mia grande sorpresa, Van Helsing si è alzato di scatto e ha detto con tutta la gravità di cui è capace, la ferrea mandibola contratta e le sopracciglia cespugliose aggrottate:

«Niente sì e ma, con me! Io mai scherzo! In tutto che io faccio, è un preciso proposito, e io ammonisco voi di non disubbidirmi. Siete molto attenta, per amore di altri se non per vostro amore.» Sul che, accortosi dello sgomento di Lucy, del resto comprensibile, ha soggiunto, con tono meno imperioso: «Oh, piccola signorina, mia cara, non temete di me. Io solo faccio per vostro bene; però in questi così comuni fiori sono molte virtù per voi. Ecco, io pongo loro io stesso in vostra stanza, io faccio con mie mani ghirlanda che voi portare dovete. Ma acqua in bocca! Non parlare con altri che fanno curiose domande. Noi dobbiamo obbedire, e tacere è parte di obbedienza; e obbedienza, questo significa portare voi forte e sana in braccia amanti che per voi attendono. Ora voi state tranquilla. Venite con me, amico John, voi aiutatemi a prendere e decorare tutta camera con mio aglio che arriva da Haarlem, dove mio amico Vanderpool coltiva erbe medicinali in sua serra tutto l'anno. Ho dovuto telegrafare ieri sera, o esso non arriva oggi».

Siamo tornati nella stanza portando con noi i fiori. Le iniziative del professore erano senza dubbio bizzarre e irreperibili in qualsiasi farmacopea a me nota. Per prima cosa ha chiuso le imposte, serrandole ben bene; quindi, presa una manciata di fiori, li ha strofinati su ogni parte della intelaiatura, quasi ad assicurarsi che ogni soffio d'aria che ne entrasse fosse impregnato dell'odore di aglio. Con un'altra manciata ha strofinato l'intelaiatura della porta, in alto, ai lati e in basso, e lo stesso ha fatto con il caminetto. Tutto questo mi sembrava grottesco, e alla fine sono sbottato:

«Caro professore, so benissimo che avete sempre un valido motivo per ogni vostra azione, ma questa mi lascia a bocca aperta! Per fortuna non ci sono scettici presenti, altrimenti direbbero che state facendo un incantesimo per tener lontano uno spirito maligno.»

«Chissà che non è proprio così» ha risposto lui con l'aria più tranquilla del mondo, cominciando intanto a intrecciare la ghirlanda che Lucy doveva portare al collo.

Abbiamo poi aspettato che la signorina terminasse la toeletta notturna, e quando si è messa a letto siamo tornati da lei e il professore in persona le ha messo al collo la collana d'aglio. Poi, prima di uscire, le ha rivolto un'ultima raccomandazione:

«State bene attenta e non togliere essa. E anche se l'aria qua dentro sentisse irrespirabile, questa notte non dovete voi aprire la finestra né la porta.»

«Lo prometto» ha detto Lucy «e mille grazie a tutti e due per le molte gentilezze di cui mi fate oggetto! Oh, quali meriti ho io per avere amici simili?»

Ce ne siamo quindi andati con il mio calesse, che avevo lasciato all'uscio, e strada facendo Van Helsing ha detto:

«Questa notte posso io in pace dormire, e di dormire io ho bisogno: due notti di viaggio, molto leggere nella giornata in mezzo, e molta ansia nella giornata che è seguita, e una notte su una seggiola seduto, senza me muovere. Domani mattino presto voi chiamate me, e noi insieme a vedere nostra bella signorina veniamo, e tanto più forte essa sarà grazie all'"incantesimo" che io ho compiuto, ahah!»

Sembrava così fiducioso che, memore della stessa fiducia di due notti prima e del tragico risultato che aveva avuto, ho sentito un vuoto allo stomaco, un vago terrore. Deve essere stato per debolezza che ho esitato a dirlo al professore, ma tanto più ho provato quella sensazione, come di lacrime non sparse.

XI

12 settembre. Come sono tutti buoni con me! Adoro quel caro dottor Van Helsing. Chissà perché ci teneva tanto a quei fiori. Mi ha proprio spaventata, era così severo... Eppure, aveva evidentemente ragione perché mi hanno giovato. Fatto sta che non ho paura di restare sola questa notte, e potrò dormire senza timori. Non farò caso a eventuali battiti d'ali fuori dalla finestra. Oh, la terribile lotta che ho dovuto sostenere tanto spesso contro il sonno in questi ultimi tempi; la sofferenza dell'insonnia e il tormento della paura di addormentarmi, con tutti gli ignoti orrori che il sonno ha in serbo per me! Come sono fortunati certuni che vivono liberi da timori, da angosce; per i quali il sonno è una benedizione che arriva ogni notte, e di null'altro è foriero se non di dolci sogni. Be', eccomi qui, questa sera, speranzosa di poter dormire, distesa, come Ofelia nella tragedia, "con vergini corone e fanciulleschi fiori sparsi". Non mi è mai piaciuto l'aglio, ma questa sera lo trovo delizioso! Il suo profumo porta pace; già sento il sonno venire. Buonanotte a tutti.

DIARIO DEL DOTTOR SEWARD

13 settembre. Passato al Berkeley, e trovato Van Helsing come al solito puntualissimo. La carrozza ordinata dal portiere dell'albergo era pronta. Il professore ha preso la borsa che ora porta sempre con sé.

Mi sforzerò di riferire ogni cosa con esattezza. Van Helsing e io siamo arrivati a Hillingham alle otto. Bellissima mattina, sole splendente, le fresche sensazioni del primo autunno, quasi a coronare l'annuale lavoro della natura. Le foglie assumevano ogni sorta di bei colori, ma ancora non avevano cominciato a spiccarsi dagli alberi. Al nostro ingresso, abbiamo incontrato la signora Westenra che usciva dal tinello. Si alza sempre presto, ci ha salutato con molta cordialità, e ha detto:

«Sarete lieti di sapere che Lucy sta meglio. La mia cara bambina dorme ancora. Ho messo la testa nella sua stanza, giusto per darle un'occhiata, ma non sono entrata per non disturbarla.» Il professore ha sorriso, l'aria giubilante e, strofinandosi le mani, ha replicato:

«Ahah, credo proprio di avere azzeccato mia diagnosi. Mio trattamento funziona.» Sul che la signora:

«Non tutto il credito va a voi, dottore. Le condizioni di Lucy di stamane in parte sono merito mio.»

«Come sarebbe a dire, signora?» ha chiesto il professore.

«Be', ecco, questa notte ero in ansia per la piccola e sono entrata nella sua camera. Dormiva profondamente, tanto profondamente che neanche il mio ingresso l'ha svegliata. Ma l'aria era irrespirabile. C'era una quantità di quegli orribili fiori dal puzzo insopportabile sparsi ovunque, e ne aveva addirittura un mazzo al collo. Ho pensato che quel fetore fosse un po' troppo per la mia cara bambina, debole com'è, per cui li ho portati via tutti e ho aperto un po' la finestra per far entrare aria fresca. Sono certa che la troverete benissimo.»

E così dicendo, se n'è andata nel suo salotto, dove di solito fa colazione. Mentre parlava, osservavo il volto del professore, e l'ho visto farsi grigio cenere. Aveva avuto tanto autodominio da mantenere l'apparente controllo finché la povera signora era presente, ben conoscendone le condizioni e quanto deleterio sarebbe stato per lei un trauma; le aveva persino sorriso, mentre le apriva l'uscio del salotto. Ma, non appena la signora è scomparsa, con uno strattone, improvviso quanto imperioso, mi ha trascinato in sala da pranzo e ha chiuso la porta.

E allora, per la prima volta in vita mia ho visto Van Helsing crollare. Ha levato le mani al cielo in atto di muta disperazione, quindi le ha battute assieme in un gesto d'impotenza; alla fine si è lasciato cadere su una seggiola e, prendendosi il volto tra le mani, ha cominciato a singhiozzare, ed erano singulti fragorosi, secchi, che sembravano provenire da un cuore spezzato. Poi, tornando a levare le braccia quasi facesse appello all'universo tutto «Dio! Dio! Dio!» ha esclamato. «Che abbiamo fatto, che cosa ha fatto quella povera creatura, perché a noi viene questa atroce sorte? È dunque ancora tra noi il fatale retaggio di antico mondo pagano, che prescrive che cose simili devono essere, e in questa forma? Questa povera madre, ignorante di tutte cose, e la quale per il migliore, come essa crede, fa simile come distruggere corpo e anima di sua figlia, e noi non possiamo dire a lei, noi non possiamo neppure lei mettere in guardia, o lei muore, e allora tutte e due morte. Oh, come siamo visitati da disgrazia! Come sono tutti poteri di diavoli contro noi!» All'improvviso è balzato in piedi. «Venite» ha ordinato «venite, dobbiamo vedere e agire. Diavoli o non diavoli, rispettivamente tutti i diavoli insieme, questo non importa; noi combattiamo lui ugualmente.» È andato nell'atrio a prendere la sua borsa, e insieme siamo saliti nella stanza di Lucy.

Una volta ancora ho aperto la persiana mentre Van Helsing si accostava al letto. Ma adesso non ha sussultato alla vista di quel povero volto soffuso dell'ormai ben noto, spaventoso pallore cereo; ha assunto soltanto un'espressione di severa tristezza e di infinita pietà. «Come io aspettavo» ha mormorato, con quell'inspirazione sibilante così eloquente. Poi, senza una parola, è andato a chiudere la porta e ha preso a disporre sul tavolino lo strumentario indispensabile a un'altra trasfusione di sangue. Avevo previsto tale necessità, e mi accingevo a togliermi la giacca, quando Van Helsing mi ha fermato con un gesto della mano. «No» ha detto «oggi sarete voi a operare. Io fornirò sangue, voi siete già indebolito.» E, così dicendo, si è tolto la giacca e si è arrotolato la manica della camicia.

Altro intervento; altra narcosi; altro ritorno del colore sulle guance emaciate, e il respiro regolare di un sonno sano. E questa volta sono stato io a controllare la situazione mentre Van Helsing si riprendeva e riposava.

Dopo, ha trovato il modo di far capire alla signora Westenra che non deve togliere niente dalla stanza di Lucy senza essersi prima consultata con lui; i fiori, ha soggiunto, avevano poteri medicamentosi, e respirarne l'aroma faceva parte del sistema di cura. Infine, si è assunto di persona la responsabilità del caso: avrebbe vegliato questa notte e la prossima, mandandomi a chiamare se necessario.

Di lì a un'ora, Lucy si è svegliata fresca e serena e, almeno in apparenza, senza traccia della terribile prova toccatale.

Che cosa significa tutto questo? Comincio a chiedermi se la continua frequentazione dei pazzi non finisca per nuocere al mio cervello.

DIARIO DI LUCY WESTENRA

17 settembre. Quattro giorni e quattro notti di tranquillità. Sto recuperando le energie al punto che quasi non mi riconosco. È come se avessi attraversato un lungo incubo e mi fossi appena risvegliata allo spettacolo del sole splendente e alla carezza della fresca aria mattutina. Ho un vago, incerto ricordo di lunghi, angosciosi momenti di attesa e timore: un'oscurità in cui non c'era neppure lo sprone della speranza a rendere più penoso lo stato di miseria; e quindi lunghe pause di oblio, e il riemergere alla vita come un tuffatore che risalga attraverso il peso schiacciante l'acqua. Ma da quando il dottor Van Helsing è al mio fianco, tutti questi cattivi sogni sembrano svaniti; i rumori che mi spaventavano al punto da togliermi il senno – il battito d'ali contro la finestra, le voci distanti che pure sembravano così vicine, gli aspri suoni che provenivano non so da dove e che mi ordinavano di fare non so che –, tutto cessato. Adesso me ne vado a letto senza timore del sonno. Non tento neppure di tenermi sveglia. L'aglio mi piace ormai moltissimo, e ogni giorno me ne arriva di fresco da Haarlem. Questa sera il dottor Van Helsing riparte, deve restare un giorno ad Amsterdam. Ma non ho bisogno di guardiani: sto abbastanza bene da poterne fare a meno. Grazie, mio Dio, per la mamma e per il caro Arthur e per tutti i nostri amici che si sono dimostrati così gentili! Del resto, il cambiamento l'avvertirò appena, perché la notte scorsa il dottor Van Helsing l'ha passata più che altro dormendo nella sua poltrona. Due volte, svegliandomi, l'ho trovato immerso nel sonno; ma non ho avuto paura di riaddormentarmi a mia volta, sebbene i rami o i pipistrelli o altro che fossero sbattessero, si sarebbe detto rabbiosamente, contro i vetri della finestra.

«THE PALL MALL GAZETTE», 18 SETTEMBRE
Il lupo fuggito
Perigliosa avventura del nostro corrispondente
Intervista con un guardiano dei Giardini Zoologici

Dopo molte richieste e quasi altrettanti rifiuti, e servendomi di continuo delle parole "Pall Mall Gazette" come di una sorta di talismano, sono riuscito a mettermi in contatto col guardiano della sezione dei Giardini Zoologici che ospita il reparto lupi. Si chiama Thomas Bilder e abita in una delle villette costruite nel recinto dietro la Casa dell'elefante; quando mi sono recato da lui, l'ho trovato che prendeva il tè serale. Thomas e sua moglie sono persone ospitali, anziane, senza figli e, se l'assaggio della loro ospitalità che ho avuto costituisce la norma, devo dire che sono davvero persone amabili. Il guardiano non ha voluto parlare di quelli che definiva "affari" finché il pasto non è terminato, e tutti siamo stati sazi. Quindi, sparecchiata la tavola, ha acceso la pipa e ha esordito:

«Dunque, caro signore, avanti, sparate! chiedetemi

quel che volete. Chiedo scusa per il mio rifiuto di parlare di roba professionale prima dei pasti. Ma sapete com'è, ai lupi, agli sciacalli e alle iene della nostra sezione, anch'io ci do il tè, prima di cominciare a fargli domande.»

«Come sarebbe a dire, far domande?» ho chiesto, desideroso com'ero di dare esca alla sua loquacità.

«Pestarli sulla zucca con un bastone, questo è un modo; poi c'è quello di grattargli le orecchie, soprattutto quando personaggi come sono loro ci tengono a far bella figura con le loro pupe. Pronto a servirmi anche del primo sistema, sia chiaro: bastonate prima della pappa; ma di solito aspetto che abbiano avuto lo sherry e il caffè, per così dire, prima di passare alla grattatina. Vedete» ha soggiunto col tono di chi la sa lunga «dentro quelle bestie c'è parecchio della nostra natura. Qui ci siete voi che venite a farmi domande sul mio lavoro, e io sono così rustico che, se non sarebbe per quella mezza sterlina che mi è parso di vedere, io vi spedisco a quel paese senza neanche lasciarvi aprir bocca, soprattutto quando che m'avete chiesto sarcasticamente se volevo che domandate al sovrintendente se potete farmi domande. Senza offesa, per caso vi ho detto di andare all'inferno?»

«L'avete fatto.»

«E voi allora avete detto che mi farete rapporto per linguaggio osceno, e questo equivaleva a pestarmi sulla testa con un bastone, dico bene? Ma la mezza sterlina ha sistemato tutto. Mica volevo litigare con voi, io, e così ho aspettato di riempirmi la pancia, e così succede con i leoni, i lupi e le tigri. Ma a Dio piacendo, adesso che la vecchia mi ha messo in corpo un tocco della sua torta e me l'ha spedita giù con quel suo tè della malora, e ho acceso la pipa, adesso potete grattarmi le orecchie quanto che volete senza che da parte mia, neanche un ringhio. Sotto con le domande! Tanto, so dove volete andare a parare, la faccenda del lupo che ha tagliato la corda.»

«Proprio così. Desidero sentire la vostra opinione in merito. Ditemi semplicemente com'è andata. E quando avrò saputo i fatti, vi chiederò di dirmi a quale causa secondo voi vanno fatti risalire e come credete che andrà a finire la faccenda.»

«Bene, capo, adesso ve la conto tutta. Dunque, c'era quel lupo che noi chiamavamo Bersicker ed era uno di quei tre grandi grigi che erano arrivati a Jamrach's, venivano dalla Norvegia, venivano, e li abbiamo comperato quattro anni fa. Era un gran bravo lupo, non ha mai dato grane che valga la pena di parlarne. Mi ha sorpreso molto che se la sia svignata come qualsiasi altra bestia al suo posto. D'altra parte, si sa che dei lupi uno si può fidare come delle donne.»

«Non dategli retta, signore» è intervenuta a dire mamma Bilder, con una cordiale risata. «È da tanto che se la fa con le bestie che è diventato anche lui una specie di vecchio lupo! Ma non mica pericoloso sapete?»

«Dunque, signore, è successo ieri, due ore dopo che avevo mandato giù un boccone, quando mi sono accorto che qualcosa non va. Ero lì che preparavo una cuccia nella casa delle scimmie per un cucciolo di puma che non sta niente bene; ma quando ti sento strilli e urli, arrivo di corsa. E ti vedo Bersicker che si buttava come un matto contro le sbarre, come se voleva sfondarle. Non c'era molta gente, ieri, e vicino c'era solo un tipo alto e magro, con un naso a becco e una barba a punta con qualche filo bianco. Un tale con lo sguardo duro e freddo e gli occhi rossi, e devo dire che mi è stato subito sullo stomaco, perché sembrava proprio che era lui a far infuriare il lupo, lui con i suoi guanti bianchi di capretto, e mi mostra le bestie e mi dice: "Guardiano," mi fa "quei lupi sembrano agitati per qualcosa". "Eh, sarà mica per colpa vostra?" gli faccio io, perché non mi andavano le arie che si dava. Ma lui mica se la prende, come invece speravo che facesse, e invece mi fa sorriso insolente, con una boccaccia piena di denti bianchi, aguzzi. "Eh, no, si vede che non gli piaccio" mi dice.

«"Eh, sì, che gli piacete" faccio io canzonandolo. "Gli piacciono sempre un paio di ossa per pulirsi i denti dopo il tè, e voi ne avete un sacco, di ossa".

«Be', strano a dirsi, ma come gli animali ci vedono

che parliamo assieme, si mettono giù cucci, e quando vado da Bersicker, lui si lascia grattare le orecchie come al solito. Poi quel tale si avvicina anche lui, e mi venga un colpo se non infila nella gabbia la mano e non accarezza anche lui il lupo sulla testa!

«"Ehi" gli dico "state attento perché Bersicker è uno svelto."

«"Non preoccupatevi" mi fa lui "che io con i lupi ci ho la mano."

«"Siete anche voi del ramo?" gli chiedo io, e gli faccio tanto di cappello perché uno che è nel ramo lupi, tanto per cominciare non può che essere uno che capisce noi guardiani.

«"No" dice lui "non sono proprio del ramo, ma ne ho addomesticati parecchi." E così dicendo si toglie il cappello, che sembra un Lord sputato, e se ne va. Il vecchio Bersicker sta lì a seguirlo con lo sguardo finché non scompare, e poi va a mettersi a cuccia in un angolo e si rifiuta di venirne fuori per tutta la serata. Be', ieri sera, appena che viene su la luna, ecco che i lupi cominciano tutti a ululare. Non c'era motivo che si mettono a farlo, perché non c'era nessuno in giro, a parte qualcuno che evidentemente stava chiamando un cane da qualche parte nei giardini di Park Road. Un paio di volte sono andato fuori a vedere se tutto filava liscio: tutto a posto. E poi quelli l'hanno piantata di urlare. Giusto prima di mezzanotte, ho fatto un giro di ispezione prima di andare in branda e, mi venga un colpo, quando arrivo davanti alla gabbia del vecchio Bersicker, ti vedo le sbarre rotte e contorte e la gabbia che è vuota. E questo è tutto quello che so per certo.»

«E nessuno ha visto altro?»

«Uno dei nostri giardinieri stava tornando a casa circa a quell'ora, da una riunione tra amici, quando ti vede un grosso cane grigio che sbuca fuori dalla cinta del giardino. Almeno così dice lui, ma io non ci metterei la mano sopra, perché non ne ha fatto parola con la sua signora quando che è arrivato a casa, ed è stato solo dopo che si è saputo della fuga del lupo e che tutta la notte l'abbiamo passata nel parco a dar la caccia al vecchio

Bersicker, che si è ricordato di aver visto qualcosa. La mia opinione è che i fumi della riunione tra amici gli sono andati un poco alla testa.»

«E adesso, signor Bilder, come si spiega a vostro giudizio la fuga del lupo?»

«Be', signore» ha risposto lui, con un'aria di modestia poco convincente «una spiega credo di avercela. Non so però se la mia teoria sarà di vostro gradimento.»

«Certo che lo sarà. Se un uomo come voi, che conosce gli animali per esperienza diretta, non fosse in grado per lo meno di tirare a indovinare, chi potrebbe provarcisi?»

«Benone, allora, signore, io me la spiego così. Secondo me, è successo che quel lupo è scappato semplicemente perché aveva voglia di andarsene.»

Dalla risata divertita di Thomas e sua moglie che ha fatto seguito alla battuta, mi sono reso conto che era uno scherzo già collaudato e che la spiegazione era null'altro che una spiritosaggine. Siccome in questo campo non mi sentivo all'altezza del bravo Thomas, e d'altra parte conoscevo una strada migliore per arrivare al suo cuore, gli ho detto:

«A questo punto, caro signor Bilder, considerato consumata la prima mezza sovrana, e qua c'è la sua sorella che aspetta di andare a farle compagnia non appena mi avrete detto come credete che siano andate le cose.»

«Ben detto, signore» ha esclamato prontamente lui. «Mi scusate, no?, per avermi fatto un paio di risate, ma è che la vecchia mi ha fatto l'occhietto, che era come dire "dacci dentro".»

«Io? Ma quando mai!» è insorta la moglie.

«Dunque, ecco come la vedo io: il lupo si nasconde qui in giro. Il giardiniere, quello che non se ne ricorda ma dice di ricordarsene, dice anche che galoppava in direzione nord più veloce di un cavallo; ma io non gli credo, in primis perché i lupi non vanno più svelti di un qualsiasi cane, non sono attrezzati per farlo. I lupi vanno benissimo in un libro di favole, e pronto a giurare che quando sono in branco e si mettono a dare addosso a qualcosa che è più spaventato di loro, certo è che possono fare un fracasso da matti e fare quel qualcosa a pezzettini, qualsiasi cosa sia. Ma, santo cielo, nella vita reale un lupo è soltanto una bestia, intelligente e coraggioso neanche la metà di un buon cane, e con neanche un quarto dell'aggressività che c'è in un buon cane. Ora, questo Bersicker non è abituato a lottare, e neanche a provvedere a se stesso, e la cosa più probabile è che è da qualche parte qui nel parco, nascosto e tremante e, posto che lui ci pensa, a chiedersi dove potrà procurarsi il suo pane e burro; o forse si è nascosto da qualche altra parte, magari in uno scantinato. Pronto a mettere la mano sul fuoco, che una serva si prenderà una bella strizza quando si vedrà quegli occhi verdi che brillano nel buio! Ora, se lui non riesce a procurarsi qualcosa da mettere sotto i denti, certo è che andrà a cercarselo, e può darsi che finisca prima o poi per fare la sua comparsa in una macelleria. Se non lo fa, e capita che una bambinaia va a infrattarsi con un militare, lasciando la carrozzina incustodita, be', non sarei sorpreso se la popolazione calasse di un marmocchio. E questo è tutto.»

Stavo per porgere la mezza sovrana, quando qualcosa è venuto a battere contro il vetro della finestra, e la faccia del signor Bilder si è raddoppiata di lunghezza per la sorpresa.

«Santo cielo!» ha esclamato. «Sarà mica il vecchio Bersicker che è tornato a casa da solo?»

È corso alla porta e l'ha aperta: iniziativa del tutto superflua, a mio giudizio, perché ho sempre pensato che un animale selvatico non è mai tanto bello come quando tra noi e lui si interpone un solido ostacolo, e devo dire che quell'esperienza personale è valsa a radicare più che a cancellare in me questa convinzione.

D'altro canto, niente è più forte dell'abitudine, perché né Bilder né la moglie sembravano preoccuparsi del lupo più di quanto io mi sarei preoccupato di un cane. E poi, la bestia aveva l'aria pacifica e tranquilla del padre di tutti i lupi delle illustrazioni, il vecchio amico, per intenderci, di Cappuccetto Rosso, sebbene in questo caso facesse finta per accaparrarsi la fiducia della piccola.

La scena era un'ineffabile mescolanza di commedia e pathos. Il lupo cattivo che per mezza giornata aveva paralizzato Londra e fatto tremare verga a verga tutti i marmocchi della città, era lì, con un'aria che si sarebbe detta contrita, e veniva accolto e coccolato come una sorta di figliuol prodigo in veste canina. Il vecchio Bilder l'ha esaminato da capo a piedi con la più tenera sollecitudine, e finita la ricognizione del pentito ha detto:

«Ecco, l'avevo ben detto io che il povero cuccioletto si saria cacciato in qualche pasticcio, l'ho mica detto? Guardate qua, ha la testa che è tutta un taglio e piena di schegge di vetro. Deve aver cercato di scavalcare chissà che maledetto muro. È proprio una vergogna che alla gente gli permettono di piantare vetri rotti in cima ai muri. Ecco che cosa succede poi. Vieni, vieni, Bersicker.»

S'è tirato dietro il lupo ed è andato a chiuderlo in una gabbia insieme a un pezzo di carne che, almeno per quanto riguarda la quantità, corrispondeva in pieno al vitello grasso, dopodiché è andato a far rapporto.

E anch'io sono andato a far lo stesso, riferendo questo, che sono le sole informazioni in esclusiva sulla strana fuga di un lupo dallo zoo.

DIARIO DEL DOTTOR SEWARD

17 settembre. Dopo pranzo ero occupato nel mio studio a riordinare i libri, compito che, tra il lavoro e le molte visite a Lucy, era rimasto assai in arretrato. All'improvviso, l'uscio si è spalancato, e il mio paziente si è precipitato dentro, sconvolto, in preda all'agitazione. Sono rimasto sbalordito, perché che un paziente di propria iniziativa entri nell'ufficio del direttore è cosa credo senza precedenti. Senza la minima esitazione, è avanzato verso di me impugnando un coltello da tavola; resomi conto della pericolosità della situazione, ho tentato di farmi scudo con il tavolo. Ma lui era troppo svelto e troppo forte per me e, prima che riuscissi a riprendermi, mi ha menato un colpo, ferendomi piuttosto gravemente al polso sinistro. Senza dargli il tempo di colpirmi ancora, a mia volta gli ho sferrato un destro, e l'ho mandato lungo disteso sul pavimento. Il polso mi sanguinava abbondantemente, e sul pavimento si è formata una piccola pozza rossa. Mi sono accorto che l'amico non aveva intenzione di compiere altri tentativi, e mi sono preoccupato di bendarmi la ferita, non trascurando però di tenere accuratamente d'occhio la figura prona. Quando sono accorsi gli infermieri e ci siamo occupati di lui, mi sono accorto che era intento a un'attività semplicemente stomachevole: bocconi sul pavimento, stava leccando come un cane il sangue colatomi dalla ferita. Non è stato difficile catturarlo e, con mia sorpresa, ha seguito gli infermieri docile docile, limitandosi a ripetere più e più volte: «Il sangue è la vita! Il sangue è la vita!».

Non posso permettermi il lusso di perdere sangue in questo momento: di recente ne ho perso fin troppo, per il mio equilibrio fisico, senza contare che la prolungata tensione per la malattia di Lucy e gli orripilanti episodi che la costellano non mancano di incidere su di me. Sono agitatissimo e sfinito, ho bisogno di riposo, riposo, riposo. Per fortuna Van Helsing non mi ha convocato, per cui posso fare a meno di rinunciare al sonno; e del resto, questa notte non sarei proprio in grado di vegliare.

TELEGRAMMA DI VAN HELSING, ANVERSA,
A SEWARD, CARFAX
(inviato a Carfax nel Sussex, non essendo stato indicato
il nome della contea, e consegnato al destinatario
con ventiquattro ore di ritardo)

17 settembre. Assolutamente andate Hillingham questa notte. Stop. Se non continua sorveglianza, raccomando frequenti visite e controllo presenza fiori. Stop. Molto importante. Stop. Sarò da voi appena possibile.

18 settembre. Sto per andare al treno con cui mi recherò a Londra. L'arrivo del telegramma di Van Helsing mi ha riempito di ansia. Un'intera notte perduta, e so per esperienza quel che può accadere nel corso di una notte. Naturalmente, non è escluso che tutto vada per il meglio, ma che cosa può essere successo? Non c'è dubbio: una sorte terribile ci minaccia, perché qualcosa interviene sempre a mettere i bastoni tra le ruote di ogni nostra iniziativa. Porterò con me questo cilindro, così potrò completare la registrazione di quest'oggi sul fonografo di Lucy.

PROMEMORIA LASCIATO DA LUCY WESTENRA

17 settembre, notte. Scrivo questo promemoria e lo lascio bene in vista, in modo che nessuno debba avere guai per colpa mia. È l'esatto resoconto di quel che è accaduto stanotte. Mi sento morire di debolezza, ho appena la forza di scrivere, ma devo farlo anche a costo di morire.

Sono andata a letto come al solito, assicurandomi che i fiori fossero disposti secondo le istruzioni del dottor Van Helsing, e ben presto mi sono addormentata.

Sono stata risvegliata dal solito svolazzare alla finestra, cominciato e continuato dopo quella crisi di sonnambulismo che mi ha portata sulle rocce di Whitby, dove Mina è venuta a salvarmi, e che ormai conosco così bene. Non avevo paura, ma avrei preferito che il dottor Seward fosse nella camera accanto – il dottor Van Helsing aveva detto che avrebbe dovuto esserci –, per poterlo chiamare. Ho cercato di riaddormentarmi, ma invano. Poi, mi è tornata la vecchia paura del sonno e ho deciso di restare sveglia. Ma il sonno testardamente continuava a imporsi contro la mia volontà; e allora, siccome non volevo restar sola, ho aperto la porta e ho chiamato: «C'è qualcuno?». Nessuna risposta. Non me la sentivo di svegliare la mamma e ho richiuso l'uscio.

Poi, fuori, tra i cespugli, ho sentito una sorta di ululato, come di cane, ma più feroce e cupo. Sono andata alla finestra e ho guardato fuori, ma non ho visto nulla, a parte un grosso pipistrello che evidentemente sbatteva le ali contro i vetri. Sono tornata a letto, ben decisa però a restar sveglia. In quella, la porta si è aperta e si è affacciata mia madre, la quale, accortasi che non dormivo, è entrata ed è venuta a sedermisi accanto, dicendomi con ancora maggior tenerezza del solito:

«Ero preoccupata per te, tesoro, e sono venuta a vedere se tutto andava bene.»

Temevo che prendesse freddo a starsene lì seduta, e le ho chiesto di mettersi a letto con me, e lei l'ha fatto, sdraiandosi al mio fianco, senza togliersi la vestaglia perché, ha detto, sarebbe rimasta solo un po' per poi tornare in camera sua. Stavamo abbracciate, quand'ecco di nuovo il battito e lo svolazzare alla finestra. Mamma si è un po' allarmata e spaventata, e ha gridato: «Che cos'è?». Ho cercato di tranquillizzarla, e alla fine ci sono riuscita, ed è rimasta distesa in silenzio, anche se potevo udire il suo povero cuore che continuava a battere all'impazzata. Di lì a poco, riecco il sommesso ululato tra i cespugli, e un istante dopo un urto contro la finestra e una pioggia di vetri sul pavimento. La tendina è stata spostata da una folata di vento, e nell'apertura è apparsa la testa scarna di un grosso lupo grigio. Mamma ha gettato un grido di spavento, si è tirata faticosamente a sedere, cercando affannosamente qualcosa con cui difendersi. E tra l'altro, ha afferrato la collana di fiori che il dottor Van Helsing pretende che io tenga al collo, e me l'ha strappata. Per un secondo o due, è rimasta immobile, indicando il lupo, poi dalla gola le è uscito un suono strano, strozzato e orribile, e mamma è ricaduta, come colpita da un fulmine, battendo con la testa contro la mia fronte, tanto forte da stordirmi per un istante. La stanza e tutto quanto era in essa è sembrato rotearmi intorno. Tenevo gli occhi fissi alla finestra, ma il lupo ha ritratto il capo, e una vera e propria miriade di puntolini è sembrata penetrare attraverso il vetro rotto, girando e vorticando come quelle colonne di sabbia che, a detta dei viaggiatori, si levano dal deserto quando soffia il simun. Ho cercato di muovermi, ma ero come incantata, e il povero corpo della cara mamma, che già sembrava raffreddarsi – perché il suo cuore tanto amato aveva cessato di battere – mi teneva inchiodata; e per un istante ho perduto la conoscenza.

Penso di aver ripreso i sensi dopo un tempo brevissimo, che tuttavia è stato spaventoso, atroce. Da qualche parte vicino a me, passava suonando una campana; i cani di tutto il vicinato ululavano; e tra i cespugli del nostro giardino, in apparenza appena fuori dalla finestra, un usignolo cantava. Ero intontita e istupidita dal dolore, dal terrore e dalla debolezza, ma il canto dell'usignolo sembrava la voce della mia mamma morta tornata a confortarmi. Tutti quei rumori evidentemente avevano svegliato anche le cameriere, perché ne udivo i piedi nudi scalpicciare fuori dal mio uscio. Le ho chiamate, e sono entrate, e quando hanno visto quel che era accaduto, e che cos'era che giaceva su di me, sul letto, si sono messe a urlare. Il vento penetrava per la finestra rotta, e la porta si è schiusa di schianto. Hanno sollevato la salma della mia cara mamma e l'hanno deposta sul mio letto, coprendola con un lenzuolo, dopo che mi sono alzata a mia volta. Erano così spaventate e trementi che ho ordinato loro di scendere in camera da pranzo e di bersi ciascuna un bicchiere di vino. Per un istante, la porta si è aperta e si è richiusa, e le cameriere si sono messe a strillare, poi sono scese insieme in sala da pranzo; e io ho deposto tutti i fiori che avevo sul petto della mia cara mamma. Fatto questo, mi sono ricordata quel che mi aveva detto il dottor Van Helsing, ma non me la sentivo di toglierli, senza contare che adesso qualcuna delle cameriere sarebbe rimasta a vegliare con me. Con mia sorpresa, quelle non riapparivano. Ho dato loro una voce, ma non ho avuto risposta, e allora sono andata in sala da pranzo a cercarle.

Il cuore mi è mancato quando ho visto quel che era accaduto. Tutte e quattro giacevano immobili sul pavimento, respirando pesantemente. La caraffa dello sherry era sul tavolo, mezza piena, ma nell'aria aleggiava uno strano odore acre. Insospettita, ho annusato la caraffa: c'era puzzo di laudano e, guardando nella credenza, ho constatato che la boccetta di laudano che il medico della mamma le prescrive – oh, le prescriveva! – era vuota. Che fare? Sono tornata in camera mia accanto alla mamma. Non posso lasciarla e sono sola, a parte le domestiche addormentate che qualcuno ha drogato. Sola con la morta! Non oso uscire, perché dalla finestra infranta mi giunge l'ululato sommesso del lupo.

L'aria sembra piena di puntolini che aleggiano e roteano nello spiffero della finestra, e tutte le luci si azzurrano e impallidiscono. Che fare? Dio, proteggimi questa notte dal male! Nasconderò questo foglio in seno, dove lo troveranno quando verranno per portarmi alla tomba. La mia cara mamma se n'è andata! È tempo che anch'io me ne vada. Addio, mio amato Arthur, se non dovessi sopravvivere a questa notte. Dio ti conservi, mio caro, e aiuti me!

XII

DIARIO DEL DOTTOR SEWARD

18 settembre. Sono partito subito per Hillingham, dove sono arrivato di buon'ora. Lasciata la carrozza al cancello, ho imboccato senz'altro il viale. Ho bussato piano e ho suonato con la maggior discrezione possibile, perché temevo di disturbare Lucy o sua madre, e speravo di richiamare all'uscio soltanto una domestica. Dopo un po', non ricevendo risposta, ho bussato e suonato ancora: di nuovo nessuna risposta. Ho maledetto la pigrizia delle fantesche che se ne stavano a letto a poltrire a quell'ora – erano ormai le dieci – e ho ripreso a bussare e suonare, con maggiore impazienza, ma ancora invano. Fino a quel momento, avevo dato la colpa alle domestiche, ma a questo punto mi sono sentito assalire da una terribile paura. Che quel silenzio fosse semplicemente un altro anello della catena di disgrazie che sembra attanagliarci? Che in effetti quella cui ero giunto – troppo tardi – fosse una casa di morti? Sapevo che minuti, addirittura secondi di ritardo potevano significare ore di pericolo per Lucy, caso mai avesse avuto ancora una di quelle sue spaventose ricadute, e così sono andato sul retro della casa, per vedere se potevo trovare il modo di entrarvi.

Niente da fare. Ogni porta e finestra erano chiuse e sbarrate, e sono tornato deluso al portico. In quella ho udito il rapido scalpitio degli zoccoli di un cavallo lanciato al galoppo e che s'è fermato al cancello; un istante dopo, ecco Van Helsing che correva lungo il viale. Come mi ha visto, ha ansimato:

«Dunque, siete voi. E giusto arrivato. Come è lei? Siamo noi troppo tardi? Avete voi ricevuto mio telegramma?»

Ho risposto, con la massima rapidità e precisione possibili, che il telegramma l'avevo ricevuto solo il mattino presto e che, senza perdere un istante, mi ero precipitato a Hillingham, ma che non ero riuscito a farmi sentire da nessuno in casa. Van Helsing si è fermato su due piedi, si è tolto il cappello e ha detto con tono solenne:

«Quand'è così, temo che noi troppo tardi. Volontà di Dio sia fatta.» Poi, dimostrando ancora una volta quella sua straordinaria capacità di ritrovare l'energia, ha soggiunto: «Venite. Se nessuna è via aperta per entrare, dobbiamo noi farne una. Tutto dipende da nostro tempo».

Siamo tornati sul retro della casa, a una finestra di cucina. Il professore ha cavato dalla valigetta una piccola sega chirurgica e, porgendomela, mi ha indicato le sbarre di ferro che proteggevano le finestre. Le ho aggredite immediatamente, e ben presto ne ho tagliate tre. Poi, con un lungo coltello sottile abbiamo sollevato il nottolino e aperto la finestra. Ho aiutato il professore a entrare per primo, e l'ho seguito. Nessuno in cucina né nelle stanze delle domestiche a questa adiacenti. Abbiamo guardato in tutti i locali che incontravamo sul nostro percorso, e quindi siamo giunti nella sala da pranzo, debolmente illuminata dalla luce che penetrava dalle persiane. Sul pavimento, giacevano quattro domestiche. Non erano morte, ma il loro respiro stertoroso e l'aspro odore di laudano non lasciavano dubbi circa le loro condizioni. Il professore e io ci siamo scambiati un'occhiata, e mentre uscivamo Van Helsing ha commentato: «Di queste possiamo occuparci in un secondo momento». Siamo poi saliti alla stanza di Lucy, per un istante fermandoci all'uscio a origliare: nessun suono ne usciva, ed è stato con volti pallidi e mani tremanti che abbiamo aperto pian piano la porta e siamo entrati.

Come descrivere quel che abbiamo visto? Sul letto giacevano due donne, Lucy e sua madre, quest'ultima verso il muro e coperta con un bianco lenzuolo i cui lembi erano stati spostati dalla corrente d'aria che entrava dalla finestra infranta, sì da rivelare il volto esangue, scavato, improntato a un'espressione di terrore. Accanto a lei, Lucy, il volto pallido e ancor più marmoreo. I fiori che avrebbero dovuto starle al collo, li abbiamo trovati sul petto della madre, e nuda aveva la gola che esibiva le due piccole ferite già in precedenza da noi notate, le quali però apparivano adesso orribilmente livide e smangiate. Senza una parola, il professore si è chinato col capo quasi a toccare il seno della povera Lucy; quindi, girandolo dall'altro lato, per ascoltare meglio, si è rialzato di scatto gridando:

«Non è troppo tardi! Presto! Presto! Portate brandy!» Sono volato dabbasso tornando con la caraffa, avendo però cura di annusarne e assaggiarne il contenuto, per timore che anch'esso fosse drogato come lo sherry che stava sul tavolo. Le fantesche respiravano adesso meno regolarmente, e ne ho dedotto che l'effetto del narcotico stava scemando. Senza perdere tempo ad accertarmene, sono tornato di corsa da Van Helsing, il quale, come la volta precedente, ha strofinato col brandy le labbra, le gengive, i polsi e i palmi delle mani di Lucy, dicendomi intanto:

«Io posso fare questo, io non posso fare di più al momento presente. Voi andate quelle fantesche a svegliare. Frustate loro in volto con un asciugamano bagnato, e battete con energia. Fate loro preparare caldo e fuoco e un bagno bollente. Questa poverina è quasi fredda come quella che le sta accanto. Occorre riscaldarla prima che noi possiamo fare altro di più.»

Sono sceso in fretta, e non mi è stato difficile svegliare tre delle donne. La quarta, una ragazzina, evidentemente aveva subito maggiormente l'effetto della droga, per cui l'ho deposta su un divano e l'ho lasciata dormire. Le altre erano un po' intontite dapprima, ma a mano a mano che il ricordo tornava, eccole prendere a piangere e singhiozzare istericamente. Io però sono stato duro e ho ingiunto loro di chiudere il becco, facendo notare che un decesso era sufficiente e che, se avessero tardato ulteriormente, avrebbero segnato la sorte anche della signorina Lucy. E così, singhiozzando e lagnando-si, si sono accinte all'opera, semisvestite com'erano, preparando fuoco e acqua. Per fortuna i fornelli di cucina e lo scaldabagno erano ancora accesi, sicché l'acqua calda non faceva difetto. Abbiamo preparato un bagno e vi abbiamo immerso Lucy così come si trovava. Mentre eravamo occupati a massaggiarle le membra, si è udito bussare alla porta d'ingresso; una delle domestiche, dopo essersi sommariamente rivestita, è andata ad aprire; tornata, ci ha sussurrato che c'era un signore latore di un messaggio da parte del signor Holmwood. Mi sono limitato a dirle di farlo aspettare, essendo per il momento impossibile riceverlo. La donna è uscita a riferire e, tutto preso dal mio compito, mi sono completamente dimenticato di quel tale.

Mai in precedenza avevo visto il professore lavorare con tanta lena. Io sapevo, e lui sapeva, che si trattava di una lotta senza quartiere contro la morte, e in un attimo di pausa gliel'ho detto. La sua risposta non l'ho capita, ma comunque mi è stata data con volto improntato a un'espressione quanto mai grave:

«Se questo è tutto, io vorrei fermarmi qui dove noi siamo ora e lasciare lei spegnersi in pace, perché non vedo luce sopra orizzonte di sua vita.» Dopodiché ha proseguito il suo lavoro con vigore se possibile rinnovato e ancor più frenetico.

Un po' alla volta, ci siamo resi conto che il calore cominciava a produrre qualche effetto. Il cuore di Lucy, auscultato con lo stetoscopio, batteva in maniera leggermente più udibile, l'attività dei polmoni si era fatta percettibile. Van Helsing era quasi raggiante, e quando l'abbiamo tolta dalla vasca e l'abbiamo avvolta in un lenzuolo caldo per asciugarla, mi ha detto:

«La prima mossa è nostra. Scacco al re.»

Abbiamo portato Lucy in un'altra stanza nel frattempo preparata, l'abbiamo messa a letto, le abbiamo versata in gola qualche goccia di brandy. Ho notato Van Helsing annodarle un morbido fazzoletto di seta al collo. Lucy era ancora incosciente e stava peggio di quanto mai fosse stata.

Van Helsing ha chiamato una delle domestiche ordinandole di restare con lei e di non staccarle gli occhi di dosso finché non fossimo tornati, quindi mi ha fatto cenno di seguirlo fuori dalla stanza.

«Dobbiamo consultare noi sul da fare» ha detto mentre scendevamo le scale. Giunti nell'atrio, ha aperto la porta della sala da pranzo, siamo entrati e ce la siamo chiusa con cura alle spalle. Le persiane erano state aperte, ma le tende già abbassate in obbedienza all'etichetta della morte che le donne inglesi di bassa estrazione continuano rigidamente a osservare. Di conseguenza, la stanza era in penombra, anche se la luce era sufficiente per i nostri scopi. Nell'espressione grave di Van Helsing si notava una sfumatura di perplessità. Con ogni evidenza, si stava lambiccando il cervello, per cui ho preferito aspettare in silenzio, finché si è deciso a dirmi:

«Che cosa dobbiamo fare? A chi rivolgerci per aiuto? Dobbiamo avere un'altra trasfusione di sangue, e questa subito, oppure vita di quella povera ragazza durerà nessuna ora. Voi siete già esausto; anch'io sono esausto. Io temo di fidarmi di quelle donne, anche se avessero il coraggio di prestarsi. Che cosa fare per trovare qualcuno che voglia aprire sue vene per lei?»

«E io, allora, non servo a niente?»

La voce si era levata dal divano dall'altra parte della stanza, e il suo tono è bastato a ridarmi gioia e sollievo, perché si trattava di quella di Quincey Morris. Van Helsing, che aveva avuto un sobbalzo di irritazione all'udirne il suono, si è raddolcito e un'espressione di contentezza gli si è dipinta in volto quando ho gridato: «Quincey Morris!» precipitandomi verso di lui a braccia aperte.

«Qual buon vento ti porta?» gli ho chiesto mentre gli stringevo la mano.

«Vengo da parte di Art.» E mi ha porto un telegramma così concepito:

"Manco notizie Seward da tre giorni, e sono terribile ansia. Stop. Impossibile partire. Stop. Papà sempre stesse condizioni. Stop. Fatemi sapere notizie Lucy al più presto Stop. *Holmwood.*"

«Credo di essere arrivato proprio al momento giusto» ha soggiunto Quincey. «Avete da dirmi soltanto quel che devo fare.»

Van Helsing si è fatto avanti, gli ha preso la mano guardandolo fisso negli occhi, e ha replicato:

«Il sangue di uomo coraggioso è cosa migliore in questa terra quando una donna è in difficoltà. Voi siete un uomo, e non errore su questo. Bene, il diavolo può lavorare contro di noi con tutte sue energie, ma Dio manda a noi uomini quando noi occorriamo di loro.»

Una volta ancora, abbiamo eseguito la cruenta operazione, e non ho cuore di riferirne i particolari. Lucy aveva subito un trauma terribile, quasi insuperabile, tant'è che, sebbene nelle sue vene sia fluita una gran quantità di sangue nuovo, il suo organismo non reagiva come nelle occasioni precedenti. La lotta che ha sostenuto per tornare in vita è stata straziante a vedersi e a udirsi. Tuttavia, l'attività sia del cuore che dei polmoni è andata migliorando, e Van Helsing le ha praticato un'iniezione subcutanea di morfina, come già aveva fatto, e con effetti positivi, in precedenza. Lo stato di collasso si è tramutato in sonno profondo. Il professore è rimasto a sorvegliarla mentre io scendevo dabbasso con Quincey Morris e spedivo una delle domestiche a pagare uno dei cocchieri in attesa davanti a casa. Ho lasciato Quincey disteso dopo avergli somministrato un bicchiere di vino, dicendo alla cuoca di preparare un'abbondante colazione. Poi, mi è sovvenuto qualcosa e sono tornato nella stanza dove si trovava adesso Lucy. Vi sono entrato in punta di piedi, e ho trovato Van Helsing con un foglietto di taccuino in mano. Evidentemente, l'aveva letto e ora era intento a meditare, seduto con una mano alla fronte, un'espressione di amara soddisfazione in volto quasi avesse trovato la risposta a un dubbio. Mi ha porto il foglietto dicendo soltanto: «È caduto di seno di Lucy mentre noi portiamo essa in bagno».

Dopo averlo letto, sono rimasto a guardare il professore, e finalmente gli ho chiesto: «Ma in nome di Dio, che cosa significa tutto questo? Era o è impazzita? O di quale specie di orrendo pericolo si tratta?». Ero talmente sbalordito, da non sapere che altro aggiungere. Van Helsing ha ripreso il foglietto e ha replicato:

«Per il momento non arrovellatevi. Dimenticate esso, ora. Voi verrete conoscere e capire tutto quanto in buon tempo; ma questo sarà più tardi. E ora, che cosa voi siete venuto a me dire?» Questo mi ha riportato alla realtà, e ho recuperato tutte le mie facoltà.

«Sono venuto a parlarvi del certificato di morte. Se non agiamo con prudenza e saggezza, potrebbe esserci un'inchiesta, e saremmo costretti a presentare quel foglietto. Spero che potremo evitare l'inchiesta, perché ucciderebbe senz'altro la povera Lucy, se null'altro finora ci è riuscito. Io so, e voi sapete, e lo sa l'altro medico che l'aveva in cura, che la signora Westenra era malata di cuore, e possiamo dichiarare senz'altro che ne è morta. Compiliamo dunque immediatamente il certificato, che io stesso porterò all'anagrafe e all'impresa di pompe funebri.»

«Buono, amico mio John! Bene pensato! Davvero signorina Lucy, se è triste per nemici che la perseguitano, è per lo meno felice negli amici che amano lei. Uno, due, tre, tutti aprono vene per lei, senza contare un vecchio uomo. Ah, sì, io so, amico John, io non sono cieco! Io amo voi ancora di più per questo! Ora andate, andate.»

Nell'atrio ho trovato Quincey Morris con un telegramma per Arthur in cui gli si comunicava che la signora Westenra era morta; che anche Lucy era stata molto male, ma che adesso le sue condizioni miglioravano, e che Van Helsing e io le eravamo accanto. Gli ho riferito dove stavo andando, e Quincey Morris mi ha esortato a far presto, ma mentre uscivo mi ha trattenuto per dirmi:

«Quando ritorno, Jack, posso parlarti a quattr'occhi?» Ho annuito e sono corso fuori. Non ho avuto difficoltà con l'anagrafe, e ho preso accordi con l'impresa perché venissero in serata a prendere le misure per la bara e a preparare tutto l'occorrente.

Al ritorno, ho trovato Quincey che mi aspettava. Gli ho detto che sarei stato da lui non appena avessi visto Lucy, e sono andato di sopra. Stava ancora dormendo, e sembrava che il professore non si fosse mosso dal suo capezzale. Si è portato il dito alle labbra, e ne ho arguito che si aspettava che si svegliasse al più presto e che non voleva intralciare l'opera della natura. Sicché sono tornato da Quincey e l'ho portato nella saletta da colazione, dove le tende non erano abbassate e l'atmosfera era un po' più allegra o, per meglio dire, meno cupa che nelle altre stanze. Rimasti soli, mi ha detto:

«Jack Seward, non vorrei impicciarmi di faccende che non mi riguardano, ma questo è un caso eccezionale. Sai bene che ho amato quella ragazza e che avrei voluto sposarla. Ma, sebbene si tratti di cosa passata, non posso non sentirmi in ansia per la sua salute. Perché diavolo sta tanto male? L'olandese – e si tratta di una persona straordinaria, questo si vede subito – ha detto, quando siete entrati in sala da pranzo, che dovevate procedere a un'altra trasfusione di sangue, e che sia tu che lui siete esausti. Ora, so benissimo che voialtri medici parlate tra voi *in camera*, e che nessun altro deve essere messo al corrente delle vostre consultazioni segrete. Ma questo, ripeto, è un caso eccezionale. E, comunque sia, io la mia parte l'ho fatta. Dico bene?»

«Dici bene» ho convenuto, e lui ha ripreso:

«Devo dedurne che sia tu che Van Helsing avete già fatto la stessa cosa. È così?»

«È così.»

«E immagino che questo valga anche per Art. Quando, quattro giorni fa, sono stato a casa sua, mi è sembrato strano. Non ho mai visto nessuno deperire così rapidamente da quando ero nelle pampas e una giumenta, alla quale ero molto affezionato, è stata liquidata nel giro di una notte. Uno di quei grossi pipistrelli che chiamano vampiri l'aveva assalita nell'oscurità, e tra il sangue succhiato e la vena rimasta aperta, non gliene era rimasto tanto da reggersi in piedi, e ho dovuto spararle il colpo di grazia mentre giaceva a terra. Jack, se puoi dirmelo senza tradire un segreto, Arthur è stato il primo, vero?» Il poveretto aveva un'aria terribilmente ansiosa mentre così parlava. Lo tormentava il pensiero della sorte della donna che amava, e il fatto di essere completamente all'oscuro del tremendo mistero che sembrava circondarla, non faceva che intensificare la sua pena. Il suo cuore sanguinava, e doveva far appello al suo animo virile – e ne aveva in abbondanza – per non crollare. Sono rimasto qualche istante in silenzio, convinto com'ero di non dover rivelare nulla di ciò che il professore riteneva dovesse restar segreto; e d'altra parte, Quincey ormai ne sapeva tanto, e altrettanto arguiva, che non c'era motivo di non rispondergli, per cui ho ripetuto: «È così».

«E da quanto tempo dura?»

«Da una decina di giorni.»

«Dieci giorni! Dunque, devo arguirne, caro Jack, che quella povera, deliziosa creatura che noi tutti amiamo, ha accolto nelle proprie vene, in questo breve periodo, il sangue di quattro uomini robusti! Ma santo cielo, il suo organismo non potrebbe contenerne tanto!» E a questo punto, fattomisi più vicino, e parlando in un mezzo sussurro febbrile: «Che cosa gliel'ha sottratto?».

Ho scosso il capo. «È appunto questo il problema» ho risposto. «Van Helsing è addirittura fuori di sé, e per quanto mi riguarda sono disperato. Non oso neppure formulare un'ipotesi. C'è stata una serie di minuscole circostanze che hanno mandato all'aria tutti i nostri programmi e impedito che Lucy fosse sorvegliata come bisognava. Ma non accadrà più. Resteremo qui finché tutto non vada per il meglio – o per il peggio.» Quincey mi ha porto la mano. «Conta su di me» ha detto. «Tu e l'olandese avete solo da dirmi quel che devo fare, e io eseguirò.»

Quando, a pomeriggio inoltrato, Lucy si è svegliata, il suo primo impulso è stato di frugarsi in seno e, con mia sorpresa, di esibire il foglietto che Van Helsing mi aveva fatto leggere. Il prudente professore l'aveva rimesso al suo posto per timore che, al risveglio, Lucy si allarmasse. Poi Lucy ha fissato Van Helsing e me e gli occhi le si sono illuminati. Ma subito dopo s'è guardata attorno e, accortasi di dov'era, è stata percorsa da un brivido. Ha emesso un acuto grido, e s'è presa il volto pallido tra le povere mani esangui. Entrambi abbiamo capito che cos'era accaduto: si era resa conto in pieno della morte della madre, e abbiamo fatto del nostro meglio per confortarla. Indubbiamente, la nostra simpatia l'ha sollevata un pochino, anche se continuava a essere molto abbattuta mentalmente e psichicamente, e a lungo è rimasta a piangere in silenzio, debolmente. Le abbiamo detto che uno di noi o tutti e due saremmo rimasti di continuo con lei, e questo è parso rianimarla. Verso il tramonto si è assopita, e a questo punto è accaduto qualcosa di assai strano. Mentre dormiva, si è tolto il foglietto dal seno e l'ha strappato. Van Helsing si è chinato a prenderle dalle mani i frammenti, ma Lucy ha continuato a compiere il gesto di strapparli, come se avesse ancora la carta tra le mani; quindi le ha aperte come se spargesse i pezzetti. Van Helsing pareva sorpreso e aggrottava le sopracciglia pensieroso, ma nulla ha detto.

19 settembre. La notte scorsa, Lucy l'ha passata dormendo della grossa, ma ogniqualvolta si svegliava si mostrava impaurita all'idea di riaddormentarsi e appariva un po' più debole. Il professore e io l'abbiamo vigilata a turno, senza lasciarla sola neppure un istante. Quincey Morris non ha fatto parola delle sue intenzioni, ma mi sono reso conto che ha trascorso la notte girando attorno alla casa per tenerla d'occhio.

Quando il giorno è riapparso, la sua luce cruda ha rivelato i guasti subiti da Lucy. Riusciva appena a volgere il capo, e il poco cibo che ha potuto mandar giù è parso non apportarle alcun giovamento. Di tanto in tanto ripiombava nel sonno, e sia Van Helsing che io notavamo la differenza che c'era in lei dormiente e sveglia. Nel sonno appariva più ricca di energie sebbene più scavata in volto, e il respiro era più lieve; la bocca aperta rivelava le gengive pallide, ritrattesi dai denti che pertanto sembravano decisamente più lunghi e affilati del solito. Quando si ridestava, la dolcezza dello sguardo evidentemente ne mutava l'espressione, perché tornava a riapparire se stessa, ancorché morente. Nel pomeriggio ha chiesto di Arthur e gli abbiamo telegrafato. Quincey è andato a prenderlo alla stazione.

Arthur è arrivato verso le sei, mentre il sole calava, e la sua luce, ancora intensa, calda e rossa, penetrando per la finestra conferiva un po' più di colore alle pallide guance di Lucy. Al vederla, Arthur è rimasto letteralmente senza fiato, e nessuno di noi riusciva a spicciar parola. Nelle ore trascorse, gli intervalli di sonno, o di coma che fosse, si erano fatti più frequenti, sicché i periodi in cui la conversazione era possibile erano più brevi. Tuttavia, la presenza di Arthur è parsa agire da stimolante; Lucy si è ripresa leggermente e gli ha parlato con più vivacità di quanto non avesse fatto dacché eravamo giunti. Anche Arthur si è fatto forza, e le ha parlato con la massima gaiezza possibile, per aiutarla in tutti i modi.

Ora è quasi l'una, e Arthur e Van Helsing sono accanto a lei. Devo dar loro il cambio tra un quarto d'ora, e intanto registro questo sul fonografo di Lucy. Fino alle sei, dovranno riposare. Temo che domani non ci sarà più bisogno della nostra sorveglianza: il trauma è stato eccessivo, e la povera fanciulla non è in grado di riprendersi. Dio aiuti noi tutti.

LETTERA DI MINA HARKER A LUCY WESTENRA
(non aperta dalla destinataria)

17 settembre

Carissima Lucy,
   sono trascorsi secoli da quando ho avuto tue notizie, come pure dall'ultima volta che ti ho scritto. Ma so che mi perdonerai le mie colpe, quando avrai scorso il bilancio delle novità che ho da riferirti. Dunque, ho riportato in patria mio marito; quando siamo arrivati a Exeter, abbiamo trovato una carrozza che ci aspettava

e in essa, nonostante avesse un attacco di gotta, il signor Hawkins. Ci ha condotti a casa sua, dove abbiamo trovato un appartamento pronto per noi, grazioso e comodo, e abbiamo cenato assieme. Dopo aver mangiato, il signor Hawkins ha detto:

«Miei cari, voglio brindare alla vostra salute e prosperità. Possa toccarvi ogni benedizione. Vi conosco entrambi fin da bambini e, con affetto e orgoglio, vi ho visti crescere. Desidero ora che vi stabiliate qui da me. Non mi resta nessuno; tutti i miei sono morti, e nel mio testamento vi ho nominati miei eredi universali.» Mi sono messa a piangere, Lucy cara, mentre Jonathan e il vecchio si stringevano con forza la mano. La serata è stata molto, molto felice.

E dunque, eccoci qua, ospiti di questa bella vecchia casa, e dalla mia stanza da letto come pure dal salotto posso vedere i grandi olmi della cattedrale che è a due passi: i loro robusti tronchi neri si stagliano contro le pietre gialle dell'edificio, e sento al di sopra le cornacchie che gracchiano e spettegolano e chiacchierano tutto il giorno, alla maniera appunto delle cornacchie – nonché degli esseri umani. Non occorre che ti dica quanto ho da fare a riordinare tutto e a badare alla casa. Jonathan e il signor Hawkins sono occupati tutto il giorno: ora che Jonathan è suo socio, il signor Hawkins desidera infatti aggiornarlo sulla clientela.

Come sta la tua cara mamma? Come mi piacerebbe fare una scappata in città per un giorno o due, per vederti, mia cara, ma ancora non oso partire, troppe cose mi gravano sulle spalle; e poi, Jonathan ha ancora bisogno di cure. Comincia a rimpolparsi, ma la lunga malattia l'aveva terribilmente indebolito, e ancora adesso gli capita, nel sonno, di sobbalzare all'improvviso e, sveglio, di mettersi a tremare finché non riesco, blandendolo, a riportarlo al solito equilibrio. Tuttavia, grazie a Dio, tali manifestazioni si diradano col passare dei giorni, e un po' alla volta scompariranno del tutto, ne sono certa. E adesso che ti ho dato mie notizie, permettimi di chiederne a te. Quando ti sposi, e dove, e chi celebrerà il matrimonio, e che cosa indosserai, e sarà una cerimonia pubblica o privata? Raccontami tutto, mia cara: di questo e di ogni altra cosa, nulla essendoci che interessi a te che insieme non stia a cuore a me. Jonathan mi prega di inviarti i suoi "rispetti", ma non credo che sia la formula migliore per il socio giovane dell'importante ditta Hawkins & Harker; così, siccome tu ami me e lui ama me, e io amo te in tutti i tempi e modi del verbo, mi limito a mandarti invece semplicemente il suo "amore". Arrivederci, carissima Lucy, e abbi tutte le mie benedizioni.

Tua

Mina Harker

RESOCONTO DI PATRICK HENNESSEY,
DOTTORE IN MEDICINA,
MEMBRO DEL REALE COLLEGIO DEI CHIRURGHI,
DOCENTE AL QUEEN'S COLLEGE, ECC. ECC.,
A JOHN SEWARD, DOTTORE IN MEDICINA

20 settembre

Egregio signore,

come da voi richiesto, alla presente allego un resoconto su tutto quanto è stato affidato alle mie cure. Per quanto riguarda il paziente Renfield, c'è parecchio da dire. Ha avuto un altro accesso, che ha rischiato di concludersi disastrosamente ma che, per fortuna, non ha avuto conseguenze irreparabili. Questo pomeriggio, un carro con due uomini si è fermato davanti alla casa disabitata, i cui terreni sono adiacenti ai nostri: la casa, come ricorderete, verso la quale il paziente è fuggito già due volte. Gli uomini in questione hanno bussato al nostro cancello per chiedere informazioni al custode, essendo essi forestieri. Proprio in quella ero affacciato alla finestra dello studio, a concedermi una fumatina dopo cena, e ho visto uno dei due venire verso il nostro edificio. Quando è passato davanti alla finestra della stanza di Renfield, il paziente dall'interno ha cominciato a inveire contro di lui, rovesciandogli addosso tutte le parolacce che gli venivano alle labbra. L'uomo, all'apparenza

195

una brava persona, si è limitato a ingiungergli di "chiudere quella lurida boccaccia", al che il nostro ha preso ad accusarlo di averlo derubato e di volerlo assassinare, e ha soggiunto che gliel'avrebbe impedito anche a costo di finire impiccato. Ho aperto la finestra e ho accennato all'uomo di non farci caso, al che egli si è guardato attorno e, accortosi di che razza di posto era quello, ha detto: «Che il Signore vi benedica, signore, io non faccio caso a quello che mi vien detto in un dannato manicomio. Ho compassione per voi e per il vostro capo, che dovete vivere in questa casa con una bestia simile». Quindi mi ha chiesto, a modo suo con sufficiente garbo, quale fosse il cancello della casa abbandonata, e io gliel'ho indicato e si è allontanato, accompagnato dalle minacce, maledizioni e dagli insulti del nostro. Sono sceso dabbasso per vedere se riuscivo a spiegarmi la causa di tanta ira, poiché di solito è un uomo tranquillo e, a parte le sue crisi di violenza, mai in precedenza si era verificato nulla di simile. Con mia sorpresa, l'ho trovato assolutamente tranquillo e di ottimo umore. Ho tentato di farlo parlare dell'episodio, ma lui, come se cascasse dalle nuvole, mi ha chiesto a sua volta a che cosa intendessi riferirmi, sì da convincermi che fosse affatto dimentico di quanto era accaduto. Mi dispiace però di dover ammettere che si trattava semplicemente di un altro esempio della sua astuzia, perché di lì a mezz'ora ho dovuto occuparmi nuovamente di lui. Questa volta era evaso dalla finestra di camera sua e stava correndo lungo il viale. Ho dato una voce agli infermieri perché venissero con me e mi sono posto al suo inseguimento, poiché temevo che avesse gravi propositi: paure, le mie, che sono apparse giustificate allorché ho visto il carro transitato poco fa ripercorrere la strada, carico questa volta di non so che grandi casse di legno. Gli uomini si tergevano la fronte ed erano accesi in volto, come dopo una greve fatica. Prima che potessi riacchiapparlo, il paziente si è precipitato loro addosso e, tiratone uno giù dal carro, si è dato a sbatterne la testa per terra. Non l'avessi afferrato seduta stante, credo che avrebbe ucciso il malcapitato. L'altro, balzato giù, aveva colpito il pazzo alla testa con il manico della sua pesante frusta: una botta terribile, ma il nostro è parso neppure accusarla, anzi ha afferrato anche il secondo conducente, impegnandosi in una colluttazione con tutti noi tre, sbatacchiandoci di qua e di là neanche fossimo fuscelli. Voi sapete che non sono certo un mingherlino, e gli altri due erano tipi corpulenti. Dapprima il pazzo ha lottato in silenzio; ma, quando abbiamo cominciato ad avere il sopravvento su di lui, e gli infermieri ormai gli infilavano la camicia di forza, ha preso a urlare: «Non ci riusciranno! Non mi deruberanno! Non mi uccideranno a poco a poco! Lotterò per il mio signore e padrone!», e ogni sorta di vaneggiamenti del genere. È stato solo a prezzo di molte difficoltà che sono riusciti a riportarlo all'asilo e a chiuderlo nella cella imbottita. Uno degli infermieri, Hardy, ha un dito spezzato. Comunque, gliel'ho sistemato, e ora sta bene.

I due facchini in un primo momento hanno fatto un gran baccano, minacciando azioni legali per danni e giurando che ci avrebbero scatenato addosso tutti i fulmini della legge. Alle minacce, però, si mescolava anche una sorta di indiretta autogiustificazione per essersi lasciati battere da un povero pazzo, e infatti sostenevano che, non fosse stato perché le loro energie si erano esaurite nel compito di portare le pesanti casse al carro e mettervele sopra, l'avrebbero liquidato in quattro e quattr'otto. Altro motivo che hanno invocato per la loro sconfitta, è stata la fortissima arsura causata loro dalla molta polvere inalata durante il lavoro e la riprovevole distanza tra il luogo in cui questo si svolgeva e qualsivoglia pubblico locale. Ho capito l'antifona e, dopo un robusto bicchiere di grog, e anzi più d'uno, e ciascuno con una sovrana in tasca, hanno minimizzato l'aggressione subita e giurato che erano disposti a scontrarsi ogni giorno con un pazzo anche peggiore del nostro, per il piacere di fare la conoscenza di un "tipo come si deve" qual è il sottoscritto. Me ne sono fatto dare nomi e indirizzi, caso mai si debba aver bisogno di loro. Eccoli: Jack Smollet, abitante ai Dudding's Rents, King George's Road, Great Walworth, e Thomas Snelling, Peter Farley's Road, Guide Court, Bethnal Green. Sono ambedue dipendenti della Harris e Figli, una ditta di trasporti e traslochi, con sede in Orange Master's Yard, Soho.

Vi terrò al corrente di quant'altro di interessante accada qui, telegrafandovi immediatamente in caso di necessità.

Sinceramente vostro

Patrick Hennessey

LETTERA DI MINA HARKER A LUCY WESTENRA
(non aperta dalla destinataria)

18 settembre

Carissima Lucy,

che brutto colpo, per noi! Il signor Hawkins è morto all'improvviso. Qualcuno potrà pensare che per noi non dovrebbe essere motivo di cordoglio, ma entrambi eravamo giunti a volergli tanto bene, che ci sembra davvero di aver perduto un padre. Non ho mai conosciuto né padre né madre, per cui la morte di quel caro vecchio per me è una vera tragedia. Jonathan è assai sconvolto, e non soltanto perché prova dolore, profondo dolore per il caro, buon uomo che gli è stato amico tutta la vita e alla fine l'ha trattato davvero come un figlio, lasciandogli un patrimonio che per noi, gente di modeste condizioni, costituisce una ricchezza da superare qualsiasi nostro più roseo sogno, ma anche per un'altra ragione. Dice che il peso della responsabilità che gli è caduta sulle spalle lo rende nervoso. Comincia a dubitare di sé. Cerco di tenerlo di buon animo, e la fiducia che ripongo in lui lo aiuta a credere in se stesso. Ma è proprio qui che il grave trauma da lui subito si manifesta con la massima evidenza. Oh, è veramente ingiusto che una dolce, semplice, nobile, forte natura come la sua – una natura che gli ha permesso, grazie all'aiuto del nostro caro, buon amico, di trasformarsi da impiegato a padrone nel giro di pochi anni – debba essere tanto minata, che la sostanza stessa della sua forza se ne sia andata. Perdona, mia cara, se ti turbo con i miei guai nel pieno della tua felicità; ma, Lucy adorata, devo pur dirlo a qualcuno, perché lo sforzo che faccio per mostrarmi coraggiosa e allegra agli occhi di Jonathan mi costa molto, e non ho nessuno qui con cui confidarmi. Non mi va per niente l'idea di venire a Londra, come pure dovremo fare dopodomani; il povero signor Hawkins ha infatti lasciato scritto nel suo testamento che desidera essere sepolto accanto a suo padre. E poiché non ci sono parenti di nessun grado, Jonathan sarà il familiare più stretto. Cercherò di fare una scappata da te, carissima, fosse solo per pochi minuti. Perdonami per averti infastidita. Con ogni benedizione,

la tua affezionata

Mina Harker

DIARIO DEL DOTTOR SEWARD

20 settembre. Soltanto la volontà e l'abitudine mi fanno registrare questa sera queste righe. Sono tanto triste, tanto infelice, tanto disgustato del mondo e di ogni cosa in esso, compresa la vita stessa, che non mi scuoterei minimamente se, in questo stesso istante, sentissi il battito delle ali dell'angelo della morte. Il quale di recente le ha mosse, quelle sue tetre ali, e non invano: la madre di Lucy, il padre di Arthur e adesso... Ma procediamo con ordine.

Ho dato debitamente il cambio a Van Helsing nella veglia accanto a Lucy. Volevamo che anche Arthur andasse a riposare, ma dapprima si è rifiutato, ed è stato solo quando gli abbiamo detto che avremmo avuto bisogno di lui durante il giorno, e che non dobbiamo tutti crollare per mancanza di riposo, altrimenti a soffrirne sarebbe stata Lucy, che ha accondisceso ad andarsene. Van Helsing è stato molto gentile con lui. «Venite, ragazzo mio» gli ha detto «venite con me. Voi stanco e debole, e avete avuto molto dolore e molto tormento di testa, senza contare quella perdita di vostre energie che ben sappiamo. Non dovete restare solo, perché essere solo significa essere pieno di paure e allarmi. Venite in salotto, dove è grande fuoco e dove sono due divani. Voi riposerete su uno, io su altro, e nostra simpatia sarà di conforto l'uno per l'altro, anche se non parliamo e anche se dormiamo.» Arthur se n'è andato con lui, lanciando da sopra la spalla uno sguardo amoroso al volto di Lucy, quasi più bianco del cuscino su cui giaceva. Se ne stava assolutamente immobile, e io volgevo gli occhi per la stanza per constatare se tutto era in ordine. Era evidente che il professore aveva imposto, in questa come nell'altra, il suo metodo dell'aglio: gli infissi ne puzzavano, e attorno al collo di Lucy, sopra il fazzoletto di seta che Van Helsing le aveva messo, faceva bella mostra di sé un rozzo rosario degli stessi aromatici fiori. Il respiro di Lucy era alquanto stertoroso, e il volto non era bello a vedersi, perché la bocca aperta esibiva le gengive pallide. Nella semioscurità, i denti sembravano più lunghi e aguzzi di quanto non fossero stati al mattino, e per uno strano gioco di luci, erano in particolare i canini a spiccare sugli altri. Mi sono seduto al suo capezzale, e ben presto Lucy si è mossa come a disagio. In quello stesso istante, alla finestra si è udito una sorta di sordo battito d'ali o tonfo. Mi sono avvicinato in punta di piedi, guardando fuori da dietro il margine della tendina. Era plenilunio, e mi sono accorto che a produrre il rumore era un grosso pipistrello, che roteava là in giro – senza dubbio attratto dalla luce, per quanto fioca –, e di tanto in tanto sbatteva contro la finestra. Tornato al capezzale, ho notato che Lucy si era leggermente mossa, strappandosi dal collo i fiori d'aglio. Glieli ho rimessi alla bell'e meglio e ho ripreso a vegliarla.

Finalmente si è svegliata, e le ho somministrato del cibo, secondo le prescrizioni di Van Helsing. Ne ha inghiottito pochissimo e di malavoglia. Sembrava che non ci fosse più in lei quell'inconscia, energica volontà di vivere che finora ne aveva caratterizzato la malattia. Mi è parso strano che, nel preciso istante in cui ha ripreso conoscenza, si sia premuta addosso i fiori d'aglio, né meno strano era che, ogniqualvolta ricadeva nel sonno letargico, contrassegnato dall'ansito, allontanasse da sé i fiori. Non c'era possibilità di equivoci in merito: nelle lunghe ore che hanno fatto seguito, è passata attraverso molte fasi di sonno e di risveglio, ripetendo più e più volte i due gesti.

Verso le sei, Van Helsing è venuto a darmi il cambio. Arthur si era assopito, e pietosamente l'abbiamo lasciato dormire. Quando il professore ha visto Lucy, ha emesso quel suo solito sibilo inspirante, e quindi mi ha detto, in un imperioso sussurro: «Tirate la tenda; ho bisogno di luce!». Quindi si è chinato e, sfiorando quasi con il suo il volto di Lucy, l'ha esaminata attentamente. Le ha tolto i fiori e ha sollevato il fazzoletto di seta che le copriva la gola, e subito ha dato un balzo indietro, con un'esclamazione soffocata: «*Mein Gott!*». Anch'io mi sono chinato a guardare, e ho avvertito uno strano brivido corrermi per la schiena.

Le ferite alla gola erano totalmente scomparse.

Per cinque minuti buoni, Van Helsing è rimasto a fissare Lucy, il volto come impietrito, poi mi ha detto con tono pacato:

«Sta morendo. Non ne ha più per molto. E sarà grande differenza, notate me, se muore cosciente o in suo sonno. Svegliate quel povero ragazzo e fate lui venire e assistere ultimi momenti; ha completa fiducia in noi, e noi abbiamo lui promesso.»

Sono andato in sala da pranzo e ho svegliato Arthur. Per un istante è rimasto intontito, ma come ha visto la luce del sole filtrare da sotto le persiane, convinto di aver fatto tardi ha espresso i propri timori. L'ho assicurato che Lucy stava ancora dormendo ma, con la maggior gentilezza possibile, l'ho informato che sia Van Helsing che io temevamo che la fine fosse prossima. Arthur si è coperto il volto con le mani e si è lasciato cadere in ginocchio accanto al divano, restandovi per qualche istante, il volto nascosto, intento a pregare, le spalle scosse da singhiozzi. L'ho preso per la mano e l'ho sollevato. «Vieni» gli ho detto «povero amico mio. Fa' appello a tutte le tue forze: sarà meglio e più facile anche per lei.»

Tornati nella stanza della moribonda, ho constatato

che Van Helsing, come al solito previdente, aveva dato una riassettatina, cercando di conferire alla camera un aspetto un po' accogliente. Aveva persino pettinato Lucy, i cui capelli si spandevano sul cuscino nel loro abituale splendore. Come siamo entrati, Lucy ha aperto gli occhi e, alla vista di Arthur, ha sussurrato piano:

«Oh, amore mio, sono così felice che tu sia venuto!» Arthur si è chinato per baciarla, ma Van Helsing lo ha fermato con un cenno. «No» ha mormorato «non ancora! Tenete sua mano, sarà per lei più di conforto.»

E allora Arthur le ha preso la mano e le si è inginocchiato accanto, e Lucy mai era parsa così bella, le linee morbide del volto pari all'angelica dolcezza degli occhi. Poi, lentamente, le palpebre le si sono chiuse, ed è sprofondata nel sonno. Per qualche istante, il seno le si è sollevato piano, e il respiro era quello di un bimbo stanco.

Poi, quasi insensibilmente, ecco intervenire quella strana metamorfosi che avevo notato durante la notte. Il respiro le si è fatto affannoso, la bocca le si è aperta, e le pallide gengive raggrinzite hanno fatto risaltare i denti più lunghi e aguzzi che mai. In una sorta di dormiveglia vago, incosciente, Lucy ha riaperto gli occhi, che erano opachi e duri insieme, e ha detto, con una voce dolce, voluttuosa, che mai le avevo udito uscire dalle labbra:

«Arthur, oh, amore mio! Sono così contenta che tu sia venuto! Baciami!» Arthur si è chinato avidamente a baciarla, ma proprio in quella Van Helsing, il quale al par di me era rimasto sorpreso all'udire quel tono di voce, gli è piombato addosso e, afferrandolo per la collottola con una violenza e una forza che mai avrei supposto in lui, l'ha letteralmente gettato dall'altra parte della stanza.

«No per vostra vita!» ha esclamato. «No, per vostra anima e per quella di lei!» E si è piazzato tra lei e lui come un leone inferocito.

Arthur era rimasto talmente interdetto, da non sapere che dire o che fare; ma, prima che un impulso di violenza lo travolgesse, si è reso conto della situazione e del momento, ed è rimasto muto, in attesa.

Io continuavo a tenere gli occhi fissi su Lucy, e lo stesso faceva Van Helsing, ed entrambi abbiamo visto un'espressione d'ira passarle come un'ombra sul volto; i denti acuminati hanno cozzato assieme. Poi gli occhi le si sono chiusi, e il respiro le si è fatto pesante.

Un momento dopo, eccola riaprirli, e adesso avevano ripreso tutta la loro dolcezza; e, tendendo la povera mano pallida e scarna, ha afferrato la grande mano scura di Van Helsing, l'ha accostata alle labbra e l'ha baciata. «Mio vero amico» ha detto, con voce a stento udibile ma con indicibile pathos «mio vero amico e vero amico di Arthur! Oh, vi prego, vigilate su di lui e confortatelo!»

«Lo giuro!» ha replicato Van Helsing con tono solenne, inginocchiandolesi accanto e levando la mano in segno di solenne promessa. Quindi, volto ad Arthur: «Venite, figliolo, prendete sua mano e baciatela su fronte, e una volta sola».

A unirsi sono stati i loro sguardi, anziché le loro labbra; e questo è stato il loro addio.

Gli occhi di Lucy si sono chiusi, e Van Helsing, che non l'aveva persa di vista un istante, ha preso Arthur per le braccia e l'ha condotto via.

E poi il respiro di Lucy è tornato a farsi stertoroso, e d'un tratto è cessato.

«È finita» ha detto Van Helsing. «È morta!»

Ho preso Arthur per il braccio e l'ho accompagnato in salotto, dove si è accasciato, il volto tra le mani, singhiozzando da spezzare il cuore.

Sono tornato di sopra, dove Van Helsing continuava a fissare la povera Lucy, il volto più duro che mai. Nella salma erano intervenuti dei cambiamenti. Il decesso le aveva restituito una parte della sua bellezza, tant'è che fronte e guance avevano ripreso in parte almeno la floridezza; persino le labbra non erano più così esangui, quasi che la linfa vitale, non più indispensabile per il funzionamento del cuore, fosse intervenuta a rendere meno brutale la crudeltà della morte.

> Pensavamo che morisse mentre dormiva,
> E che dormisse mentre moriva.

Mi sono messo al fianco di Van Helsing e gli ho detto:

«Ah, povera ragazza, finalmente avrà pace. È proprio finita.»

Van Helsing si è girato a guardarmi, e ha replicato con tono quanto mai grave:

«Nient'affatto, ahimè. Questo è solo inizio.»

Gli ho chiesto che cosa avesse voluto dire, ma il professore si è limitato a scuotere il capo e a rispondere:

«Per il momento, noi nulla possiamo fare. Attendere e vedere.»

XIII

I funerali sono stati fissati per il giorno successivo, in modo che Lucy e sua madre potessero essere sepolte assieme. Mi sono occupato di tutte le tristi formalità, e il rispettoso impresario di pompe funebri e i suoi accoliti hanno confermato di essere afflitti – o fortunatamente dotati – di un'ossequiosa soavità. Anche la donna che ha provveduto alla vestizione delle morte mi ha detto, con tono confidenziale, da professionista a professionista, uscendo dalla camera ardente:

«Sapete, signore, è proprio una bellissima salma. È davvero un privilegio occuparsi di lei, e oso dire che farlo andrà a tutto credito della nostra ditta.»

Ho notato che Van Helsing non si allontanava mai di molto, ciò che era possibile dal gran disordine che regnava in casa. Non c'erano parenti e, poiché Arthur il giorno dopo doveva partire per presenziare ai funerali del padre, non abbiamo potuto avvertire nessuno di coloro che avrebbero dovuto esserne informati. Date le circostanze, Van Helsing e io ci siamo assunti l'incarico di esaminare documenti e altro. Il professore ha voluto a ogni costo occuparsi di persona delle carte di Lucy. Gli ho chiesto perché temendo che, nella sua qualità di straniero, non fosse molto al corrente di faccende legali inglesi, e quindi incappasse in qualche increscioso errore. La sua risposta è stata:

«Io so, io so. Voi dimenticate che io sono un avvocato così come un dottore. Ma questo non riguarda la legge. Voi del resto lo sapevate quando avete evitato l'inchiesta. Io ho da evitare ben più che non essa. Possono esserci carte più... Come questa, per esempio.»

Così dicendo, ha estratto dal proprio notes il promemoria che Lucy si era nascosta in seno, e che nel sonno aveva strappato.

«Se voi trovate qualcosa circa chi è il legale della defunta signora Westenra, voi sigillate tutti suoi documenti e scrivete a lui questa sera stessa. Quanto a me, io resterò di guardia nella stanza e in quella che è stata di signorina Lucy tutta notte, e di persona cercherò quanto può essere là. Non è bene che suoi veri pensieri cadano in mano di estranei.»

Ho continuato la mia parte di lavoro, e mi è bastata una mezz'ora per trovare nome e indirizzo del procuratore della signora Westenra e scrivergli. Tutti i documenti della povera donna erano in perfetto ordine, con esplicite indicazioni circa il luogo dove voleva essere sepolta. Avevo appena finito di sigillare la lettera quando, con mia grande sorpresa, è entrato Van Helsing il quale mi ha chiesto:

«Posso aiutarvi, amico John? Sono libero e, se posso, miei servigi sono per voi.»

«Avete dunque trovato quel che cercavate?» gli ho chiesto, al che lui:

«Non cercavo nessuna cosa specifica. Io solo speravo di trovare, e trovato ho, tutto quel che c'era, e questo è soltanto alcune lettere e pochi appunti e un diario appena cominciato. Ma io ho essi qui, e per il presente noi terremo bocca chiusa su essi. Domani sera vedrò quel povero ragazzo e, con suo permesso, io userò alcuni di essi.»

Abbiamo portato a termine assieme quel che restava da fare, e allora Van Helsing mi ha detto:

«E ora, amico John, io penso che possiamo andare a letto. Noi abbiamo bisogno di sonno, voi come io, e di riposo, per recuperare forze. Domani avremo molto da fare, ma per questa notte non è più bisogno di noi, ahimè.»

Prima di coricarci, siamo andati a dare un'occhiata alla povera Lucy. L'impresa di pompe funebri aveva indubbiamente fatto un bel lavoro, perché la stanza era stata trasformata in una piccola cappella ardente: una vera e propria selva di splendidi fiori bianchi, sì che la morte ne era resa un tantino meno repellente. Un lembo del lenzuolo le copriva il volto; il professore si è chinato a sollevarlo pian piano, e ambedue siamo rimasti sbalorditi dalla bellezza che avevamo sott'occhio, e la luce delle candele era sufficiente per non lasciare dubbi in merito. Tutta la grazia di Lucy le era stata restituita in morte, e le ore trascorse, anziché lasciare le tracce delle "dita distruttrici del decadimento" avevano ricreato lo splendore della vita, in misura tale che non riuscivo a convincermi di trovarmi di fronte a un cadavere.

Il professore era molto cupo e pensieroso. Non aveva amato Lucy come l'avevo amata io, e non ci si poteva certo aspettare che gli occhi gli si riempissero di lacrime. Mi ha detto: «Restate qui fino che io ritorno» ed è uscito dalla stanza. È tornato poco dopo con una manciata di aglio selvatico preso dalla scatola rimasta nell'atrio ma che fino a quel momento non era stata aperta, e ha disposto i fiori tra gli altri e tutt'attorno al letto. Poi da sotto il colletto si è tolto una crocetta d'oro e l'ha deposta sulla bocca della morta. Quindi le ha ricoperto il viso col lenzuolo e siamo usciti.

Ero intento a spogliarmi nella camera assegnatami quando, dopo aver bussato, il professore è entrato e ha preso senz'altro a dire:

«Domani desidero che voi portiate a me, prima di sera, una serie di bisturi da autopsia.»

«Dobbiamo procedere a un'autopsia?» ho chiesto.

«Sì e no. Io desidero compiere essa, ma non come voi credete. Permettetemi di dire ora a voi, ma non una parola con altri. Intendo mozzare suo capo ed estrarre suo cuore. Ah, voi, un medico, così indignato! Voi, che io ho visto senza tremito né di mano né di cuore, compiere operazioni per vita e morte, che fanno gli altri rabbrividire. Oh, ma io non devo dimenticare, mio caro amico John, che voi amavate lei; e io non ho dimenticato esso, perché sarò io che compirò operazioni, e voi dovete solo aiutare me. Vorrei farlo questa notte, ma a causa di Arthur sarà impossibile; domani egli sarà libero dopo funerale di suo padre e desidererà vedere lei – vedere quella cosa! Poi, quando sarà chiusa in bara pronta per giorno dopo, voi e io andremo quando tutti dormono. Noi apriremo coperchio di bara ed eseguiremo nostra operazione; quindi riavviteremo coperchio, per modo che nessuno sappia, salvo noi soli.»

«Ma perché fare tutto questo? Lucy è morta! Perché mutilarne inutilmente il povero corpo? E se non c'è bisogno di un'autopsia, e a nessuno ne verrebbe vantaggio – a lei, a noi, alla scienza, all'umano sapere – perché far questo? Senza una necessità, è mostruoso!»

Per tutta risposta, mi ha messo la mano sulla spalla e ha detto con infinita tenerezza:

«Amico John. Provo pietà per vostro cuore sanguinante; e tanto più io provo affetto per voi perché esso così sanguina. Se io potessi, io prendo su me stesso il fardello che voi reggete. Ma ci sono cose che voi non sapete, ma che saprete, e voi benedirete me per saperle, sebbene non sono cose piacevoli. John, ragazzo mio, voi siete mio amico ormai da molti anni, e ditemi: avete mai saputo di me che faccio cosa senza buon motivo? Posso commettere errori, perché sono essere umano; ma io credo in tutto che io faccio. Non è stato forse per questi motivi che voi avete mandato per me quando questo terribile male si è manifestato? Appunto! Non eravate voi sorpreso, anzi inorridito, quando io non ho permesso di lasciare che Arthur baciasse suo amore, sebbene lei era morendo, e ho strappato via lui con tutte mie forze? Appunto! Eppure voi avete visto come lei ha ringraziato me, con quei suoi begli occhi morenti, con sua voce anche, tanto debole, e ha baciato mia rugosa vecchia mano e ha benedetto me? Appunto! E non avete voi udito me giurare promessa a lei, in modo che potesse chiudere suoi occhi in gratitudine? Appunto!

«Ebbene, io ho buon motivo per fare che voglio fare. Voi per molti anni avete fidato in me; voi avete creduto in me durante queste settimane in cui sono

state cose così strane che voi avete ben dubitato di vostri occhi. Credetemi ancora un poco, amico John. Se voi non fidate di me, allora io devo dirvi quello che penso, e forse non sarebbe un bene. E se agisco – e io agirò, fiducia o meno fiducia – senza fiducia di mio amico in me, io agirò con cuore e animo pesante, oh, così solitario quando ho bisogno di tutto aiuto e coraggio che possono essere!» Ha fatto una pausa, e quindi, con tono ancor più solenne ha soggiunto: «Amico John, strani e terribili giorni attendono noi. Non dobbiamo quindi essere due, ma uno solo, perché così operiamo noi a buon fine. Voi non volete avere fiducia in me?».

Gli ho preso la mano e l'ho rassicurato. Poi Van Helsing se n'è andato e, dal mio uscio, l'ho visto entrare nella sua stanza e chiuderne la porta. Mentre continuavo a restare lì immobile, ho visto una delle cameriere procedere silenziosa lungo il corridoio – mi voltava le spalle, così non mi ha visto – ed entrare nella stanza che ospitava la salma di Lucy. La cosa mi ha commosso: la devozione è così rara, che non si può non essere grati a coloro i quali, senza esserne richiesti, ne fanno oggetto le persone che amiamo. Eccola lì, una povera ragazza che, accantonati i terrori che per sua natura nutriva nei confronti della morte, andava a vegliare sola accanto alla bara della padrona da lei amata, sì che la misera argilla non restasse abbandonata in attesa dell'eterno riposo...

Devo aver dormito a lungo e della grossa, perché era giorno pieno quando Van Helsing mi ha svegliato entrando in camera mia. Mi si è seduto accanto e ha esordito: «Voi non dovete preoccuparvi di bisturi; noi non faremo quello».

«Perché no?» ho chiesto sorpreso: il suo tono grave della sera prima aveva prodotto profonda impressione su di me.

«Perché» ha risposto il professore seccamente «è troppo tardi oppure troppo presto. Guardate!» E così dicendo ha esibito il piccolo crocifisso d'oro. «È stato rubato nottetempo.»

«Come rubato, se adesso lo avete voi?» ho chiesto meravigliato.

«Perché io ho ripreso esso all'indegna cattiva donna che ha rubato esso, a colei che ha profanato i morti e i vivi. Suo castigo senza dubbio verrà, ma non per mio mezzo; essa non sapeva del tutto ciò che faceva e così inconsapevole ha semplice rubato. Adesso noi dobbiamo aspettare.»

Sul che se n'è andato, lasciandomi alle prese con un nuovo mistero, con un nuovo enigma da risolvere.

La mattina è stata un lungo tedio, ma a mezzogiorno è venuto l'avvocato: è il signor Marquand dello studio legale Wholeman, Figli, Marquand & Lidderdale. Si è mostrato molto comprensivo e ha apprezzato ampiamente ciò che abbiamo fatto, assumendosi l'onere di provvedere a tutti i particolari. Mentre si pranzava, ci ha riferito che la signora Westenra da un po' di tempo si aspettava di morire all'improvviso per via del cuore, e aveva messo ordine nei suoi affari; con l'eccezione di alcune proprietà intestate del padre di Lucy che, a causa della mancanza di eredi diretti, toccheranno a un lontano ramo della famiglia, l'intero patrimonio, immobili e mobili, andrà ad Arthur Holmwood. Ciò premesso, l'avvocato ha proseguito:

«A dire il vero, abbiamo fatto del nostro meglio per dissuadere la signora da questa disposizione testamentaria, richiamando la sua attenzione su certe eventualità tali per cui la figlia avrebbe potuto restare senza un soldo oppure non libera, come avrebbe dovuto, di disporre di sé nella vita matrimoniale. Ne abbiamo anzi discusso con tanta insistenza che per poco non abbiamo litigato con la signora, la quale a un certo punto ci ha chiesto se eravamo o no disposti a eseguire le sue volontà. Ovviamente, a questo punto non ci restava che inchinarci. In via di principio, la ragione era dalla nostra, e avevamo novantanove probabilità su cento di poter comprovare, con la logica stessa degli eventi, l'esattezza del nostro giudizio. Devo tuttavia sinceramente ammettere che nel caso specifico qualsiasi altra forma di disposizione testamentaria avrebbe reso impossibile l'esecuzione delle sue volontà. Infatti, se fosse premorta alla figlia, quest'ultima sarebbe entrata in possesso delle proprietà e, anche se fosse sopravvissuta alla madre sia pure di soli cinque minuti, le proprietà stesse, qualora non vi fosse stato testamento – e in un caso del genere la sua esistenza sarebbe stata praticamente impossibile – avrebbe dovuto essere considerata quella di una defunta intestata. E in tal caso, Lord Godalming, per quanto amico così caro, non avrebbe potuto accampare alcun diritto; e gli eredi, proprio perché remoti, non avrebbero certo rinunciato ai loro diritti legittimi per motivi sentimentali nei confronti di una persona assolutamente estranea. Posso dunque assicurarvi, cari signori, che sono ben lieto che le cose siano andate così, ben lieto davvero!»

Era un brav'uomo, ma la sua soddisfazione per quell'unico, irrilevante aspetto (al quale andava il suo interesse ufficiale) di una tragedia di simili proporzioni, costituiva un'esplicita lezione circa i limiti della comprensione simpatetica.

Non si è trattenuto a lungo, ma ha detto che sarebbe tornato in serata per parlare con Lord Godalming. Tuttavia, la sua venuta ci era stata di un certo conforto, perché ci aveva dato la conferma che non dovevamo temere critiche ostili per nessuna delle nostre iniziative. Arthur doveva arrivare alle diciassette, ragion per cui poco prima di quell'ora ci siamo recati nella camera mortuaria. E tale essa era nell'accezione più ampia del termine, poiché ora vi giacevano la madre e la figlia. L'impresario funebre, così versato nella sua professione, vi aveva dato la miglior prova di sé, e l'atmosfera che vi regnava era a tal punto mortuaria, che ci siamo sentiti immediatamente rattristati. Van Helsing ha dato ordine di risistemare tutto com'era prima, spiegando che, siccome Lord Godalming sarebbe giunto tra breve, sarebbe stato meno offensivo per i suoi sentimenti vedere che le spoglie della sua fidanzata non erano state minimamente manomesse. L'impresario funebre è sembrato rendersi conto di aver commesso una sciocchezza e si è dato a risistemare ogni cosa com'era quando ieri sera abbiamo lasciato la stanza, di modo che ad Arthur potessero essere evitati quei traumi che gli si potevano risparmiare.

Poveretto! Aveva l'aria disperatamente triste e abbattuta, al punto che la sua stessa marziale virilità sembrava essersi in qualche modo raggrinzita sotto il peso di tante emozioni. Sapevo che era stato sinceramente, devotamente affezionato al padre; e perderlo in un momento del genere era per lui un duro colpo. Con me si è mostrato affettuoso come sempre, e gentilmente cortese con Van Helsing, anche se non ho potuto impedirmi di notare in lui un certo disagio. Se n'è accorto anche il professore, che mi ha fatto cenno di portarlo di sopra. Ho obbedito e stavo per lasciarlo sulla soglia della stanza, convinto com'ero che volesse restarsene solo con lei, ma Arthur mi ha preso per il braccio e mi ha portato dentro, dicendo con voce roca:

«Anche tu l'amavi, vecchio mio; lei mi ha detto tutto, e non c'era amico che occupasse nel suo cuore un posto come il tuo. Non so come ringraziarti per tutto ciò che hai fatto per lei. Ancora non riesco a credere...»

E d'un tratto si è interrotto, mi ha gettato le braccia al collo e, posandomi la testa sul petto, è scoppiato a piangere dicendo:

«Oh, Jack, Jack, che cosa farò? La vita intera se n'è andata da me, e non c'è più nulla, in tutto il mondo, per cui io debba vivere.»

Ho fatto del mio meglio per confortarlo. In casi simili, gli uomini non hanno bisogno di molte parole. Una stretta di mano, un braccio sulla spalla, un singhiozzo all'unisono, ecco espressioni di simpatia care al cuore di un uomo. Sono rimasto immobile in silenzio finché i suoi singhiozzi non si sono spenti, e quindi a mezza voce gli ho detto:

«Vieni a vederla.»

Insieme ci siamo accostati al letto, e io ho sollevato il lenzuolo che le copriva il volto. Dio, com'era bella! Ogni ora che passava sembrava aumentarne le grazie. Ne ero spaventato e sbalordito insieme; quanto ad Arthur, ha cominciato a tremare, e alla fine è stato colto dal dubbio oltre che dall'emozione. Una lunga pausa di silenzio, e quindi, in un sussurro appena udibile:

«Jack, ma è proprio morta?»

L'ho assicurato che purtroppo era così, e ho soggiunto, convinto che un dubbio così atroce non dovesse durare un attimo di più, che spesso accade che, dopo il decesso, i volti appaiano raddolciti e persino ritrovino la giovanile bellezza; e che questo accade soprattutto laddove la morte sia stata preceduta da una malattia acuta o cronica. Ciò è sembrato liquidare del tutto i suoi dubbi; si è inginocchiato accanto al letto per qualche istante, ed è rimasto a contemplare la defunta a lungo con amore, poi si è rialzato. Gli ho ricordato che quello doveva essere l'addio, poiché la bara era già pronta; e allora è tornato indietro, ha preso la morta mano di lei nella propria e l'ha baciata, e quindi chinandosi le ha posato un altro bacio sulla fronte. Un'altra volta ancora se n'è staccato, venendo via con me ma col viso girato a guardarla disperato da sopra la spalla.

L'ho lasciato in salotto e ho riferito a Van Helsing che le aveva dato l'addio; il professore è andato allora in cucina a comunicare agli uomini dell'impresa che potevano procedere con i preparativi e chiudere la bara. Quando è riapparso, gli ho detto della domanda rivoltami da Arthur, e lui:

«Non sono sorpreso. Poco fa io anche ho un istante di dubbio.»

Abbiamo cenato assieme, ed era evidente che il povero Art cercava di farsi animo. Van Helsing, rimasto in silenzio per tutto il pasto, quando abbiamo acceso i sigari ha però detto: «Lord...» ma Arthur l'ha interrotto:

«No, no, per amor di Dio, non chiamatemi così, non ora, almeno. Perdonatemi, signore, non volevo recarvi offesa, ma è soltanto perché la mia perdita è così recente.»

E il professore, con molta comprensione:

«Io ho usato quel titolo soltanto perché ero dubbio. Io non posso chiamare voi con distacco "signore", e io sono giunto ad amare voi – sì, mio caro ragazzo, ad amare voi... come Arthur.»

Questi gli ha porto la mano, stringendo con calore quella del vecchio.

«Chiamatemi come vi aggrada» gli ha detto «spero di avere sempre da voi il titolo di amico, e concedetemi di dirvi che non ho parole per ringraziarvi per la bontà di cui avete dato prova nei confronti della mia povera Lucy.» Un attimo di silenzio, e quindi: «So che lei apprezzava la vostra bontà meglio ancora di quanto sappia apprezzarla io; e se mi sono mostrato sgarbato o un po' tardo di comprendonio quando avete agito... a quel modo... ve ne ricordate?» il professore ha annuito «ebbene, vi prego di perdonarmi».

Van Helsing ha replicato con gentile gravità:

«So che per voi era difficile avere fiducia piena in me allora, perché fidarsi di tanta violenza occorre di capire; e io assumo che voi non vi fidate, voi non potete fidarvi di me adesso, perché voi non ancora capito. E possono essere altre occasioni quando io occorrerò che voi fidate di me quando non capite – e voi non potete capire, e neppure dovete capire. Ma tempo verrà quando vostra fiducia in me sarà piena e completa, e quando voi comprenderete me come se fossi trasparente. Allora voi mi benedirete finché vivrete per il vostro stesso bene e per il bene di altri e per il bene di quella povera cara che ho giurato di proteggere.»

«Ma sì, ma sì, caro signore» ha detto Arthur con calore «io ho piena fiducia in voi. Io so, io sono convinto che voi abbiate un cuore nobilissimo, e siete amico di Jack e lo siete stato di Lucy. Fate dunque come volete.»

Il professore ha tossicchiato un paio di volte, come se esitasse a parlare, e alla fine si è deciso a dire:

«Posso chiedervi subito una cosa?»

«Ma certo!»

«Voi sapete che signora Westenra ha lasciato a voi tutte sue proprietà?»

«No, povera cara, non l'avrei mai supposto.»

«E poiché tutto qui è vostro, voi avete diritto di farne quel che volete. Io desidero che voi diate a me permesso di leggere tutte carte e lettere di signorina Lucy. Voi credete me, non è semplice curiosità. Ho un motivo di cui, siate certo, lei avrebbe approvato. Io ho qui tutte carte e lettere, ho prese esse prima che sappiamo che tutto era vostro, in modo che nessuna mano straniera può toccare esse, nessuno occhio straniero spia attraverso parole in sua anima. Con vostro permesso, io terrò esse; neppure voi potete vedere esse ancora, ma io terrò esse al sicuro. Non una parola sarà perduta. E a tempo debito, io restituirò esse a voi. È cosa dura che chiedo, ma voi farete, non è vero, per amore di Lucy?»

La risposta di Arthur è stata data di tutto cuore:

«Dottor Van Helsing, potete fare ciò che volete. Sono convinto che, dicendovi questo, mi comporto in modo che la mia amata avrebbe approvato. Non vi annoierò con domande finché non sia giunto il momento.»

Il vecchio professore si è allora alzato in piedi e ha proclamato:

«E farete bene. Sarà dolore per noi tutti; ma non sarà soltanto dolore, né questo dolore sarà ultimo. Noi e anche voi – e anzi voi soprattutto, mio caro ragazzo – dovremo attraversare acque amare prima di raggiungere le dolci. Ma dovremo essere coraggiosi di cuore e altruisti, e fare nostro dovere, e ogni cosa andrà per meglio!»

La notte ho dormito su un divano in camera di Arthur. Quanto a Van Helsing, non si è disteso neppure un istante ma ha continuato ad andare su e giù, quasi pattugliasse la casa, senza mai perder d'occhio la stanza dove Lucy giaceva nella sua bara, cosparsa di fiori di aglio selvatico che, superando il profumo di gigli e rose, spandevano nella notte un sentore greve, onnidominante.

DIARIO DI MINA HARKER

22 settembre. In treno, alla volta di Exeter. Jonathan dorme.

Sembra soltanto ieri che ho redatto l'ultima annotazione, eppure quanti eventi, nel frattempo, a Whitby e nel resto del mondo, Jonathan lontano e io senza sue notizie; e ora, sposa di Jonathan, Jonathan procuratore, socio, ricco, titolare del suo studio, il signor Hawkins morto e sepolto, e Jonathan in preda a un'altra crisi che può essergli fatale. Un giorno, chissà che non mi ponga domande in merito. Metto tutto qui nero su bianco. La mia stenografia è arrugginita – colpa della nostra improvvisa prosperità – per cui tanto vale che io la rinfreschi con un po' di esercizio...

Il servizio funebre è stato molto semplice e insieme molto solenne. Non c'eravamo che noi e i domestici, un paio di suoi vecchi amici di Exeter, il suo agente di Londra e un signore giunto in rappresentanza di Sir John Paxton, presidente della Incorporated Law Society. Jonathan e io ci tenevamo per mano, e sentivamo che il nostro amico migliore e più caro si era dipartito da noi...

Siamo tornati in città in silenzio, prendendo l'omnibus per Hyde Park Corner. Jonathan ha pensato che mi potesse piacere stare per un po' al Row, e così abbiamo fatto; ma c'erano pochissime persone, e tutte quelle sedie vuote davano un'impressione di tristezza e desolazione. Ci facevano pensare alla poltrona vuota a casa, per cui ci siamo alzati e siamo scesi per Piccadilly. Jonathan mi teneva a braccetto, come ai vecchi tempi, prima che cominciassi a insegnare. Io ero molto a disagio, perché non si può certo continuare a impartire per anni lezioni di etichetta e decoro ad altre ragazze, senza che la pedanteria contagi un tantino noi stessi; ma si trattava di Jonathan, di mio marito, e non conoscevamo nessuno di quanti ci vedevano andar così, e del resto non ce ne curavamo affatto. Stavo guardando una bellissima ragazza con un grande cappello a larghe tese a bordo di una victoria davanti a Giuliano's, quando ho sentito la mano di Jonathan serrarmi il braccio tanto forte da farmi male, e l'ho udito sussurrare a mezza voce: «Mio Dio!». Sono sempre stata in ansia per Jonathan, perché temo l'eventualità di una nuova crisi di nervi; ho subito girato il capo e gli ho chiesto che cosa l'avesse turbato.

Era pallidissimo, con occhi che sembravano letteralmente schizzargli dalle orbite per il terrore e lo sbalordimento insieme, mentre li fissava su un uomo alto, magro, dal naso a becco, baffi neri e barba a punta, anch'egli intento a osservare la bella ragazza. Lo faceva anzi con tanta intensità, che non ha notato nessuno di noi due, e così ho avuto modo di guardarlo a mia volta ben bene. Non aveva certo un volto onesto: il suo era un viso duro, crudele, sensuale, e quei grandi denti candidi, che tanto più bianchi apparivano perché così rosse erano le labbra, erano aguzzi come quelli di un animale. Jonathan continuava a fissarlo, tanto che temevo che quegli se ne accorgesse, che se la prendesse a male, con quell'aria feroce e maligna che aveva. Ho chiesto a Jonathan perché fosse così sconvolto e, persuaso che ne sapessi in merito quanto lui, Jonathan mi ha risposto:

«Non hai visto chi è?»

«No, caro» gli ho risposto. «Non lo conosco. Chi è?» La sua replica mi ha turbata e spaventata, si sarebbe detto che Jonathan non avesse coscienza che era con me, Mina, che stava parlando.

«È lui, è quell'uomo!»

Il poverino era evidentemente atterrito, terribilmente atterrito non so di che; e sono certa che, non avesse avuto accanto a sé me a sostenerlo, sarebbe caduto in deliquio. Continuava intanto a fissare lo sconosciuto; un tale è uscito dal negozio con un pacchetto che ha consegnato alla fanciulla, la quale è ripartita. L'uomo scuro l'ha seguita con lo sguardo e, visto che la carrozza risaliva Piccadilly, si è avviato nella stessa direzione e ha fermato una *hansom*. Jonathan non gli aveva tolto gli occhi di dosso e, come se parlasse tra sé, ha borbottato:

«Sono certo che è il Conte, ma lo si direbbe ringiovanito. Mio Dio, se fosse vero! Oh, mio Dio, mio Dio! Se potessi saperlo, se potessi esserne certo!» Era a tal punto sottosopra, che non avevo il coraggio di insistere sull'argomento ponendogli domande, e ho preferito starmene zitta. Con tranquilla energia l'ho tirato via, e Jonathan, attaccato al mio braccio, mi ha seguito senza opporre resistenza. Abbiamo fatto ancora qualche passo, e poi siamo entrati nel Green Park. Era una giornata calda, per essere autunno, e abbiamo trovato una comoda panchina in un sito ombroso. Dopo essere rimasto per qualche istante a fissare il vuoto, Jonathan ha chiuso gli occhi e pian piano è sprofondato nel sonno, la testa sulla mia spalla. Ho pensato che gli avrebbe fatto bene, e non l'ho disturbato. Dopo una ventina di minuti, si è ridestato e mi ha detto con tono decisamente allegro:

«Ehi, Mina, mi sono addormentato! Oh, ti prego di scusarmi per essere stato scortese. Vieni, andiamo a bere una tazza di tè da qualche parte.» Evidentemente, aveva scordato, non solo il tetro sconosciuto, sofferente com'era dalla sua malattia, ma fin l'ultima traccia dell'episodio. Non mi piacciono questi suoi vuoti di memoria: possono essere il sintomo, acuto o cronico, di qualche lesione cerebrale. Non posso domandargli nulla, perché temo di fare più male che bene, e d'altra parte devo assolutamente conoscere i particolari di quel suo viaggio. Temo che sia venuto il momento in cui mi toccherà aprire quel pacchetto, leggere quello che c'è scritto nel taccuino. Oh, Jonathan, lo so che mi perdonerai se commetto un errore, perché lo faccio per il tuo bene.

Più tardi. Triste ritorno a casa, tale da ogni punto di vista: l'abitazione vuota, senza più quella buon'anima che è stata così generosa con noi; Jonathan ancora pallido e intontito per una lieve ricaduta della sua malattia; e per giunta, un telegramma di un certo Van Helsing, chiunque egli sia, così concepito:

"Dolente informarvi morte signora Westenra avvenuta cinque giorni fa e morte Lucy avvenuta l'altro ieri. Entrambe state seppellite oggi."

Oh, che somma di dolori in così poche parole! Povera signora Westenra! E povera Lucy! Dipartite, scomparse per mai più tornare! E povero, povero Arthur, che ha perduto un simile tesoro di dolcezza! Dio aiuti tutti noi a sopportare le nostre pene!

DIARIO DEL DOTTOR SEWARD

22 settembre. Tutto è finito. Arthur è tornato a Ring portando con sé Quincey Morris. Che bravo ragazzo è questi! In fondo al cuore, sono persuaso che ha sofferto non meno di noi per la morte di Lucy; ma ha retto il colpo con la forza morale di un vichingo. Se l'America continua a generare uomini del suo stampo, diverrà davvero una potenza mondiale. Van Helsing si riposa prima di mettersi in viaggio. Questa sera ritorna ad Amsterdam, ma ha promesso di essere nuovamente qui domani sera: desidera solo prendere alcune disposizioni che non può affidare ad altri. Poi, se può, verrà a stare con me; dice che ha da compiere a Londra del lavoro che richiederà un po' di tempo. Povero vecchio! Temo che gli strapazzi della scorsa settimana abbiano infranto persino la sua ferrea fibra. Durante tutto il funerale si è imposto, l'ho visto benissimo, un formidabile autocontrollo. E quando la cerimonia è finita, ci siamo ritrovati accanto ad Arthur il quale, infelice!, stava parlando dell'operazione nel corso della quale il suo sangue è stato trasfuso nelle vene della sua Lucy, e vedevo il viso di Van Helsing passare di continuo dal pallore al rosso acceso. Arthur stava dicendo che, da quel momento, ha avuto la sensazione che loro due fossero davvero sposati, e che Lucy fosse sua moglie davanti a Dio. Nessuno di noi ha fatto parola con lui delle altre trasfusioni, e nessuno di noi mai lo farà. Poi Arthur e Quincey sono andati assieme alla stazione, e Van Helsing e io siamo tornati qui. Non appena siamo stati soli in carrozza, si è lasciato andare a un vero e proprio attacco isterico. Dopo, ha negato che di isteria si sia trattato, proclamando che era semplicemente il suo senso dell'umorismo che veniva a galla in una situazione atroce. Ha riso tanto da farsi venire le lacrime, e ho dovuto abbassare le tendine per timore che qualcuno lo vedesse e lo giudicasse male. Poi ha pianto, e quindi ha ricominciato a ridere, e a piangere e a ridere insieme, proprio come fanno le donne. Mi sono provato a mostrarmi energico, appunto, come si fa con una donna in simili circostanze, ma è stato invano. Uomini e donne sono così diversi, nelle manifestazioni di forza o di debolezza nervosa! Poi, quando il volto di Van Helsing si è finalmente ricomposto, gli ho chiesto la ragione di tanta allegria, e perché proprio in quel momento. La risposta che mi ha dato è stata, in un certo senso, tipica di lui, perché logica, fantasiosa e misteriosa insieme. Ha detto:

«Ah, voi non comprendete, amico John. Voi non dovete pensare che io non sono triste perché io rido. Vedete, ho pianto anche sebbene il riso mi soffocava. Ma voi neppure dovete credere che io sono tutto triste quando piango, perché il riso lui viene ugualmente. Tenete sempre a mente che riso che bussa a vostra porta e chiede: "Posso entrare?" non è vero riso. No! Il riso è un re e va e viene quando e come lui pare. Lui non chiede a nessuno, lui non sceglie momento più adatto. Lui dice: "Io sono qui!". Vedete, per esempio mio cuore sanguina per quella così cara giovane ragazza; io dato mio sangue per essa, sebbene io sono vecchio e logoro; ho dato mio tempo, mia abilità, mio sonno; ho trascurato necessità di miei altri malati, per dedicarmi tutto a essa. Eppure, io posso ridere su sua stessa tomba, ridere quando la terra da vanga di becchino cade su bara di lei e dice: "Bum bum!" a mio cuore, tanto da risucchiare il sangue da mie guance. Mio cuore ha sanguinato per quel povero ragazzo, quel caro ragazzo che tanto avrebbe età di mio proprio figlio che io avrei se fosse stato benedetto che vivesse, e con suoi occhi e suoi capelli esattamente gli stessi. Ecco, voi ora sapete perché io amo lui tanto. Eppure, quando dice cose che toccano mio cuore di padre nel vivo, e fanno mio cuore di padre spasimare per lui come per nessun altro uomo – neppure per voi, amico John, perché siamo più vicini per esperienza che non padre e figlio – ecco che, persino in momento simile, Re Riso viene a me e grida e strepita in mio orecchio: "Eccomi qui, eccomi qui!", finché il sangue torna a danzare e riporta a mia guancia un po' del sole che ha con sé. Oh, amico John, è uno strano mondo, un triste mondo, questo, un mondo pieno di dolori, di mali e di guai; eppure, quando Re Riso arriva, lui fa loro tutti danzare al suono di sua musica. Cuori sanguinanti e ossa spolpate nel cimitero, e lacrime che bruciano mentre che cadono – tutti danzano insieme alla musica che lui fa con quella sua bocca senza sorriso. E credete me, amico John, che lui è buono a venire, e gentile. Ah, noi uomini e donne siamo come corde tese che forze opposte tirano in diverse direzioni. Poi lacrime vengono; e, come la pioggia che cade sulle corde, esse ridanno energia a noi, finché forse lo sforzo diviene eccessivo, e noi crolliamo. Ma Re Riso, lui viene come raggio di sole, e reca sollievo a fatica; e noi sopportiamo di tirare avanti con nostro travaglio, quale che esso è.»

Non volevo ferirlo dandogli a vedere che non capivo i suoi ragionamenti. Ma, siccome la causa della sua ilarità in effetti mi sfuggiva, gliel'ho chiesta, e nel rispondermi il volto gli si è fatto severo, ed è stato con tono ben diverso che ha detto:

«Oh, è stata la tragica ironia di questo tutto, quella così graziosa fanciulla inghirlandata con fiori, che sembrava bella come vita stessa, tanto che uno per uno noi chiedevamo se era davvero morta; e giace in quella bella casa di marmo in quel solitario cimitero, dove riposano tanti altri di sua stirpe, deposta accanto a sua madre che amava lei e che essa amava; e quella sacra campana che faceva: "Dong, dong, dong", così triste e lenta; e quegli santi uomini, con le bianche vesti degli angeli, che fingevano di leggere libri, ma tutto il tempo mai loro occhi sulla pagina; e tutti noi con teste chine. E tutto questo perché? Perché è morta. Dico io bene?»

«Be', sul mio onore, professore» ho ribattuto «non ci vedo proprio niente da ridere. Vi dirò anzi che la vostra spiegazione non fa che confondermi ancor più. Ma se persino il servizio funebre era da ridere, non mi direte che lo erano anche Arthur e la sua disperazione. E che, non ha forse il cuore spezzato?»

«Proprio così. Non ha forse detto che trasfusione di suo sangue in vene di lei ha fatto di essa sua vera sposa?»

«Già, e per lui era un pensiero dolce e consolante.»

«Esattamente. Ma questa è difficoltà, amico John. Se così è, e gli altri allora? Oh, oh! Perché se così è, quella tenera fanciulla pecca di poliandria, e io, con mia povera moglie morta per me, ma viva per la legge della Chiesa, perché completamente pazza, tutto suo cervello andato – persino io, che sono marito fedele di questa ormai non più moglie, sono bigamo.»

«Non vedo che cosa ci sia di tanto comico neanche in questo» ho ribadito, e confesso che ero piuttosto irritato di sentirgli dire certe cose. Mi ha posato la mano sul braccio e ha ripreso:

«Amico John, perdonate me se io voi addoloro. Io non ho messo a nudo miei sentimenti ad altri che sarei potuto far loro male, ma soltanto a voi, mio vecchio amico, cui io posso fidare. Se voi avreste visto in mio vero cuore quando sentivo bisogno di ridere; se avreste potuto fare così quando il riso è arrivato; e se potete fare così adesso che Re Riso ha preso su sua corona e tutte altre sue cose – perché è lontano, ormai assai lontano da me, e per lungo, lungo tempo – forse voi avete più compassione di me che di tutti altri.»

Sono rimasto commosso dal suo tono, e gli ho chiesto perché dovessi provare pietà per lui.

«Perché io so!»

Ed eccoci ora tutti separati; e, diuturna, la solitudine resterà appollaiata sui nostri tetti con lugubri ali. Lucy giace nella tomba di famiglia, una maestosa casa dei morti di un solitario cimitero, fuori dalla brulicante Londra, in un luogo dove l'aria è fresca e il sole si leva sopra il colle di Hampstead, e fiori selvatici sbocciano liberamente.

Sicché, posso mettere fine a queste annotazioni; e solo Dio sa se ne aggiungerò mai altre. Se lo farò o se mai riaprirò questo diario, avrò a che fare con altra gente e con altri problemi; perché qui, dove la romanza della mia vita si conclude, torno a riprendere il filo del mio lavoro quotidiano, e dico, triste e senza speranza: «Finis».

«THE WESTMINSTER GAZETTE», 25 SETTEMBRE
Il mistero di Hampstead

La popolazione di Hampstead è attualmente turbata da una serie di eventi che ricordano assai da vicino quelli noti ai compilatori di titoli come *L'orrore di Kensington* oppure *La donna col pugnale* o *La donna in nero*. Durante gli ultimi due o tre giorni, si sono verificati parecchi casi di bambini che si sono allontanati da casa oppure non sono rientrati dai loro giochi nella brughiera. Si trattava sempre di bambini troppo piccoli per fornire spiegazioni accettabili, ma tutti sono concordi nell'accampare la scusa di essere andati con una "bella signora". Sono sempre scomparsi verso sera, e in due occasioni sono stati ritrovati soltanto la mattina dopo. Nel vicinato si ritiene per lo più che, quando il primo dei bambini sperdutisi ha fornito, come motivo della sua assenza, di essere stato con una "bella signora" la quale gli aveva chiesto di andare a fare una passeggiata con lei, gli altri l'hanno imitato, servendosi dello stesso pretesto; cosa tanto più logica, dal momento che il gioco preferito al momento attuale dai piccoli della zona consiste nell'adescarsi a vicenda con astuzie. Un corrispondente ci scrive che vedere alcuni di quei marmocchi fingersi la "bella signora" è la cosa più comica del mondo, e il corrispondente soggiunge che alcuni di questi umoristi in erba potrebbero farsi le ossa in fatto di ironia, paragonando realtà e gioco. È del tutto conforme ai princìpi generali della natura umana che la "bella signora" costituisca il ruolo preferito di questi spettacoli all'aperto, e il nostro corrispondente commenta, con una punta di bonario compiacimento, che neanche Ellen Terry riuscirebbe a essere tanto irresistibilmente aggraziata quanto si fingono questi mocciosetti, e anzi si immaginano davvero di essere.

Può darsi tuttavia che la faccenda abbia un risvolto più serio, perché alcuni dei bambini, precisamente quelli che sono stati assenti tutta la notte, risultano leggermente graffiati o feriti alla gola. Le lesioni si direbbe siano state prodotte da un ratto o da un cagnolino e, sebbene il fatto non abbia molta importanza in sé, d'altro canto dimostrerebbe che l'animale, quale che sia, che le infligge, segue un suo proprio sistema o metodo. La polizia del distretto ha avuto ordine di tenere gli occhi aperti, nel caso che si imbattessero in bambini sperduti, soprattutto se molto piccoli, nella brughiera di Hampstead e dintorni, e in cani randagi.

L'orrore di Hampstead. Un altro bambino ferito
La "bella signora"

Ci informano in questo momento che un altro bambino, scomparso la notte scorsa, è stato ritrovato nella
tarda mattinata sotto un cespuglio ai piedi del colle di
Shuter nella brughiera di Hampstead, nella zona di
questa che probabilmente è meno frequentata di altre.
Il piccolo presenta la stessa minuscola ferita alla gola
già riscontrata in altri casi. Era debolissimo e appariva
assai emaciato. Anch'egli, non appena si è in parte ripreso, ha raccontato la solita storia, di essere stato cioè
adescato dalla "bella signora".

XIV

DIARIO DI MINA HARKER

23 settembre. Jonathan sta meglio dopo una brutta notte. Sono contenta che abbia tanto lavoro, perché questo lo distrae dalle sue spaventose fantasie; e come sono lieta, d'altro canto, che non si senta eccessivamente gravato dalla responsabilità della sua nuova posizione! Sapevo che ne sarebbe stato all'altezza, e ora come sono fiera di vedere il mio Jonathan percorrere la strada della sua ascesa, restando al passo, da tutti i punti di vista, con i doveri che questa comporta! Oggi starà via fino a tardi e ha detto che non rincaserà per il pranzo. Ho terminato i lavori domestici, e così prenderò il suo diario di viaggio, mi chiuderò in camera mia e lo leggerò.

24 settembre. Non ho avuto cuore di scrivere ieri sera; quell'atroce resoconto di Jonathan mi ha sconvolta. Povero caro! Come deve aver sofferto, vere o immaginarie che siano state le sue traversie. Mi chiedo se c'è qualcosa di vero. Gli è venuta la febbre cerebrale e poi ha scritto tutte queste cose orrende, oppure non erano del tutto infondate? Credo che mai lo saprò, perché non oso abbordare l'argomento con lui... Eppure, quell'uomo che abbiamo visto ieri... Jonathan sembrava così sicuro... Poveretto, forse il funerale l'ha sconvolto e lo ha fatto riprecipitare in certe idee fisse. Lui però ci crede, e ricordo con che tono il giorno del nostro matrimonio mi ha detto: «A meno che un imperativo categorico non mi costringa a tornare a quelle tristi ore, sveglio o dormiente, pazzo o savio che fossi». Si direbbe che in tutto questo ci sia un filo conduttore... Quello spaventoso Conte doveva venire a Londra... E se così è stato, e se è venuto a Londra, con i suoi milioni di abitanti... Allora l'imperativo categorico potrebbe sussistere, e in tal caso non potremmo certo arretrare di fronte a esso... Voglio essere pronta. Mi metterò seduta stante alla macchina per scrivere, e copierò il resoconto, così, se necessario, anche altri potranno vederlo. Sempreché sia necessario. E forse, se mi saprà preparata, il povero Jonathan non sarà più tanto sconvolto, perché potrò parlare in vece sua ed evitargli nuovi turbamenti o preoccupazioni. Se solo Jonathan riuscisse a superare la sua nevrastenia, chissà, forse mi racconterebbe tutto, e io allora potrei fargli domande e scoprire come stanno le cose e trovare magari il modo di confortarlo.

LETTERA DI VAN HELSING ALLA SIGNORA HARKER
(da considerare confidenziale)

24 settembre

Gentile signora,

vi prego di perdonare mio scritto a voi, che sono per quanto lontano amico vostro, avendo io mandato a voi tristi notizie di morte di signorina Lucy Westenra. Per cortesia di Lord Godalming, sono autorizzato a leggere tutte sue lettere e sue carte di lei, essendo io profondamente preoccupato circa certe faccende vitalmente importanti. Tra esse carte io trovo alcune lettere di voi, che rivelano quanto grandi amiche voi e signorina Lucy eravate e quanto voi amate lei. Oh, Madam Mina, per questo amore io imploro voi: aiutate me! È per bene di altri che io chiedo – per raddrizzare grandi torti e impedire molte, terribili sofferenze, le quali possono essere più grandi che voi non sapete. Può essere che io veda voi? Voi potete fidare in me. Io sono amico di dottor John Seward e di Lord Godalming (il quale era Arthur di signorina Lucy). Per il momento, io devo tenere questo segreto a tutti. Io vengo a Exeter per vedere voi subito se voi dite me io privilegiato di venire, e dove e quando. Imploro vostro perdono, Madam. Ho letto vostre lettere a povera Lucy, e so quanto buona voi siete e quanto vostro marito soffre; così io prego voi se può essere che non informate lui perché può far male. Ancora chiedo pardon e scusate me.

Van Helsing

25 settembre. Venite oggi treno 10.15 se possibile. Stop. Posso vedervi qualsiasi momento.

Wilhelmina Harker

DIARIO DI MINA HARKER

25 settembre. Non posso fare a meno di sentirmi terribilmente emozionata mentre si avvicina il momento della visita del dottor Van Helsing, perché penso che in qualche modo getterà un po' di luce sulla triste esperienza di Jonathan; e, siccome ha assistito la povera cara Lucy nei suoi ultimi momenti, potrà dirmi tutto di lei. Ma sì, dev'essere questa la ragione della sua venuta: riguarda Lucy e il suo sonnambulismo, non certo Jonathan. E se così è, non saprò mai la verità! Che sciocca sono! Quell'orrido diario si è impadronito della mia fantasia e colora quanto mi circonda delle sue fosche tinte. Certo che è per via di Lucy! La povera cara deve essere ricaduta in quella sua abitudine, e quella spaventosa notte sulla scogliera deve averla fatta ammalare. Avevo quasi dimenticato, presa com'ero dalle mie preoccupazioni, quanto avesse sofferto in seguito. Lucy deve aver messo il dottor Van Helsing al corrente della sua avventura da sonnambula sulla scogliera, e avergli detto che anch'io ne ero informata; e ora dunque il dottor Van Helsing desidera che io gli dica quanto mi aveva riferito in merito Lucy, in modo che possa farsi una chiara idea. Spero di aver

227

fatto bene non dicendo niente di tutto questo alla signora Westenra: non riuscirei mai a perdonarmi se qualche mia iniziativa, fosse pure una semplice omissione, avesse recato danno alla povera cara Lucy. Spero anche che il dottor Van Helsing non mi muova rimproveri; in questi ultimi tempi ho avuto tanti motivi di turbamento e ansia, che sento di non poterne sopportare altri.

Sono convinta che piangere ogni tanto faccia bene a tutti – rinfresca l'aria come fa la pioggia. Forse è stata la lettura del diario di Jonathan a sconvolgermi, e poi Jonathan stamane è partito per restare assente un giorno e una notte interi, ed è la prima volta che accade dacché siamo sposati. Spero tanto che il mio caro si tenga riguardato, e nulla gli succeda che lo turbi. Sono le quattordici, il dottore sarà qui tra poco. Non gli dirò nulla del diario di Jonathan, a meno che non me ne chieda. Sono contenta di aver dattiloscritto anche il mio diario perché, qualora voglia sapere di Lucy, potrò farglielo leggere, cosa questa che risparmierà molte domande e risposte.

Più tardi. È venuto, è andato. Oh, che strano incontro, e come mi gira la testa! Mi pare di sognare. Può essere vero tutto questo, o anche solo in parte? Se non avessi letto in precedenza il diario di Jonathan, non avrei potuto neppure accettarne la possibilità. Povero, povero caro Jonathan! Come deve aver sofferto. Piaccia al buon Dio che tutto questo non abbia a sconvolgerlo ancora. Tenterò di preservarnelo; ma può darsi che sia una consolazione e un aiuto per lui – per quanto tremende, per quanto spaventose possano essere le conseguenze – sapere per certo che i suoi occhi, le sue orecchie, il suo cervello non l'hanno ingannato, che è tutto vero. Può darsi che a tormentarlo sia proprio il dubbio e che, una volta tolto di mezzo il dubbio, quale che risulti la verità – se fosse sveglio o sognasse –, sia più sereno e meglio in grado di reggere il colpo. Il dottor Van Helsing dev'essere un brav'uomo oltre che assai intelligente, se è amico di Arthur e del dottor Seward, e se costoro l'hanno fatto venire fin dall'Olanda per occuparsi di Lucy. Ora che l'ho visto, so con certezza che è buono e gentile e di animo nobile. Domani, quando verrà, gli chiederò di Jonathan. E allora, a Dio piacendo, questa pena, quest'ansia, forse giungeranno a buon fine. Pensavo un tempo che mi sarebbe piaciuto dedicarmi alle interviste; quell'amico di Jonathan al «The Exeter News» gli ha detto che, in questo mestiere, la memoria è tutto, che bisogna essere capaci di mettere per iscritto esattamente quasi ogni parola pronunciata, anche se in seguito bisogna apportare qualche correzione. E la mia è stata un'intervista più unica che rara, che cercherò di riferire *verbatim*.

Erano le quattordici e trenta quando ho udito bussare. Ho preso il coraggio *à deux mains* e ho atteso. Pochi istanti dopo, ecco Mary aprire la porta annunciando: «Il dottor Van Helsing».

Mi sono alzata e ho fatto la riverenza, e lui mi è venuto incontro: un uomo di statura media, di costituzione robusta, le spalle larghe piantate sopra un torace ampio e profondo, il collo robusto che regge una testa il cui portamento colpisce immediatamente come segno di intensità di pensiero e di autorevolezza: una testa nobile, ben proporzionata, massiccia, dalla nuca ben sviluppata. Il volto è perfettamente rasato, il mento deciso, quadrato, la bocca larga, mobile e con una piega risoluta, naso ben proporzionato, diritto ma con narici sensibili che sembrano allargarsi allorché le sopracciglia folte, cespugliose, si abbassano e le labbra si serrano. La fronte, spaziosa e bella, sale quasi diritta per poi allargarsi in due bozze ben salienti; una fronte tale per cui i capelli rossicci non possono nasconderla, ma naturalmente ricadono all'indietro e ai lati. Grandi occhi azzurro scuro, discosti e che si fanno duri, teneri o severi a seconda dell'umore. Mi ha detto:

«La signora Harker, se non sbaglio?» Ho annuito in segno d'assenso.

«Prima di voi sposare eravate la signorina Mina Murray?» Altro mio cenno d'assenso.

«Sono venuto a trovare Mina Murray che era amica di quella povera, cara piccola Lucy Westenra. Madam Mina, è a nome di morta che io vengo.»

«Signore» ho replicato io «non potreste avere maggiori titoli ai miei occhi che quello di essere stato amico e soccorritore di Lucy Westenra» ho detto porgendogli la mano. Il dottor Van Helsing stringendola ha ripreso con tono sommesso:

«Oh, Madam Mina, sapevo che amica di quella povera liliale fanciulla doveva essere buona, ma ancora dovevo constatarlo.» E a questo punto ha abbozzato un inchino. Gli ho chiesto che cosa desiderava da me, e lui:

«Io letto vostre lettere a signorina Lucy. Perdonate me, ma dovevo incominciare indagini da qualche parte, e non era nessuno cui chiedere. Io so che voi eravate con essa a Whitby. Ora, signorina Lucy teneva un diario – non dovete esserne sorpresa, Madam Mina; esso è stato iniziato dopo che voi eravate partita, ed era su imitazione di voi. In quel diario essa fa cenno qua e là a un sonnambulismo in cui dice che voi avete salvato essa. In mia grande perplessità, vengo dunque da voi e chiedo voi per vostra grande gentilezza di dirmi tutto quello che voi potete ricordare in merito.»

«Dottor Van Helsing, credo di potervi dire tutto.»

«Ah, voi dunque avete buona memoria per fatti, per particolari? Non sempre così, con giovani signore.»

«No, dottore, ma all'epoca ho messo tutto per iscritto, e posso mostrarvelo se lo desiderate.»

«Oh, Madam Mina, io sarò a voi grato perché voi farete a me un grande favore.» Non ho saputo resistere alla tentazione di farmi pochino beffe di lui – penso sia per via di quella traccia di sapore della mela originaria che continuiamo ad avvertire in bocca –, per cui gli ho porto il diario stenografato. L'ha preso con un inchino di gratitudine e ha chiesto:

«Posso io leggere esso?»

«Se lo desiderate» ho risposto, col tono più modesto possibile. L'ha aperto, e per un istante è rimasto a bocca aperta. Quindi si è alzato e si è inchinato.

«Oh, voi così intelligente donna!» ha detto. «Sapevo da tempo che il signor Jonathan era un uomo molto fortunato, ma evidentemente sua moglie ha tutte buone qualità. E voi non vorreste farmi tanto onore da aiutarmi leggendo esso per me? Ahimè, vedete, io non conosco la stenografia.» Ma ormai il mio scherzo era finito, e ne provavo quasi vergogna; e ho preso la copia dattiloscritta dal mio cestino da lavoro e gliel'ho porta.

«Vi prego di perdonarmi» gli ho detto. «Non ho potuto farne a meno. Siccome però avevo supposto che voleste pormi domande in merito alla cara Lucy, e per evitarvi di perdere tempo – so benissimo che il vostro tempo è prezioso –, ho trascritto tutto a macchina a vostro beneficio.»

Ha preso i fogli con occhi luccicanti. «Voi siete molto buona» ha commentato. «E posso io leggere loro adesso? Può darsi che io desideri chiedere a voi alcune cose dopo di lettura.»

«Ma certamente» gli ho assicurato. «Leggete con vostro comodo mentre io ordino il pranzo. E mentre mangiamo potrete farmi tutte le domande che vorrete.» Il dottore è tornato a inchinarsi, ha preso posto in una poltrona dando le spalle alla luce, e si è sprofondato nelle carte, mentre io andavo a provvedere al pranzo, soprattutto per lasciarlo tranquillo. Quando sono tornata, l'ho trovato che passeggiava inquieto su e giù per la stanza, il volto paonazzo di eccitazione. Si è precipitato verso di me, mi ha afferrato le mani.

«Oh, Madam Mina!» ha esclamato. «Come posso dire quanto io devo a voi? Queste carte sono un raggio di sole. Esse mi aprono tutte le porte. Sono accecato da tanta luce, eppure nuvole di continuo avanzano a oscurare la luce. Ma questo voi non potete, voi non sapete comprendere. Oh, ma come vi sono riconoscente, voi donna così intelligente. Madam,» ha soggiunto, assumendo un tono quanto mai solenne «se mai Abraham Van Helsing può fare qualcosa per voi o per vostri, io confido che voi mi fate esso sapere. Sarà piacere e gioia se io posso servire voi come amico; e come amico, io a voi dico che tutto quanto ho imparato, tutto quanto io posso fare, sono per voi e per loro che voi amate. In vita sono ombre e sono luci; voi siete una delle luci. Voi avrete vita felice e vita bella, e vostro marito sarà fortunato al vostro fianco.»

«Ma, dottore... Voi mi lodate troppo e... E non mi conoscete...»

«Non conoscervi? Io che sono vecchio e che ho studiato per tutta mia vita uomini e donne! Io che ho fatto di mia specialità il cervello e tutto quanto a esso appartiene e ne deriva e dipende! E io letto vostro diario che voi con tanta bontà per me avete scritto, e da ogni riga di quale promana verità. Io, che ho letto vostra così dolce lettera a povera Lucy di vostro matrimonio e di vostra fede, non conoscere voi? Oh, Madam Mina! Buone donne dicono tutta loro vita, ogni giorno, ogni ora, ogni minuto, e sono cose che angeli stessi possono leggere; e noi uomini che desideriamo sapere, abbiamo in noi qualcosa di occhi di angeli. Vostro marito è nobile natura, e anche voi siete nobile perché avete fede, e la fede non può essere compatibile con un'ignobile natura. E vostro marito... Ditemi di lui. È egli bene? È tutta quella febbre andata, ed egli è forte e sereno?» Ho visto in questo un'opportunità di parlargli di Jonathan, e ne ho approfittato:

«Era quasi guarito, ma è rimasto assai sconvolto dalla morte del signor Hawkins, e...» Van Helsing mi ha interrotto:

«Oh, sì, questo io so, io so. Ho letto vostre due ultime lettere.» Ho ripreso:

«Suppongo che questo l'abbia assai turbato, perché giovedì scorso, quando siamo andati a Londra, ha avuto una sorta di tráuma.»

«Un trauma, e così presto dopo febbre cerebrale! Questo non bene. Che genere di trauma era esso?»

«Ha avuto l'impressione di vedere un tale che gli ricordava qualcosa di terribile, qualcosa che gli ha prodotto la febbre cerebrale.» E a questo punto, l'emozione mi ha sopraffatta. La pietà che provavo per Jonathan, l'orrore per l'esperienza toccatagli, tutto il tremendo mistero del suo diario, la paura che da un pezzo in qua continua ad assillarmi, tutto questo mi è precipitato di colpo addosso. Penso che si sia trattato di un attacco di isteria, perché mi sono gettata in ginocchio e, levando le mani al dottor Van Helsing, l'ho implorato di guarire mio marito. Il dottore prendendomi le mani mi ha sollevata, mi ha fatta sedere sul divano, vi ha preso posto a sua volta; e, tenendo una mia mano tra le sue, mi ha detto con tanta, tanta dolcezza:

«Mia vita è sterile e solitaria, e così piena di lavoro che non ho avuto molto tempo da dedicare ad amicizia; ma da quando sono stato chiamato qui da mio amico John Seward ho conosciuto tante brave persone e visto tanta nobiltà d'animo che sento più che mai la solitudine di mia vita, che è andata crescendo con avanzare di anni. Credetemi dunque se a voi dico che vengo qui pieno di rispetto per voi e che voi avete dato a me speranza – speranza non per quello che io cerco ma speranza che sono ancora buone donne capaci di rendere vita felice, buone donne le esistenze di cui e la loro sincerità possono essere buona lezione per i figli che poi nascono. Io sono felice, felice di poter essere di qualche aiuto a voi; perché se vostro marito soffre, e sue sofferenze sono entro limiti di miei studi e di mia esperienza, io prometto voi che con gioia farò tutto quanto posso fare per lui, tutto per rendere sua vita virilmente forte e vostra vita felice. Ma ora voi dovete mangiare. Siete esausta e forse eccessiva ansiosa. Marito Jonathan non può amare di vedere voi così pallida; e quello che non gli piace vedere in lei che ama, non fa bene a lui. Pertanto, per amor suo voi dovete mangiare e sorridere. Voi avete a me detto tutto di Lucy, e così noi ora non parleremo di essa, per evitare che vi turbi. Questa notte resterò a Exeter, perché desidero riflettere molto su che voi avete detto a me, e quando avrò riflettuto io chiederò a voi domande, sempre che io posso. E allora voi mi direte di marito Jonathan e suoi disturbi meglio che potrete, non adesso, però. Non adesso. Adesso voi dovete mangiare; dopo, dopo voi mi direte tutto.»

Dopo pranzo, quando siamo tornati in salotto, il dottore mi ha esortata:

«E adesso ditemi tutto di lui.» Al pensiero di parlare di certe cose con quel grande sapiente, dapprima ho temuto che mi scambiasse per una povera sciocca e che prendesse Jonathan per un pazzo – il suo diario è così strano –, e ho esitato a farlo. Ma il dottore era così gentile e comprensivo, e aveva promesso di aiutarmi, per cui, con piena fiducia in lui, ho esordito:

«Dottor Van Helsing, ciò che devo dirvi è così insolito che forse riderete di me o di mio marito. È da ieri che sono in preda a una sorta di febbre, di dubbio angoscioso; voi dovete mostrarvi gentile con me e non giudicarmi sciocca se ho quasi creduto a certe strane cose.» Mi ha rassicurata con i suoi modi e il suo tono bonario:

«Oh, mia cara, se solo sapeste quanto strano è il motivo per cui mi trovo qui, e siete voi che volete ridere. Io ho imparato di non sottovalutare opinioni di nessuno, per quanto strambe esse sono. Io ho sempre cercato di tenere mente aperta; e non sono certo gli eventi comuni di vita che possono chiudere essa, e neppure gli eventi straordinari, le cose fuori di comune, le cose che fanno uno dubitare se è matto o savio.»

«Grazie, grazie, mille volte grazie! Mi avete tolto un peso dal cuore. Ora, se mi permettete, vi darò da leggere un lungo documento, che però ho interamente dattiloscritto. In esso scoprirete i motivi delle mie pene e di quelle di Jonathan. Si tratta della copia del diario che ha redatto quand'era all'estero, e in cui ha riferito tutto quanto gli è accaduto. Non oso dire nulla in merito; leggete e giudicate. E poi, quando ci rivedremo, forse vorrete essere così gentile da dirmi che ne pensate.»

«Vi prometto di farlo» ha assicurato il dottore mentre gli consegnavo i fogli. «Domattina più presto, se mi permettete, verrò trovare voi e vostro marito.»

«Jonathan sarà qui alle undici e mezzo, e voi dovete assolutamente venire a pranzo da noi, così potrete conoscerlo; potreste prendere il treno espresso delle quindici e trentaquattro, che vi porterà a Paddington prima delle venti.» Era rimasto sorpreso dalla mia conoscenza di orari ferroviari: evidentemente non può sapere che ho fissato in mente tutti quelli da e per Exeter, per poter essere di aiuto a Jonathan quando ha affari urgenti da sbrigare.

Il dottore ha preso i fogli con sé e se n'è andato, e io adesso me ne sto qui seduta a pensare – a pensare non so a che.

LETTERA DI VAN HELSING ALLA SIGNORA HARKER
(consegnata a mano)

25 settembre, ore 18

Cara Madam Mina,

ho letto di vostro marito così meraviglioso diario. Voi potete dormire tranquilla senza dubbi. Per strano e terribile che appare, esso è *vero*! Sono pronto a mettere mia mano su fuoco. Può essere peggio per altri, ma per lui e per voi non è pericolo. Vostro marito è nobile persona; mi sia concesso di dire voi, in base di mia esperienza di uomini, che chiunque è stato capace di scendere da quel muro e di entrare in quella stanza – e di farlo una seconda volta – non è persona da subire danni permanenti a causa di trauma. Suo cervello e suo cuore sono perfettamente a posto; questo io giuro, prima ancora di averlo visto, per cui voi state tranquilla. Avrò molto da chiedere a lui di altre cose. Sono ben contento di venire a vedere voi domani, perché ho saputo tante cose in una volta sola che sono intontito, più intontito che mai, e io devo raccapezzare me stesso.

Vostro fedelissimo

Abraham Van Helsing

LETTERA DELLA SIGNORA HARKER A VAN HELSING

25 settembre, ore 18.30

Caro dottor Van Helsing,

grazie infinite per la vostra gentile lettera, che mi ha tolto un gran peso dal cuore. Ma se le cose stanno così, quali terribili eventi si verificano nel mondo, e com'è atroce che quell'uomo, quel mostro, si trovi davvero a Londra! Tremo all'idea. In questo momento, mentre vi scrivo, ho ricevuto un telegramma da Jonathan che mi annuncia la sua partenza alle diciotto e venticinque di oggi da Launceston; arriverà qui alle ventidue e diciotto, per cui questa notte dormirò senza paura. Non potreste dunque, anziché a pranzo, venire da noi a cola-

235

zione alle otto, se per voi non è troppo presto? Potreste partire, se avete fretta, con il treno delle dieci e trenta, che vi porterà a Paddington alle quattordici e trentacinque. Qualora non avessi altre notizie da parte vostra, è inteso che verrete a colazione.

La vostra fedele e riconoscente amica

Mina Harker

DIARIO DI JONATHAN HARKER

26 settembre. Credevo che non avrei mai riaperto questo diario, ma il momento di farlo è venuto. Ieri sera, quando sono rincasato, Mina mi aveva preparato la cena, e quando ci siamo alzati da tavola mi ha riferito la visita di Van Helsing, soggiungendo che gli ha dato i due diari ricopiati e dicendomi quanto ansioso il dottore si sia mostrato per me. Mi ha fatto vedere anche la lettera da lui inviatale, che conferma come tutto quanto ho scritto nel mio diario sia vero. Mi sento un altro. Era il dubbio circa la realtà di quell'esperienza che mi aveva tanto abbattuto. Mi sentivo impotente, brancolavo nel buio, ero sfiduciato. Ma adesso che *so*, non ho paura neppure del Conte. Dunque, questi è riuscito, dopo tutto, nel suo intento di raggiungere Londra, ed era proprio lui l'uomo che ho visto. È ringiovanito, ma come ha fatto? Van Helsing è la persona adatta a smascherarlo e a stanarlo, se è davvero come dice Mina. Siamo rimasti alzati fino a tardi, esaminando attentamente il problema. Mina adesso si sta vestendo, e tra pochi minuti andrò all'albergo a prendere Van Helsing.

Penso che sia rimasto sorpreso di vedermi. Quando sono entrato nella sua stanza e mi sono presentato, mi ha preso per le spalle e, volgendo il mio viso verso la luce, dopo avermi ben bene scrutato ha detto:

«Ma Madam Mina mi ha detto che voi eravate malato, che voi avete subìto un trauma.» Era così divertente sentire chiamare mia moglie "Madam Mina" da quel vecchio garbato, ma dall'espressione così decisa, che non ho potuto trattenere un sorriso e ho replicato:

«Sono stato malato, ed effettivamente ho avuto un trauma; ma voi mi avete già curato.»

«E come?»

«Con la vostra lettera di ieri sera a Mina. Ero in dubbio, tutto aveva un alone di irrealtà, non sapevo se potevo fidarmi neppure dell'evidenza dei miei sensi. E, non sapendo a che cosa prestar fede, non sapevo neppure che fare, ragion per cui non mi restava che continuare a procedere lungo quello che è divenuto il solco della mia vita. Ma si tratta di un solco che aveva cessato di essermi di giovamento, perché diffidavo di me stesso. Dottore, voi non sapete che cosa significhi dubitare di tutto, persino di noi stessi. No, non lo sapete: sarebbe impossibile per uno che ha sopracciglia come le vostre.» È parso compiaciuto, ha fatto udire una risatina e ha detto:

«Dunque, voi siete esperto di fisiognomica. Io qui imparo di più ogni ora che passa. Io vengo con tanta, tanta gioia a vostra colazione; e, signore, vi prego di perdonare complimenti di un vecchio uomo, ma voi in vostra moglie avete vera benedizione.» Sarei rimasto per un giorno intero ad ascoltarlo tessere le lodi di Mina, per cui mi sono limitato ad annuire in silenzio.

«Essa è una delle donne di Dio, plasmato da Sua propria mano per mostrare a noi uomini e ad altre donne che è un cielo in cui noi possiamo entrare e che luce di esso può essere qui su terra. Così sincera, così dolce, così nobile, così poco egoista – e questo, lasciate me dire a voi, è molto in questa nostra epoca così scettica ed egoista. E voi, signore... Io letto tutte le lettere di povera signorina Lucy, e alcune di esse parlano di voi, così io conosco voi da qualche giorno tramite conoscenza di altri; ma io ho visto vostro vero animo ieri sera. Voi volete darmi vostra mano? E volete che restiamo amici per tutta nostra vita?»

Ci siamo stretti la mano, e il dottore era così compreso e sincero che mi sono sentito un nodo alla gola.

«E ora» ha proseguito «posso voi chiedere ancora qualche aiuto? Io ho grande compito davanti a me, e prima cosa è di sapere. In questo voi potete aiutare me. Potete voi dire a me cosa è accaduto prima che voi andate in Transilvania? Più tardi può darsi io chieda voi altro aiuto e di diversa natura; ma per adesso questo basta.»

«Ditemi, signore» ho chiesto a mia volta «ciò che dovete fare ha attinenza con il Conte?»

«Proprio così» ha risposto con tono grave.

«E allora, sono con voi anima e corpo. Siccome dovete partire con il treno delle dieci e trenta, non avrete il tempo di leggere quelle carte, ma io ve le darò e potrete farlo durante il viaggio.»

Dopo colazione l'ho accompagnato alla stazione. Sul punto di salutarci, ha detto:

«Se dovrei mandare a chiamare voi, voi forse venite in città portando con voi anche Madam Mina, vero?»

«Pronti a venire entrambi quando vorrete» gli ho assicurato.

Gli avevo procurato i giornali del mattino e quelli londinesi della sera prima, e mentre stavamo chiacchierando, io sul marciapiede, lui al finestrino della carrozza, in attesa che il convoglio partisse, li sfogliava distrattamente. All'improvviso, il suo sguardo è stato evidentemente attratto da uno dei fogli, la «Westminster Gazette» l'ho riconosciuta dal colore della carta, ed è divenuto pallido come un morto. Ha letto non so cosa attentamente, gemendo tra sé: *Mein Gott, mein Gott!* Così presto, così presto!». Credo che in quel momento si fosse dimenticato della mia presenza. Proprio in quella, il fischio della partenza e il treno che si metteva in moto. Questo lo ha riportato alla realtà e, sporgendosi dal finestrino e agitando la mano, ha gridato: «Miei rispetti a Madam Mina. Io scriverò appena posso».

DIARIO DEL DOTTOR SEWARD

26 settembre. Invero, non c'è nulla di definitivo. Neppure una settimana dacché ho scritto "Finis", ed eccomi qua a ricominciare, o meglio a continuare lo stesso diario. Fino a oggi pomeriggio, non avevo avuto motivo di ripensare a quel che si è compiuto. Renfield era divenuto, da tutti i punti di vista, tranquillo e savio come mai.

Era già a buon punto con la solita caccia alle mosche, e aveva riattaccato con i ragni, per cui per me non era motivo di preoccupazioni. Avevo ricevuto una lettera di Arthur scritta domenica, dalla quale deduco che se la cava abbastanza bene. Quincey Morris è al suo fianco, e gli è di grande aiuto poiché si tratta di una persona di inesauribile vitalità. Quincey mi ha scritto anche lui due righe, dicendomi che Arthur sta recuperando in parte almeno il vecchio spirito; e dunque, per quanto riguarda loro due, sono tranquillo. Dal canto mio, stavo per riaccingermi al lavoro con l'entusiasmo di un tempo, al punto da poter quasi quasi affermare che la ferita lasciata su di me dalla povera Lucy cominciava a cicatrizzarsi. Ma ora siamo daccapo; e come andrà a finire, lo sa solo Dio. Ho la sensazione che Van Helsing pensi di saperlo anche lui, ma si lascia sfuggire di bocca soltanto quel che basta a stimolare ancor più la curiosità. Ieri si è recato a Exeter dove ha pernottato; oggi è tornato, e verso le cinque e mezzo del pomeriggio è letteralmente piombato nella stanza dove mi trovavo, cacciandomi in mano la «Westminster Gazette» di ieri sera.

«Che pensate voi di questo?» mi ha chiesto facendo un passo indietro e piantandosi davanti a me a braccia conserte.

Ho esaminato il foglio da cima a fondo, perché davvero non capivo che cosa volesse dire; e allora lui me l'ha strappato di mano e ha puntato il dito su un articolo nel quale si parlava di bambini scomparsi a Exeter: una cronaca che non mi ha detto molto, finché non sono giunto al passo in cui si parla di minuscole ferite alla gola dei bambini. Un'idea mi è balenata, e ho alzato la testa di scatto. «Ebbene?» ha chiesto Van Helsing.

«Come quelle della povera Lucy.»

«E cosa pensate voi?»

«Semplicemente, che deve esserci una causa comune. La stessa cosa che ha ferito lei deve aver ferito i bambini.» Non ho compreso appieno la replica di Van Helsing:

«Indirettamente è vero, non però direttamente.»

«Come sarebbe a dire, professore?» ho domandato.

Ero piuttosto propenso a prendere alla leggera la sua gravità – perché, dopo tutto, quattro giorni di riposo e di liberazione da un'ansia ardente, incalzante, contribuiscono non poco a risollevare l'animo –, ma un'occhiata al suo viso è bastata a farmi ricredere. Mai, neppure nel pieno della nostra disperazione per la povera Lucy, era apparso tanto serio e severo.

«Ditemelo!» ho esclamato. «Non oso esprimere un'opinione, non so che pensare, e mi mancano elementi sui quali basare una congettura.»

«Volete dire a me, amico John, che voi non avete sospetto circa ciò di cui è morta povera Lucy? Neppure dopo tutti i suggerimenti dati, non solo da eventi, ma anche da me?»

«È morta di esaurimento nervoso in seguito a un'enorme perdita o distruzione di sangue.»

«E come vi spiegate voi il molto sangue perduto o distrutto?» Ho scosso il capo; e lui è venuto a sedermisi accanto e ha proseguito:

«Voi siete un uomo intelligente, amico John; voi ben ragionate e vostra mente è chiara, ma troppi pregiudizi sono in voi. Voi non permettere a vostri occhi di vedere e a vostre orecchie di udire, e tutto quanto è fuori di vostra vita quotidiana non riguarda voi. Non credete che sono cose che voi non potete capire e che tuttavia esistono? E che alcuni vedono cose che altri non possono? Ma esistono cose antiche e nuove che non possono essere contemplate da occhi di uomini solo perché essi conoscono o credono di conoscere cose che altri uomini hanno detto loro. Ah, errore di nostra scienza che è di pretendere di spiegare tutto! E se essa non spiega, essa allora dice che non è niente da spiegare. Ma noi vediamo attorno a noi ogni giorno nascita di nuove credenze, che si pretendono nuove; e le quali sono soltanto le vecchie, che fingono se stesse giovani, come le signore eleganti all'opera. Io suppongo ora che voi non crediate in dislocazione corporea. No? E neppure in materializzazione. No? E neppure in corpi astrali. No? E neppure in lettura di pensiero. No? E neppure in ipnotismo...»

«Sì» ho detto «nell'ipnotismo sì. Charcot ne ha fornito prove convincenti.» Il professore ha sorriso e ha proseguito. «Ragion per cui, voi siete di esso convinto. Sì? E dunque naturalmente voi capite come esso agisce e potete seguire la mente di grande Charcot – ahimè, non è più! – in anima stessa di paziente che egli influenza. No? E allora, amico John, devo presumere che voi semplicemente accettate un fatto e accontentate voi di lasciare che tra la premessa e la conclusione resti il vuoto? No? Allora dite, a me che sono studioso del cervello, come mai voi accettate ipnotismo e respingete lettura di pensiero. Permettete a me di dire a voi, amico mio, che oggi in scienza elettrica vengono compiute cose che avrebbe sembrate sacrileghe agli uomini stessi che hanno scoperto elettricità, uomini che non molto tempo prima avrebbero stati messi a rogo come stregoni. Sempre sono misteri in vita. Come si spiega che Matusalemme ha vissuto novecento anni e celebre "vecchio Parr" centosessantanove, ma quella povera Lucy, con sangue di quattro uomini in sue povere vene, non è riuscita a vivere neppure un giorno? Perché, se era vissuta un giorno di più, noi potremo salvare essa. Conoscete voi tutti i misteri di vita e di morte? Conoscete voi tutto quanto di anatomia comparata e potete dire pertanto che in certi uomini esistono qualità di bestie e in certi no? Potete dire a me perché, mentre altri ragni muoiono piccoli e presto, un unico grande ragno è vissuto per secoli nel campanile di quella vecchia chiesa spagnola, e lui cresce e cresce finché calandosi di alto poteva bere l'olio di tutte le lampade della chiesa? Potete dire voi a me perché nelle pampas, e anche altrove, del resto, sono pipistrelli che vengono di notte e aprono vene di bestiame e cavalli e succhiano asciutte loro vene? E come spiegate che in certe isole di mari occidentali sono pipistrelli che restano appesi ad alberi tutto il giorno, e coloro che hanno visto essi descrivono come enormi noci o capsule, e quando i marinai dormono sul ponte, perché fa sì tanto caldo, loro calano svolazzando su di essi e poi... E poi al mattino vengono trovati uomini morti, pallidi come era signorina Lucy?»

«Gran Dio, professore!» ho esclamato balzando in piedi. «Volete forse dirmi che Lucy è stata morsa da uno di questi pipistrelli, e che una cosa del genere è possibile qui, a Londra, nel diciannovesimo secolo?» Ha levato una mano per impormi il silenzio e ha continuato:

«Potete dire voi a me perché tartaruga vive più a lungo che generazioni di uomini; perché elefante campa tanto da vedere succedersi intere dinastie; e perché pappagallo non muore mai ma soltanto per morso di gatto o cane o altra ferita? Potete voi dire a me perché uomini in tutti tempi e luoghi hanno creduto e credono che sono individui che continuano a vivere per sempre se si permette loro; che sono uomini e donne che non possono morire? Noi tutti sappiamo, perché scienza ha comprovato questo dato di fatto, che sono stati rospi rimasti chiusi dentro rocce per migliaia di anni, prigionieri di un così piccolo buco che ha tenuto loro dentro di sé fin da giovinezza di mondo? Potete voi dire a me come indiano fachiro fa se stesso morire ed essere seppellito e sua tomba sigillata e grano seminato su di essa, e il grano falciato e raccolto e ancora seminato, e di nuovo falciato e raccolto, e poi uomini vengono, e rompono l'intatto sigillo, e lì giace indiano fachiro, non morto, ma che lui si alza e cammina tra loro come prima?» A questo punto l'ho interrotto. Ero semplicemente sbalordito; mi aveva a tal punto bombardato la mente con quest'elenco di bizzarrie della natura e di possibili eventualità, che la mia fantasia cominciava ad andare a fuoco. Avevo la vaga sensazione che mi stesse impartendo una lezione, come tanto tempo prima usava fare nel suo studio ad Amsterdam; ma allora lo faceva per farmi entrare nozioni nella zucca, per poi poterle elaborare ulteriormente. Ora, invece, il suo insegnamento mi mancava; ma, siccome desideravo seguirlo, gli ho detto:

«Professore, permettetemi di tornare a essere il vostro allievo preferito. Enunciatemi la tesi, in modo che, a mano a mano che procedete, io possa avvalermi della vostra sapienza. In questo momento, dentro di me sto balzando da un punto all'altro come fa il mentecatto, e non certo il savio, alla caccia di un'idea. Mi sento come un novizio che brancoli nella nebbia, incespicando tra i cespugli, nel cieco tentativo di procedere pur senza sapere dove stia andando.»

«Questa è buona immagine» ha replicato il professore. «Bene, io dirò a voi. Mia tesi è questa: io desidero che voi crediate.»

«Che creda cosa?»

«Che crediate in cose che voi non potete. Permettetemi un esempio. Ho udito una volta un americano definire la fede come segue: "Quella facoltà che permette noi di credere cose che noi sappiamo non vere". Sono d'accordo con lui. Lui voleva dire che dobbiamo avere mente aperta e non permettere che un pezzettino di verità blocca la corsa di una grande verità, come piccola pietra può fare con un vagone. Noi cogliamo prima piccola verità. Benone! Noi teniamo essa e noi valutiamo essa; ma in pari tempo noi non dobbiamo permettere a essa di supporre se stessa come tutta la verità dell'universo.»

«Sicché, voi volete che io non permetta a certe convinzioni precedenti di ostacolare la ricettività della mia mente per quanto attiene a certi strani eventi. Ho assimilato la vostra lezione?»

«Ah, sì, siete sempre mio preferito allievo. Vale la pena di insegnare voi. Ora che voi siete volonteroso di comprendere, voi avete compiuto primo passo verso comprensione. Voi dunque pensate che quelli così piccoli buchi nelle gole di bambini sono stati causati da stesso agente che ha fatto buchi in gola di signorina Lucy?»

«Credo di sì.» Si è alzato e ha pronunciato con tono solenne:

«In tal caso, voi siete in errore. Oh, magari che è così! Purtroppo non è così. È peggio, molto molto peggio.»

«In nome di Dio, professor Van Helsing, che cosa volete dire?» ho gridato.

Con un gesto di disperazione, Van Helsing si è lasciato cadere su una seggiola e, piantando i gomiti sulla tavola e coprendosi il volto con le mani, ha esclamato:

«Sono stati fatti da signorina Lucy.»

XV

DIARIO DEL DOTTOR SEWARD
(continuazione)

Per un istante, sono stato in balia dell'ira: era come se Van Helsing avesse schiaffeggiato il volto di Lucy ancora viva. Ho lasciato andare un gran pugno sul tavolo, e balzando in piedi ho detto:

«Dottor Van Helsing, vi ha dato di volta il cervello?» Ha sollevato il viso e mi ha guardato, e l'espressione partecipe che gli ho letto in faccia mi ha disarmato. «Magari!» ha replicato. «La follia sarebbe facile di sopportare a paragone di una verità come questa. Oh, amico mio, perché credete voi io ho fatto un giro così lungo, perché ho aspettato tanto per dire a voi così semplice una cosa? È stato forse perché io odio voi e ho odiato voi tutta mia vita? È stato forse perché volevo infliggervi dolore? È stato forse perché volevo vendicarmi, dopo tanto tempo, di quando voi avete salvato mia vita, e da morte atroce? Ah, no di certo!»

«Perdonatemi» l'ho pregato, e lui ha ripreso:

«Amico mio, se così ho fatto è perché desideravo essere gentile nel comunicare questo a voi, perché io so che voi avete amato quella così dolce fanciulla. Ma neppure ora io mi illudo che voi credete. È così difficile accettare di colpo una verità inattesa, che è lecito dubitare di sua possibilità quando abbiamo sempre creduto il contrario di essa; ancora più difficile è accettare una così triste concreta verità, e sul conto di una persona come signorina Lucy. Questa notte io vado a fornire prova di essa. Osate voi venire con me?»

Sono rimasto a bocca aperta. A nessuno piace fornire la prova di una verità del genere. Byron faceva eccezione soltanto per la gelosia:

E provare la verità che più aborriva.

Il professore si è reso conto della mia esitazione e ha ripreso a dire:

«La logica è semplice, questa volta non logica di pazzo, che salta di cespuglio in cespuglio nella nebbia. Se non è vero, sarà un sollievo per tutti; nella peggiore di ipotesi, esso non farà male. Ma se è vero... Ah, questo sì che è terribile; pure, proprio che è tanto terribile dovrebbe aiutare mia causa, perché essa ha un certo bisogno di credenza. Orsù, io dirò a voi che cosa io propongo: primo, che andiamo subito a vedere quel bambino a ospedale. Il dottor Vincent del North Hospital, dove dicono i giornali che è ricoverato il piccolo, è amico mio, e penso anche vostro perché avete studiato assieme in Amsterdam. Non si ricuserà di far vedere suo paziente a due scienziati, anche se non a due amici. Noi non diremo niente a lui, ma soltanto che noi desideriamo imparare. E poi...»

«E poi?» Alla mia domanda, si è tolto una chiave di tasca e l'ha esibita. «E poi» ha ripreso «noi passeremo notte, voi e io, in cimitero dove Lucy giace. Questa è chiave che chiude sua tomba. Essa ha dato a me becchino da consegnare ad Arthur.» Mi sono sentito mancare il cuore perché ho capito che ci attendeva una prova atroce. Ma non potevo rifiutarmi, per cui non mi è restato che radunare quel po' di coraggio che avevo e dire che dovevamo affrettarci, che il pomeriggio stava per finire.

Abbiamo trovato il bambino sveglio. Aveva dormito e mangiato, e nel complesso stava bene. Il dottor Vincent gli ha tolto la benda dal collo, mostrandoci le ferite. Impossibile sbagliarsi: erano tali e quali quelle che avevamo notato sulla gola di Lucy. Unica differenza, erano più piccole e con margini che apparivano più recenti. Ma era tutto. Abbiamo chiesto a Vincent a quale causa le attribuisse, e la sua risposta è stata che doveva trattarsi del morso di un animale, forse un ratto; personalmente, però, era propenso a credere che si trattasse di uno di quei pipistrelli che sono così frequenti tra le alture a nord di Londra. «Tra tanti innocui» ha soggiunto «può esserci qualche esemplare pericoloso proveniente dal Sud e appartenente a una specie più maligna. Non è escluso che marinai ne abbiamo portato uno in Inghilterra e che questo sia riuscito a fuggire; o magari che un suo piccolo sia fuggito da uno zoo, o che ci sia stato un incrocio con un vampiro. Sono cose che accadono, sapete. Non più di dieci giorni fa, è scappato un lupo, e se non mi sbaglio è stato visto da queste parti. In seguito, per una settimana i bambini non han fatto che giocare a Cappuccetto Rosso nella brughiera e in ogni vicolo della zona, finché non è saltata fuori questa storia della "bella signora", e per loro è stato davvero una manna. Persino questo povero piccolo, quando oggi si è svegliato, ha chiesto all'infermiera se poteva andarsene; lei gli ha chiesto perché, e lui ha risposto che voleva tornare a giocare con la "bella signora".»

«Spero che» ha replicato Van Helsing «quando dimettete il piccolo voi raccomandate a suoi genitori di vigilare lui attentamente. Queste fantasie di fuggire di casa sono pericolose in estremo, e se il bambino rimane fuori un'altra notte, esso probabile che è lui fatale. Immagino però che voi non lascerete lui uscire ancora per qualche giorno, sì?»

«No di sicuro, ci vorrà una settimana, forse di più se la ferita non si rimargina.»

La nostra visita all'ospedale è durata più tempo di quanto non avessimo previsto, e il sole era tramontato quando ne siamo usciti. Van Helsing, notato che ormai era buio, ha commentato:

«Non è fretta. È più tardi di quanto io non pensavo. Venite, andiamo noi a cercare qualche luogo dove possiamo mangiare, e poi andremo dove dobbiamo.»

Abbiamo cenato al Jack Straw's Castle insieme a una piccola folla di ciclisti e di altri avventori rumorosamente allegri. Verso le ventidue, siamo usciti dalla locanda. Era ormai buio pesto, e i pochi lampioni rendevano l'oscurità ancor maggiore non appena si usciva dal raggio del loro riflesso. Il professore evidentemente aveva studiato il percorso che dovevamo seguire, perché tirava dritto senza esitazioni; quanto a me, invece, ero del tutto disorientato. Più procedevamo, e sempre più rari erano i passanti, finché siamo rimasti addirittura un po' sorpresi quando ci siamo imbattuti nella pattuglia di polizia a cavallo intenta al suo solito giro di ronda suburbano. Finalmente siamo giunti al muro del cimitero, che abbiamo scalato. Non è stato molto facile trovare la cappella della famiglia Westenra nella fitta oscurità di quel luogo che ci sembrava così alieno. Il professore ha cavato la chiave, ha aperto il cancello cigolante e poi, facendosi da parte, con inconscio gesto di cortesia, mi ha fatto cenno di entrare: non mancava un tocco di squisita ironia nella urbanità di dare all'altro la preferenza di una situazione così assurda. Si è però affrettato a seguirmi, riaccostando con cura il cancello dopo essersi accertato che la serratura non fosse a scatto. In quest'ultimo caso, ci saremmo trovati in un'assai brutta situazione. Quindi il professore ha frugato nella sua valigetta, ne ha estratto una mezza candela e una scatola di fiammiferi e ha fatto un po' di luce. Già di giorno la cappella, pur piena di corone e di fiori freschi, era apparsa abbastanza cupa e macabra; ma adesso, a distanza di qualche giorno, con i fiori che pendevano appassiti e morti, i loro bianchi viranti al ruggine e i loro verdi a tonalità di bruno; ora che i ragni e gli scarafaggi vi avevano riaffermato il proprio dominio; ora che pietra sbiadita dal tempo, e malta patinata di polvere, e ferri rugginosi, opachi, e ottoni appannati, e argentature annerite riflettevano debolmente la fioca luce della candela, lo spettacolo era triste e miserando oltre ogni immaginazione. Se ne ricavava irresistibile l'impressione che la vita – la vita animale, intendo – non fosse l'unica cosa che possa morire.

Van Helsing si è messo a lavorare sistematicamente. Alzando la candela per poter leggere le targhe sulle bare, e inclinata in modo che le gocce di cera piovessero sul metallo rapprendendovisi, ha identificato quella di Lucy. È tornato a frugare nella valigetta e ne ha estratto un cacciavite.

«Che avete intenzione di fare?» gli ho chiesto.

«Aprire la bara. Così voi siete convinto.» E senz'altro ha cominciato a togliere le viti, e alla fine ha sollevato il coperchio, mettendo a nudo la fodera di zinco. Era uno spettacolo per me quasi intollerabile. Mi sembrava un affronto alla morta, quasi come se le avessimo strappato di dosso gli abiti mentre dormiva, ancora viva; anzi, gli ho afferrato la mano per fermarlo. Ma lui si è limitato a dire: «Voi adesso». E, frugando ancora una volta nella valigetta, ne ha cavato una piccola sega. Piantando poi il cacciavite nello zinco, con un colpo preciso, che mi ha fatto sobbalzare, ha praticato un piccolo foro, sufficiente tuttavia per farvi entrare la punta della sega. Mi ero aspettato una zaffata di gas di putrefazione: la salma era sepolta da una settimana. Noi medici, costretti come siamo a tener conto degli inconvenienti della nostra professione, a cose del genere non possiamo non essere preparati, e infatti sono arretrato di un passo. Ma il professore non ha avuto un attimo di esitazione; ha segato per una cinquantina di centimetri lungo un lato della fodera di zinco, quindi ha proceduto perpendicolarmente e poi lungo il lato opposto. Afferrando quindi il margine del lembo così liberato, l'ha tirato indietro, verso i piedi della bara e, accostando la candela allo squarcio, mi ha fatto cenno di guardare.

Mi sono avvicinato. La bara era vuota.

Indubbiamente per me è stata una sorpresa, il mio turbamento è stato notevole; Van Helsing, invece, appariva impassibile. Adesso si sentiva più che mai sicuro di sé e autorizzato a procedere nel suo compito. «Convinto finalmente, amico John?» mi ha chiesto.

Ho sentito risvegliarsi in me tutte le mie testarde forze dialettiche, e ho ribattuto:

«Sono convinto che la salma di Lucy non è in quella bara; ma questo comprova soltanto una cosa.»

«E cosa, amico John?»

«Che non è qui.»

«Logica perfetta» ha detto il professore. «Per quanto che essa vale. Ma come voi spiegate, posto che voi potete esso spiegare, che salma non è qui?»

«Forse è stato un ladro di cadaveri» ho suggerito. «Qualcuno dell'impresa di pompe funebri può averla rubata.» Sapevo perfettamente di dire delle sciocchezze, pure era quella l'unica ipotesi realistica che potessi avanzare. Il professore ha fatto udire un sospiro. «E va bene» ha detto. «Occorre dunque altre prove. Venite con me.»

Ha rimesso al suo posto il coperchio della bara, ha raccolto gli arnesi e li ha riposti nella valigetta; ha spento la candela e ha riposto anche quella. Abbiamo riaperto il cancello e siamo usciti, poi il professore l'ha chiuso e mi ha porto la chiave chiedendomi: «Volete tenerla voi? Così sarete più sicuro». Ho riso – era una risata tutt'altro che allegra la mia, devo ammetterlo – facendogli cenno di tenerla lui. «Una chiave non significa niente» gli ho fatto notare. «Possono esserci dei duplicati, e poi non è certo difficile scassinare una serratura come quella.» Senza rispondere, Van Helsing si è rimesso la chiave in tasca. Poi mi ha detto di tener d'occhio un lato del cimitero, mentre lui avrebbe fatto lo stesso con l'altro. Mi sono messo di fazione dietro un tasso, e ho visto la figura nera di Van Helsing allontanarsi da me finché le lapidi e gli alberi non me l'hanno celata.

È stata un'attesa solitaria. Mi ero messo lì da poco, quando ho udito un lontano campanile battere la mezzanotte, e poi suonare l'una e le due. Avevo freddo, ero innervosito, irritato con il professore per avermi trascinato in quell'impresa, e con me stesso per avervi acconsentito. Ero troppo gelato e troppo insonnolito per tenere gli occhi bene aperti, e d'altra parte di sonno non ne avevo tanto da venir meno alla fiducia accordatami: di conseguenza, ho passato ore quanto mai sgradevoli.

D'un tratto, voltandomi, mi è sembrato di scorgere qualcosa di simile a un bianco balenio scivolare tra due scuri tassi all'estremità opposta del cimitero; in pari tempo, una massa scura si è delineata nella zona del cimite-

ro che il professore aveva riservato alla propria sorveglianza, avanzando in fretta verso la bianca apparizione.
Anch'io allora mi sono mosso, ma ho dovuto aggirare lapidi e tombe recintate, incespicando sui sepolcreti. Il cielo era coperto, e lontano, non so dove, un gallo ha cantato.
A breve distanza, dietro una fila di ginepri che bordavano
il viale che portava alla chiesa, una figura bianca, indistinta, procedeva lieve in direzione della tomba; questa era
nascosta da alberi, e non ho potuto vedere dove la figura
sia scomparsa. Ho udito un leggero fruscio – il suono di
un movimento reale – nel punto in cui avevo scorto inizialmente la bianca figura e, avvicinatomi, ho trovato il
professore che aveva tra le braccia un bambinello. Al vedermi, me lo ha porto chiedendo:

«Convinto, adesso?»

«No» ho risposto, con un tono che io stesso ho sentito aggressivo.

«Ma non vedere voi questo bambino?»

«Be', sì, è un bambino, ma chi l'ha portato qui? Ed è
ferito?» ho chiesto.

«Vedremo» ha replicato il professore, e senza aggiungere altro siamo usciti dal cimitero, lui reggendo tra le
braccia il piccolo addormentato.

A breve distanza dal muro, siamo entrati in un gruppo d'alberi, abbiamo acceso un fiammifero e data un'occhiata alla gola del piccolo. Non c'era traccia né di graffi
né di lesioni d'altro genere.

«Avevo ragione?» ho chiesto trionfante.

«Siamo arrivati appena in tempo» ha detto il professore con tono sollevato.

Dovevamo decidere che fare del bambino. Se l'avessimo portato alla stazione di polizia, avremmo dovuto
giustificare i nostri movimenti notturni; nella migliore
delle ipotesi, ci saremmo trovati costretti a rendere una
dichiarazione circa le modalità del nostro ritrovamento
del piccolo. Alla fine, abbiamo deciso di portarlo nella
brughiera e, non appena avessimo udito un poliziotto
avvicinarsi, l'avremmo abbandonato in un punto in cui
non potesse non vederlo; dopodiché, saremmo tornati a
casa al più presto.

Tutto è filato liscio. Al margine della brughiera di Hampstead abbiamo udito il passo pesante di un poliziotto e, lasciato il piccolo sul sentiero, siamo rimasti a tener d'occhio la scena, finché l'abbiamo visto puntare sul bambino il raggio della lanterna dondolante. Ne abbiamo udito l'esclamazione di sorpresa, e a questo punto ci siamo allontanati in silenzio. Per fortuna abbiamo trovato una carrozza nei pressi dello Spanyards e siamo tornati in città.

Non riesco a prender sonno, e ne approfitto per scrivere queste righe. Ma devo cercare di riposare per qualche ora, perché Van Helsing verrà a prendermi a mezzogiorno. Insiste perché lo segua in un'altra spedizione.

27 settembre. Solo alle quattordici ci è stata offerta l'occasione di compiere il nostro tentativo. Il funerale in programma per mezzogiorno si era finalmente concluso, e gli ultimi ritardatari che vi avevano partecipato se n'erano andati a passo lento; sporgendoci con cautela da dietro un ciuffo di ontani, abbiamo visto il custode chiudersi il cancello alle spalle. Sapevamo ora di essere al sicuro fino al mattino dopo, se fosse stato necessario; ma il professore mi ha detto che non ci sarebbe voluto più di un'ora. Di nuovo ho provato quell'orrida sensazione della realtà di cose al cui confronto qualsiasi sforzo dell'immaginazione sembrava vano; e in pari tempo mi rendevo perfettamente conto dei pericoli che affrontavamo infrangendo la legge con la nostra sacrilega opera. Come se non bastasse, ero convinto che fosse del tutto inutile. Per indegno che fosse aprire un involucro di zinco per constatare se una donna defunta da quasi una settimana fosse davvero morta, questo era ancora nulla rispetto alla follia di manomettere nuovamente la tomba quando sapevamo, per averlo visto con i nostri occhi, che la bara era vuota. Tuttavia, ho alzato le spalle e sono rimasto muto, perché Van Helsing aveva un modo di perseguire i suoi obiettivi da non ammettere alcuna rimostranza. Ha cavato la chiave, ha aperto la cappella, e come la notte prima mi ha fatto cortesemente cenno di precederlo. Il luogo non appariva lugubre come nel buio ma, oh, quanto indicibilmente squallido allorché la luce del giorno l'ha invaso! Van Helsing è andato alla bara di Lucy, e io dietro. Si è chinato, e di nuovo ha tirato indietro il lembo di zinco; e allora, sono stato fulminato da un sussulto di sorpresa e sgomento.

Lucy vi giaceva, in apparenza tale e quale come l'avevamo vista la sera precedente il funerale. Era, semmai, di bellezza ancor più raggiante; e per me, era impossibile convincermi che fosse morta. Le labbra, rosse; che dico: più rosse di prima; e le guance, soffuse di un rosa delicato.

«È un gioco di prestigio?» ho chiesto al professore.

«Siete finalmente convinto?» ha domandato a sua volta lui; così dicendo, ha calato la mano e, con un gesto che mi ha fatto rabbrividire, ha sollevato le labbra morte mettendo in mostra i candidi denti.

«Guardate» ha proseguito «constatate voi che sono più aguzzi di prima. Con questo e con questo» e ha toccato uno dei canini e quello sottostante «i piccoli bambini possono essere morsicati. Ora voi siete credente in questo, amico John?» Una volta di più, un'ostile pervicacia mi si è risvegliata dentro. Non potevo accettare un'idea sconvolgente come quella che mi veniva proposta; sicché, in un tentativo di ribattere, del quale mi sono vergognato quasi immediatamente, ho risposto:

«Possono averla riportata qui durante la notte.»

«Ah, sì? E chi?»

«Non lo so. Qualcuno.»

«Ma è morta da una settimana. Assai pochi dopo tanto tempo hanno mai conservato suo aspetto.» A questo non ho trovato nulla da obiettare, e sono rimasto in silenzio. Van Helsing non è sembrato accorgersene; certo è comunque che non ha mostrato né disappunto né soddisfazione. Era intento a scrutare il volto della donna morta, sollevandone le palpebre per esaminarne gli occhi, e poi ancora alzandone le labbra e guardandole i denti. Poi, rivolto a me:

«Ecco» ha detto «una cosa che è differente da tutte accertate. Qui abbiamo un caso di doppia vita che non è come quella di tutti. Essa è stata morsicata dal vampiro mentre che era in stato di trance, di sonnambulismo – oh, voi sussultate; voi non sapete questo, amico John, ma voi tutto questo saprete in seguito. E in stato di trance lui poteva venire in situazione più favorevole per prendere altro sangue. In stato di trance lei è morta, e in stato di trance è anche Non-morta. Così è che essa è differente da tutti altri. Di solito, quando Non-morti dormono a casa» e, così dicendo, ha fatto un ampio gesto con la mano a indicare quella che doveva intendersi per "casa" di un vampiro «il loro viso mostra che cosa che essi sono, ma è così dolce che quando essa non è Non-morta essa ritorna alla pace dei morti comuni. Non è qui malvagio, voi vedete, e questo rende duro che io debba uccidere lei in suo sonno.»

Queste parole m'hanno fatto raggelare il sangue, e ho cominciato a rendermi conto che stavo facendo mie le teorie di Van Helsing; ma se era veramente morta, che c'era di terrorizzante nell'idea di ucciderla? Il professore ha levato lo sguardo verso di me e, evidentemente accortosi del cambiamento della mia espressione ha detto, quasi con gioia:

«Ah, ora voi credete.»

La mia risposta è stata: «Non dovete pretendere troppo da me in una volta sola. Voglio credere. Ma come compirete quest'orrenda opera?».

«Io taglierò sua testa e riempirò sua bocca di aglio e trapasserò suo corpo con un piolo.» Il pensiero di mutilare il corpo della donna che avevo amato mi faceva rabbrividire. Pure, la sensazione non era intollerabile come mi ero aspettato: in effetti, cominciavo anzi a provare orrore alla presenza di quell'essere, quella Non-morta, come la definiva Van Helsing, e a odiarla. Bisogna dunque ammettere che l'amore sia del tutto soggettivo anziché del tutto oggettivo?

Sono rimasto a lungo in attesa che Van Helsing desse inizio all'opera, ma sembrava assorto nei suoi pensieri. Alla fine, ha chiuso di scatto la serratura della valigetta e ha detto:

«Ho riflettuto e deciso per meglio. Se semplicemente io seguivo mia inclinazione, io faccio ora, in questo momènto, quello che si deve fare; ma altre cose verranno, e cose che sono mille volte più difficili perché esse noi non conosciamo. Questa è semplice. Questa Non-morta non ha ancora preso vita, anche se poco tempo occorre ormai; e agire adesso significa rendere essa innocua per sempre. Ma poi possiamo avere bisogno di Arthur, e come faremo noi lui a dire tutto questo? Se voi, che avete visto le ferite su gola di Lucy e avete visto ferite tanto simili su gola di bambino all'ospedale; se voi che avete visto bara vuota la notte scorsa e piena oggi di una donna in cui niente altri mutamenti sono intervenuti che non di essere più rosea e più bella che una settimana fa, quando è morta: se voi che sapete tutto questo e sapete di bianca figura l'altra notte che ha portato il bambino al cimitero eppure voi non avete creduto ai vostri stessi sensi, come dunque posso io aspettare che Arthur, il quale nulla sa di tutte queste cose, lui crede? Lui ha dubitato di me quando io ho sottratto lui a bacio di Lucy quando lei stava morendo. Io so che lui ha perdonato me perché in sua idea sbagliata io ho impedito a lui di dire addio come lui avrebbe voluto; e può pensare, in sua idea ancora più sbagliata, che questa donna sia stata sepolta viva e che, massimo errore di tutti, noi lei abbiamo uccisa. In tale caso, lui poi sostiene che siamo stati noi, con nostre idee sbagliate, a uccidere lei, e così sarà molto infelice per tutta sua vita. D'altra parte, mai può essere certo, e questa è di tutte cose la peggiore. E poi pensa a volte che il suo amore è stato sepolto vivo, e questo poi colora suoi sogni di orrori pensando a quello che essa deve aver sofferto; e insieme poi pensa che noi abbiamo forse ragione, e che sua tanto amata ha stato davvero una Non-morta. No! Io ho detto a lui una volta, e da allora molto ho ripensato. E siccome io so adesso che tutto questo è vero, mille volte più io so che lui deve passare attraverso le acque amare per giungere alle dolci. Lui pover'uomo deve vivere ore tali che poi fanno che vera faccia di cielo a lui appaia nera; allora noi possiamo agire con sicurezza e dargli pace. Ho deciso. Andiamo. Voi tornate a casa per questa notte a vostro manicomio, e accertatevi che tutto sia bene. Io per me, io trascorro la notte qui in questo cimitero per conto mio. Domani sera voi venite da me a Berkeley Hotel a ore dieci. Io intanto mando a chiamare anche per Arthur e anche per quel bel giovanotto di America che ha dato suo sangue. Poi abbiamo lavoro da fare. Io vengo con voi fino a Piccadilly e lì noi ceniamo, perché devo tornare qui prima di tramonto di sole.»

Così abbiamo chiuso la tomba e ce ne siamo andati scavalcando il muro del cimitero, impresa a dire il vero non molto difficile, e in carrozza siamo tornati a Piccadilly.

BIGLIETTO LASCIATO DA VAN HELSING
NEL SUO BAULE AL BERKELEY HOTEL
E INDIRIZZATO AL DOTTOR JOHN SEWARD
(non ritirato)

27 settembre

Amico John,

io scrivo questo in caso che qualcosa debba accadere. Io vado solo a vigilare in quel cimitero. Spero che la Non-morta, la signorina Lucy, non esce questa notte, per cui domani notte poi è ancora più bramosa. A tale scopo io metto qualcosa che a essa non piace – aglio e un crocifisso – per modo che sigillo la porta di cappella. Essa è giovane come Non-morta, e rinuncerà. Inoltre, queste sono solo per impedire lei di uscire; ma non bastano a impedire lei di rientrare. Infatti allora il Non-morto è disperato e deve trovare il punto di minore resistenza, qualunque che esso sia. Io poi sono di guardia tutta notte da tramonto fino a sorgere di sole, e se è qualcosa che può essere imparata, io imparo essa. Per signorina Lucy o di signorina Lucy non ho paura; ma l'altro del cui è colpa se essa è Non-morta, ora lui ha il potere di cercare sua tomba e di trovarvi rifugio. Lui è astuto, come so da signor Jonathan e dal modo come lui ha ingannato noi quando ha giocato con noi per la vita della signorina Lucy, e noi abbiamo perduto la partita; e i Non-morti in molti modi sono forti. Ha in sua mano forza di venti uomini; anche noi quattro che abbiamo dato nostra forza a signorina Lucy, anche questa forza è tutta per lui. Inoltre, lui può chiamare suo lupo e non so che altro. Così, accade che, se lui viene qua questa notte, lui troverà me; ma nessun altro mi trova, se non quando è troppo tardi. Può però essere che lui non si arrischi in luogo. Non è motivo perché deve farlo: sua riserva di caccia è più ricca di selvaggina che non il cimitero dove dorme la donna Non-morta e un solo vecchio sta di sentinella.

Per tale motivo io scrivo questo in caso che... Prendete le carte che sono insieme con questo biglietto, i diari di Harker e il resto, e leggete essi, e quindi trovate questo grande Non-morto e tagliate lui testa e bruciate suo cuore o piantate un piolo attraverso esso, sì che il mondo ne è liberato.

Se dovrà essere, addio.

Van Helsing

DIARIO DEL DOTTOR SEWARD

28 settembre. È meraviglioso quel che può fare una notte di buon sonno. Ieri ero quasi quasi disposto ad accettare le mostruose idee di Van Helsing; ma ora mi sembrano gettare una luce sinistra, di oltraggio al buon senso. Sono certo che lui crede in esse, e mi chiedo se per caso la sua mente non stia vacillando. Una qualche spiegazione razionale di tutti questi eventi misteriosi deve ben esserci. Possibile che sia stato il professore a combinare tutto? È di intelligenza talmente al di fuori del comune che, se gli desse di volta il cervello, porterebbe a termine i suoi propositi, seguendo una qualche idea fissa, nel modo più perfetto. Mi fa orrore solo pensarlo, e in effetti sarebbe quasi altrettanto assurdo di tutto il resto dover ammettere che Van Helsing è pazzo; comunque sia, lo terrò attentamente d'occhio, e può darsi che così il mistero si chiarisca.

29 settembre, mattina. Ieri sera, poco prima delle dieci, Arthur e Quincey sono venuti da Van Helsing all'albergo, e il professore ci ha riferito che cosa voleva che facessimo, rivolgendosi in particolare ad Arthur, come se questi fosse il perno delle nostre volontà. Ha esordito dicendosi speranzoso che saremmo andati tutti con lui «perché è un grave dovere da compiere. Voi senza dubbio siete stato sorpreso di mia lettera, sì?». Questa domanda era rivolta direttamente a Lord Godalming.

«Lo sono stato. Devo dire anzi che mi ha un tantino sconvolto. In questi ultimi tempi mi sono accadute cose tanto dolorose che volentieri ne avrei evitate altre. E d'altra parte, ero curioso di sapere che cosa volevate dire esattamente. Quincey e io ne abbiamo parlato a lungo ma, più lo facevamo e più ci ritrovavamo perplessi, al punto che per quanto mi riguarda posso dire soltanto che riesco a raccapezzarmici altrettanto poco di prima.»

«Anch'io» ha soggiunto Quincey Morris laconico.

«Oh» ha fatto il professore «allora siete più vicini a bandolo di matassa, entrambi voi due, che amico John qui presente, il quale deve tornare indietro di lungo tratto prima che può giungere così lontano da cominciare.»

Era evidente che aveva intuito che avevo fatto marcia indietro, tornando ai dubbi iniziali, senza che avessi detto una parola. Rivolto agli altri due, il professore ha ripreso con tono quanto mai grave:

«Io desidero vostro permesso di fare ciò che considero buono questa notte. Io so che è chiedere molto; e quando voi conoscerete che cosa che io mi propongo di fare, soltanto allora voi poi conoscete quanto esso è. Pertanto, mi è lecito, sì?, di chiedere a voi di farmi vostra promessa al buio, in modo che in seguito, anche se potete essere adirati con me per un po' di tempo – e io non devo a me stesso nascondere la possibilità che questo è – voi non dovete rimproverare a voi stessi di nulla.»

«Questo è parlar chiaro, comunque» è intervenuto Quincey. «Io concedo piena fiducia al professore. Non vedo dove vuole arrivare, ma pronto a giurare sulla sua sincerità; e questo mi basta.»

«Io ringrazio voi, signore» ha replicato Van Helsing tutto fiero. «Io ho concesso a me stesso l'onore di contare voi come amico fidato, e questo vostro appoggio a me caro.» Ha porto la mano a Quincey che gliel'ha stretta con vigore.

È stata poi la volta di Arthur:

«Dottor Van Helsing, a me non piace comprare un maiale nel sacco, come dicono in Scozia, e se è in gioco il mio onore di gentiluomo o la mia fede di cristiano, io un impegno del genere non posso prenderlo. Se voi potete assicurarmi che quanto vi proponete di fare non viola né l'uno né l'altra, vi do senz'altro il mio consenso, anche se vi assicuro che non riesco a capire quali siano le vostre intenzioni.»

«Accetto vostra riserva» ha replicato Van Helsing «e tutto che io chiedo a voi è che se ritenete necessario di condannare una qualsiasi azione di me, prima voi considerate essa attento per convincere voi che non è violazione di vostra riserva.»

«D'accordo!» ha esclamato Arthur. «È più che corretto. E ora che i *pourparlers* sono conclusi, posso chiedervi che cosa dobbiamo fare?»

«Desidero che voi veniate con me, e veniate in grande segreto, al cimitero di Kingstead.»

Arthur è rimasto sbalordito e ha chiesto:

«Dov'è sepolta la povera Lucy?» Il professore ha risposto con un breve inchino. E Arthur: «E una volta lì?».

«Entrare in tomba!» Arthur si è alzato.

«Professore» ha chiesto «ma parlate sul serio o il vostro è un mostruoso scherzo? No, scusatemi, mi rendo conto che fate sul serio.» Si è rimesso a sedere, ma si vedeva bene che stava impettito come chi si senta ferito nella propria dignità. È seguito un silenzio, rotto da Arthur che ha domandato ancora:

«E una volta nella tomba?»

«Aprire la bara.»

«Questo è troppo!» è sbottato Arthur, tornando a rialzarsi. «Sono disposto alla pazienza finché si rimane nei limiti del ragionevole; ma questo... questa profanazione della tomba... la tomba di chi...» Per poco l'indignazione non l'ha soffocato. Il professore lo guardava con aria compassionevole.

«Se io potessi risparmiare a voi un solo dolore, mio povero amico» ha detto «Dio sa se io non faccio esso. Ma questa notte nostri piedi devono percorrere sentieri irti di spine, o altrimenti, e per sempre, i piedi che voi amate devono poi procedere lungo sentieri di fiamme!»

Arthur ha drizzato la testa, pallido in volto, esclamando:

«Attento a quel che dite, signore, attento!»

«Non è bene sentire prima quel che io ho da dire?» l'ha interrotto Van Helsing. «E allora voi finalmente conoscete il limite di mio proposito. Posso continuare?»

«Mi sembra giusto» è intervenuto Morris.

Dopo una pausa, Van Helsing ha proseguito, con evidente sforzo:

«Signorina Lucy è morta, vero? Sì! Quindi non può a essa accadere nulla di male. Ma se essa non è morta...»

Arthur è balzato in piedi.

«Buon Dio!» ha gridato. «Che volete dire? È stato per caso commesso un errore? Lucy è stata sepolta viva?» E si è lasciato sfuggire un gemito, che esprimeva un'angoscia tale che neppure la speranza poteva attenuarla.

«Io non ho detto che era viva, figliolo; neppure ho pensato questo. Io mi limito a dire che essa può essere Non-morta!»

«Non-morta! Non-viva! Ma che volete dire? Che cos'è questa storia, un incubo?»

«Esistono misteri che gli uomini possono solo intuire, e che nel corso di secoli e secoli essi solo in parte possono risolvere loro. Credete me, noi siamo ora a prese con uno di loro. Ma non ho finito. Posso io tagliare la testa di salma di signorina Lucy?»

«Cielo e terra! No!» ha urlato Arthur fuori di sé. «Per tutto l'oro del mondo non acconsentirei a una mutilazione della sua salma. Dottor Van Helsing, voi vi spingete troppo oltre, con me! Che cosa vi ho fatto perché dobbiate torturarmi a questo modo? Che cosa ha fatto quella povera, dolce fanciulla, perché desideriate disonorarne in questo modo la tomba? Siete pazzo voi a dire queste cose o sono pazzo io a starle ad ascoltare? Non vi permetto di pensare più neppure per un istante a una simile profanazione; non darò il mio consenso a nessuno dei vostri atti. Ho il dovere di proteggere la tomba di Lucy dagli oltraggi e, perdio, lo farò!»

Van Helsing si è alzato dalla seggiola su cui era rimasto per tutto quel tempo e, con tono terribilmente grave, ha replicato:

«Lord Godalming, anche io ho un dovere da compiere, un dovere verso altri, un dovere verso voi, e un dovere verso defunta; e, perdio, io compirò esso! Tutto che io chiedo a voi è che voi venite con me, che voi guardate e ascoltate; e se in seguito io poi rivolgo a voi la stessa richiesta, e voi non siete ancora più desideroso di suo esaudimento di quanto io sono, ebbene... Ebbene, io poi compio mio dovere, quale esso sia per me. E poi, se vostra signoria così vorrà, io terrò me a vostra disposizione per dare a voi soddisfazione dove e quando poi volete.» La voce gli si è rotta per un istante, e quindi, con tono supplice ha ripreso:

«Ma vi prego non essere voi più in collera con me. In una lunga vita di azioni che spesso non sono state piacevoli da compiere e che a volte hanno strappato mio cuore, mai ho avuto un compito così duro come adesso. Credete a me che vi dico che, quando che verrà il tempo che cambierete vostra opinione in miei confronti, uno sguardo di voi basterà a cancellare quest'ora triste, perché io sono disposto a fare l'impossibile per risparmiarvi un dolore. Pensate su questo, non chiedo altro. Perché dovrei costringere me a così fatiche e a così pene? Io sono venuto qui da mio paese per fare quanto bene io posso; in primo luogo per compiacere mio amico John e poi per aiutare una dolce fanciulla che anch'io ho finito per amare. Per lei – mi vergogno di dire questo, ma lo dico con animo sereno – ho dato quel che avete dato voi: il sangue di mie vene. E l'ho dato io che non ero, a differenza di voi, suo innamorato, ma solo suo medico e amico. Ho dato a lei mie notti e miei giorni – prima di sua morte e dopo sua morte. E se mia morte può fare a lei bene anche adesso, quando essa è morta Non-morta, pronto a dare essa a lei.» Lo aveva detto con tranquilla soavità ma anche con fermo orgoglio, e Arthur ne è rimasto molto colpito. Ha preso la mano del vecchio e ha detto con voce rotta:

«Oh, com'è difficile far proprie queste idee, e a me riesce impossibile capire; ma per lo meno verrò con voi e starò a vedere.»

XVI

Mancava esattamente un quarto a mezzanotte quando siamo entrati nel cimitero scavalcando il basso muro di cinta. La notte era buia; solo di quando in quando la luna occhieggiava tra i brandelli delle pesanti nuvole che correvano per il cielo. Stavamo vicini l'uno all'altro, con Van Helsing un po' più avanti di noi, a fare strada. Quando siamo arrivati alla cappella, ho guardato ben bene Arthur, perché temevo che la prossimità di un luogo pregno di così tristi ricordi lo turbasse profondamente; ma si controllava assai bene. Si sarebbe anzi detto che il mistero di quell'impresa riuscisse in qualche modo ad attenuare il suo dolore. Il professore ha aperto il cancello e, notando che per ragioni diverse eravamo un pochino esitanti, ha risolto la difficoltà entrando per primo. L'abbiamo seguito, egli ha chiuso la porta, quindi, accesa una lanterna cieca, ha indicato la bara. Arthur si è fatto avanti con una certa riluttanza, e Van Helsing mi ha chiesto:

«Voi siete stato qui con me ieri. La salma di signorina Lucy era in quella bara?»

«Sì, c'era.» Il professore allora si è rivolto agli altri e ha detto:

«Avete sentito; e tuttavia qui è uno che non crede come invece io.» Ha tirato fuori il cacciavite e ha tolto nuovamente il coperchio della cassa. Arthur ne seguiva le mosse, pallidissimo ma in silenzio. Evidentemente

no visto levarsi da dietro una pianta di tasso, ci ha
tenuti; e in quella, la bianca figura ha ripreso ad
nzare. Era adesso abbastanza vicina perché la scor-
simo distintamente, né la luna era tornata a nascon-
si dietro le nuvole. Mi sono sentito il cuore farmisi
ghiaccio, e ho udito distintamente l'ansito di Arthur,
ando abbiamo riconosciuto i tratti di Lucy Westenra.

Lucy Westenra, ma quanto cambiata! La dolcezza si
tramutata in crudeltà adamantina, spietata, e la pu-
za in voluttuosa oscenità. Van Helsing è uscito dal
nascondiglio e, obbedendo al suo gesto, anche noi
amo avanzati, ponendoci tutti e quattro in fila davan-
al cancello della tomba. Van Helsing ha sollevato la
nterna e ha scostato lo schermo; e al raggio di luce
ncentrata sul volto di Lucy, abbiamo constatato che
labbra erano rosse di sangue fresco che le gocciava
ngo il mento, macchiando la purezza del candido su-
rio.

Un brivido di orrore ci ha colto. Mi avvedevo, dal tre-
olare della luce, che anche i nervi d'acciaio di Van
elsing avevano ceduto. Arthur mi stava accanto e, non
avessi afferrato per il braccio sostenendolo, sarebbe
rollato.

Quando Lucy – chiamo così la cosa che ci stava di
ronte, perché di Lucy aveva l'aspetto – ci ha visto, si è
itratta con un soffio iroso, come un gatto colto di sor-
resa; poi il suo sguardo è corso dall'uno all'altro. Gli
cchi di Lucy, tali per forma e per colore: ma gli occhi di
ucy impuri, accesi del fuoco dell'inferno, in luogo delle
ure, dolci pupille che conoscevamo. E in quel momen-
o, quanto restava del mio amore si è trasformato in
dio e disgusto; se fosse stato necessario ucciderla, l'a-
rei fatto con selvaggio godimento. Ci guardava, gli occhi scintillanti di luce perversa e il volto atteggiato a un
voluttuoso sorriso. Mio Dio, che fremito d'orrore nel no-
tarlo! Con gesto distratto ha gettato a terra, insensibile
come un demonio, il bambino che fino a quel momento
aveva tenuto cocciutamente stretto al seno, ringhiando
come un cane che veda minacciato il suo osso. Il bambino ha emesso un alto grido, ed è rimasto lì, a gemere

ignorava che c'era un involucro di zinco o per lo meno
non vi aveva fatto caso. Quando ha scorto lo squarcio
nello zinco, per un istante il sangue gli è salito al volto,
ma subito ne è defluito, lasciando in sua vece uno spettrale pallore; continuava a tacere. Van Helsing ha sollevato il lembo e tutti abbiamo guardato nella bara, ri-
traendoci sgomenti.

La cassa era vuota!

Parecchi minuti, nessuno ha parlato. A rompere il silenzio è stato Quincey Morris.

«Professore, vi ho assicurato la mia piena fiducia. La
vostra parola, e null'altro voglio. In altre circostanze
non avrei chiesto niente di simile, non vi farei il disonore di insinuare un dubbio; ma questo è un mistero che
trascende ogni forma di onore e di disonore. Questa è
opera vostra?»

«Vi giuro su tutto quanto ho di più sacro che io non
ho rimosso né toccato lei. Quello accaduto è: due notti
fa, il mio amico Seward e io siamo venuti qua, con onesti propositi, credete me. Io ho aperto la bara, che in
quel momento era sigillata, e noi abbiamo trovato essa
come ora, vuota. Poi abbiamo aspettato e abbiamo visto qualcosa di bianco passare tra gli alberi. Il giorno
dopo siamo venuti con la luce, ed essa era qui in bara.
È così, amico John?»

«Sì.»

«Quella notte siamo giunti appena in tempo. Un altro così piccolo bambino era rapito, e noi abbiamo trovato lui grazie a Dio illeso tra le tombe. Ieri sono venuto qui prima di tramonto, perché quando il sole cala i
Non-morti possono muovere se stessi. Ho atteso qua
tutta notte fino a sorgere di sole, ma nulla ho veduto.
Molto probabilmente perché avevo posto aglio su cardini di porte, e i Non-morti non sopportano aglio al pari
di altre cose che anche avevo messo. Ieri notte dunque
nessuna uscita è stata, così questa sera prima di tramonto ho tolto mio aglio e altre cose, e così si spiega
che abbiamo trovato bara vuota. Vedo che mi seguite.
Fin qui, molto è strano. Ma aspettate con me fuori, senza essere visti né uditi, e cose assai più strane poi acca-

dono. Orsù» e a questo punto ha chiuso la serranda della lanterna cieca «andiamo fuori.» Ha riaperto il cancello, siamo usciti, Van Helsing per ultimo, chiudendoselo alle spalle.

Ah, come sembrava fresca e pura l'aria notturna dopo la tetraggine della cripta! Com'era bello vedere le nuvole passare ratte in cielo, e il breve apparire della luna tra l'una e l'altra, sì che pareva di assistere all'avvicendarsi del dolore e della gioia nella vita di un uomo; e com'era dolce respirare l'aria buona, che non recava in sé sentore alcuno di morte e decomposizione; e com'era consolante vedere, dietro la collina, il cielo rosseggiare, e udire, laggiù lontano, il rumorio sommesso che contrassegna la vita di una grande città! Eravamo tutti assorti e compresi. Arthur se ne stava muto e, me ne avvedevo bene, si sforzava di afferrare lo scopo e il significato segreto di quel mistero. Quanto a me, ero disposto alla pazienza, e una volta ancora quasi incline ad accantonare i dubbi e a far mie le conclusioni di Van Helsing. Quincey Morris conservava la sua solita flemma di uomo pronto ad accettare ogni cosa, e a farlo con freddo coraggio, quali fossero i pericoli che gli toccasse affrontare. Poiché non poteva fumare, si è tagliato un bel pezzo di tabacco e ha cominciato a masticarlo. Van Helsing, dal canto suo, era indaffaratissimo. Innanzitutto ha tolto dalla valigetta un discreto quantitativo di quelli che sembravano biscotti secchi e sottilissimi, accuratamente avvolti in un candido tovagliolo; poi, due manciate di una sostanza biancastra, simile a pasta o a gesso. Ha sbriciolato finemente i biscotti, mescolandoli alla pasta, che poi ha arrotolato in sottili strisce che ha preso ad applicare nelle fessure tra il cancello e gli stipiti della cappella. Lo guardavo alquanto perplesso e, siccome gli ero vicinissimo, gli ho chiesto che stesse facendo. Anche Arthur e Quincey gli si sono accostati incuriositi. Ha risposto il professore:

«Io sigillo tomba, per modo che la Non-morta non possa rientrare in essa.»

«E quella roba che ci mettete potrà impedirlo?» ha domandato Quincey. «Accidenti, non sarà mica un gioco.»

«Sì, d'azzardo.»

«E che cos'è che usate?» Questa volta [...] manda era stato Arthur, e Van Helsing pri[...] dere si è tolto reverentemente il cappello:

«Ostie consacrate. Le ho portate da Am[...] no stato autorizzato dalla Chiesa.» Era u[...] questa, da tappare la bocca anche al più sc[...] e tutti ci siamo convinti che, di fronte a u[...] fermo come quello del professore – un prop[...] permettere di fare un simile uso delle cose [...] erano sacre –, il dubbio era impossibile. I[...] silenzio, ci siamo messi ai posti assegnatici [...] cappella, nascosti però alla vista di chiunq[...] quella volta. Provavo pietà per gli altri, sop[...] Arthur. Per quanto mi riguardava, avevo gi[...] rante le mie precedenti visite, una specie di [...] stato a quell'orrenda attesa, eppure io che, s[...] prima, avevo tenuto in non cale le prove esi[...] sentivo mancare il cuore. Mai le tombe mi er[...] così spettralmente candide, mai cipressi, tass[...] erano sembrati a tal punto espressioni di fu[...] stezza; mai alberi ed erba avevano ondeggiato [...] to così ominosamente, né mai rami avevano [...] scricchiolii altrettanto misteriosi; e mai l'ulul[...] no dei cani aveva inviato nella notte un così m[...] presagio.

C'è stata una lunga pausa di silenzio, un gra[...] mentoso vuoto, poi il professore ha emesso un [...] bile e ha puntato un dito verso il fondo del via[...] tra i tassi, vedevamo avanzare una bianca figur[...] candida, sottile figura, che teneva tra le bracci[...] sa di scuro. La figura si è arrestata, e in quel [...] istante un raggio di luna è filtrato tra i cumuli di [...] in corsa, rivelando, con sorprendente chiarezz[...] donna dai capelli scuri, avvolta nel sudario. [...] scorgeva il viso, chino com'era su quello che ora[...] vamo essere un bimbo dai capelli biondi. Nel si[...] si è levato un gridolino acuto, come quello che un[...] bino può emettere nel sonno, o un cane quando [...] e sogna davanti al fuoco. Stavamo per slancia[...] avanti, ma la mano ammonitrice del professore, ch[...]

piano. C'era una gelida indifferenza, in quell'atto, che ha strappato un rantolo ad Arthur; e quando Lucy è venuta verso di lui, a braccia tese e con un sorriso lubrico, è indietreggiato, celandosi il volto tra le mani.

Ma lei ha continuato ad avanzare e con languida, voluttuosa grazia, lo ha invitato:

«Vieni a me, Arthur. Lascia questi altri e vieni da me. Le mie braccia hanno fame di te. Vieni, potremo riposare insieme. Vieni, mio sposo, vieni!» C'era, nel suo accento, un che di diabolicamente dolce, qualcosa che ricordava un tintinnio di cristalli, che penetrava anche nel nostro cervello, benché le parole fossero rivolte a un altro. Quanto ad Arthur, sembrava stregato; togliendosi le mani dal volto, ha spalancato le braccia. Lei stava per gettarsi tra esse, quando Van Helsing è balzato in avanti, ponendo tra i due il suo piccolo crocifisso d'oro. Lucy si è ritratta a quella vista e, con il volto improvvisamente contorto, in preda all'ira, gli è scivolata rapida accanto in direzione della tomba.

Ma, a forse mezzo metro dal cancello, si è arrestata come se a bloccarla fosse stata una forza irresistibile. Quindi si è girata, e il suo volto è apparso chiarissimo alla luce della luna e della lanterna, che non aveva più il minimo tremito grazie all'autocontrollo di Van Helsing. Mai, mai ho visto una così frustrata perfidia dipingersi su un volto; e mai, io credo, occhio umano potrà vederla. Il bel colore si è fatto livido, gli occhi sono parsi sprizzare scintille di fuoco infernale, le sopracciglia erano corrugate quasi che le pieghe della carne fossero le spire delle serpi di Medusa, e la bella bocca lurida di sangue si è spalancata in un quadrato nero, come nelle maschere orripilanti dei greci e dei giapponesi. Se mai un volto ha espresso morte – se mai sguardi potessero uccidere – ecco, in quel momento l'abbiamo avuto sott'occhio.

E per un intero mezzo minuto, che è parso un'eternità, colei è rimasta immota tra il crocifisso levato e la sacra chiusura dell'accesso alla sua dimora. È stato Van Helsing a rompere il silenzio, chiedendo ad Arthur:

«Rispondetemi, amico mio. Devo procedere in mia opera?»

Arthur si è gettato in ginocchio e, celandosi ancora il volto tra le mani, ha risposto:

«Fate come volete, amico, fate come volete. Un orrore simile non può più esistere!» E il suo stesso animo ha emesso un gemito. Quincey e io simultaneamente siamo scattati verso di lui, afferrandolo per le braccia. Abbiamo udito il lieve rumore dello schermo della lanterna che Van Helsing abbassava; poi, avvicinandosi alla tomba, egli ha preso a rimuovere dai cardini il sacro emblema che vi aveva apposto, e tutti siamo rimasti a guardare, con stupore e orrore, mentre arretravamo, la donna che, pur con il suo corpo fisico in quel momento quanto i nostri, si intrufolava nell'interstizio in cui a stento sarebbe passata una lama di coltello. E tutti abbiamo provato un immenso sollievo vedendo il professore riapporre tranquillamente le strisce di pasta ai margini del cancello.

Fatto questo, ha sollevato il bambino e ha detto:

«Venite ora, amici miei; noi nulla più possiamo fare sino a domani. A mezzogiorno è un funerale, per cui dobbiamo tornare qui subito dopo esso. Gli amici di defunto poi sono certo andati alle due, e quando il custode chiude i cancelli noi restiamo. Poi è altro da fare, ma non del tipo di questa notte. Quanto a questo piccolo, non è molto male, e domani sera lui è bene. Noi lasciamo lui dove polizia può trovarlo, come notte scorsa; e quindi a casa.» Avvicinandosi poi ad Arthur ha soggiunto:

«Mio amico Arthur, voi avete subito una dura prova; ma in seguito, volgendo sguardo indietro, voi poi vedete come essa era necessaria. Adesso voi, figliolo, siete in acque amare, ma domani a quest'ora, grazie a Dio, voi avrete passato esse e vi abbeverate ad acque dolci; ragion per cui non addoloratevi eccessivo. Fino a quel momento, io non vi chiedo di perdonare me.»

Arthur, Quincey e io siamo rincasati assieme, strada facendo cercando di confortarci a vicenda. Avevamo lasciato il bambino al sicuro ed eravamo stanchi, per cui tutti e tre abbiamo dormito un sonno abbastanza profondo.

29 settembre, notte. Poco prima di mezzogiorno, noi tre – Arthur, Quincey Morris e io – ci siamo recati dal professore. Era strano constatare che, senza consultarci, tutti e tre avevamo indossato abiti neri. Questo, se era logico per Arthur, che era in lutto stretto, non lo era per gli altri che avevano agito d'istinto. All'una e mezzo eravamo al cimitero, dove ci siamo messi a passeggiare, tenendoci alla larga dai partecipanti alla cerimonia, per modo che, non appena gli affossatori hanno terminato il loro compito e il custode, persuaso che tutti se ne fossero andati, ha chiuso il cancello, siamo rimasti padroni del luogo. Invece della sua solita borsa nera, questa volta Van Helsing ne aveva portata una lunga di cuoio, simile a una sacca da cricket ed evidentemente non leggera.

Non appena siamo rimasti soli e abbiamo udito gli ultimi passi che si allontanavano lungo la strada, in silenzio, quasi obbedendo a un ordine, ci siamo avviati con il professore alla cappella. Van Helsing ha aperto il cancello, noi siamo entrati, egli l'ha chiuso alle nostre spalle. Poi, dalla sacca ha estratto la lanterna, due ceri che, una volta accesi, ha fissato, fondendone la base, su altre bare, in modo da avere luce sufficiente per continuare l'opera. Quando ha nuovamente sollevato il coperchio della cassa di Lucy, tutti vi abbiamo guardato dentro – Arthur tremante verga a verga – e abbiamo visto la salma che vi giaceva nella sua mortale bellezza. Non c'era amore nel mio cuore, ma soltanto odio per l'immonda Cosa che aveva assunto le sembianze di Lucy senza averne l'anima. Ho visto persino il volto di Arthur indurirsi mentre guardava. Poi ha chiesto a Van Helsing:

«È davvero il corpo di Lucy o è solo un demone che ne ha preso la forma?»

«È suo corpo e insieme non è esso. Ma aspettate voi un momento, e voi poi vedete come essa era e come è.»

Sembrava, quello che avevamo sott'occhio, un fantasma di Lucy; i denti aguzzi, la bocca voluttuosa unta di sangue – una vista da far vacillare –, quell'intera sembianza, di carne priva di spirito, sembrava una diabolica contraffazione della dolce purezza di Lucy. Con la solita metodicità, Van Helsing ha cominciato a togliere dalla sacca i vari oggetti che conteneva e a disporli pronti per l'uso. Per prima cosa, un piccolo saldatore e del piombo, quindi un bruciatore a petrolio che, acceso in un angolo della tomba, ha emesso un getto di gas ardente con fiamma azzurra; poi i suoi bisturi, che ha allineato a portata di mano; e per ultimo un paletto rotondo di legno, dal diametro di circa otto o dieci centimetri e lungo circa un metro, con un'estremità acuminatissima e temperata al fuoco. E ad accompagnare il paletto, un pesante martello, come quelli che in casa si adoperano nello scantinato per frantumare il carbone. Ai miei occhi, i preparativi di un medico per un intervento di qualsiasi genere appaiono sempre interessanti e tonificanti, ma l'effetto che hanno prodotto su Arthur e Quincey è stato di costernazione. Ambedue, tuttavia, hanno fatto appello al proprio coraggio, e sono rimasti silenziosi e immoti.

Quando tutto è stato pronto, Van Helsing ha detto:

«Prima di fare qualunque che è, lasciate me voi dire questo, che è frutto di sapienza ed esperienza degli antichi e di coloro tutti che hanno studiato i poteri di Non-morti. Quando essi diventano tali, il mutamento comporta la maledizione dell'immortalità; essi non possono morire, ma devono continuare, un'era dopo l'altra, ad aggiungere nuove vittime e a moltiplicare i mali del mondo, perché tutti che muoiono per opera dei Non-morti diventano essi stessi Non-morti e predano per conto suo. E così la cerchia continua ad allargare sé, come le onde prodotte da una pietra gettata nell'acqua. Amico Arthur, se voi allora avete ricevuto quel bacio di cui voi sapete prima che povera Lucy è morta; oppure, ieri notte, quando voi apriste vostre braccia a lei, a suo tempo, una volta morto, voi siete divenuto *nosferatu*, come essi dicono in Europa orientale, e tutto vostro tempo avete creato altri di questi Non-morti che tanto noi riempiono di orrore. La carriera di questa così infelice cara fanciulla è soltanto appena incominciata. Quei bambini di cui sangue essa ha succhiato non sono ancora tanto contaminati; ma se essa vive ancora, da Non-morta, più e più perdono loro sangue, e per suo potere su di essi vengono a lei; e così essa succhia loro sangue con quella così sconcia bocca. Ma se essa muore in verità, ecco che tutto cessa; le piccole ferite su gole dispariscono, ed essi bambini tornano a loro giochi, smemorati persino di quanto è stato. Ma la cosa più migliore di tutte, quando che questa ora Non-morta sarà fatta riposare come vera morta, ecco che l'anima della povera fanciulla che noi amiamo sarà di nuovo libera. Invece di operare malvagerie di notte e divenire sempre più oscena assimilando il sangue di giorno, essa prende suo posto insieme con altri angeli. Ragion per cui, mio amico, sarà una mano benedetta per essa che sferrerà il colpo che renderà essa libera. Di questo io sono volonteroso; ma non è nessuno tra noi che ha maggiori diritti? Non è poi una gioia pensare in seguito, in silenzio di notte, quando sonno non è: "È stata mia mano che ha mandato lei tra le stelle. È stata la mano di lui che amava lei meglio che tutti; la mano di lui che tra tutti essa lei stessa avrebbe scelto, se è dipeso da lei di fare scelta"? Ditemi se costui è qui tra noi.»

Tutti abbiamo guardato Arthur. Anch'egli, come noi, ha avvertito l'infinita bontà di colui che gli suggeriva di essere egli stesso lo strumento che ci avrebbe restituito Lucy come una memoria sacra, non già aborrita; si è fatto avanti e ha detto impavido, sebbene le mani gli tremassero e il suo volto fosse bianco come neve:

«Mio vero amico, dal fondo del mio cuore straziato io vi ringrazio. Ditemi quel che devo fare, e io non esiterò.» Van Helsing gli ha posato una mano sulla spalla, e gli ha detto:

«Bravo ragazzo! Un istante di coraggio ed esso è fatto. Questo paletto deve essere conficcato attraverso suo cuore. Sarà una prova orribile – non dovete essere illuso in questo –, ma dura solo pochi istanti, e voi poi vi rallegrate più di quanto vostra pena era grande; da questa cupa tomba voi emergete come se voi camminate su aria. Ma non dovete esitare quando una volta voi avete cominciato. Solo pensate che noi, vostri veri amici, siamo attorno a voi, e noi per voi preghiamo tutto tempo.»

«Avanti!» ha pronunciato Arthur con voce roca. «Ditemi quel che devo fare.»

«Prendete questo paletto in vostra sinistra mano, pronto per posare sua punta sopra di cuore, e martello in vostra destra. Poi quando noi cominciamo nostra preghiera per defunti – io leggo essa, ho qui il libro, e gli altri fanno me coro – colpite in nome di Dio, per modo che tutto può essere bene con la defunta che noi amiamo, e che la Non-morta scompare.»

Arthur ha dato di piglio a paletto e martello e, ben deciso ormai all'azione, non ha avuto più il menomo tremito. Van Helsing ha aperto il messale e ha preso a leggere, e Quincey e io a fargli bordone meglio che potevamo. Arthur ha piazzato la punta sopra il cuore, e l'ho vista penetrare leggermente nella carne bianca. Quindi ha colpito con tutte le sue forze.

La Cosa nella bara si è inarcata; e un urlo raccapricciante, da far gelare il sangue nelle vene, è esploso dalle labbra rosse e aperte. Il corpo si è scosso, tremando e sussultando in selvaggi contorcimenti; gli acuminati denti candidi hanno cozzato assieme tanto da tagliare le labbra, e la bocca si è insozzata di una schiuma rossastra. Ma Arthur non si è sgomentato. Lo si sarebbe detto un'immagine di Thor, mentre il suo braccio senza tremiti si alzava e ripiombava giù, spingendo sempre più a fondo, sempre più a fondo il pietoso paletto, mentre dal cuore trafitto il sangue ribolliva e schizzava tutt'attorno. Il suo volto era fermo e deciso, e l'alto dovere che compiva sembrava illuminarlo dall'interno; e quella vista ci ha infuso coraggio, tanto che le nostre voci sembravano rimbombare sotto l'angusta volta.

E poi i contorcimenti e i sussulti del corpo sono diminuiti, e i denti sono parsi digrignare, e il volto era tutto un fremito. Finalmente, è rimasto immobile. Il terribile compito era portato a termine.

Il martello è caduto di mano ad Arthur, che vacillava e sarebbe caduto, non l'avessimo noi sorretto. Grosse gocce di sudore gli imperlavano la fronte, e il respiro gli

uscìva in ansìti spezzati. Era stata davvero tremenda, la fatica impostagli; e, non fosse stato egli costretto a quel compito da più che da umane considerazioni, mai ne sarebbe venuto a capo. Per qualche istante, siamo stati a tal punto preoccupati per lui, da non volgere lo sguardo alla bara. Ma quando l'abbiamo fatto, un mormorio di gioiosa sorpresa è corso sulle nostre bocche. Guardavamo con tanta intensità, che Arthur si è alzato da terra, dove sedeva, ed è venuto anche lui a guardare; ed ecco una singolare luce di gioia apparirgli in volto, e scacciare l'ombra d'orrore che l'aduggiava.

Lì, nella bara, più non giaceva l'orrida Cosa che avevamo tanto temuto e che eravamo giunti a odiare, al punto che l'opera della sua distruzione era stata concessa come un privilegio a quello di noi che ne aveva maggiori titoli, bensì Lucy, come l'avevamo vista in vita, il volto soffuso di dolcezza e purezza senza pari. Vero, c'erano sì, quali le avevamo viste in vita, le tracce del dolore, della sofferenza, del decadimento; ma erano tutte a noi care, poiché comprovavano la verità di ciò che sapevamo. Tutti, come un sol uomo, abbiamo compreso che la santa calma che restava, come raggio di sole, sul volto e il corpo devastato, null'altro era se non un pegno terreno e un simbolo della pace che sarebbe durata per l'eternità.

Van Helsing si è avvicinato a posare la mano sulla spalla di Arthur e a dirgli:

«E ora, Arthur, amico mio, caro ragazzo, non sono io perdonato?»

La reazione alla terribile tensione si è tradotta in ciò, che Arthur ha preso tra le sue la mano del vecchio e, portandosela alle labbra, l'ha baciata e ha detto:

«Perdonarvi! Dio vi benedica per aver ridato alla mia cara la sua anima e a me la pace.» Poi, posate le mani sulle spalle del professore, e la testa sul suo petto, ha pianto per un po' in silenzio, mentre noi ce ne stavamo immobili. Quando ha rialzato il capo, Van Helsing così gli ha detto:

«E ora, figliolo, potete baciare essa. Baciatene le morte labbra, se volete, come vorrebbe lei, se potrebbe chiedervelo. Poiché essa non è più adesso un ghignante demone, né è più una sconcia Cosa per tutta eternità. Essa più non è la Non-morta del diavolo. Essa è vera morta del Signore, cui anima è con Lui!»

Arthur si è chinato a baciarla, e quindi abbiamo mandato lui e Quincey fuori dalla cappella, mentre il professore e io segavamo il paletto, lasciandone solo la punta nella salma. Poi abbiamo mozzato il capo di questa e ne abbiamo riempito la bocca d'aglio. Quindi, saldato l'involucro di zinco, abbiamo riavvitato il coperchio e, raccolti gli attrezzi, ce ne siamo andati. Il professore ha chiuso il cancello e ha dato la chiave ad Arthur.

Fuori, l'aria era dolce, il sole splendeva, gli uccelli cantavano, sembrava che la natura tutta fosse accordata su un'altra, ben diversa nota. Ovunque era gaiezza e gioia e pace, perché noi stessi eravamo tranquilli ed eravamo lieti, ancorché non senza mestizia.

Prima che ce ne andassimo, Van Helsing ci ha detto:

«Ora, miei amici, una parte di nostro lavoro è compiuta, una per noi più penosa. Resta però un compito maggiore: trovare l'autore di tutto questo nostro dolore, e fare esso scomparire. Io ho tracce che possiamo seguire; ma è un lungo compito, e uno difficile, e in esso è pericolo e sofferenza. Voi non volete me aiutare? Noi abbiamo imparato a credere, tutti noi – non è esso così? E siccome è così, non vediamo noi nostro dovere? Sì! E non promettiamo noi di spingerci fino a sua estrema conclusione? Sì!»

Uno alla volta, gli abbiamo stretto la mano, a suggellare la promessa. E avviandosi il professore ha soggiunto:

«Due sere da oggi voi incontrate voi con me, e noi ceniamo a ore sette con amico John. Io invito altri due, due che voi ancora non conoscete; e io sono pronto per tutta nostra opera spiegare e svelare nostri piani. Amico John, voi venite con me a casa, perché ho molto da elaborare e voi potete me aiutare. Questa notte parto per Amsterdam ma torno domani sera. E allora poi comincia nostra grande ricerca. Ma prima io ho molto da dire, per modo che voi sapete cosa che è da fare e cosa che è da temere. Quindi nostra promessa è poi ripetuta di ciascuno di noi, perché davanti a noi è un terribile compito, e una volta iniziato il cammino non possiamo tirare nostri piedi indietro.»

XVII

DIARIO DEL DOTTOR SEWARD
(continuazione)

Quando siamo arrivati al Berkeley Hotel, Van Helsing ha trovato ad attenderlo un telegramma:

"Arrivo in treno. Stop. Jonathan a Whitby. Stop. Notizie importanti. Mina Harker."

Il professore era al settimo cielo. «Ah, quella meravigliosa Madam Mina!» ha esclamato. «Perla lei tra donne! Lei arriva, ma io non posso attendere essa, che deve venire a vostra casa, amico John. Voi dovete andare a prendere essa a stazione. Telegrafatele cosicché sia preparata.»

Spedito il telegramma, ci siamo concessi una tazza di tè, e mentre la bevevamo Van Helsing mi ha messo al corrente del diario tenuto da Jonathan Harker durante il suo viaggio; me ne ha dato una copia dattiloscritta, aggiungendovi una copia del diario tenuto a Whitby dalla signora Harker. «Prendete essi» mi ha esortato «e studiate essi bene. Quando che io sono tornato, voi siete padrone di tutti i fatti, e allora possiamo entrare meglio in nostra indagine. Teneteli al sicuro, perché sono un gran tesoro. Voi occorrerete tutta vostra fede, persino voi che quest'oggi avete avuto un'esperienza come quella di oggi. Quanto qui dentro si racconta» e così dicendo ha calato lenta e pesante la mano sulla pila di fogli «può essere inizio di fine per voi e me e per molti altri, ma può anche essere segnale di fine per i Non-morti che calcano la terra. Leggete tutto, io prego voi, con mente aperta; e se avete qualcosa da aggiungere alla vicenda qui narrata, fate esso, perché è assai importante. Voi avete tenuto diario di tutte queste così strane cose. Non è vero? Sì. E allora noi esamineremo esse tutte assieme quando ritorno.» Dopodiché si è accinto alla partenza, e poco dopo si è avviato verso Liverpool Street, io invece alla stazione di Paddington, dove sono giunto con quindici minuti di anticipo sull'arrivo del treno.

La folla si è dispersa, dopo la confusione che si ha sulla banchina ogniqualvolta un convoglio si arresta; e cominciavo a essere sulle spine, per il timore di essermi lasciato sfuggire la mia ospite, quando ho visto avvicinarmisi una giovane donna dal volto soave e dall'aria compita, la quale, dopo avermi scoccato una rapida occhiata, ha chiesto: «Il dottor Seward, suppongo».

«E voi siete la signora Harker!» ho risposto prontamente. Al che lei mi ha porto la mano.

«Vi ho riconosciuto dalla descrizione della povera, cara Lucy. Ma...» e qui si è interrotta, mentre un improvviso rossore le saliva alle guance.

La vampata che ha imporporato anche le mie in qualche modo ci ha messi a nostro agio, perché è stata una tacita risposta alla sua. Ho preso il suo bagaglio, di cui faceva parte una macchina per scrivere, e, con la Sotterranea, abbiamo raggiunto Fenchurch Street, dopo aver mandato un telegramma alla mia governante perché preparasse subito un salotto e una stanza da letto per la signora Harker.

Siamo finalmente arrivati. La mia ospite ovviamente sapeva trattarsi di un manicomio, ma ho notato che non ha saputo reprimere un brivido quando vi siamo entrati.

Mi ha detto che, se ero d'accordo, poteva venire subito nel mio studio, tante erano le cose che doveva comunicarmi. Ed eccomi qui, mentre l'aspetto, a completare la registrazione del mio diario fonografico. Fino a questo momento, non ho avuto modo di dare un'occhiata alle carte lasciatemi da Van Helsing, sebbene le abbia sciorinate qui davanti a me. Dovrò procurare alla signora Harker qualcosa da fare, per avere l'opportunità di leggerle. Evidentemente, la signora non sa quanto prezioso sia il tempo né quale sia il compito che ci attende. Devo fare attenzione a non spaventarla. Eccola!

DIARIO DI MINA HARKER

29 settembre. Dopo essermi data una rassettatina, sono scesa nello studio del dottor Seward. Davanti all'uscio mi sono arrestata, perché mi è parso di udirlo parlare con qualcuno. Poiché d'altronde mi aveva pregata di affrettarmi, ho bussato e, al suo "avanti", sono entrata.

Con mia grande sorpresa, era solo. Sul tavolo davanti a sé, si trovava quello che subito ho riconosciuto, dalle descrizioni uditene, per un fonografo. Mai ne avevo visto uno, ed ero assai incuriosita.

«Spero di non avervi fatto attendere» ho esordito. «Ma mi sono fermata davanti all'uscio perché vi ho udito parlare e ho pensato che ci fosse qualcuno con voi.»

«Oh» ha replicato il dottor Seward con un sorriso «stavo solo registrando una parte del mio diario.»

«Il vostro diario?» gli ho chiesto sorpresa.

«Sì» è suonata la sua risposta. «Lo tengo qui dentro» e così dicendo ha posato la mano sul fonografo. La faccenda mi ha entusiasmata, e ho esclamato:

«E che, questo supera persino la stenografia! Posso ascoltare qualcosa?»

«Ma certo» ha accondisceso con calore il dottor Seward, e si è alzato per mettere in moto l'apparecchio. Ma si è fermato, un'espressione turbata in volto.

«Il fatto è» ha cominciato a dire con tono esitante «che io su questo registro solo il mio diario, e questo riguarda esclusivamente... quasi esclusivamente... i miei pazienti, per cui potrebbe essere indiscreto... voglio dire...» Qui si è arrestato, e io ho cercato di toglierlo dall'imbarazzo dicendogli:

«Voi siete tra coloro che hanno assistito la cara Lucy sino alla fine. Fatemi sentire com'è morta, perché tutto ciò che di lei saprò mi renderà enormemente grata. Lucy mi era tanto, tanto cara.»

Con mia sorpresa, ha replicato, il volto atteggiato a quello che mi è sembrato orrore:

«Dirvi della sua morte? Neppure per tutto l'oro del mondo!»

«E perché no?» ho chiesto, e intanto ero in preda a una sensazione d'angoscia e fatalità. Un altro silenzio del dottor Seward, ed era evidente che cercava una scusa. Finalmente ha balbettato:

«Vedete, ecco... Non so come trovare nella registrazione una singola parte del diario.» Mentre pronunciava queste parole, gli è balenata un'idea, e l'ha espressa con inconsapevole immediatezza, in tono diverso, con l'ingenuità di un bambino: «È proprio così, sul mio onore. Dico sul serio!». Non ho potuto trattenere un sorriso, e lui con una smorfia: «Questa volta mi sono proprio tradito! Ma sapete che, sebbene tenga questo diario da mesi, mai mi è passata per la testa l'idea di come fare a trovarne questa o quella parte, caso mai mi occorresse risentirla?». Ormai, però, mi ero convinta che il diario di un medico che aveva curato Lucy avesse senz'altro qualcosa da aggiungere alla somma delle nostre conoscenze circa quella terribile Creatura, e gli ho detto con tono deciso:

«Quand'è così, dottor Seward, sarebbe meglio che mi permetteste di ricopiarlo tutto a macchina.» Il suo volto si è coperto di un pallore che non esito a definire mortale, mentre ribatteva:

«No, no, no! Per nulla al mondo potrei permettervi di conoscere quell'atroce vicenda!»

Sicché, era una cosa tremenda; avevo indovinato giusto! Per un istante sono rimasta pensierosa, mentre il mio sguardo vagava per la stanza, all'inconsapevole ricerca di un oggetto o di una situazione che mi venisse in aiuto, ed ecco che i miei occhi si sono posati su un gran mucchio di fogli dattiloscritti sopra il tavolo. Il dottore ha seguito senza volerlo la direzione del mio sguardo e, scorgendo a sua volta i fogli, ha capito quel che volevo dire. Che era questo:

«Voi non mi conoscete. Quando avrete letto quelle carte – il mio diario e quello di mio marito, che ho del pari ricopiato a macchina – mi conoscerete meglio. Non ho esitato a dedicare ogni palpito del mio cuore a questa causa; ma, naturalmente, voi non mi conoscete – non ancora; e non posso certo aspettarmi che abbiate sufficiente fiducia in me.»

Si tratta senza alcun dubbio di un uomo di nobile sentire: la povera, cara Lucy aveva ragione di affermarlo. Si è alzato, ha aperto un grande cassetto in cui erano disposti in bell'ordine numerosi cilindri cavi di metallo coperti di cera scura e ha detto:

«Avete perfettamente ragione. Non mi fidavo di voi perché non vi conoscevo. Ma ora vi conosco; e mi sia lecito dirvi che avrei dovuto conoscervi da lungo tempo. So che Lucy vi ha parlato di me; e a me ha detto di voi. Posso dunque compiere l'unica riparazione che rientri nelle mie facoltà? Prendete i cilindri e ascoltateli: la prima mezza dozzina riguardano me personalmente e non vi faranno inorridire; così mi conoscerete meglio. Nel frattempo, la cena sarà pronta, e intanto io leggerò una parte di questi documenti, sì da esser meglio in grado di capire certe cose.» Ha portato lui stesso il fonografo di sopra, nel mio salotto, e l'ha messo in funzione a mio pro. Ora verrò a conoscenza di cose piacevoli, ne sono certa: perché questo mi rivelerà l'altra faccia di un episodio di vero amore, di cui già conosco il verso...

DIARIO DEL DOTTOR SEWARD

29 settembre. Ero a tal punto preso da quello straordinario diario di Jonathan Harker e da quello di sua moglie, che ho lasciato trascorrere il tempo senza che me ne accorgessi. La signora Harker non era scesa quando la cameriera è entrata ad annunciare la cena, e allora ho detto: «Probabilmente è stanca; rimandiamo il pasto di un'ora», e ho ripreso la lettura. Avevo appena finito il diario della signora Harker quando questa è entrata. Appariva soavemente graziosa eppure assai triste, gli

occhi arrossati dal pianto, e questo mi ha profondamente commosso. Dio sa se, in questi ultimi tempi, ho
avuto motivo di versar lacrime, pure il sollievo di farlo
mi è stato negato; e ora la vista di quei dolci occhi lustri
di lacrime recenti, mi è arrivata dritta al cuore, per cui
ho detto, col tono più comprensivo possibile:

«Temo assai di avervi turbata.»

«Oh, no, non turbata» è suonata la sua replica «ma
sono stata commossa oltre ogni dire dal vostro dolore.
È una macchina meravigliosa, quella, ma così crudel-
mente sincera! Mi ha riferito l'angoscia del vostro cuore
fin nelle più riposte pieghe, ed era come dire un'anima
che gridasse a Dio Onnipotente. Nessuno dovrà mai più
ascoltare questa voce! Ecco, ho cercato di rendermi utile. Ho dattiloscritto le parole da voi dette, e così nessun
altro dovrà più udire i battiti del vostro cuore, come ho
fatto io.»

«Nessuno dovrà più sapere, nessuno più saprà» ho
detto a voce bassa. La signora Harker ha posato la sua
mano sulla mia e ha esclamato con tono di profonda
gravità:

«Purtroppo devono!»

«Devono! Ma perché?» ho domandato.

«Perché questo fa parte di tutta la terribile vicenda,
fa parte della morte della povera cara Lucy e di tutto
quanto l'ha provocata; perché nella lotta che ci attende
per liberare la terra da quest'orrendo mostro, dobbiamo poter disporre di tutte le conoscenze e di tutti gli
ausili di cui possiamo avvalerci. I cilindri che mi avete
dato, a mio giudizio contenevano più di quanto voleste
che sapessi, e comunque mi rendo conto che, in quanto avete registrato, ci sono molti elementi che fanno luce su questo buio mistero. Mi permetterete di dare il
mio contributo, vero? So fino a un certo punto come
sono andate le cose; ma già mi rendo conto, sebbene il
vostro diario mi abbia portato solo fino al sette di settembre, come la povera Lucy sia stata stretta d'assedio
e come si sia compiuto il suo terribile destino. Jonathan e io abbiamo lavorato giorno e notte dacché il
professor Van Helsing è venuto a trovarci. Mio marito

è andato a Whitby per procurarsi altre informazioni, e domani sarà qui ad aiutarci. Non devono esistere segreti tra noi; collaborando in uno spirito di totale fiducia, saremo certamente più forti che se qualcuno di noi brancolasse nel buio.» Mi guardava con espressione così implorante, e allo stesso tempo dava prova, col suo atteggiamento di tanto coraggio e risolutezza, che subito ho accondisceso ai suoi desideri. «Farete quel che vorrete in questa faccenda» le ho detto. «E Dio mi perdoni se sbaglio! Vi resta ancora da conoscere particolari atroci; ma poiché vi siete ormai spinta, lungo questa strada, fino al punto del decesso della povera Lucy, sono certo che non vi rassegnerete a restare nell'oscurità. E che la fine, la vera fine, può finalmente farvi apparire un barlume di serenità. Venite, la cena è servita. Dobbiamo mantenerci in forze per quello che ci aspetta, ed è un duro, spaventevole compito. Quando avrete mangiato, saprete il resto, e io risponderò a ogni vostra domanda, qualora vi sia qualcosa che non vi risulti chiaro, laddove lo è a coloro che a quegli eventi hanno assistito.»

DIARIO DI MINA HARKER

29 settembre. Dopo cena, il dottor Seward e io siamo tornati nel suo studio. Il dottore è andato a riprendere il fonografo che avevo lasciato in camera mia, io la macchina per scrivere. Mi ha fatto prender posto in una comoda poltrona e ha collocato il fonografo in posizione tale da permettermi di manovrarlo senza alzarmi, mostrandomi come fermarlo qualora volessi riposarmi. Quindi, assai opportunamente si è accomodato in un'altra poltrona in modo da darmi le spalle, per lasciarmi la maggior libertà possibile, e ha cominciato a leggere. Io mi sono messa la forcella alle orecchie e ho preso ad ascoltare.

Quando sono giunta alla fine della terribile vicenda della morte di Lucy e... e di tutto quello che le ha fatto seguito, mi sono abbandonata esausta sullo schienale.

Per fortuna, non ho tendenza agli svenimenti; ma quando il dottor Seward si è reso conto del mio stato d'animo, è balzato in piedi con un'esclamazione desolata e in gran fretta, cavata una bottiglia quadrata da una credenza, mi ha fatto bere un po' di brandy, che ben presto mi ha rimesso un pochino in forze. Mi sentivo girare la testa, e se in quella moltitudine di orrori non si fosse fatto strada, unico, un benedetto raggio di luce, la consapevolezza cioè che la mia cara, cara Lucy, riposava finalmente in pace, non sarei riuscita a reggere la situazione senza abbandonarmi a un accesso di isteria. È tutto così barbaro e misterioso e strano che, se non fossi stata al corrente dell'esperienza toccata a Jonathan in Transilvania, mai avrei creduto. E neppure così sapevo esattamente che cosa credere e, per superare questo mio stato d'animo occupandomi d'altro, ho tolto il coperchio della macchina per scrivere e ho detto al dottor Seward:

«Permettetemi di trascrivere tutto adesso. Dobbiamo essere pronti per quando arriverà il dottor Van Helsing. Ho inviato un telegramma a Jonathan, dicendogli di venire qui non appena arriverà a Londra da Whitby. In una faccenda del genere, il tempo è preziosissimo, e penso che se avremo sottomano tutto il materiale di cui disponiamo, e ogni singolo dato in ordine cronologico, avremo già fatto un bel passo avanti. Mi dite che Lord Godalming e il signor Morris stanno anch'essi per arrivare. Facciamo in modo che Jonathan sappia già tutto quando saranno qui.» Accedendo al mio desiderio, il dottor Seward ha allora regolato il fonografo a bassa velocità, e io ho cominciato a trascrivere dall'inizio del settimo cilindro. Mi servivo di carta carbone, in modo da ottenere tre copie del diario, come avevo fatto con tutto il resto. Era ormai tardi quand'ho finito, e nel frattempo il dottor Seward è andato a compiere il solito giro tra i pazienti; finitolo, è tornato nello studio e mi si è seduto accanto leggendo le cartelle già scritte, perché non mi sentissi troppo sola mentre lavoravo. Com'è buono e premuroso! Il mondo sembra pieno di brave persone, sebbene non vi manchino i mostri. Prima di ritirarmi, mi sono ricordata di quel che Jonathan aveva scritto nel suo diario a proposito dell'agitazione di cui si era mostrato in preda il professore dopo aver letto non so che in un giornale della sera alla stazione di Exeter; e, constatato che il dottor Seward conserva le copie dei giornali che acquista, mi sono fatta dare quelle della «Westminster Gazette» e della «Pall Mall Gazette», e me le sono portate nella mia stanza, memore di quanto utili mi fossero stati il «Dailygraph» e la «Whitby Gazette», dei quali conservavo i ritagli, per comprendere i terribili eventi verificatisi a Whitby in seguito allo sbarco del Conte Dracula; spulcerò i giornali della sera a partire da quella data, e chissà che non ne ricavi qualche nuova ispirazione. Non ho sonno, e il lavoro mi aiuterà a mantenere la calma.

DIARIO DEL DOTTOR SEWARD

30 settembre. Il signor Harker è giunto alle nove. Aveva ricevuto il telegramma della moglie un attimo prima di partire. È straordinariamente intelligente, lo si vede dalla fisionomia, e pieno di energia. Se il suo diario risponde a verità – e, stando alle mie stesse, sorprendenti esperienze, non può non essere così –, è anche un uomo di grande coraggio. Quella sua seconda discesa nel sotterraneo è stata un atto di estremo ardire. Dopo averne letto il resoconto, ero preparato a vedermi di fronte un convincente esempio di virilità, non però anche il tranquillo gentiluomo dall'aria efficiente che ho conosciuto oggi.

Più tardi. Dopo pranzo, Harker e sua moglie sono tornati nella loro stanza, e poco fa, passando per il corridoio, ho udito il ticchettio della macchina per scrivere. Non si concedono requie. La signora Harker mi ha detto che stanno disponendo in ordine cronologico ogni elemento di prova in loro possesso. Harker si è procurato il carteggio tra la ditta che ha preso in consegna le casse a Whitby e l'impresa di trasporti londinese che se n'è occupata. Adesso sta leggendo la trascrizione del mio diario fatta da sua moglie. Chissà cosa ne dedurranno. Ecco, ci siamo...

Per strano che possa sembrare, mai mi è balenata l'idea che proprio la casa vicina potesse essere il covo del Conte. E Dio sa se mi sono mancati gli indizi fornitimi dal comportamento del paziente Renfield! Il gruppo di lettere relativo all'acquisto della casa mi è stato presentato insieme al dattiloscritto. Oh, se solo le avessimo avute in precedenza! Avremmo potuto salvare la povera Lucy. Ma basta; lungo questa strada si incontra la follia! Harker è tornato a radunare il suo materiale. Dice che per l'ora di pranzo loro due saranno in grado di esibire un resoconto ordinato. Nel frattempo, ritiene che dovrei vedere Renfield, che fino a questo momento è stato una sorta di barometro dei va e vieni del Conte. Non riesco ancora ad afferrare esattamente il nesso, ma quando avrò sott'occhio tutte le date penso che ci riuscirò. Che fortuna che la signora Harker abbia ricopiato a macchina i miei cilindri! Altrimenti non saremmo mai riusciti a recuperare le date...

Ho trovato Renfield seduto tutto tranquillo nella sua stanza, le mani in grembo; sorrideva gioviale, e in quel momento sembrava assolutamente lucido. Mi sono seduto e ho chiacchierato con lui del più e del meno, e lui ha affrontato gli argomenti con molta pacatezza. Poi, di sua propria iniziativa, ha accennato al proposito di andarsene a casa, soggetto che non ha mai intavolato, a quanto mi risulti, durante il suo soggiorno in questo luogo. In effetti, parlava con grande sicurezza della sua prossima dimissione; e credo che, non avessi avuto la conversazione con Harker, non avessi letto le lettere e controllato le date delle crisi di Renfield, sarei stato disposto a firmare il documento relativo dopo un breve periodo di osservazione. Ma, stando le cose come stanno, sono oltremodo sospettoso. Tutti i suoi accessi si sono verificati in coincidenza con la vicinanza del Conte. Che cosa significa dunque quest'assoluta tranquillità? È possibile che il suo istinto gli dia la certezza del definitivo trionfo del Vampiro? Certo: è egli stesso zoofago, e nei suoi vaneggiamenti parlava di un "padrone", tutti elementi che sembrano confermare la nostra ipotesi. Comunque, dopo un po' l'ho lasciato; l'amico, al momento, è un pochino troppo lucido perché sia conveniente sondarlo troppo a fondo con le domande. Potrebbe mettersi a pensare, e allora... Ho preferito lasciarlo solo. Non mi fido affatto di queste sue fasi di tranquillità, e ho consigliato all'infermiere di vigilarlo attentamente, tenendo sotto mano, per ogni evenienza, una camicia di forza.

DIARIO DI JONATHAN HARKER

29 settembre, sul treno per Londra. Quando ho ricevuto dal signor Billington la sua cortese lettera in cui si diceva pronto a fornirmi tutte le informazioni in suo possesso, ho ritenuto opportuno recarmi a Whitby per compiere sul posto le indagini che mi sembrassero necessarie. Era ora mio scopo di rintracciare quell'orribile carico spedito dal Conte alla sua dimora londinese. Può darsi che in seguito si possa occuparsene. Billington figlio, un giovane simpatico, è venuto a prendermi alla stazione e mi ha portato a casa del padre, dove hanno voluto che pernottassi. La loro è la vera ospitalità dello Yorkshire: offrire all'ospite tutto ciò di cui ha bisogno, e lasciarlo libero di fare quel che gli pare e piace. Sapevano che sono assai indaffarato, e che la mia permanenza sarebbe stata breve, così il signor Billington teneva pronti nel suo ufficio tutti i documenti riguardanti la consegna delle casse. Ho avuto un sussulto a rivedere una delle lettere che erano state sul tavolo del Conte prima che venissi a conoscenza dei suoi diabolici progetti. Ogni cosa era stata architettata con la massima cura e portata a termine sistematicamente e con assoluta precisione. Sembra proprio che abbia previsto tutti i possibili ostacoli che il caso potrebbe frapporre all'attuazione dei suoi propositi. Per dirla con gli americani, non ha "assunto rischi", e la straordinaria esattezza con cui i suoi ordini sono stati eseguiti è stata null'altro che il risultato logico della sua solerzia. Ho visto la bolletta, l'ho ricopiata: "Cinquanta casse di comune terriccio, da usarsi per scopi sperimentali". E ho visto anche la copia della lettera alla Carter & Paterson, e la risposta di tale ditta; e ho ricopiato a mia volta l'una e l'altra. Tutte qui, le informazioni che il signor Billington era in grado di fornirmi, ragion per cui sono andato al porto e ho avuto un abboccamento con le guardie costiere, i funzionari della dogana e il comandante della capitaneria: tutti avevano da dire la loro in merito allo strano arrivo della nave, che ormai è entrata a far parte del leggendario locale; ma nessuno ha potuto aggiungere alcunché a quella scarna descrizione: "Cinquanta casse di comune terriccio". Mi sono poi incontrato con il capostazione, che mi ha messo in contatto con i facchini che avevano provveduto a scaricare le casse. Quanto mi hanno riferito corrispondeva esattamente al resto, salvo l'aggiunta che le casse erano «molte e spaventosamente pesanti», e che maneggiarle è stato un duro lavoro. Uno di essi ha commentato che purtroppo non c'era nessun gentiluomo «come voi, signore», pronto a manifestare riconoscenza per i loro sforzi in forma concreta; un altro ha insinuato che la sete che ne era loro venuta era tale che, nonostante fosse trascorso tanto tempo, ancora non si era estinta del tutto. Inutile dire che, prima di andarmene, ho avuto cura di eliminare, una volta per tutte e in misura adeguata, siffatto motivo di lagnanze.

30 settembre. Il capostazione è stato tanto gentile da consegnarmi due righe per un suo vecchio collega, il capostazione di King's Cross, per cui, giunto qui stamane, ho potuto interrogarlo sull'arrivo delle casse. Dal canto suo, egli mi ha messo in contatto con i funzionari che se n'erano occupati, e ho constatato che il loro racconto collimava con quanto indicato nella bolletta di spedizione. Le occasioni di farsi venire una sete fuori dal comune erano nel caso specifico assai più ridotte; ciò non toglie che gli uomini a suo tempo non si siano risparmiati, ragion per cui mi sono trovato una volta ancora nella necessità di liquidarne i risultati per così dire *ex post facto*.

Di lì, sono andato alla sede centrale della Carter & Peterson, dove sono stato accolto con la massima cortesia. Hanno ricostruito la transazione controllando libri mastri e archivi e telefonando immediatamente alla loro filiale di King's Cross per avere maggiori particolari. Per fortuna, gli uomini che avevano trasportato le casse erano lì in attesa di un incarico, e il funzionario li ha inviati subito alla sede centrale, consegnando inoltre a uno di loro la bolletta e tutti gli altri documenti relativi allo scarico delle casse a Carfax. Ancora una volta, tutto collimava perfettamente; i facchini hanno potuto arricchire la scheletricità delle poche parole scritte con qualche particolare in più riguardante, come ho ben presto constatato, quasi unicamente il problema della molta polvere che dalle casse usciva e la conseguente sete che ne era derivata agli uomini. Avendo io elargito il necessario per alleviare questo felice – per loro – inconveniente sotto forma della valuta corrente in questo regno, uno degli uomini se n'è uscito a dire:

«Quella casa lì, capo, è la più zozza che mai ci ho messo piede. Porcaccia! Sono cent'anni che nessuno la tocca. C'è una polvere così alta, là dentro, che uno può dormirci sopra senza farsi male agli ossicini, c'era un puzzo che sembrava di stare nell'antica Gerusalemme. Ma la vecchia cappella – quella, poi, era peggio di tutto. Me e il mio collega ci siamo detti: qui crepiamo se non veniamo fuori al più presto. Accidenti, neanche per un bel po' di grana non ci sarei rimasto dentro dopo il tramonto.»

Poiché sono stato in quella casa, non ho esitato a credergli; ma se sapesse quel che io so, penso che avrebbe chiesto ben più che non soltanto "un bel po' di grana".

Di una cosa sono adesso assolutamente certo: *tutte* le casse giunte a Whitby da Varna a bordo del *Demeter* sono state depositate nella vecchia cappella di Carfax. Dovrebbero essercene cinquanta, a meno che in seguito alcune non ne siano state portate via, come m'induce a temere il diario del dottor Seward.

Cercherò di rintracciare la ditta che ha eseguito il trasloco da Carfax quel giorno in cui Renfield ha aggredito i carrettieri. Può darsi che, seguendo questa pista, si venga a sapere parecchio.

Più tardi. Mina e io abbiamo lavorato tutto il giorno, riordinando tutte le carte.

DIARIO DI MINA HARKER

30 settembre. Sono così felice che non riesco a stare nella pelle. Penso che sia la reazione alla paura che mi ha tormentato, e cioè che questa spaventosa faccenda riaprisse la vecchia ferita di Jonathan, con suo grave detrimento. L'ho visto partire per Whitby con un'espressione che più decisa non si potrebbe, ma avevo il cuore attanagliato dall'apprensione. A quel che sembra, però, la fatica gli ha fatto bene. Mai è stato così risoluto, mai così forte, mai così pieno di vulcaniche energie come ora. È proprio come ha detto quel caro, buon professor Van Helsing: un uomo di pasta genuina e che, posto di fronte a prove che ucciderebbero una natura più debole, anzi si ferra. È tornato pieno di vita, speranza, ottimismo; abbiamo preparato tutto l'occorrente per questa notte. Mi sento fuori di me per l'eccitazione, e penso che addirittura si dovrebbe provar pietà per una creatura che sia braccata come il Conte. Ma appunto di questo si tratta: la Cosa è tale, una cosa, non già umana – neppure una bestia, è. Leggere il resoconto della morte della povera Lucy fatto dal dottor Seward, e ciò che ne è seguito, è sufficiente a inaridire le sorgenti della pietà nel cuore di chiunque.

Più tardi. Lord Godalming e il signor Morris sono arrivati prima di quanto supponessimo. Il dottor Seward era fuori per certe incombenze, e aveva portato con sé Jonathan, per cui è toccato a me riceverli. Ed è stato un penoso incontro, perché ha riportato alla memoria le speranze della povera, cara Lucy, quelle che nutriva solo pochi mesi fa. Com'è ovvio, avevano già sentito parlare di me da Lucy, e sembra che anche il dottor Van Helsing abbia "detto mirabilia" sul mio conto, per usare l'espressione del signor Morris. Poveretti, nessuno dei due sa che sono al corrente delle proposte di matrimonio da essi fatte a Lucy. Non sapevano che dire o che fare, all'oscuro com'erano dell'entità delle mie informazioni, e hanno dovuto mantenersi sulle generali. Io però, dopo attenta ponderazione, sono giunta alla conclusione che la miglior cosa, da parte mia, era di metterli al corrente di tutte le novità fino a oggi. Mi risulta, dal diario del dottor Seward, che erano presenti al decesso – quello vero – di Lucy, e quindi non ho motivo di temere di tradire intempestivamente qualche segreto. Per cui ho detto loro, con le maggiori cautele possibili, che avevo letto tutte le carte e i diari, e che insieme a mio marito, dopo averli dattiloscritti, avevamo testé finito di metterli in ordine. A ciascuno di loro ne ho data copia perché andassero in biblioteca a leggerla. Quando Lord Godalming ha avuto tra le mani il grosso fascio di fogli di sua spettanza, l'ha soppesato e ha commentato:

«Avete scritto tutto questo, signora Harker?»

Ho annuito, e lui:

«Lo scopo di quest'iniziativa mi sfugge. Ma voialtri siete così buoni e gentili, e vi siete dati da fare con tanta dedizione ed energia, che non posso far altro che accettare a occhi chiusi le vostre idee e tentare di aiutarvi. Ho già avuto una lezione circa l'accettazione di fatti tali da rendere umile un essere umano sino alla fine dei suoi giorni. E poi, so che volevate bene alla mia povera Lucy...» E a questo punto ha distolto il viso e se l'è coperto con le mani. Sentivo il pianto nella sua voce. Il signor Morris, con istintiva delicatezza, si è limitato a posargli per un istante la mano sulla spalla e quindi in silenzio è uscito dalla stanza. Penso ci sia, nella natura della donna, qualcosa che autorizza un uomo a lasciarsi andare di fronte a essa e a esprimere i propri sentimenti, tenerezza o emozioni che siano, senza che ciò vada a scapito della sua virilità; e infatti, allorché Lord Godalming è rimasto solo con me, si è seduto sul divano e si è abbandonato senza residui. Mi sono seduta accanto a lui e gli ho preso la mano. Spero non mi abbia giudicata sfacciata e che neppure in seguito, ripensandoci, tale mi ritenga. Ma no, gli faccio torto: so per certo che non accadrà mai, perché è davvero quel che si dice un gentiluomo. Gli ho detto, poiché mi avvedevo che il cuore gli sanguinava:

«Volevo bene alla cara Lucy, e so quel che significava per voi, e che cosa voi eravate per lei. Lei e io eravamo come sorelle; e ora che non c'è più, mi permettete di essere come una sorella per voi nel vostro dolore? Immagino quanto avete sofferto, ancorché non possa misurare tutta la profondità della vostra pena. Ma, se comprensione e affetto possono esservi di sollievo nella vostra afflizione, consentitemi di rendervi qualche piccolo servigio – per amore di Lucy.»

Un istante dopo, ecco il povero caro travolto senza più barriere dal suo cordoglio, sì da dare l'impressione che quanto fino a quel momento aveva sopportato in silenzio all'improvviso trovasse uno sfogo. È stato un vero e proprio attacco isterico: Lord Godalming, alzate al cielo le mani aperte, ha preso a batterle palmo contro palmo in una vera e propria agonia di tormenti; si è alzato e si è riseduto, e intanto le lacrime gli ruscellavano lungo le guance. Provavo per lui infinita pietà, e senza pensarci gli ho aperto le braccia. Con un singhiozzo, mi ha posato la testa sulla spalla, e ha pianto, pianto come un bambino desolato, scosso da capo a piedi dalla commozione.

Noi donne abbiamo sempre in noi qualcosa di materno che ci fa trascendere aspetti minori, quando è appunto allo spirito materno che si fa appello; e ho sentito la testa di quel grande uomo straziato posare su di me, quasi fosse quella del bambino che un giorno stringerò al seno, e gli ho accarezzato i capelli proprio come se fosse stato mio figlio. E al momento non ho certo pensato a quanto tutto questo fosse strano.

Un po' alla volta, i suoi singhiozzi si sono attenuati, ed egli si è alzato mormorando una scusa, pur non facendo certo mistero dell'emozione che lo dominava. Mi ha detto che per giorni e notti – tristi giorni, notti insonni – non aveva avuto modo di parlare con chicchessia così come un uomo dovrebbe fare nell'ora del suo dolore; non c'era una donna pronta a offrirgli la sua comprensione e con la quale, date le terribili circostanze che costituivano il corollario della sua sofferenza, potesse liberamente parlare. «Ora so quanto ho sofferto» ha detto asciugandosi gli occhi «ma neppure adesso so – e nessun altro mai saprà – quanto la vostra dolce comprensione abbia fatto quest'oggi per me. Lo saprò meglio col tempo; e credetemi se vi dico che, sebbene adesso non ve ne sia certo poco grato, la mia gratitudine si accrescerà insieme alla comprensione. Mi permettete di essere per voi come un fratello, vita natural durante – per amore della cara Lucy?»

«Sì, per amore della cara Lucy» ho replicato mentre ci stringevamo la mano. «Oh, e anche per amor vostro» ha soggiunto Lord Godalming «perché, se mai la stima e la gratitudine di un uomo meritano di essere conquistate, voi quest'oggi le mie ve le siete assicurate. Se mai in avvenire vi troverete in circostanze tali da abbisognare dell'aiuto di un uomo, credetemi: non mi chiamerete invano. Dio non voglia che un giorno infausto venga a oscurare il sole della vostra vita; ma se mai dovesse accadere, giuratemi che me lo farete sapere.» Era così compreso, e il suo dolore così recente che, certa che gli sarebbe stato di conforto, ho risposto:

«Ve lo giuro.»

Uscito nel corridoio, ho visto il signor Morris affacciato a una finestra. Si è volto al suono dei miei passi. «Come sta Art?» mi ha chiesto. Poi, accortosi dei miei occhi rossi, ha soggiunto: «Ah, ben vedo che lo avete confortato. Povero amico! Ne ha bisogno. Soltanto una donna può essere di aiuto a un uomo quando il suo cuore è in pena; ed egli non ha nessuno a dargli sollievo».

Lui, il suo dolore lo reggeva con tanto stoicismo che mi son sentita stringere il cuore. Ho visto che in mano aveva il dattiloscritto, e sapevo che, una volta lettolo, si sarebbe reso conto quanto me di come stavano le cose. E allora gli ho detto:

«Vorrei poter confortare tutti coloro che hanno il cuore straziato. Consentitemi di esservi amica, e verrete a me per conforto se ne avrete bisogno? Più tardi saprete il perché di queste mie parole.» Si è accorto di quanto fossi sincera e, chinandosi, mi ha preso la mano, se l'è portata alle labbra, l'ha baciata. Mi è parsa ben misera consolazione per un'anima così intrepida e altruista, e obbedendo a un impulso mi sono chinata e l'ho baciato. Gli occhi gli si sono imperlati di lacrime e per un istante la gola gli si è chiusa; ma quando ha potuto parlare, mi ha detto, ed era assolutamente sereno:

«Bambina mia, voi non rimpiangerete mai questa gentilezza che viene dal cuore, fino all'ultimo giorno della vostra vita!» Poi è andato dall'amico nello studio.

"Bambina mia"! Le stesse parole che aveva rivolto a Lucy e, oh, se aveva saputo esserle amico!

XVIII

DIARIO DEL DOTTOR SEWARD

30 settembre. Sono rincasato alle diciassette, e ho saputo che Godalming e Morris non solo erano arrivati, ma avevano anche letto il dattiloscritto dei diari e delle lettere preparato e ordinato da Harker e dalla sua impareggiabile moglie. Harker, andato a cercare i facchini, di cui mi aveva parlato il dottor Hennessy, non era ancora rientrato. La signora Harker ci ha servito il tè, e devo dire in tutta sincerità che, da quando ci abito, è la prima volta che questo vecchio edificio è sembrato qualcosa di simile a una casa. Dopo il tè, la signora Harker mi ha detto:

«Dottor Seward, posso chiedervi un favore? Desidererei vedere quel vostro paziente, il signor Renfield. Permettetemi di farlo: quel che ne dite nel vostro diario mi interessa moltissimo!» Aveva un tono così implorante ed era così graziosa, che non ho saputo dirle di no, e del resto, che motivo ne avrei avuto? L'ho dunque portata con me e, entrato nella camera del paziente, gli ho detto che una signora desiderava vederlo. E lui: «Perché?».

«Sta visitando l'istituto, e vorrebbe vedere tutti quanti i suoi ospiti» ho risposto. «Oh, benissimo, allora» ha commentato Renfield «che venga, che venga pure; ma un istante solo che metta un po' d'ordine qua dentro.» Il suo sistema di "metter ordine" era piuttosto originale: è consistito semplicemente nell'inghiottire tutte le mosche e i ragni che teneva nelle scatole prima che potessi impedirglielo. Era evidente che temeva o sospettava qualche interferenza. Portato a termine quel disgustoso compito, ha detto tutto allegro: «Che la signora entri», e si è seduto sul bordo del letto, a testa bassa ma con gli occhi bene aperti, in modo da poter esaminare la visitatrice. Per un istante, ho temuto che accarezzasse qualche intento omicida; ricordavo infatti quanto tranquillo era stato un attimo prima di aggredirmi nel mio studio, e ho avuto cura di collocarmi in posizione tale da poterlo afferrare subito, se avesse cercato di balzarle addosso. La signora Harker è entrata con quella tranquilla grazia capace di imporsi senz'altro a qualsiasi pazzo, essendo la disinvoltura una delle qualità che i lunatici maggiormente apprezzano. Gli si è avvicinata con un dolce sorriso sulle labbra e gli ha porto la mano.

«Buonasera, signor Renfield» ha esordito. «Sapete, io vi conosco, il dottor Seward mi ha parlato di voi.» Il paziente non ha replicato subito, ma l'ha squadrata da capo a piedi, corrugando la fronte. Poi quell'espressione ha ceduto il posto a un'altra, di meraviglia mista a dubbio; quindi, con mio immenso stupore, ha chiesto:

«Non siete voi la ragazza che il dottore voleva sposare, vero? Non potete esserlo, del resto, perché quella è morta.» Con un mite sorriso, la signora Harker ha ribattuto:

«Oh, no, io sono sposata, e lo ero prima ancora di conoscere il dottor Seward. Io sono la signora Harker.»

«E si può sapere che ci fate qui?»

«Mio marito e io siamo venuti a trovare il dottor Seward.»

«E allora, non trattenetevi.»

«E perché no?» Ho pensato che quello scambio di battute potesse riuscire poco piacevole alla signora Harker, come non lo era per me, per cui sono intervenuto:

«E voi come fate a sapere che volevo sposarmi?» La risposta del matto è stata di sovrano disprezzo, e Renfield me l'ha data volgendo per un istante lo sguardo dalla signora Harker a me, ma immediatamente riposandolo su di lei:

«Che domanda insulsa!»

«Non la considero affatto tale, signor Renfield» ha interloquito la signora Harker, venendo subito in mio soccorso. Il matto ha ribattuto, con cortesia e rispetto pari al disprezzo che aveva riservato a me:

«Voi di certo capite, signora Harker, che quando un uomo è amato e ammirato quanto il nostro anfitrione, tutto ciò che lo riguarda è di grande interesse per la nostra piccola comunità. Il dottor Seward è amato non solo dal personale della casa e dai suoi amici, ma anche dai suoi pazienti i quali, essendo in certi casi di scarso equilibrio mentale, tendono a confondere cause ed effetti. E siccome io stesso sono stato e sono ospite di un manicomio, non posso non notare come la predilezione per i sofismi di certuni dei suoi ospiti conduca agli errori propri della *non causa* e dell'*ignoratio elenchi*.» Sono rimasto a bocca aperta. Ecco il mio matto prediletto – il più tipico della sua categoria che mai avessi conosciuto – mettersi a disquisire di filosofia, e con i modi di un raffinato gentiluomo. Mi chiedo se non sia stata la presenza della signora Harker a toccare la corda di una sua reminiscenza. Che questa nuova fase sia spontanea o in qualche modo dovuta all'inconscia influenza della signora Harker, è certo comunque che questa deve essere dotata di doni o poteri straordinari.

Abbiamo continuato a parlare per un po'; e, accortasi che il paziente almeno in apparenza era del tutto lucido, la signora, dopo avermi scoccato un'occhiata interrogativa, ha tentato di indurlo al suo argomento preferito, e ancora una volta sono rimasto sbalordito, perché Renfield ha risposto con l'obiettività del più perfetto equilibrio mentale, addirittura adducendo se stesso come esempio di certe affermazioni.

«Io stesso» ha detto «sono un individuo che ha coltivato strane credenze. E non c'era affatto da meravigliarsi che i miei amici ne fossero allarmati e insistessero perché fossi tenuto sotto controllo. Figuratevi che mi immaginavo che la vita fosse un'entità concreta ed eterna e che, ingerendo una gran quantità di esseri viventi, per quanto collocati in basso nella scala della creazione, si potesse prolungare la vita all'infinito. In certi momenti, l'ho creduto con tanta forza, che ho tentato addirittura di impossessarmi di vite umane. Il dottore può confermare che, durante uno di questi accessi, ho tentato di ucciderlo allo scopo di rafforzare i miei poteri vitali incorporandomi la sua vita per mezzo del suo sangue, e qui torna ovvio il riferimento delle Scritture là dove dicono: "Poiché il sangue è la vita". Questo, sebbene un ciarlatano, per spacciare una sua panacea, abbia volgarizzato tale verità lapalissiana al punto da renderla spregevole. Dico bene, dottore?» Ho annuito distrattamente, perché ero così stupito da non sapere che pensare o che dire: come persuadere me stesso che, neppure cinque minuti prima, lo avevo visto mangiare ragni e mosche? Ho dato un'occhiata all'orologio: era ora di andare alla stazione a prendere Van Helsing, e ho detto alla signora Harker che dovevamo congedarci dal paziente. Lei ha annuito e si è accomiatata compitamente dal signor Renfield con un: «Arrivederci, e spero di rivedervi presto, in un'occasione più propizia per voi», al che, con mia sorpresa, egli ha replicato:

«Addio, mia cara. Io prego Iddio di non dover più rivedere il vostro bel viso. Che Egli vi benedica e vi protegga!»

Sono andato alla stazione da solo, lasciando Art e Quincey a casa. Il primo, poveretto, sembrava meno affranto di quanto fosse stato da quando Lucy si era ammalata, e il secondo più simile a quel personaggio brillante che era stato e che da un pezzo più non era.

Van Helsing è sceso di carrozza con la disinvolta agilità di un giovanotto. Mi ha visto subito e mi è corso incontro dicendo:

«Ah, amico John, come va tutto? Bene? Ottimamente! Sono stato occupato, e vengo qui per restare se necessario. Tutti miei affari sono sistemati, e ho molto, molto da riferire. Madam Mina è con voi, sì? E suo bravo marito? E Arthur e mio amico Quincey, anche loro con voi? Benone!»

Strada facendo, gli ho raccontato quel che era accaduto e come il mio diario si fosse rivelato di una certa utilità grazie ai suggerimenti della signora Harker; e allora il professore:

«Ah, quella meravigliosa Madam Mina! Ha un cervello da uomo, un cervello che un uomo, se avesse esso, sarebbe molto dotato, e un cuore femminile. Il buon Dio ha creato lei per uno scopo, credete me, quando Egli ha fatto questa così buona combinazione. Amico John, finora la fortuna ha fatto che quella donna fosse di aiuto a noi; a partire da questa notte, non deve più nulla avere a che fare con questa terribile faccenda. Non è bene che essa corre un rischio così grande. Noi uomini siamo decisi – non abbiamo noi esso giurato? – di distruggere quel mostro; ma questo non è ruolo per donna. Anche se essa non riceve alcun male, suo cuore può venir meno a lei in tanti e tanti orrori; e di conseguenza può soffrire, sia in veglia, per causa di suoi nervi, sia in sonno, per causa di suoi sogni. Inoltre, essa è giovane donna e non così tanto sposata; può darsi che ha altre cose da pensare in seguito, anche se non adesso. Voi dite che ha tutto scritto, quindi dobbiamo parlare con essa; ma domani essa dirà addio a questa opera, e noi poi andiamo avanti da soli.» Ho approvato di tutto cuore la sua proposta, e poi gli ho riferito quanto avevamo scoperto durante la sua assenza, e cioè che la casa acquistata da Dracula era proprio quella accanto al manicomio. Ne è rimasto sbalordito e profondamente preoccupato. «Oh, se questo noi sappiamo prima!» ha commentato «perché allora noi possiamo raggiungere lui in tempo per salvare povera Lucy. D'altro canto, inutile piangere su latte versato, come dite voi. Non pensiamo più al passato, ma poi tiriamo diritti per nostra strada sino alla fine.» Dopodiché, è sprofondato in un silenzio che è durato finché abbiamo varcato il cancello. Prima che salissimo a prepararci per la cena, ha detto alla signora Harker:

«Da mio amico John vengo detto, Madam Mina, che voi e vostro marito siete messo in esatto ordine tutte cose che sono state fino a questo momento.»

«No, non fino a questo momento, professore» ha replicato prontamente la signora: «Fino a stamane, volete dire».

«Come mai non fino a questo momento? Abbiamo visto quanto chiaro è stato fatto anche sulle piccole cose. Noi abbiamo svelato nostri segreti, e non per questo qualcuno di noi sta peggio.»

La signora Harker è arrossita e, levato di tasca un foglio, ha chiesto:

«Dottor Van Helsing, volete leggerlo e dirmi se deve venire trascritto? È il resoconto della mia odierna giornata. Anch'io ho capito la necessità di registrare ogni cosa, per banale che sia; ma in questo, non c'è nulla che non sia strettamente personale. Devo aggiungerlo al resto dell'incartamento?» Il professore ha letto il foglio attentamente, e poi l'ha restituito dicendo:

«Non è necessario se voi non desiderate esso; ma io prego voi se possibile. Non può che fare che vostro marito ama voi di più, e noi tutti, vostri amici, che onoriamo voi di più, oltre che più stimarvi e provare affetto per voi». La signora ha ripreso il foglio con un nuovo rossore e un gran sorriso.

E così, tutto è registrato e ordinato cronologicamente fino a questo minuto. Il professore dopo cena ha preso una copia della documentazione per studiarla prima della nostra riunione, fissata per le ventuno. Gli altri hanno già letto tutto; e così, quando ci ritroveremo nello studio, saremo ognuno al corrente dei fatti e potremo mettere a punto il nostro piano di battaglia contro questo tremendo e misterioso nemico.

DIARIO DI MINA HARKER

30 settembre. Quando, due ore dopo la cena, che aveva avuto luogo alle sei, ci siamo riuniti nello studio del dottor Seward, senza nemmeno rendercene conto ci siamo organizzati in una sorta di comitato. Il professor Van Helsing si è seduto a capotavola, al posto indicatogli dal dottor Seward non appena ha messo piede nella stanza. Ha voluto che mi sedessi alla sua destra, chiedendomi di fungere da segretaria; accanto a me, Jonathan. Di fronte a noi, Lord Godalming, il dottor

Seward e il signor Morris, nell'ordine rispetto al professore. Questi ha esordito:

«Suppongo di poter dare per scontato che tutti noi siamo a corrente di fatti che sono in queste carte.» Al nostro cenno di assenso, ha proseguito:

«Ragion per cui, io penso bene che io vi dico qualcosa del tipo di nemico con cui abbiamo a che fare. Io poi renderò voi consapevoli di alcuni aspetti della storia di quest'uomo, che sono stati indagati per mio incarico. Così, noi poi possiamo discutere come agiamo, e prendere nostre misure in accordo.

«Esistono esseri noti come vampiri; alcuni di noi hanno avuto riprova di loro esistenza. Ma anche senza prova di nostra infelice esperienza, insegnamenti e cronache di passato forniscono prove sufficienti per gente con testa sulle spalle. Ammetto che in primo tempo io sono stato scettico. Ma per lunghi anni io ho allenato me stesso a tenere una mente aperta, altrimenti non ho creduto fino al momento in cui quel fatto non è manifesto davanti a miei occhi. "Vedi vedi! Io ho riprova, io ho riprova." Ahimè, se io avrei conosciuto fin da primo momento ciò che ora so – anzi, se avrei esso solo sospettato – una così preziosa vita è risparmiata per molti di noi che amavano essa. Ma questo è andato; e noi dobbiamo agire, se no altre povere anime periscono che noi possiamo salvare. Il *nosferatu* non muore come fa l'ape quando punge una volta. Anzi, a ogni puntura è solo più forte, e così ha ancora maggior potere di fare il male. Questo vampiro che è tra noi è in sé e per sé così forte di sua persona come venti uomini; è di intelligenza superiore alla mortale, perché sua astuzia è frutto di accumulo di ere; ha ancora di sua ausilii della necromanzia, la quale è, come dice suo etimo, la divinazione per mezzo dei morti, e tutti i morti che egli può andar loro vicino sono a suo comando; egli è crudele e feroce e più che bestiale; egli è demonio incattivito, e non è pietà in lui; lui può comandare gli elementi che sono entro suo raggio: la tempesta, la nebbia, il lampo; lui può comandare tutte le creature inferiori: il ratto, la civetta e il pipistrello, e la farfalla, la volpe e il lupo; lui può crescere e divenire piccolo; e lui può a volte svanire e divenire sconosciuto. Come dunque dobbiamo noi cominciare nostra crociata per sgominare lui? Come scopriremo suo rifugio e, avendo esso trovato, come possiamo distruggere esso? Miei amici, questo è molto, è un terribile compito che noi intraprendiamo, che può avere conseguenze tali che anche il coraggioso rabbrividisce. Perché, se in nostra lotta noi falliamo, egli senza dubbio deve vincere; e allora, come sarà nostra fine? La vita è nulla; di morte non mi preoccupo. Ma fallire qui, non è semplice vita o morte. È che noi diveniamo come lui, che di conseguenza noi siamo creature abiette di notte come lui, esseri senza cuore né coscienza, che fanno preda di corpi e di anime di quelli che più noi amiamo. Per noi per sempre sono le porte di paradiso chiuse: chi infatti riapre poi esse per noi? Noi in eterno siamo di tutti aborriti: una macchia sulla faccia del sole di Dio, una freccia nel fianco di Lui che è morto per gli uomini. Ma noi siamo faccia a faccia col dovere; e in questo caso dobbiamo noi arretrare? Per me io dico: no. Ma allora io sono vecchio, e la vita, con sua luce, con suoi bei posti, con suo canto di uccelli, con sua musica e suo amore, è molto a mie spalle. Voi invece siete giovani. Alcuni di voi hanno visto dolore; ma in serbo sono bei giorni. Che cosa dite voi?»

Mentre il professore parlava, Jonathan mi aveva preso la mano. Ho temuto, oh, quanto l'ho temuto, che gli aspetti sgomentanti del pericolo che ci sovrastava lo avessero travolto quando l'ho visto tendermi la mano; ma la sua stretta è stata per me una sorsata di vita: così forte, così sicura, così decisa. La mano di un uomo coraggioso è quanto mai eloquente: non occorre neppure l'amore di una donna per afferrarne il linguaggio.

Finito il discorso del professore, mio marito mi ha fissata per un istante, e tra noi ogni parola era inutile.

«Rispondo per Mina e per me stesso» ha poi detto Jonathan.

«Contate su di me, professore» è intervenuto, laconico come il solito, Quincey Morris.

E Lord Godalming:

«Sono con voi, non fosse che per amore di Lucy.»

Il dottor Seward si è limitato ad annuire. Il professore si è alzato e, dopo aver posto il suo crocifisso d'oro sul tavolo, ha proteso ambo le mani. Io gli ho preso la destra, Lord Godalming la sinistra; Jonathan mi ha afferrato la destra con la sinistra, porgendo l'altra al signor Morris. E così, formando una catena, abbiamo suggellato il nostro patto solenne. Mi sentivo in cuore un gelo di morte, ma neppure per un istante ho pensato a tirarmi indietro. Poi abbiamo ripreso posto, e il dottor Van Helsing ha continuato il suo dire con un calore che rivelava come si fosse ormai entrati nel vivo della questione: un'opera alla quale accingersi con la stessa serietà, con la stessa efficienza con cui ci si dedica agli affari di massima importanza:

«Bene, voi sapete contro che cosa noi dobbiamo contendere: ma noi non siamo del tutto privi di forza. Noi abbiamo a nostro fianco potere di combinazione razionale, facoltà negata al genere vampiresco; noi abbiamo fonti di scienza; noi siamo liberi di agire e di pensare; e per noi sono uguali le ore di giorno e di notte. In effetti, nei limiti di nostri poteri, essi sono non impastoiati, e noi siamo liberi di usare essi. Noi abbiamo devozione a una causa e un fine che non è uno egoistico. Queste cose sono molte.

«Vediamo ora fino a che punto i poteri generali schierati contro di noi sono ristretti e quanto individuo non può. Infine, consideriamo limitazioni di vampiri in generale e di questo qui in particolare.

«Tutto che noi possiamo fondarci sopra sono tradizioni e superstizioni. Queste in primo momento non sembrano molto, quando si tratta di questioni di vita o di morte, anzi assai più che vita o morte. Pure, noi dobbiamo noi contentare, in primo luogo perché non possiamo che così, in quanto altre fonti non disponiamo, e in secondo luogo perché in fin dei conti queste cose, tradizione e superstizione, sono tutto. Infatti credenza in vampiri si riposa per altri – sebbene non, ahimè! per noi – esclusivo su esse. Chi di noi, un anno fa, poteva ammettere simile possibilità, nel mezzo di nostro scientifico, scettico, pratico secolo diciannovesimo? Abbiamo perfino dubitato in una fede che abbiamo visto giustificata sotto nostri stessi occhi. Prendiamo dunque per il momento come vero che vampiro e credenza in sue limitazioni e cura contro di esso si fondano su stessa base. Perché, lasciate me dire a voi, il vampiro è conosciuto ovunque uomini sono stati e sono. In antica Grecia e in antica Roma; egli fiorisce in Germania in tutta quanta, in Francia, in India, finanche in Chersoneso; e in Cina, che pure è così lontana in ogni modo da noi, anche là egli è, e le genti temono lui oggi ancora. Lui ha seguito la scia di islandesi guerrieri invulnerabili, di Unni seguaci del diavolo, di slavi, di sassoni, di magiari. Finora, dunque, noi sappiamo tutto su cui possiamo agire; e mi è concesso di dire a voi che moltissime di credenze sono giustificate per ciò che abbiamo visto in nostra stessa così infelice esperienza? Il vampiro continua a vivere, e non può morire per semplice passare di tempo; egli può fiorire sempreché può nutrirsi di sangue di esseri viventi. Come se non basta, noi abbiamo visto con questi nostri occhi che può anche diventare più giovane, e che sue facoltà vitali si fortificano e anzi moltiplicano sé quando questo suo speciale *pabulum* è abbondante. Ma lui non può fiorire senza questa dieta; lui non mangia come altri. Persino mio amico Jonathan, che è vissuto con lui settimane, mai ha visto lui mangiare, mai. Lui non proietta ombra; lui non si riflette in specchio, come ancora osserva Jonathan. Lui ha la forza di molti uomini in sua mano, e ancora una volta testimone di questo è Jonathan quando visto lui chiudere portone contro i lupi e quando egli ha aiutato lui a scendere di diligenza. Lui può trasformarsi in lupo, come si deduce da arrivo di nave a Whitby, quando ha fatto a pezzi il cane; lui può essere come pipistrello, e così Madam Mina ha visto lui alla finestra a Whitby, e amico John ha visto lui volare da questa così tanto vicina casa, e mio amico Quincey ha visto lui a finestra di signorina Lucy. Lui può venire in nebbia che lui stesso ha creato: quel bravo capitano di nave ha provato che è capace di esso. Ma da quello che sappiamo risulta che estensione che può dare a questa nebbia è limitata, ed essa può essere solo attorno a lui stesso. Lui viene su raggi di luna come pulviscolo, come ancora una volta Jonathan ha visto quelle sorelle nel castello di Dracula. Diviene così piccolo: noi stessi abbiamo visto signorina Lucy, prima che fosse in pace, infilarsi in spiraglio limitatissimo di cancello di tomba. Lui può, se riesce a trovare sua via, uscire di qualsiasi cosa o entrare in qualsiasi cosa, anche se essa compatta e persino fusa con fuoco, cioè saldata, come voi dite. Lui può vedere in buio: non piccolo potere, questo in un mondo che per metà di tempo sta in buio. Ah, ma ascoltate, ascoltate. Lui tutte queste cose può fare, ma non è libero. No, è ancor più prigioniero di schiavo al remo di galera, più prigioniero che pazzo in sua cella. Lui non può andare dove lui pare e piace: il vampiro non è di natura, ma deve obbedire a certe leggi di natura. Perché, noi non sappiamo. Non può entrare ovunque in primo momento, se non è uno di casa che lo chiama perché venga, anche se in seguito può andare e venire come lui piace. Suoi poteri cessano, come quelli di tutte cose malvagie, quando spunta il giorno. Poi, solo in certi periodi il vampiro può avere limitata libertà. Se non si trova in luogo dove sia costretto, può muoversi solo a mezzodì oppure a esatto sorgere o calare di sole. Queste cose ci vengono dette, e in questa documentazione noi abbiamo riprova che così è. Sicché, se è vero che può fare come lui pare e piace in suoi limiti, quando ha sua terra-casa, sua bara-casa, suo inferno-casa, cioè suo luogo dissacrato, come abbiamo visto quando è andato alla tomba di suicida in Whitby, in altri momenti invece può andare e venire solo quando viene suo momento. Si dice anche che può superare acque correnti soltanto a calare o a sorgere di marea. Poi sono cose che talmente lo affliggono che non ha potere, come l'aglio di cui ben sappiamo; e quanto a cose sacre, come questo simbolo, mio crocifisso, che è stato qui tra noi anche mentre discutiamo, rispetto a esse lui è nulla, ma in loro presenza scappa via lontano, in silenzio e con rispetto. Ci sono anche altre cose di cui vi dirò, se in nostra ricerca noi avremo bisogno di esse. Il ramo di rosa selvatica messo in sua cassa lo trattiene che non può muoversi da essa; una consacrata pallottola sparata in sua bara uccide lui sì che è davvero morto; a proposito di paletto confitto in suo corpo, già sappiamo di sua utilità; e anche testa mozzata lui procura eterno riposo. Questo abbiamo visto con nostri occhi.

«Sicché, quando noi troviamo l'abitazione di questo uomo-che-era, noi possiamo confinarlo in sua bara e distruggere lui, se facciamo tesoro di nostre conoscenze. Lui però è intelligente. Ho chiesto a mio amico Arminius di università di Budapest di prepararmi sua storia; e, in base di tutte fonti disponibili, lui mi dice che cosa è stato. Sembra dunque che è stato quel voivoda Dracula che acquista sua gloria contro i turchi, di là di grande fiume sulla propria frontiera di Turcolandia. Se così stanno le cose, vuol dire che lui non è stato uomo comune, e infatti in quel tempo e per secoli anche dopo, lui veniva parlato come il più intelligente e più astuto oltre che il più coraggioso dei figli della "terra oltre la foresta". Quel possente cervello e quella ferrea volontà sono scesi con lui in sua tomba, e ora sono schierati contro di noi. I Dracula, dice Arminius, erano grande e nobile stirpe, sebbene non sono mancati rampolli che dai contemporanei erano ritenuti che avevano commerci con Maligno. Hanno imparato segreti di diavolo in Scolomanzia, tra i monti sopra lago di Hermannstadt, dove il diavolo pretende che ogni dieci saggi uno è suo. In cronache voi trovate parole come *stregoica*, vale a dire "strega", *ordog* e *pokol*, "diavolo" e "inferno"; e in un manoscritto, di questo stesso Dracula si dice che è *wampyr*, parola che comprendiamo fin troppo bene. Di lombi di questo uomo sono discesi grandi uomini e buone donne, e le loro tombe fanno sacra la terra soltanto in quale perfidia di lui può prosperare. Poiché non è minore di suoi terrori che il male ha radici profonde in tutte le cose buone; in un suolo privo di sante memorie lui non può trovare pace.»

Mentre il professore parlava, il signor Morris continuava a volgere lo sguardo alla finestra, e a un certo punto l'abbiamo visto alzarsi in silenzio e uscire dalla stanza. C'è stata una breve pausa, quindi il professore ha ripreso:

«E ora dobbiamo stabilire che noi fare. Abbiamo qui molti dati, e dobbiamo procedere a mettere a punto nostra campagna. Ci risulta da inchiesta compiuta da Jonathan che di castello a Whitby sono venute cinquanta casse di terra, tutte quante consegnate a Carfax; sappiamo anche che almeno alcune di casse sono state portate in altro luogo. Sembra a me che nostro primo passo deve essere di accertare se tutte altre rimangono nella casa oltre quel muro che abbiamo guardato oggi, oppure se altre sono state via portate. Se così è, dobbiamo rintracciare...»

A questo punto, è stato bruscamente interrotto. Dall'esterno della casa è giunto il rumore di una pistolettata; il vetro della finestra è stato mandato in frantumi da una pallottola che, rimbalzando contro l'architrave, è andata a conficcarsi nella parete opposta. Temo di essere, in cuor mio, una vigliacca, perché mi sono lasciata sfuggire un grido. Gli uomini sono tutti balzati in piedi, e Lord Godalming è corso alla finestra, che era a ghigliottina, alzandone prontamente il pannello. In quella, abbiamo udito dall'esterno la voce del signor Morris che diceva:

«Mi dispiace di avervi spaventati. Adesso rientro e vi racconto.» Un istante dopo, rieccolo tra noi a spiegarci:

«È stato sciocco da parte mia, e vi chiedo umilmente perdono, signora Harker; temo di avervi fatto prendere un bello spavento, ma è che, mentre il professore parlava, un grosso pipistrello è venuto a posarsi sul davanzale della finestra, e io provo una tale repulsione per quegli schifosi animali, a causa di eventi recenti, che non riesco più a sopportarli, e sono uscito per sparargli, come del resto faccio ormai ogni sera quando ne vedo uno. Tu, Art, mi hai preso tanto in giro per questo.»

«E l'avete colpito?» ha chiesto il professore.

«Non lo so, ma non credo, perché l'ho visto volare verso gli alberi.» E, senza aggiungere altro, è tornato al suo posto, e il professore ha ripreso:

«Dobbiamo rintracciare tutte di quelle casse; e quando noi siamo pronti, dobbiamo catturare o uccidere questo mostro in sua tana; oppure noi dobbiamo per così dire sterilizzare la terra, in modo che lui non può più cercare rifugio in essa. Così alla fine noi possiamo trovare lui in sua forma di uomo tra le ore di mezzogiorno e di tramonto, e così affrontare lui in periodo in cui è più debole.

«E ora veniamo a voi, Madam Mina: questa notte è fine di vostra collaborazione finché tutto non è bene. Voi siete troppo preziosa per noi per correre simili rischi. Quando noi ci lasciamo questa sera, voi più non dovete fare domande. Noi vi diciamo a voi tutto in buon tempo. Noi siamo uomini e siamo capaci di sopportare, ma voi dovete essere nostra stella e nostra speranza, e noi agiremo tanto più liberamente che voi non siete in pericolo, come invece noi siamo.»

Tutti gli uomini, Jonathan compreso, mi sono parsi sollevati; ma a me non è sembrato affatto giusto che dovessero affrontare il pericolo e magari diminuire le proprie probabilità di salvezza – essendo che la forza costituisce la miglior difesa – perché dovevano preoccuparsi per me; ma così avevano deciso e, sebbene per me fosse un amaro boccone da mandar giù, non ho potuto fare altro che accettare la loro cavalleresca decisione.

È stato il signor Morris a riportarci in carreggiata dicendo:

«Poiché non c'è tempo da perdere, propongo di andare subito a dare un'occhiata alla casa del Vampiro. Il tempismo in questa faccenda è tutto, e un'azione immediata da parte nostra può salvare altre vittime.»

Ammetto che mi sono sentita mancare il cuore quando mi sono resa conto che il momento di agire era venuto, ma non ho detto nulla, perché temevo ancora di più che farlo vedere costituisse un ostacolo o una remora alla loro opera, tanto da indurli a escludermi persino dalle loro riunioni. Adesso sono partiti per Carfax, e ciò significa che entreranno in quella casa.

Poiché sono uomini, mi hanno detto di andare a letto e di dormire: come se una donna potesse farlo quando coloro che ama sono in pericolo! Sì, andrò a letto e fingerò di dormire, per evitare altri motivi di ansia a Jonathan quando rincaserà.

DIARIO DEL DOTTOR SEWARD

1° ottobre, ore quattro del mattino. Proprio mentre stavamo per uscire di casa, sono stato avvertito che Renfield desiderava vedermi subito: aveva da comunicarmi cose della massima importanza. Ho detto all'infermiere latore del messaggio di riferirgli che sarei andato da lui l'indomani mattina: in quel momento ero troppo occupato. Ma l'infermiere ha replicato:

«Ha insistito molto, signore, non l'ho mai visto così ansioso. Non so di che si tratti, ma se non andrete subito da lui avrà una delle sue crisi.» Ben sapendo che l'infermiere non avrebbe fatto simili affermazioni se non a ragion veduta, gli ho risposto: «Va bene, andrò da lui adesso» e ho chiesto agli altri di aspettarmi pochi minuti, perché dovevo fare una scappata dal mio "paziente".

«Prendete me con voi, amico John» ha detto il professore. «Il suo caso in vostro diario interessa me molto, ed esso anche ha avuto e ha attinenza, e ne ha anche poi, con *nostro* caso. Io molto gradirei di vedere lui, e speciale quando sua mente è turbata.»

«Posso venire anch'io?» ha chiesto Lord Godalming.

«E io?» ha interloquito Quincey Morris. «E io no?» ha fatto Harker. Ho annuito, e insieme abbiamo imboccato il corridoio.

Abbiamo trovato Renfield in stato di notevole eccitazione, ma assai più ragionevole, quanto a discorsi e modi, di quanto mai l'avessi visto. Faceva mostra di una lucidità del tutto insolita in un lunatico; e sembrava del tutto convinto che le sue ragioni avrebbero prevalso su quelle di altri, completamente assennati. Siamo entrati tutti e quattro insieme nella stanza, ma non siamo stati noi a parlare, bensì Renfield, avanzando la richiesta di essere dimesso seduta stante e rimandato a casa. E a sostegno accampava argomentazioni circa la sua completa guarigione, il suo attuale perfetto equilibrio mentale. «Faccio appello ai vostri amici,» ha detto «ai quali forse non dispiacerà giudicare il mio caso. A proposito, non mi avete presentato.» Ero talmente sbalordito che la stranezza di fare la presentazione di un matto chiuso in manicomio, di prim'acchito non mi ha colpito; e poi, nei modi dell'uomo era una certa dignità, l'atteggiamento di chi ha l'abitudine di trattare da pari a pari, che automaticamente ho obbedito: «Lord Godalming, il professor Van Helsing, il signor Quincey Morris del Texas. E questo è il signor Renfield». Il paziente ha stretto la mano a tutti, volta a volta dicendo:

«Lord Godalming, ho avuto l'onore di essere accanto a vostro padre al Windham; dal fatto che ne portate il titolo, arguisco, e mi addolora, che non è più. Era un uomo amato e onorato da quanti lo conoscevano; e in gioventù, ho udito dire, è stato l'inventore di un punch al rhum bruciato, di grande successo la sera del Derby. Signor Morris, potete essere fiero del vostro grande stato. Il suo ingresso nell'Unione costituisce un precedente che potrà avere effetti di vasta portata, quando il Polo e i Tropici forse si alleeranno a loro volta con la bandiera stellata. Chissà che la forza del Trattato non si riveli un gran motore di espansione, una volta che la dottrina di Monroe sia stata confinata, come si merita, tra le favole politiche. E che dire del piacere di incontrare Van Helsing? Signore, non mi scuso per aver trascurato, rivolgendomi a voi, i convenzionali titoli. Quando una persona ha rivoluzionato la terapia con le sue scoperte sulla continua evoluzione della sostanza cerebrale, le convenzioni sono inadeguate, poiché si darebbe l'impressione di voler confinare la persona stessa in una categoria. Voi signori che per nazionalità, retaggio o possesso di doti naturali, siete legittimati a occupare i vostri rispettivi posti in questo mondo in perenne movimento, voi prendo a testimoni del fatto che sono altrettanto sano di mente quanto la maggior parte degli uomini che godono appieno delle loro libertà. E sono certo che voi, dottor Seward, umanitario e giurista oltre che medico e scienziato, considererete un dovere morale riservare a me un trattamento degno di chi si trovi in circostanze eccezionali.» Quest'ultimo appello era stato da lui indirizzato con un tono meditato, di profonda convinzione e non privo di suggestione.

Penso che tutti i presenti fossero stupiti. Per quanto mi riguarda, ero convinto, sebbene conoscessi il carattere e i precedenti anamnestici del paziente, che questi avesse recuperato il ben dell'intelletto; e ho provato la tentazione quasi irresistibile di dirgli che, persuaso della sua assennatezza, avrei provveduto alle necessarie formalità per il rilascio il mattino dopo. Ma ho pensato che fosse meglio soprassedere, prima di pronunciare un'affermazione di tale gravità, avendo io una vecchia esperienza degli improvvisi salti di umore che potevano verificarsi in lui, ragion per cui ho preferito tenermi sulle generali, riconoscendo che, a quanto sembrava, stava rapidamente migliorando e che il mattino successivo avrei avuto con lui una lunga chiacchierata, per vedere che cosa potessi fare per venire incontro ai suoi desideri. Non è parso per niente soddisfatto, e si è affrettato ad aggiungere:

«Temo però, dottor Seward, che voi non abbiate afferrato appieno il mio desiderio, il desiderio di andarmene immediatamente, qui, subito, adesso, in questo stesso istante, se possibile. Il tempo vola e, nel nostro tacito accordo con la vecchia falciatrice, questo fatto costituisce l'essenza di un contratto che non ammette dilazioni. Sono certo che basti esporre, a un eccellente terapeuta come è il dottor Seward, un desiderio così semplice, eppure di così grande momento, perché venga esaudito.» E mi ha guardato fisso e, lettomi il diniego in faccia, si è rivolto agli altri, del pari scrutandoli. Constatato che la risonanza non era quale si era aspettato, ha proseguito:

«Possibile che mi sia sbagliato nelle mie supposizioni?»

«Vi siete sbagliato» ho risposto con franchezza, ma anche, mi è sembrato, con rudezza. C'è stato un lungo silenzio, e quindi Renfield ha detto, parlando lentamente:

«Quand'è così, credo che non mi resti che formulare altrimenti la mia domanda. Mi sia dunque concesso di chiedere un permesso, un privilegio, un favore o come preferite chiamarlo. E non esito a implorarvene, e non già per motivi personali, bensì per amore di altri. Non sono in condizioni di esporvi tutte le mie ragioni da cima a fondo; ma, vi assicuro, potete credermi se vi dico che sono assai valide, solide e altruistiche, e promosse dal più elevato senso del dovere. Se voi, signore, poteste leggermi in cuore, approvereste l'empito di sentimenti da cui sono animato. Che dico, ben di più: mi annoverereste tra i migliori e più fedeli vostri amici.» Ancora una volta ci ha guardati tutti ben bene. Ero sempre più convinto che in questo mutamento di un intero modo di pensare non fosse da vedere che un'altra forma o fase della sua follia, e ho quindi deciso di lasciarlo continuare per un altro po', sapendo, per esperienza diretta, che, come sempre accade con i matti, avrebbe finito per tradirsi. Van Helsing lo studiava con la massima attenzione, con un'intensità tale che le sue cespugliose sopracciglia quasi si univano alla radice del naso. E gli ha detto, con un tono che al momento non mi ha colpito particolarmente, sì però quando ci ho ripensato, perché era quello di chi si rivolge a un suo pari:

«Non potete dire voi esplicitamente motivo vero che induce voi a desiderare di essere libero questa notte? Io garantisco voi che, se voi riuscite a me soddisfare, uno straniero senza pregiudizi e che ha fatto sua abitudine di tenere mente aperta, il dottor Seward voi concederà, a suo proprio rischio e responsabilità, il privilegio che voi cercate.» Renfield ha scosso il capo con aria triste, in volto un'espressione di profondo rimpianto. Il professore ha proseguito:

«Andiamo, signore, riflettete su voi stesso. Voi pretendete i privilegi di ragione in suo massimo grado, e infatti cercate di impressionare noi con vostra assoluta ragionevolezza. Questo fate voi, cui sanità mentale abbiamo ragione di dubitare, in quanto non siete ancora affrancato di trattamento medico cui siete sottoposto appunto per questa carenza. Se voi non volete aiutare noi in nostro sforzo di scegliere la via più saggia, come possiamo noi compiere il dovere che voi stesso imponete a noi? Se voi siete saggio, voi aiutate noi; e se noi possiamo, a nostra volta noi aiutiamo voi a realizzare vostro desiderio.» L'altro ha scosso ancora il capo replicando:

«Dottor Van Helsing, non ho niente da dire. I vostri argomenti sono ineccepibili, e se fossi libero di parlare non esiterei un istante; ma in questa faccenda non sono padrone di me stesso. Posso solo chiedervi di avere fiducia in me. In caso di rifiuto, la responsabilità non ricadrà su di me.» A questo punto, ho pensato che fosse opportuno interrompere l'intermezzo, che stava diventando una farsa di comica seriosità, e mi sono avviato all'uscio limitandomi a un:

«Andiamo, amici, abbiamo del lavoro da compiere. Buonanotte.»

Ma, come sono giunto alla porta, nel paziente si è verificato un nuovo cambiamento. È scattato alla mia volta con tale rapidità, che per un istante ho temuto che fosse per compiere un'altra delle sue aggressioni con intenti omicidi: paure, le mie, infondate, perché Renfield ha levato le mani in gesto di implorazione, ripetendo la sua richiesta in tono patetico. Accortosi che l'eccesso stesso di emotività militava contro di lui, in quanto non faceva che riistituire tra noi gli antichi rapporti, è divenuto ancor più suadente. Un'occhiata a Van Helsing mi ha rivelato che questi condivideva la mia opinione, ragion per cui ho persistito nel mio atteggiamento e, forse con durezza maggiore, ho fatto capire a Renfield che i suoi tentativi erano inutili. In precedenza, avevo già notato in lui gli stessi sintomi di crescente eccitazione ogniqualvolta doveva presentare una richiesta sulla quale avesse rimuginato a lungo, come ad esempio quella volta che voleva un gatto; e mi aspettavo di assistere, anche adesso, al trapasso a uno stato di cupa abulia. Ma le mie previsioni si sono rivelate fallaci: resosi conto che i suoi appelli erano vani, Renfield ha dato in ismanie. Si è gettato in ginocchio, levando le mani e torcendosele, gemendo e riversando un vero e proprio torrente di suppliche, con le lacrime che gli colavano per le guance, il viso sconvolto dai segni di un profondissimo turbamento:

«Lasciate che io vi preghi, dottor Seward, oh, permettetemi di implorarvi di farmi uscire subito da questa casa! Mandatemi via dove e come volete; fatemi scortare da infermieri armati di fruste e catene e che mi costringano in una camicia di forza, ammanettato e con i ferri ai piedi, magari in un carcere, ma lasciate che esca di qui! Voi non sapete quel che fate, trattenendomi qui dentro. Parlo dal profondo del cuore, anzi della mia anima. Voi non sapete a chi state facendo del male né come, né io posso dirvelo. Ahimè, ahimè, proprio non posso dirvelo. Per tutto ciò che ritenete sacro, per tutto ciò che avete caro, per il vostro amore che è andato perduto, per la vostra speranza che continua a vivere, in nome dell'Altissimo, portatemi via di qui e salvate la mia anima! Ma non capite? Non afferrate il senso delle mie parole? Non riuscirete mai a comprendere? Non vi rendete conto che ormai sono savio e sincero, che non sono affatto un lunatico in preda alla follia, ma un uomo con la testa sulle spalle che lotta per la propria anima? Oh, datemi ascolto! Datemi ascolto! Lasciatemi andare, lasciatemi andare, lasciatemi andare!»

Ho pensato che, più questo continuava, più Renfield si sarebbe esaltato, fino a perdere il controllo; e allora l'ho preso per mano e l'ho fatto rialzare.

«Su da bravo» ho detto con tono severo. «Ora basta. Ne abbiamo avuto a sufficienza. Andate a letto e cercate di controllarvi meglio.»

All'improvviso l'ha smessa e per lunghi istanti mi ha fissato intensamente. Poi, senza una parola, si è rialzato e, andatosene al suo letto, si è seduto sulla sponda. Era il collasso, come in altre occasioni, ed esattamente come mi ero aspettato.

Mentre uscivo dalla stanza, ultimo del gruppo, mi ha detto con voce tranquilla, beneducata:

«Spero, dottor Seward, che in seguito mi darete atto che questa sera ho fatto quanto ho potuto per convincervi.»

XIX

DIARIO DI JONATHAN HARKER

1° ottobre, ore cinque. Ci siamo accinti alla ricerca con l'animo tranquillo perché mai, penso, ho visto Mina così forte e sicura di sé. Sono lieto che abbia acconsentito a trarsi in disparte e a lasciare che siamo noi uomini a compier l'opera. Chissà perché, per me era motivo di grande disagio saperla coinvolta in quest'atroce faccenda; e ora che ha portato a termine il suo lavoro – e si deve alla sua energia, alla sua intelligenza e alla sua previdenza se abbiamo una chiara visione dell'insieme tale che ogni singolo particolare risulta significativo –, può ben dire di aver fatto la sua parte, e può dunque lasciare il resto a noi. Ritengo che fossimo tutti un pochino sconvolti da quanto era accaduto con il signor Renfield, e infatti, usciti dalla sua stanza, siamo rimasti in silenzio finché non abbiamo rimesso piede nello studio. E allora, il signor Morris ha detto al dottor Seward:

«Dì un po', Jack, a meno che quell'uomo non cercasse di bluffare, è certo che è il pazzo più assennato che mi sia mai capitato di vedere. Non ci metterei una mano sul fuoco, ma penso che avesse intenzioni serie, e se le cose stanno così, è stato un pochino duro non offrirgli un'occasione.» Lord Godalming e io ce ne siamo stati zitti, ma il dottor Van Helsing ha incalzato:

«Amico John, voi conoscete più di pazzi che io, e io sono lieto di questo, perché io temo che, se era stato a me decidere, io ho lasciato libero lui prima di quell'ultimo sfogo isterico. Ma noi viviamo e impariamo e in nostro presente compito noi non dobbiamo assumere rischi, come direbbe mio amico Quincey. Essi sono già abbastanza.» Mi è parso che la risposta del dottor Seward sia stata data con tono pensieroso: «Posso dire semplicemente che sono d'accordo con voi. Se quell'uomo fosse stato un pazzo qualsiasi, avrei corso il rischio di fidarmi di lui; ma mi sembra che sia a tal punto coinvolto con il Conte, e in maniera così manifesta, che temo di commettere un errore cedendo ai suoi capricci. Non riesco a dimenticare che mi ha implorato con quasi identico fervore a proposito di un gatto, e poi ha tentato di squarciarmi la gola con i denti. Inoltre, chiamava il Conte "signore e padrone", e può darsi benissimo che voglia uscire per coadiuvarlo in qualche diabolica impresa. Quell'orrida Cosa ha come aiutanti i lupi e i ratti e quelli della sua stessa razza, e immagino che non si periti affatto di servirsi di un pazzo fatto e finito. Certo, sembrava sincero, questo è innegabile. Spero soltanto che abbiamo scelto la soluzione migliore. Questi episodi, aggiunti alla tremenda opera cui ci siamo accinti, mettono a dura prova i nervi di un uomo». Il professore gli è andato vicino e, posandogli una mano sulla spalla, ha detto con gentile gravità:

«Amico John, non temete voi. Noi stiamo cercando di fare nostro dovere in un molto triste e terribile caso; noi possiamo fare solo quello che riteniamo migliore. In che cosa possiamo sperare, se non è in pietà di buon Dio?» Lord Godalming, che nel frattempo era uscito, era tornato dopo pochi istanti e, esibendo un fischietto d'argento, ha interloquito:

«Quella vecchia casa sarà piena di ratti, e in previsione di questa eventualità mi sono procurato un antidoto infallibile.» Sul che ci siamo avviati e, scavalcato il muro, ci siamo diretti alla vecchia dimora, avendo cura di tenerci nell'ombra che gli alberi proiettavano sul prato durante le notti di luna. Giunti al portico, il professore ha aperto la valigetta e ne ha estratto una collezione di oggetti, che ha deposto sul gradino, disponendoli in quattro gruppetti, evidentemente destinati ciascuno a uno di noi. Quindi ha detto:

«Miei amici, noi stiamo per affrontare un tremendo pericolo, e noi occorriamo armi di molti generi. Il nostro nemico non è soltanto spirituale. Ricordate che egli ha la forza di venti uomini e che, se nostri colli o nostre trachee sono di tipo comune, e quindi possono essere spezzati o schiacciati, i suoi non sono vulnerabili con mera forza. Un uomo più robusto o un gruppo di uomini in complesso più forti che lui, in certi momenti possono lui tenere; però non possono lui ferire come possono invece essere da lui feriti. Noi pertanto dobbiamo guardare noi stessi di essere toccati da lui. Tenete questo vicino a vostro cuore» e così dicendo ha preso un piccolo crocifisso d'argento e l'ha porto a me, che ero il più vicino a lui «mettere questi fiori attorno a vostro collo» e mi ha teso una collana di fiori d'aglio secchi «e per altri nemici più terreni, questa pistola e questo coltello; e, per generico aiuto, queste così piccole elettriche lampade, che voi potete appendere a vostro petto; e per tutto, e come ultima risorsa, questa, che non dobbiamo profanare inutilmente.» Era un pezzetto di ostia consacrata, che ha messo in una busta e mi ha consegnato. Ciascuno degli altri è stato equipaggiato allo stesso modo. «E ora» ha ripreso il professore «amico John, dove sono le chiavi universali, per modo che noi possiamo aprire sua porta, senza bisogno che noi penetriamo in casa per finestra, come a suo tempo abbiamo fatto con quella di signorina Lucy?»

Il dottor Seward ha provato un paio di chiavi universali, e la sua abilità meccanica da chirurgo gli è stata di notevole aiuto, perché ben presto ne ha trovata una che faceva al caso; dopo breve armeggiare, la serratura ha ceduto e, con un cigolio rugginoso, si è aperta. Abbiamo spinto l'uscio tra uno stridore di vecchi cardini. Era sorprendentemente simile all'idea che mi ero fatta dell'apertura della tomba di Lucy Westenra leggendo il diario del dottor Seward, e mi è parso che anche gli altri abbiano avuto la stessa impressione, perché si sono ritratti come obbedendo a un ordine. È stato il professore il primo ad avanzare, superando la soglia.

«*In manus tuas, Domine!*» ha detto segnandosi mentre lo faceva. Ci siamo chiusi la porta alle spalle per timore, una volta accese le lampade, di attirare l'attenzione di chi fosse passato per la strada. Il professore ha esaminato accuratamente il chiavistello, per accertarsi che lo si potesse aprire dall'interno, caso mai fossimo costretti a battere precipitosamente in ritirata. Quindi abbiamo tutti acceso le torce e abbiamo dato inizio all'esplorazione.

I deboli raggi di luce suscitavano le forme più svariate e bizzarre quando si incrociavano o i nostri corpi proiettavano ombre gigantesche. Per quanti sforzi facessi, non riuscivo a liberarmi dalla sensazione che fra noi ci fosse una presenza estranea. Probabilmente era il ricordo, subito risuscitato in me dal tetro ambiente, di quella terribile esperienza in Transilvania, ma penso che fosse una sensazione comune a noi tutti, e infatti ho notato che gli altri continuavano a guardarsi alle spalle a ogni rumore, a ogni nuova ombra, come anch'io mi sorprendevo a fare.

Dappertutto, un denso strato di polvere, che sul pavimento sembrava spesso parecchi centimetri, eccezion fatta nei punti in cui si scorgevano orme recenti; abbassando la torcia, ho potuto avvedermi che erano state lasciate da scarpe chiodate. Pesanti festoni di polvere decoravano le pareti, e negli angoli si raggrumavano ragnatele sulle quali la polvere si era accumulata al punto da farle sembrare simili a vecchi stracci laceri, siccome il suo peso le aveva parzialmente sfondate. Su un tavolo, nell'atrio, un gran mazzo di chiavi, ciascuna con un'etichetta ingiallita dal tempo. Erano state usate a più riprese, perché sul piano del tavolo si notavano, nella coltre di polvere, parecchi squarci dello stesso tipo di quello rivelato dal professore quando aveva sollevato il mazzo. Rivolto a me, Van Helsing ha detto:

«Voi conoscete questo luogo, Jonathan. Voi avete copiato piante di esso, e voi conoscete esso almeno più di quanto noi. Quale è strada per cappella?» Avevo un'idea abbastanza esatta della direzione da seguire, sebbene durante la visita precedente non fossi riuscito a entrarvi; e così mi sono messo alla testa del gruppo e, dopo qualche tentativo a vuoto, mi sono ritrovato di fronte a una bassa porta arcuata di quercia, costolata di strisce di ferro. «Sì, questo è il luogo» ha commentato il professore puntando la propria lampada su una piantina della casa, ricopiata dallo schizzo da me fatto a suo tempo e conservato nell'incartamento relativo all'acquisto. Poco ci è voluto a trovare nel mezzo la chiave occorrente ad aprire l'uscio. Eravamo preparati a sgradevoli sorprese perché, mentre armeggiavamo attorno al battente, avevamo l'impressione che dalle fessure filtrasse una lieve esalazione mefitica: ma nessuno di noi si sarebbe aspettato il puzzo che ci ha accolto. Gli altri non si erano trovati a tu per tu con il Conte, e quanto a me l'ho sempre visto o in fase di digiuno e nei suoi alloggi o, gonfio di sangue fresco, in un edificio diroccato pieno di correnti d'aria; quel luogo era invece angusto e chiuso, e il lungo abbandono aveva reso l'aria stagnante e viziata. Nel puzzo dominante si inseriva un odore terroso, come un sentore asciutto; ma quanto al puzzo stesso, come descriverlo? Non solo intervenivano nella sua composizione tutte le fralezze della mortalità, cui si aggiungeva un fetore penetrante, acre, di sangue, ma si sarebbe detto che la corruzione stessa fosse andata in decomposizione. Puah! Mi dà la nausea il solo pensarci. Ogni alito esalato da quel mostro sembrava essere rimasto appiccicato lì dentro, moltiplicando la propria odiosità.

In circostanze normali, sarebbe bastato un tanfo siffatto a metter fine alla nostra impresa; ma non si trattava di un caso ordinario, e l'alto e terribile scopo che perseguivamo ci dava una forza che trascendeva le semplici considerazioni fisiche. Dopo l'involontario arretramento causato dalla prima, nauseabonda zaffata, come un sol uomo ci siamo dedicati all'opera, quasi che quel detestabile luogo fosse un roseto.

Abbiamo compiuto un esame minuzioso, a preludio del quale il professore ci ha detto:

«Per prima cosa bisogna vedere quante di casse rimangono; dobbiamo quindi esaminare ogni buco, angolo, fessura, e vedere se possiamo trovare qualche indizio di cosa di altre è accaduto.» Un'occhiata è bastata per renderci conto di quante ne rimanessero: i grandi cassoni erano voluminosi al punto che non potevano esservi errori.

Dei cinquanta originari, ne restavano soltanto ventinove! A un certo punto ho avuto un sussulto, quando ho visto Lord Godalming voltarsi di scatto e figgere lo sguardo, di là dall'arco della porta, nel buio corridoio, e io ho fatto lo stesso e per un istante il cuore mi si è fermato. Affondando gli occhi nella tenebra ho avuto l'impressione di veder splendere imperioso il volto malvagio del Conte, la lama del naso, gli occhi rossi, le labbra vermiglie, lo spaventoso pallore. È stato solo un istante perché, come Lord Godalming ha detto: «Mi era parso di vedere un viso, ma erano solo ombre», ho diretto la lampada in quella direzione e sono andato nel corridoio. Non c'era traccia di chicchessia; e non essendoci né angoli, né usci, né aperture di sorta, ma unicamente i muri compatti, era da escludere l'esistenza di un nascondiglio persino per *lui*, e così mi sono convinto che la paura avesse dato esca all'immaginazione, e nulla ho detto.

Pochi istanti dopo, ecco Morris arretrare di colpo da un angolo che stava esaminando; e tutti abbiamo fatto altrettanto, perché era indubbio che un certo nervosismo si stava impadronendo di noi. Nell'angolo, si vedeva una massa fosforescente, sembravano stelline ammiccanti. Istintivamente, siamo balzati all'indietro. Quel luogo formicolava di ratti!

Per un istante siamo rimasti col fiato sospeso, tutti fuorché Lord Godalming che si era preparato all'evenienza. Precipitandosi verso la grande porta cerchiata di ferro che dava all'esterno e che gli era stata descritta dal dottor Seward, e che io stesso avevo visto, ha girato la chiave nella toppa, ha tirato gli enormi chiavistelli e ha spalancato i battenti. Quindi, cavato di tasca il fischietto d'argento, ne ha tratto un basso sibilo stridulo, al quale ha fatto eco, da dietro la casa del dottor Seward, un uggiolare di cani, e meno di un minuto dopo tre terrier sono sbucati correndo da dietro l'angolo.

Senza rendercene conto, tutti ci eravamo spostati verso la porta, e nel farlo ho notato che lo strato di polvere era stato ampiamente manomesso: le casse portate chissà dove erano uscite di lì. Ma il breve intervallo trascorso era stato più che sufficiente perché il numero dei ratti si accrescesse a dismisura, e ora sembravano d'un tratto pullulare ovunque, finché la luce delle torce, oscillando sui loro dorsi scuri e incontrandone gli occhi fosforescenti, maligni, ha trasformato la cappella in qualcosa di simile a un terrapieno costellato di lucciole. I cani sono saettati a quella volta ma, sulla soglia, si sono arrestati ringhiando e quindi, alzando tutti assieme i nasi, hanno cominciato a ululare in modo quanto mai lugubre. I ratti erano ormai migliaia, e noi ci siamo precipitati fuori.

Lord Godalming ha sollevato uno dei cani e, portatolo all'interno, lo ha deposto sul pavimento. Non appena le zampe hanno toccato terra, la bestia è sembrata ritrovare il proprio coraggio e si è gettata sui suoi naturali nemici, i quali sono fuggiti davanti a essa con tale velocità che, dopo che il terrier ne ha spacciati una dozzina, gli altri cani, nel frattempo deposti all'interno allo stesso modo, hanno avuto preda ben misera prima che la massa dei topacci scomparisse.

È sembrato allora che una mala presenza fosse svanita, tant'è che i cani si sono messi a ruzzare di qua e di là, abbaiando allegramente e gettandosi sugli avversari vinti, per rigirarli a zampate e lanciarli in aria con dispettosi scatti delle mandibole. Pareva che tutti avessimo ripreso animo. Fosse perché l'apertura della porta aveva purificato la mortifera atmosfera della cappella, fosse a causa del sollievo che provavamo a ritrovarci all'aperto, certo è che l'ombra della paura pareva ci fosse caduta di dosso a guisa di una cappa e che il nostro arrivo avesse avuto per conseguenza di attenuarne il minaccioso significato. Ma non per questo la nostra risoluzione è scemata, neppure di un po'. Abbiamo chiuso la porta esterna, sbarrandola ben bene e, portando con noi i cani, ci siamo dati a perquisire la casa. Nulla abbiamo trovato, se non polvere in quantità stupefacente,

e del tutto intatta, salvo le orme che avevo lasciato io stesso visitandola la prima volta. I cani non hanno più dato segno di irrequietezza, e anche nella cappella, quando vi siamo tornati, si sono dati a scorrazzare liberamente quasi fossero a caccia di conigli in un bosco, d'estate.

Il mattino spuntava a oriente, quando siamo usciti dal portone. Il dottor Van Helsing ne aveva tolto la chiave dal mazzo e, dopo aver richiuso il portone, questa volta in maniera ortodossa, se l'è messa in tasca.

«Per ora» ha detto «nostra notte è stata coronata di grande successo. Nessun male è avvenuto a noi come invece temevo io, e in pari tempo abbiamo noi accertato quante casse sono mancanti. Ma soprattutto io mi rallegro che questo nostro primo e forse più difficile e pericoloso passo, è stato compiuto senza intervento di nostra dolcissima Madam Mina e senza turbamenti di suo sonno o suoi pensieri con viste e suoni e puzze di orrore che mai essa dimenticherebbe. Una lezione, poi, abbiamo appresa, se è concesso parlare di essa *a particulari*, ed è che bestie immonde che sono a ordini di Conte non sono completamente soggette a suo spirituale potere. Perché, vedete, questi ratti obbedienti a suo richiamo, esattamente come da cima di suo castello lui chiama i lupi per impedire a voi, Jonathan, di uscire, e soffocare grida di quella povera madre, sebbene essi a lui vengono, però fuggono in gran disordine di fronte a questi così piccoli cani di mio amico Arthur. Noi abbiamo altre incombenze davanti a noi, altri pericoli, altri terrori; e quel mostro, bene, lui non ha usato di suo potere sopra mondo bruto questa volta per l'unica o forse per l'ultima volta, perché può essere che lui andato altrove. Bene! Questo ha dato a noi in certo senso occasione di gridare "scacco" in questo gioco che noi giochiamo a beneficio di anime umane. E ora, si va noi a casa. Alba è vicina e abbiamo motivo di essere soddisfatti di lavoro di nostra prima notte. È prevedibile che davanti a noi sono molte notti e molti giorni, tutti pieni di pericolo; ma dobbiamo andare avanti, senza tirarci indietro di fronte a pericolo.»

Quando siamo rincasati, tutto era silenzioso, salvo la voce di qualche povera creatura intenta a sgolarsi in una delle lontane corsie, e un basso, fioco gemito dalla stanza di Renfield. Il disgraziato senza dubbio si stava torturando come è proprio dei pazzi, con inutili fissazioni.

Sono entrato in punta di piedi in camera nostra e ho trovato Mina addormentata. Respirava così sommessamente, che ho dovuto accostare l'orecchio per coglierne il suono. Sembrava più pallida del solito. Spero che la riunione di questa sera non l'abbia turbata troppo. Sono davvero contento che sia stata esclusa dalle nostre prossime iniziative, e persino dalle nostre deliberazioni: tensione troppo logorante, per una donna. In un primo tempo non ero di quest'avviso, ma ora la so più lunga in merito. Sì, sono lieto che quest'aspetto della faccenda sia stato risolto. Può darsi si verifichino eventi il cui solo racconto la terrorizzi: e d'altro canto, tenerglieli celati sarebbe peggio che riferirglieli, se avesse il sospetto che si cerca di tenerla all'oscuro. D'ora in poi, la nostra opera dovrà essere per lei un libro sigillato, almeno finché non suoni l'ora in cui possiamo annunciarle che tutto è finito, che la terra è stata sbarazzata da un mostro degli inferi. Sarà difficile, temo, imparare a tenere la bocca chiusa dopo tanta reciproca sincerità; ma non devo cedere, e domani non solleverò il sipario sulle nostre attività notturne, rifiutandomi risolutamente di parlare di quanto è accaduto. Mi distendo sul divano per non disturbarla.

1° ottobre, più tardi. Era del tutto naturale che dormissimo tutti fino a tardi, la giornata essendo stata intensa e la notte tutt'altro che di riposo. Anche Mina deve essersi sentita esausta perché, pur dormendo finché il sole non è stato alto, mi sono svegliato prima di lei, e ho dovuto chiamarla due o tre volte prima che riaprisse gli occhi. Dormiva anzi tanto sodo, che per qualche istante non mi ha riconosciuto, ma mi ha guardato con una sorta di cieco terrore negli occhi, come chi si riscuota da un brutto sogno. Si è lamentata di essere stanca, e l'ho lasciata riposare dell'altro. Adesso sappiamo che ventun casse sono state portate altrove, e forse riusciremo a rintracciarle tutte, sempreché siano state portate via tutte assieme, cosa questa che, com'è ovvio, semplificherebbe enormemente il nostro compito; e prima lo concluderemo, meglio sarà. Oggi andrò a parlare con Thomas Snelling.

DIARIO DEL DOTTOR SEWARD

1° ottobre. Doveva essere mezzogiorno quando il professore mi ha svegliato entrando in camera mia. Appariva più vivace e allegro del solito, ed era evidente che l'opera compiuta la notte precedente aveva contribuito a scacciare in parte almeno i suoi assilli. Dopo aver discusso l'avventura notturna, se n'è uscito a dire:

«Il vostro paziente interessa me molto. Può essere che con voi io visito lui questa mattina? Oppure, se voi siete troppo occupato, io posso andare solo se così è possibile. È una nuova esperienza per me di trovare un lunatico che parla di filosofia e ragiona tanto bene.» Poiché avevo del lavoro urgente da portare a termine, gli ho detto che, se fosse andato da solo, ne sarei stato lieto, così non avrei dovuto farlo aspettare. Ho chiamato dunque l'infermiere e gli ho impartito le necessarie istruzioni. Prima che il professore uscisse, gli ho raccomandato di non lasciarsi suggestionare dal paziente. «Ma no» ha replicato «io voglio lui che parli di se stesso e di sua mania di mangiare cose viventi. Lui ha detto a Madam Mina, come che vedo in vostro diario di ieri, che un tempo lui ha avuto simile falsa credenza. Perché voi sorridete, amico John?»

«Scusatemi» ho detto «ma la risposta è già contenuta qui.» E ho posato la mano sul dattiloscritto. «Quando il nostro pazzo lucido e sapiente ha fatto quell'affermazione circa la sua *trascorsa* abitudine di mangiare esseri viventi, la sua bocca era ancora fetida delle mosche e dei ragni che aveva inghiottito un momento prima che la signora Harker entrasse da lui.» Van Helsing ha sorriso a sua volta. «Bene» ha detto. «Vostra memoria è fedele, amico John. Dovevo ricordare. Eppure, è proprio quest'obliquità di pensiero e di memoria che fa di malattie mentali così affascinante oggetto per studio. Forse posso ricavare maggiori conoscenze dalla follia di questo pazzo che io posso dagli insegnamenti del più saggio. Chi può dire?» Ho continuato con il mio lavoro, e ben presto ne sono stato completamente preso. Mi è parso che il tempo volasse, perché ecco ben presto Van Helsing di ritorno nel mio studio. «Disturbo?» ha chiesto cortese dall'uscio.

«Nient'affatto» ho risposto. «Avanti, avanti. Ho finito il mio lavoro e sono libero. Posso venire con voi, se volete.»

«Inutile. Ho già visto lui!»

«Ebbene?»

«Temo che lui non apprezzi me molto. Nostra conversazione è stata breve. Quando sono entrato in sua stanza, era seduto al centro di essa su una seggiola, con i gomiti sopra ginocchi, e sua faccia era immagine stessa di imbronciata scontentezza. Ho rivolto a lui parola più cordiale che ho potuto, e con tutto rispetto che ho potuto. Nessuna sua risposta. "Non mi conoscete?" ho chiesto. Sua risposta non è stata per niente incoraggiante: "Vi conosco benissimo. Siete quel vecchio scemo di Van Helsing. Perché non andate a quel paese voi e vostre stupide teorie su cervello? All'inferno tutti gli olandesi testoni!". Non più una parola ha voluto aggiungere, ma è rimasto seduto in suo implacabile broncio, così indifferente a me come se non ho stato in sua stanza. Così, svanita questa volta mia prospettiva di molto apprendere da questo così intelligente lunatico; per rifarmi, vedo se possibile fare quattro chiacchiere con Madam Mina, quella così dolce anima. Amico John, mi rallegra indicibilmente che essa non sia più così affannata, non più deve sé preoccupare per nostre terribili imprese. Per quanto molto poi sentiremo mancanza di suo aiuto, così è meglio.»

«Sono pienamente d'accordo con voi» ho risposto con calore, perché non volevo certo che cedesse a questo proposito. «È meglio che la signora Harker ne resti fuori. La situazione è già abbastanza ardua per noi, che siamo tutti uomini di mondo e che durante la nostra vita ci siamo trovati più volte in difficili frangenti; ma questi non si addicono a una donna e, se la signora Harker avesse continuato a occuparsene, a lungo andare inevitabilmente ne sarebbe stata schiacciata.»

E così Van Helsing è andato a conversare con la signora e il signor Harker; Quincey e Art sono fuori, sulle tracce delle casse di terra. Finirò il mio lavoro e questa sera ci riuniremo tutti.

DIARIO DI MINA HARKER

1° ottobre. Mi fa una strana impressione che quest'oggi mi si sia tenuta all'oscuro; dopo aver goduto per tanto tempo della piena confidenza di Jonathan, è strano vederlo di proposito evitare certi argomenti, e per giunta i cruciali. Stamane ho dormito fin tardi dopo le fatiche di ieri e, sebbene Jonathan si sia svegliato tardi anche lui, pure l'ha fatto prima di me. Prima di uscire, mi ha parlato teneramente e affettuosamente come non mai, ma senza fare il minimo cenno a quanto è accaduto durante la visita alla casa del Conte. E pensare che non può aver ignorato quanto ansiosa fossi. Povero caro! Suppongo che debba averlo angustiato ancora più di quanto non abbia angustiato me. Gli uomini sono tutti d'accordo che è meglio, per me, che io non continui a occuparmi di questa spaventosa impresa, e mi sono rassegnata. Ma pensare che Jonathan mi nasconde tutto! Ed eccomi qui a piangere come una povera sciocca, quando invece so con certezza che la causa ne va attribuita al grande amore di mio marito e alle buone, anzi ottime intenzioni di quegli altri uomini forti.

Piangere mi ha fatto bene. Be', un giorno Jonathan mi dirà tutto; e, perché mai accada che pensi, neppure per un istante, che io gli ho nascosto qualcosa, continuo a tenere come il solito il mio diario. Così, se mai ha dubitato della mia fiducia in lui, glielo mostrerò, e i suoi cari occhi potranno leggere ogni pensiero del mio cuore. Quest'oggi mi sento stranamente triste e abbattuta. Dev'essere la reazione alla terribile tensione.

Ieri sera mi sono coricata mentre gli uomini uscivano, soltanto perché me lo avevano ordinato loro. Non avevo sonno, mi sentivo in preda a un'ansia tormentosa. Continuavo a pensare a tutto quanto era accaduto dacché Jonathan è venuto qui a Londra, e tutto sembra un'orrenda tragedia sospinta spietatamente dal fato verso una fine predestinata. Tutto ciò che si fa, per quanto giusto possa essere, si direbbe che comporti proprio le conseguenze più deplorevoli. Se io non fossi andata a Whitby, forse la povera, cara Lucy sarebbe ancora tra noi. Non aveva preso l'abitudine di recarsi al cimitero prima del mio arrivo, e se non ci fosse andata di giorno con me, non ci si sarebbe recata neppure nei suoi accessi di sonnambulismo; e se non vi fosse andata nottetempo, nel sonno, quel mostro non avrebbe potuto distruggerla come ha fatto. Oh, perché mai sono andata a Whitby? E rieccomi a piangere! Mi chiedo che cosa mi sia accaduto, quest'oggi. Devo tenerlo nascosto a Jonathan, perché se viene a sapere che due volte, nel corso di una sola mattinata, mi sono messa a frignare – proprio io, a cui mai è accaduto di farlo da sola, e alla quale lui non ha mai fatto versare una lacrima –, il povero caro si tormenterebbe chissà quanto. Cercherò di farmi forza, e se ho voglia di piagnistei, lui non se ne avvedrà. Penso che sia una delle lezioni che noi povere donne non possiamo fare a meno di imparare...

Non riesco assolutamente a ricordare come ieri mi sia addormentata. Rammento di aver udito all'improvviso abbaiare i cani e tutta una serie di strani rumori, le si sarebbero dette preghiere, come se qualcuno invocasse e implorasse a gran voce, provenienti dalla stanza del signor Renfield che è situata quasi sotto la mia. E poi, il silenzio è calato su tutto, un silenzio così profondo da lasciarmi stupefatta, e mi sono alzata e sono andata a guardare fuori dalla finestra. Tutto buio e immoto, e le nere ombre proiettate dal chiaro di luna sembravano

anch'esse piene di un silente mistero. Niente si muoveva, tutto sembrava cupo e immobilizzato come dalla
morte o dal fato, ragion per cui un lieve velo di bianca
bruma, che scivolava quasi impercettibilmente sull'erba
in direzione della casa, sembrava dotato di volontà e di
vita propria. Ritengo che queste mie divagazioni m'abbiano fatto bene perché, tornata a letto, è stato come se
un letargo si impadronisse di me. Sono rimasta immota
per un po', senza però poter dormire, e nuovamente sono scesa dal letto e sono andata alla finestra. La nebbia
stava avanzando, e ormai era giunta alla casa, tanto che
potevo vederla fitta contro il muro, quasi stesse salendo
di soppiatto alle finestre. Il poveretto là sotto gridava
più che mai, e sebbene non riuscissi a distinguere una
parola di quanto diceva, bene o male avvertivo, nel suo
tono, un'appassionata implorazione. Quindi c'è stato rumore di lotta, e mi sono resa conto che gli infermieri
erano intervenuti. Ero a tal punto spaventata, che sono
tornata a letto, tirandomi le coperte sulla testa e ficcan-
domi le dita nelle orecchie. Non avevo affatto sonno, almeno così mi sembrava, ma devo essermi addormentata
perché, a parte sogni, null'altro ricordo fino al mattino,
quando Jonathan mi ha svegliato. Deve essermici voluto
uno sforzo e un po' di tempo per rendermi conto di
dov'ero, perché solo allora mi sono resa conto che a star
chino su di me era Jonathan. Il sogno che ho fatto è stato assai singolare, soprattutto per la maniera con cui i
pensieri della veglia si sono inseriti o prolungati nelle
immagini del sonno.

Mi pareva di essere addormentata e di attendere il ritorno di Jonathan. Ero molto preoccupata per lui ma
nell'impossibilità di agire: mi sentivo i piedi, la mente,
il cervello, gravati da un peso al punto che nulla in me
obbediva ai soliti ritmi. E così dormivo agitata e pensavo. Poi mi è balenata l'idea che l'aria era pesante, umida e fredda. Ho allontanato il lenzuolo dal viso e, con
mia sorpresa, mi sono accorta che tutt'attorno a me era
nebbioso. La lampada a gas che avevo lasciato accesa
per Jonathan, sia pure abbassandola, appariva quale
una minuscola scintilla rossa nella nebbia che evidente-

mente si era infittita penetrando nella stanza. Poi mi è sovvenuto di aver chiuso la finestra prima di tornare a letto. Avrei voluto andare ad accertarmene, ma sembrava che una plumbea pigrizia mi incatenasse le membra e persino la volontà. Sono rimasta immobile, in attesa: che altro potevo fare? Ho chiuso gli occhi, ma potevo pur sempre vedere attraverso le palpebre. (Davvero sorprendente quali scherzi ci giocano i sogni, e quanto fertile sia la nostra immaginazione!) La nebbia diveniva più fitta, e ora mi avvedevo di come entrava: era simile a fumo – o, meglio, al vapore che esala dall'acqua bollente – e s'intrufolava nella stanza, non dalla finestra, ma dalle fessure dell'uscio. E diventava sempre più densa finché mi è parso che si fosse concentrata in una sorta di ovattata colonna in mezzo alla camera, e attraverso la sua sommità vedevo la luce della lampada a gas brillare come un occhio rosso. Tutto ha preso a girarmi nella testa, così come la colonna di nebbia vorticava adesso nella stanza, e mi è parso ne uscissero le parole delle Scritture: "Una colonna di fumo durante il giorno, e una colonna di fuoco la notte". Possibile che a venire a me dormiente fosse una guida spirituale del genere? Ma la colonna era composta del segnale sia diurno che notturno, che il fuoco era nell'occhio rosso, e non appena l'ho pensato ecco che ha preso a esercitare su di me un nuovo fascino; e mentre guardavo, il fuoco si è diviso, e mi è sembrato che adesso a sovrastarmi attraverso la nebbia fossero due occhi rossi, come quelli descrittimi da Lucy durante i suoi saltuari vaneggiamenti quando, sulla falesia, la luce del sole al tramonto ha colpito le vetrate della chiesa di St Mary. All'improvviso, l'orrore mi ha colto: era stato così che Jonathan aveva visto quelle spaventevoli donne trasformarsi in realtà nel pulviscolo vorticante nei raggi della luna, e in sogno devo essere svenuta perché tutto è divenuto negra oscurità. L'ultimo sforzo cosciente compiuto dall'immaginazione è consistito nel mostrarmi un livido volto bianco che calava su di me uscendo dalla nebbia. Devo stare attenta, con questi sogni, perché potrebbero sconvolgermi la ragione se fossero troppo frequenti. Vorrei chiedere al dottor Seward o al dottor Van Helsing di prescrivermi un sedativo che mi faccia dormire tranquilla, ma temo di allarmarli. Un sogno come questo al momento attuale riacutizzerebbe i loro timori nei miei riguardi. Questa notte mi sforzerò di addormentarmi spontaneamente. Se non ci riesco, domani sera mi farò dare da loro una dose di cloralio; per una volta non mi farà male e mi assicurerà una notte di buon sonno. Quella passata mi ha stancata più che se non avessi dormito affatto.

2 ottobre, ore ventidue. La notte scorsa ho dormito, ma non ho sognato. E il mio sonno deve essere stato profondo, perché non mi sono svegliata quando Jonathan è venuto a letto; il sonno però non mi ha ristorata affatto, perché oggi mi sento terribilmente debole e abbattuta. Ho passato l'intera giornata di ieri sforzandomi di leggere oppure distesa a sonnecchiare. Nel pomeriggio, il signor Renfield ha chiesto di vedermi. Poveretto, è stato molto gentile e quando me ne sono andata mi ha baciato la mano e ha invocato la benedizione di Dio su di me. Chissà perché, ne sono stata molto colpita; se penso a lui, mi metto a piangere. È una nuova debolezza, dalla quale devo guardarmi. Jonathan sarebbe desolato se sapesse che ho pianto. Lui e gli altri sono rimasti fuori sino all'ora di cena, e sono tornati stanchissimi. Ho fatto del mio meglio per rianimarli, e penso che lo sforzo mi abbia fatto bene, perché ho dimenticato la mia stanchezza. Dopo cena mi hanno spedita a letto, e se ne sono andati a fumare assieme, così almeno hanno detto, ma sapevo che invece volevano parlare di ciò che ciascuno di loro aveva fatto durante la giornata. Mi rendevo conto, dai modi di Jonathan, che aveva qualcosa di importante da riferire. Non ero assonnata come avrei dovuto essere, ragion per cui prima che uscissero ho chiesto al dottor Seward di darmi un leggero oppiaceo, perché non avevo dormito bene la notte prima. Il dottore, molto gentilmente, mi ha preparato un sonnifero e me l'ha somministrato, assicurandomi che non mi avrebbe fatto male, blando com'era... L'ho bevuto e sono in attesa del sonno, che non si decide a venire. Spero di non aver commesso un errore, perché, non appena il sonno comincia a civettare con me, ecco insorgere una nuova paura, e cioè che sono stata sciocca privandomi, così facendo, del potere di svegliarmi. Potrebbe essere necessario. Il sonno avanza. Buonanotte.

XX

DIARIO DI JONATHAN HARKER

1° ottobre, sera. Ho trovato Thomas Snelling in casa sua, a Bethnal Green, ma purtroppo non era in grado di ricordare un bel nulla. Era bastata la prospettiva della birra che la mia attesa visita gli aveva fatto balenare, per indurlo ad abbandonarsi alla tanto bramata baldoria con eccessivo anticipo. Comunque, dalla moglie, che mi è parsa una gran brava donna, ho appreso che era soltanto l'aiutante di Smollet, che dei due era il responsabile. Mi sono quindi recato a Walworth, dove ho trovato il signor Joseph Smollet a casa, in maniche di camicia, intento a sorbire il tè serale da una tazza. È un operaio come si deve, un tipo sveglio, evidentemente onesto e degno di fiducia, e con idee ben precise in testa. Ricordava perfettamente l'episodio delle casse, e da un incredibile calepino tutto ciancicato, che ha estratto da un misterioso ricettacolo dalle parti posteriori dei pantaloni, le cui pagine erano coperte di geroglifici semicancellati, tracciati con una matita grossa, è risalito ai luoghi di consegna delle casse. Sei, ha detto, sempre prelevandole da Carfax le ha lasciate al numero 197 di Chicksand Street, Mile End, New Town, e altre sei le ha scaricate in Giamaica Lane, Bermondsday. Se il Conte aveva intenzione di distribuire qua e là per Londra quei suoi immondi rifugi, evidentemente i luoghi in questione sono stati scelti come depositi di tappa, da cui procedere in un secondo tempo a una distribuzione più ampia. La maniera sistematica con cui ha agito mi induce a credere che non intende limitarsi a due soli quartieri di Londra. In questo momento, può usufruire di appoggio all'estremità orientale della riva nord, nella parte orientale della riva sud, e verso sud. Ma né la parte nord né la parte occidentale della città credo siano state escluse dal suo diabolico progetto, per non parlare della City stessa e del cuore della Londra elegante, i quartieri sudoccidentale e occidentale. Ho chiesto allora a Smollet se sapeva di altre casse portate via da Carfax.

La sua risposta è stata:

«Be', capo, voi mi ha trattato molto bene» gli avevo rifilato una mezza sovrana «e io vi dico tutto che so. C'è un tale, che si chiama Bloxam, e questo Bloxam, quattro sere fa, che eravamo all'Are an' 'Ounds, in Pincher's Alley, mi ha detto che lui e il suo compagno si son fatti un lavoro di tanta polvere in una vecchia casa di Purfect» intendeva riferirsi a Purfleet. «Non ne capitano mica tanti, di lavori così, e penso che forse Sam Bloxam può dirvi qualcosa, chissà.» Gli ho chiesto se poteva darmene l'indirizzo, precisando che, in caso affermativo, un'altra mezza sovrana sarebbe stata sua. E allora ha inghiottito il resto del tè e si è alzato, affermando che avrebbe cominciato seduta stante le ricerche. Sulla soglia si è fermato e ha detto:

«Sentite, capo, non fa senso che voi resta qui ad aspettarmi. Sam lo posso trovare subito e forse no, ma comunque sia, certo che non sarà in condizioni di dire molto, 'stasera. Sam è uno che ci dà dentro, quando attacca con la bibita. Se mi date una busta con su il bollo e ci scrivete su il vostro indirizzo, io trovo dove sta Sam e ve la imbuco 'stasera. Ma voi, capo, meglio che gli andate dietro al mattino presto, perché se no non lo pescate, perché Sam si alza sempre presto, anche se ce n'ha in corpo, di bibita della sera prima.»

Era una soluzione pratica, e uno dei figli di Smollet è andato, con in mano un penny, a comprare una busta e un foglio di carta, tenendosi ovviamente il resto. Al suo ritorno, ho scritto l'indirizzo sulla busta e l'ho affrancata, e dopo che Smollet mi ha solennemente promesso ancora una volta di inviarmi subito l'indirizzo non appena trovato Bloxam, ho ripreso la via di casa. Ormai siamo sulla buona strada. Sono stanco, questa sera, e ho bisogno di sonno. Mina dorme profondamente, ma sembra un pochino troppo pallida; ha gli occhi rossi, come se avesse pianto. Povera cara, non c'è dubbio che sia delusa per essere tenuta all'oscuro dei nostri atti, e può darsi che sia tanto più in ansia per me e per gli altri, ma è meglio così. Meglio che sia delusa e preoccupata adesso, che non ritrovarsi con i nervi a pezzi. I due medici hanno avuto assolutamente ragione nell'insistere che fosse esclusa da questa orribile faccenda. Devo mostrarmi fermo, perché il peso del silenzio ricade soprattutto su di me. Per nessuna ragione mi lascerò sfuggire con lei anche solo accenni, ma a conti fatti può darsi che non sia poi un compito tanto duro, perché lei stessa si è fatta reticente in proposito e non ha più parlato né del Conte né delle imprese di questi da quando le abbiamo comunicato la nostra decisione.

2 ottobre, sera. Una lunga, faticosa ed emozionante giornata. Con la prima posta mi è giunta la busta indirizzata a me stesso, contenente un sudicio foglietto sul quale era scritto, con una matita da falegname e con incerta grafia:

«Sam Bloxam, Korkrans, 4, Poterscort, Bartel Street, Walworth. Chiedere del Gente.»

La lettera è arrivata che ero ancora a letto, e mi sono alzato senza svegliare Mina. Sembrava affranta, sonnacchiosa e pallida, e nient'affatto in forma. Ho deciso di non svegliarla e anzi, tornato da questa nuova indagine, di provvedere a farla tornare a Exeter. Penso che sarà più a suo agio in casa nostra, con le faccende quotidiane a tenerla occupata, anziché dover restare qui, tra noi, all'oscuro. Ho visto il dottor Seward solo per un istante e gli ho detto dove andavo, promettendogli di tornare al più presto e di riferire a lui e agli altri non appena avessi scoperto qualcosa. In carrozza mi sono recato a Walworth e, con una certa difficoltà, ho trovato la Potter's Court, che Smollet aveva indicato come Poterscort: il suo errore mi aveva messo fuori strada e avevo insistito a chiedere di una Poter's Court con una sola T. Comunque, una volta trovato il cortile, non ho avuto difficoltà a risalire alla pensione Corcoran (anziché Korkrans). All'uomo che è venuto ad aprirmi, ho chiesto del "Gente" ma quello ha scosso il capo e ha risposto: «So mica. Un tale con questo nome c'è mica, qua. Mai sentito in tutta la mia vita, ma non credo che nessuno che si chiama così sta da queste parti». Ho cavato allora di tasca la lettera di Smollet, e rileggendola mi è parso che la lezione di pronuncia a proposito del cortile potesse servirmi da guida. «Chi siete voi?» gli ho chiesto.

«Io sono il girente» ha risposto, e allora ho capito di essere sulla buona strada: le diversità di pronuncia tipiche delle varie classi sociali mi avevano messo ancora una volta fuori strada. Una mezza corona di mancia ha convinto il gerente a dirmi quanto sapeva, e così sono stato informato che il signor Bloxam, che aveva smaltito al Corcoran i fumi della birra della sera prima, alle cinque del mattino era uscito per andare al lavoro al Poplar. Il "girente" non è stato in grado di dirmi dove questo si trovasse, ma aveva una mezza idea che si trattasse di una specie di "magazzino di nuovo stampo", ed è stato questo il mio viatico nella cerca del Poplar. Soltanto verso mezzogiorno ho avuto l'indicazione di un edificio del genere, e precisamente a una caffetteria dove alcuni operai stavano pranzando. Uno di loro mi ha detto che stavano costruendo un nuovo edificio "refrigerante", e questo sembrava corrispondere all'indicazione di un "magazzino di nuovo stampo", per cui mi sono diretto subito a quella volta. Quattro parole con un custode scorbutico e un ancor più arcigno capomastro, i quali però si sono lasciati ammansire da monete recanti l'effigie di Sua Maestà, mi hanno messo sulle tracce di Bloxam. L'hanno mandato a chiamare quando ho fatto sapere che ero disposto a pagare al suo capomastro il salario della giornata solo per avere il privilegio di rivolgergli un paio di domande di natura privata. Bloxam si è rivelato un tipo abbastanza sveglio, ancorché di lingua e di modi assai rozzi. Quando gli ho promesso di compensarlo per il disturbo e gli ho dato un anticipo, mi ha spiegato che aveva fatto due viaggi tra Carfax e una casa a Piccadilly, e

che dalla prima alla seconda aveva portato nove grandi
casse – «Urca se pesavano» – con un carro e un cavallo
da lui noleggiati appunto a quello scopo. Poteva fornirmi
l'indirizzo della casa di Piccadilly? E Bloxam:

«Be', capo, il numero me lo sono dimenticato, comunque era solo qualche porta più in là di un chiesone
bianco che c'è là, o qualcosa del genere, che hanno tirato su mica tanto tempo fa. Era una vecchia casa con
tanta polvere drento, ma niente a che fare con la polvere che c'era dove che siamo andati a prendere quei cassoni della malora.»

«E come avete fatto a entrare nelle case, se erano ambedue disabitate?»

«C'era quel vecchio che mi ha ingaggiato e che ha
stato a spettarmi nella casa di Purfleet. Mi ha anche dato una mano a sollevare i cassoni e a metterli sul carro.
E porcaccia zozza, se non era il tipo più robusto che
mai mi sono incontrato, ed era vecchiotto, sapete, con i
mustacci bianchi, così magro che uno pensava che
gnanche poteva avere l'ombra.»

Quella sua uscita, che scossa è stata per me!

«'Nsoma, lui prende su le casse da quella parte come
se sono scatole da tè, e io ero lì che sbanfavo come una
locomotiva e gnanca l'avevo sollevata, la mia, e mica
sono un mingherlino, io, no?»

«E nella casa di Piccadilly, come ci siete entrato?»

«Il vecchio era anche là. Deve aver fatto prima di me,
perché quando ti suono il campanello, chi ti vedo aprirmi la porta? Lui, ti vedo, che mi 'iuta a portare i cassoni
fin drento l'atrio.»

«Tutti e nove?» ho domandato.

«Già, tutti nove. Erano cinque col primo carico e
quattro col secondo. Un sgobo della malora, e non so
gnanca dire come che sono tornato a casa e...» L'ho interrotto:

«E le casse sono state lasciate nell'atrio?»

«Già, era un atrio grande, e non c'era altro drento.»
Ho insistito ancora: «E non avevate nessuna chiave?».

«Mai avuto di bisogno. Il vecchio la porta l'ha 'perta
lui, e poi l'ha chiusa quando che io ho telato. L'ultima

volta però non mi ricordo, ma ha stato per via della birra.»

«E non vi ricordate neanche il numero della casa?»

«Nossignore, ma per questo non è mica difficile. È una alta, col davanti di pietra, colle finestre che vengono fuori, e poi c'è i gradini per arrivare alla porta. Ciusca, se li conosco, quei gradini!, ho dovuto portarci su le casse insieme con tre facchini che hanno stati pronti a venire a dare una mano per guadagnarsi un po' di grana. Il vecchio gli ha dato non so quanti scellini, e visto che avevano beccato tanto, loro ne volevano ancora, ma lui allora ne ha preso uno per la collottola, e stava per buttarlo di sotto giù per i scalini, e loro via a gambe biastemando.»

Ho pensato che, in possesso di quella descrizione, sarei riuscito a trovare la casa, e così, ricompensato l'amico per le sue informazioni, mi sono diretto alla volta di Piccadilly. Avevo avuto una nuova, spiacevole notizia: il Conte, quest'era chiaro, era in grado di maneggiare da solo le casse di terra, e se questo corrispondeva al vero, il tempo era prezioso. Infatti, ora che le aveva sparpagliate, in una certa misura almeno, poteva scegliere il momento opportuno e completare l'opera senza venir notato. A Piccadilly Circus ho licenziato la carrozza e ho proseguito a piedi verso ovest; superato lo Junior Constitutional, mi sono imbattuto nella casa descrittami, e mi sono convinto che era l'ultima delle tane apprestate da Dracula. L'edificio sembrava disabitato da lungo tempo: vetri polverosi, persiane aperte, infissi anneriti dal tempo, e la vernice scrostata a rivelare le serrande. Era chiaro che, fino a poco tempo prima, al balcone era stato affisso un grande cartello che era stato strappato malamente: i paletti che lo avevano sostenuto erano ancora visibili. Dietro la balaustra del balcone, c'erano, ho notato, assi sconnesse, con i margini irregolari e dilavati dalle intemperie. Non so quanto avrei dato per poter vedere il cartello intatto, perché forse avrebbe potuto portarmi al proprietario dell'edificio. Mi sono ricordato dell'esperienza fatta con la ricerca e l'acquisto di Carfax, e mi sono convinto che, se fossi riuscito a trovare il vecchio proprietario, forse avrei anche scoperto il modo di entrare nella casa.

Per il momento c'era ben poco da ricavare a starmene lì, a contemplare la facciata, e allora sono andato sul retro dell'edificio, nella speranza di scoprire qualcosa d'altro. Le scuderie sul retro erano in piena attività perché le case di Piccadilly erano per lo più abitate, data la stagione. Ho chiesto a un paio di palafrenieri e stallieri in cui mi sono imbattuto se potevano dirmi qualcosa a proposito della casa vuota. Uno di loro mi ha risposto che, a quanto ne sapeva, era stata acquistata di recente, ma ignorava da chi. Ha però soggiunto che, fino a poco tempo prima, c'era un cartello con la scritta VENDESI, e che forse la ditta Mitchell, Figli & Candy, Agenzia immobiliare, ne sapeva qualcosa: se non andava errato, aveva visto sul cartello proprio il nome di quella ditta. Non volevo sembrare un ficcanaso, né d'altra parte far supporre o intuire troppo al mio informatore, per cui, limitandomi a ringraziarlo, me ne sono andato. Ormai era il crepuscolo, la notte autunnale stava per calare, e non ho perduto tempo. Trovato l'indirizzo della Mitchell, Figli & Candy in un annuario al Berkeley, ben presto eccomi negli uffici situati in Sackville Street.

Il signore che mi ha ricevuto era di modi particolarmente cortesi, ma anche altrettanto riservato. Dettomi che la casa di Piccadilly – che durante tutta la nostra conversazione ha continuato a definire "dimora" – era stata venduta, evidentemente ha considerato chiuso l'argomento. Gli ho chiesto da chi fosse stata acquistata, e lui, alzando le sopracciglia, dopo un istante di silenzio ha ribattuto:

«È venduta, signore.»

«Vi prego di scusarmi» ho insistito con altrettanta fredda cortesia «ma ho buoni motivi per desiderare di sapere chi l'ha acquistata.»

Altra pausa di silenzio da parte sua, questa volta più lunga, mentre le sopracciglia si sollevavano dell'altro. «È venduta, signore» è stata la sua risposta, altrettanto laconica della prima.

«Ma immagino» ho detto «che non vi dispiaccia dirmi a chi.»

«Certo che mi dispiace, invece» ha replicato. «Gli affari della clientela sono assolutamente al sicuro e in buone mani, alla Mitchell, Figli & Candy.»

Si trattava evidentemente di un pedante di prim'ordine, e non c'era niente da ricavarne. Ho pensato allora che fosse meglio scendere sul suo stesso terreno, e gli ho detto:

«I vostri clienti, caro signore, possono dirsi fortunati di avere un così solerte custode dei loro segreti. Sono io stesso dedito a questa professione.» E a questo punto gli ho teso il mio biglietto da visita. «Nel caso specifico, non sono mosso da semplice curiosità. Agisco per incarico di Lord Godalming, il quale vuol sapere qualcosa dell'immobile che, come gli risulta, fino a poco tempo fa era in vendita.» Queste parole hanno impartito una nuova piega alla conversazione, e l'uomo ha replicato:

«Sarei ben lieto di poterla accontentare, signor Harker, se potessi, e soprattutto mi piacerebbe rendermi utile a Sua Signoria. A suo tempo ci siamo interessati per suo incarico a una questione di piccolo conto, l'affitto di un appartamento, quand'era semplicemente Sir Arthur Holmwood. Se volete favorirmi l'indirizzo di Sua Signoria, consulterò i miei soci in proposito, e in ogni caso farò sapere qualcosa a Sua Signoria con la posta di questa sera. Sarà un vero piacere, se potremo derogare alle nostre norme tanto da fornire a Sua Signoria le informazioni desiderate.»

Volevo procurarmi un amico, non certo farmi un nemico, per cui l'ho ringraziato, gli ho dato come recapito di Lord Godalming l'indirizzo del dottor Seward, e me ne sono andato. Ormai era buio, ero stanco e affamato. Mi sono concesso una tazza di tè alla Aërated Bread Company e sono tornato a Purfleet col primo treno.

Gli altri erano tutti a casa. Mina appariva stanca e pallida, ma si è bravamente sforzata di apparire allegra e briosa. Mi doleva il cuore al pensiero di doverle nascondere qualcosa e, così facendo, di causarle inquietudini. Grazie a Dio, questa sera sarà l'ultima volta che sarà esclusa dalle nostre riunioni e che proverà il disappunto di non godere della nostra fiducia. C'è voluto tutto il mio coraggio per attenermi alla saggia decisione di lasciarla fuori da questa brutta faccenda. Mi è parsa, del resto, un po' più rassegnata, o forse l'argomento stesso le è divenuto ripugnante, perché quando accidentalmente lo si menziona, la cosa la fa letteralmente rabbrividire. Sono soddisfatto che questa nostra decisione sia stata presa in tempo perché, dati questi suoi sentimenti, l'accrescersi delle nostre conoscenze in merito le procurerebbe nuove torture.

Non ho potuto mettere al corrente gli altri delle mie scoperte finché non siamo stati soli; ragion per cui dopo cena – previa un po' di musica, per salvare le apparenze persino tra noi – ho accompagnato Mina nella sua stanza lasciando che andasse a letto. La cara ragazza era più affettuosa che mai con me, e mi ha abbracciato quasi volesse trattenermi; ma c'era molto da discutere, e mi sono distaccato da lei. Grazie a Dio, il silenzio sceso tra noi non ha comportato nessuna differenza.

Dabbasso, ho trovato gli altri riuniti nello studio davanti al caminetto. In treno avevo scritto il mio diario quotidiano, che ho letto loro considerandolo il mezzo più efficace di metterli al corrente di quanto avevo appreso; come ho finito, Van Helsing ha commentato:

«È stato un grande lavoro questo di voi oggi, amico Jonathan. Indubbio che noi siamo su tracce di casse mancanti. Se noi troviamo esse tutte in quella casa, allora nostra opera è vicina alla fine. Ma se è qualcuna mancante, noi dobbiamo cercare fino a che noi troviamo esse. Quindi noi faremo nostro finale *coup*, e daremo la caccia all'infame fino a sua vera morte.» È seguito un silenzio, interrotto dal signor Morris che ha chiesto:

«Già, ma come faremo a introdurci in quella casa?»

«Come siamo entrati nell'altra» si è affrettato a rispondere Lord Godalming.

«Ma Art, il caso è diverso. A Carfax siamo entrati di straforo, ma avevamo dalla nostra la notte e un parco circondato da un muro. Mentre commettere un'effrazione a Piccadilly, di giorno o di notte che sia, sarebbe assai diverso. Confesso che non riesco a vedere come potremmo riuscire a mettervi piede, a meno che quel tipo dell'agenzia non ci procuri una chiave; forse lo sapremo domattina con l'arrivo della posta.» Lord Godalming ha aggrottato le sopracciglia e, alzatosi in piedi, si è messo a passeggiare per la stanza. Finalmente si è fermato e, rivolgendosi volta a volta a questo o quello dei presenti, ha detto:

«Quincey ha ragione. L'idea di entrare mediante scasso non mi va; una volta ci è andata bene, ma adesso siamo alle prese con un compito assai più arduo – a meno di non trovare il mazzo delle chiavi del Conte.»

Poiché nulla si poteva fare sino all'indomani mattina, ed era per lo meno opportuno attendere finché Lord Godalming non avesse avuto notizie dalla Mitchell, Figli & Candy, abbiamo deciso di rimandare ogni iniziativa a dopo colazione. A lungo ce ne siamo stati a fumare, esaminando il problema sotto le più disparate angolazioni; ho colto l'occasione per redigere il diario fino a questo momento. Adesso ho un gran sonno e me ne andrò a letto...

Una riga ancora. Mina dorme della grossa, il respiro regolare, ma ha la fronte corrugata, come se pensasse anche nel sonno. È troppo pallida, non però così emaciata come appariva stamane. Domani, spero, sarà diverso: Mina si ritroverà a casa sua a Exeter. Oh, ma quanto sonno ho!

DIARIO DEL DOTTOR SEWARD

1° ottobre. Sono nuovamente perplesso a proposito di Renfield. I suoi umori cambiano così rapidamente, che mi riesce difficile seguirli, e siccome significano sempre qualcosa d'altro, che trascende le sue condizioni di salute, costituiscono un argomento di studio più che interessante. Stamane, quando sono andato a trovarlo dopo che si era rifiutato di parlare con Van Helsing, aveva i modi di chi domina il destino. E così era, infatti: ma da un punto di vista soggettivo. Non si preoccupava minimamente di quanto accadeva su questa terra; era tra le nuvole e guardava di lassù alle debolezze e miserie di noi poveri mortali. Nella speranza di riuscire ad approfittare dell'occasione per sondare meglio la situazione, gli ho chiesto:

«E le mosche?» Mi ha rivolto un sorriso di superiorità – un sorriso quale avrebbe potuto disegnarsi sulla faccia di Malvolio – e ha replicato:

«La mosca, caro signore, presenta particolarità assai interessanti, vale a dire ali che sono l'espressione dei poteri aerei delle facoltà psichiche. Ben avevano ragione gli antichi, paragonando l'anima a una farfalla!»

Mi son detto che valeva la pena di spronarlo a portare questa sua analogia fino alle estreme conseguenze logiche, e mi sono affrettato a replicare:

«Oh, dunque è dell'anima che vi occupate adesso, vero?» La sua follia ne ha frustrato la ragione, e un'espressione sorpresa gli si è dipinta in volto mentre, scuotendo il capo con una risolutezza che di rado avevo notato in lui, diceva:

«Oh, no, oh, no! Non voglio anime, io. La vita è tutto quello che voglio.» E a questo punto, accalorandosi leggermente: «Ma al momento sono piuttosto indifferente a quest'aspetto. Di vita ne ho quanto basta. Dovete cercarvi un nuovo paziente, dottore, se volete studiare la zoofagia».

L'uscita mi ha un po' sconcertato, e l'ho incalzato:

«Quindi, voi siete padrone della vita; siete un dio, dunque?» Ha sorriso con ineffabile, benigna superiorità.

«Macché, lungi da me di arrogarmi gli attributi della Divinità. Non mi interesso neppure alle Sue azioni spiccatamente spirituali. Se mi è lecito definire la mia posizione intellettuale, per quanto concerne cose meramente terrestri, mi trovo suppergiù nella posizione che Enoch faceva propria a livello spirituale!» Un bel rompicapo, per me. Sul momento, non ho afferrato la puntualità della citazione, ragion per cui non mi è rimasto che formulare una semplice domanda, sebbene comprendessi che, così facendo, mi abbassavo agli occhi del lunatico:

«E perché proprio Enoch?»

«Perché Enoch camminava con Dio.» Proprio non la coglievo, l'analogia, né d'altro canto mi andava di ammetterlo, e così sono tornato alla sua affermazione di poc'anzi.

«Sicché, non vi importa della vita e di anime non ne volete. E perché dunque?» La mia domanda era stata pronunciata a bruciapelo e con una certa imperiosità, al preciso scopo di sconcertarlo. Tentativo che è stato coronato da successo: per un istante, suo malgrado Renfield è riprecipitato nei vecchi modi servili, mi ha fatto un inchino, ed è stato addirittura scodinzolando che mi ha risposto:

«Non ne voglio, di anime, non ne voglio proprio, eh, no! Assolutamente. Non saprei che farmene, se le avessi. Non mi servirebbero a nulla. Non potrei né mangiarle né...» Qui si è arrestato di colpo, mentre la vecchia espressione astuta gli riappariva in volto, una folata di vento sulla superficie dell'acqua. «E poi dottore, quanto alla vita, in fondo, che cos'è? Quando si ha tutto quello che si vuole, e si sa che non ci mancherà mai nulla, che altro si può desiderare? Io ho amici... Buoni amici... Come voi, dottor Seward» e questo l'ha detto con un sogghigno di insondabile furbizia. «Io so che a me i mezzi per vivere non mancheranno mai!»

Credo che, attraverso le nebbie della follia, avvertisse in me una certa sospettosità, perché all'improvviso eccolo ritrarsi nell'estremo suo rifugio: un testardo silenzio. Ben presto, mi sono reso conto che, al momento, era inutile continuare la conversazione con lui ormai chiuso come un pugno, e l'ho lasciato.

Più tardi, mi ha mandato a chiamare. Di solito non ci sarei andato senza motivi validi, ma adesso Renfield mi interessa a tal punto che sono stato ben lieto di accondiscendere. Senza contare che non mi dispiace aver qualcosa che mi aiuti ad ammazzare il tempo. Harker è fuori, alla ricerca di indizi, e così dicasi di Lord Godalming e di Quincey. Van Helsing è nel mio studio, a passare in rassegna la documentazione preparata dai coniugi Harker, persuaso, a quanto sembra, che una conoscenza approfondita di tutti i particolari gli permetterà l'individuazione di qualche traccia. Non gli piace essere disturbato mentre lavora, se non per motivi urgenti. Vorrei portarlo con me dal paziente, ma temo che, dopo l'esperienza negativa che ha già fatto, non abbia voglia di ritentare. C'è anche un altro motivo: può darsi che Renfield non parli altrettanto liberamente, davanti a una terza persona, come fa quando siamo a quattr'occhi.

L'ho trovato seduto nel bel mezzo della stanza, sul suo sgabello, posizione che di solito è sintomatica, in lui, di un'attività mentale particolarmente intensa. Come sono entrato, ha chiesto immediatamente, quasi avesse la domanda sulle labbra:

«E le anime?» Era evidente che la mia supposizione era stata esatta. L'ideazione inconscia era all'opera anche nel pazzo. Ho deciso di andare a fondo. «E voi, che ne dite?» Non ha risposto subito, ma per un istante si è guardato attorno, alzando e abbassando gli occhi, quasi alla ricerca di un'ispirazione.

«Io di anime non ne voglio!» ha detto finalmente con tono flebile, quasi di scusa. L'argomento sembrava monopolizzarne la mente, e ho deciso di approfittarne, fedele al detto "Medico pietoso fa la piaga verminosa". Ho chiesto:

«A voi piace la vita, e volete la vita, vero?»

«Oh, sì, ma su questo non c'è niente da eccepire, e neppure voi dovreste preoccuparvene.»

«E tuttavia» ho insistito «come fate a pretendere la vita senza prendere anche l'anima?» La domanda è parsa lasciarlo perplesso, e io allora:

«Sarà proprio divertente, quando ve ne andrete da questo mondo con le anime di migliaia di mosche, ragni, uccelli e gatti che ronzano, cinguettano e miagolano tutt'attorno a voi. Voi vi siete impadronito delle loro vite, dico bene? E dovete rassegnarvi anche alle loro anime!» Qualcosa sembrava avergli colpito la fantasia perché si è infilato le dita nelle orecchie e ha chiuso gli occhi, strizzandoli come fa un bambino quando gli si insapona la faccia. C'era qualcosa di patetico, nel gesto, che mi ha commosso; e in pari tempo per me è stata una lezione, perché era come se davanti a me avessi un bambino – null'altro che un bambino, sebbene i tratti siano segnati e bianca la barba corta sul mento.

Era chiaramente in preda alla confusione mentale e, ben sapendo come certi suoi modi passati fossero stati la traduzione di eventi apparentemente a lui estranei, ho pensato che sarei stato capace di entrare almeno in parte nella sua testa, seguendone le elucubrazioni. Ma per farlo dovevo innanzitutto ristabilire rapporti di fiducia, ragion per cui gli ho chiesto, parlando a voce piuttosto alta, in modo che potesse udirmi nonostante le orecchie tappate:

«Volete dello zucchero per richiamare le mosche?» È stato come se si svegliasse di colpo e ha scosso il capo, poi ha replicato ridendo:

«Ma no! Le mosche in fondo sono ben poca cosa!» Una pausa, e quindi ha soggiunto: «Comunque, non mi piace che le loro anime mi ronzino attorno».

«E ragni?» ho soggiunto.

«Macché ragni! A che servono, i ragni? In quelli non c'è niente da mangiare o da...» E si è zittito di colpo, come se gli fosse sovvenuto che si trattava di un argomento interdetto.

"Eh, eh" mi sono detto: "Ecco la seconda volta che si arresta di colpo davanti alla parola 'bere'. Che cosa potrà mai significare?". Anche Renfield sembrava consapevole di aver commesso un errore, perché si è affrettato a soggiungere, come a distrarre la mia attenzione:

«No, no, non mi interessano per niente. "Ratti e topi e marmaglia del genere," come dice Shakespeare "tritume della dispensa": definizione azzeccata. Me le sono lasciate alle spalle, tutte quelle sciocchezze. Cercare di interessarmi ai piccoli carnivori è come pretendere da uno che mangi molecole con i bastoncini da riso, quando io so quel che m'aspetta.»

«Capisco» ho commentato. «Volete qualcosa di grosso in cui piantare i denti, vero? Che ne direste di mangiarvi un elefante per colazione?»

«Ma che razza di stupidaggini state dicendo!» Stava riacquistando la lucidità, e ho deciso che non bisognava dargli requie. «Chissà» ho detto come soprappensiero «com'è l'anima di un elefante?»

Ho ottenuto l'effetto desiderato, perché di colpo Renfield è caduto di sella ed è tornato bambino.

«Non voglio l'anima di un elefante, io, e anzi nessuna anima!» ha protestato, e per qualche istante è rimasto seduto, imbronciato. Poi, all'improvviso, è balzato in piedi, gli occhi fiammeggianti, con tutti i sintomi di una violenta eccitazione mentale. «Al diavolo voi e le vostre anime!» ha gridato. «Perché venite a rompermi le scatole con le anime? Non ho già abbastanza preoccupazioni, tormenti e angosce, senza che occorrano anche le anime?» Aveva un atteggiamento di così decisa ostilità, che ho temuto fosse sull'orlo di un nuovo accesso omicida, e ho soffiato nel mio fischietto. Ma allora, eccolo di colpo calmarsi e dirmi in tono di scusa:

«Perdonatemi, dottore. Mi sono lasciato andare. Non avete bisogno di aiuto. Ho tante e tali preoccupazioni, che sono facile all'irascibilità. Se solo sapeste il problema con cui sono alle prese e che mi sforzo di risolvere, avreste compassione di me, e mi tollerereste e scusereste. Vi prego di non farmi mettere la camicia di forza. Ho bisogno di pensare, e non posso farlo liberamente se sono legato. Sono certo che mi capite!» Con ogni evidenza, aveva ripreso il pieno controllo di sé, ragion per cui, quando sono arrivati gli infermieri, ho detto loro che non servivano più, e quelli se ne sono andati. Renfield li ha seguiti con lo sguardo; come l'uscio si è chiuso, ha esclamato con tono fermo e sincero:

«Dottor Seward, voi siete stato assai gentile con me. E credetemi quando vi dico che ve ne sono enormemente grato!» Ho preferito lasciarlo in quello stato d'animo, e sono uscito a mia volta. Indubbiamente, le condizioni in cui si trova offrono il destro a molte considerazioni. Parecchi sono i particolari che compongono quella che i giornalisti americani definiscono "una storia", solo che bisognerebbe riuscire a collocarli nel giusto ordine. Eccoli qui:

Evita di pronunciare la parola "bere".

Il pensiero di assumersi il peso dell'"anima" di chicchessia lo spaventa.

Non teme che in futuro gli manchi "vita".

Disprezza tutte quante le forme di vita inferiori, ancorché tema di essere tormentato dalle loro anime.

Mi sembra logico che questi elementi seguano tutti un preciso orientamento: Renfield ha in qualche modo la certezza di pervenire a una vita più alta. Ma gli ripugnano le conseguenze, il gravame di un'anima. Quindi, è a una vita umana che mira!

E quanto alla certezza...

Buon Dio! Ma dunque il Conte è stato da lui, e un'altra, orrida trama è stata imbastita!

Più tardi. Dopo il giro di visite, sono andato da Van Helsing e gli ho comunicato il mio sospetto. Si è fatto estremamente grave; e, dopo aver riflettuto a lungo, mi ha chiesto di accompagnarlo da Renfield. Ho acconsentito. Giunti all'uscio, abbiamo udito all'interno il pazzo cantare allegramente, come faceva in tempi che adesso sembrano tanto lontani. Entrati, abbiamo constatato, sbalorditi, che aveva sparso come in precedenza lo zucchero e le mosche, insonnolite dall'autunno, cominciavano a ronzare nella stanza. Abbiamo cercato di riportarlo all'argomento della conversazione che poc'anzi avevo avuto con lui, ma non ha fatto orecchio da mercante. Ha continuato a cantare, quasi non fossimo lì. Si era procurato un foglio di carta e lo ripiegava per farne un taccuino. Non ci è restato che andarcene, senza saperne più di prima.

Un caso davvero singolare; questa notte dobbiamo tenerlo attentamente d'occhio.

LETTERA DELLA MITCHELL, FIGLI & CANDY
A LORD GODALMING

1° ottobre

Milord,

come sempre siamo ben felici di venire incontro ai vostri desideri. In seguito alla richiesta di Vostra Signoria, comunicataci a nome vostro dal signor Harker, ci pregiamo fornirvi le seguenti informazioni circa la compravendita dell'edificio sito al n. 347 di Piccadilly. I venditori sono gli esecutori testamentari del defunto signor Archibald Winter-Suffield. L'acquirente è un nobiluomo straniero, il Conte de Ville, che ha proceduto personalmente all'acquisto, pagando in contanti "sull'unghia", se Vostra Signoria vuol perdonarci un'espressione così volgare. A parte questo, di lui non sappiamo assolutamente nulla.

Permetteteci, Milord, di porgervi i nostri migliori ossequi.

Mitchell, Figli & Candy

DIARIO DEL DOTTOR SEWARD

2 ottobre. La notte scorsa ho messo di fazione un infermiere nel corridoio, incaricandolo di prendere nota accuratamente di ogni suono che avesse udito provenire dalla stanza di Renfield, e ordinandogli, qualora si verificassero fatti strani, di chiamarmi immediatamente. Dopo cena, radunatici tutti attorno al fuoco in studio – la signora Harker era andata a letto –, abbiamo discusso i piani futuri e i risultati della giornata. Harker era l'unico che fosse venuto a capo di qualcosa, e speriamo tanto che le tracce da lui scoperte siano importanti.

Prima di coricarmi, mi sono accostato alla porta del paziente e ho guardato attraverso lo spioncino. Stava dormendo della grossa respirando regolarmente, si vedeva il torace alzarsi e abbassarsi con ritmo costante.

Stamane, l'uomo di guardia è venuto a riferirmi che, poco dopo la mezzanotte, il paziente è apparso inquieto e si è messo a pregare ad alta voce. Gli ho chiesto se era tutto; la sua risposta è stata che era tutto quanto aveva udito. Ma nel suo atteggiamento c'era qualcosa di così sospetto, che gli ho chiesto a bruciapelo se per caso non si fosse addormentato. Ha negato di aver dormito, ma ha ammesso di aver "sonnecchiato" per un po'. È davvero un guaio che non ci si possa fidare degli infermieri e che li si debba sempre tener d'occhio.

Oggi Harker è fuori a proseguire la sua indagine, e Art e Quincey sono andati a cercare cavalli. Godalming ritiene che sia opportuno averne sempre sottomano, perché quando saremo in possesso delle informazioni che ci occorrono non ci sarà tempo da perdere. Dobbiamo sterilizzare tutto il terriccio importato dal Conte, e farlo tra il sorgere del sole e il tramonto: in tal modo, sorprenderemo il Vampiro nel momento di maggior debolezza, privo di un rifugio in cui celarsi. Van Helsing è al British Museum a frugare testi di medicina antica. I terapeuti dell'epoca tenevano conto di cose che i loro successori rifiutano, e il professore è alla ricerca di rimedi contro streghe e demoni che in seguito potrebbero esserci utili.

A volte mi dico che siamo tutti pazzi e che ci ritroveremo a recuperare la salute mentale stretti in una camicia di forza.

Più tardi. Ci siamo riuniti di nuovo. Sembra che finalmente siamo sulla buona strada, e che quello che faremo domani possa essere l'inizio della fine. Mi chiedo se la tranquillità di Renfield non abbia a che fare con tutto questo. I suoi stati d'animo hanno corrisposto così puntualmente alle imprese del Conte, che la futura distruzione del mostro può darsi che gli si trasmetta in qualche arcano modo. Se solo riuscissimo ad avere un indizio di ciò che gli è passato per la mente tra il momento della mia discussione con lui quest'oggi e la ripresa della caccia alle mosche, forse avremmo un valido appiglio. Per il momento, sembra tranquillo... Ma lo è? Quell'urlo atroce sembrava provenire dalla sua stanza...

L'infermiere si è precipitato da me, a dirmi che a Renfield è capitato non sa che incidente. Lo ha udito urlare, e quando è entrato lo ha trovato disteso bocconi sul pavimento, tutto coperto di sangue. Devo correre...

XXI

3 ottobre. Intendo riferire con esattezza tutto quanto riesco a ricordare di ciò che è accaduto dopo l'annotazione precedente. Neppure un particolare di quelli che mi torneranno alla mente deve essere sottaciuto: devo impormi il massimo autocontrollo.

Giunto nella stanza di Renfield, l'ho trovato disteso sul pavimento, sul fianco sinistro, in una luccicante pozza di sangue. Già andando verso di lui, mi sono reso conto che aveva subìto ferite gravissime; la posizione delle sue membra non sembrava rispondere affatto a quella coerenza che caratterizza persino la letargia in stato di integrità fisica. Poiché il volto era visibile, ho potuto constatare che era spaventosamente contuso, quasi fosse stato sbattuto contro il pavimento: anzi, la pozza di sangue proveniva proprio dalle ferite al volto. L'infermiere che stava inginocchiato accanto al corpo mi ha detto, mentre lo voltavamo:

«Temo, signore, che abbia la spina dorsale spezzata. Vedete? Sia il braccio che la gamba destri e la parte corrispondente del volto sono paralizzati.» Come una cosa simile abbia potuto accadere, lasciava letteralmente di stucco l'infermiere, il quale, senza capirci niente, un'espressione sbalordita in volto, ha soggiunto:

«Non riesco a raccapezzarmi. Certo, avrebbe potuto ridursi il viso a quel modo sbattendo la testa sul pavimento. L'ho visto fare una volta da una giovane donna al manicomio di Eversfield, prima che qualcuno potesse fermarla, e penso che avrebbe anche potuto spezzarsi l'osso del collo cadendo dal letto, per esempio durante un accesso. Ma giuro che le due cose non riesco assolutamente a metterle assieme. Se aveva le vertebre spezzate, non poteva sbattere la testa in terra; e se se la fosse conciata a quel modo prima di cadere dal letto, su questo ne sarebbero rimaste tracce.» Gli ho detto:

«Andate dal dottor Van Helsing e pregatelo di venire qui subito. Lo voglio immediatamente.» L'uomo è corso via e pochi istanti dopo è apparso il professore in vestaglia e pantofole. Come ha visto Renfield disteso a terra, lo ha scrutato ben bene per un istante, quindi ha guardato me. Penso che mi abbia letto nel pensiero, perché ha commentato, con molta pacatezza, evidentemente a beneficio dell'infermiere:

«Ah, gran brutto incidente! Avrà bisogno di molto accurata vigilanza, e di molta molta attenzione. Io starò con voi io stesso; prima però vestirò me. Se voi restate, in pochi minuti io raggiungerò voi.»

Il paziente respirava adesso in maniera affannosa, e non era difficile rendersi conto che le sue lesioni erano gravi. Van Helsing è tornato con straordinaria rapidità, portando con sé una valigetta chirurgica. Evidentemente aveva avuto il tempo di riflettere e di prendere una decisione perché, prima ancora di occuparsi del paziente, mi ha sussurrato:

«Mandate via l'infermiere. Dobbiamo stare soli con lui quando, dopo l'intervento, sua coscienza tornerà.» Ho detto pertanto:

«Penso che non occorra altro, Simmons. Per il momento, abbiamo fatto quanto era possibile. Farete meglio a continuare il vostro giro, e il dottor Van Helsing eseguirà i necessari interventi. Informatemi subito se dovesse succedere qualcosa di insolito in altri reparti.»

Uscito Simmons, abbiamo sottoposto il paziente a un rigoroso esame. Le ferite al volto erano superficiali; la lesione preoccupante consisteva invece in una frattura con sfondamento della scatola cranica, che interessava l'intera area motrice. Il professore, dopo un istante di riflessione, ha detto:

«Dobbiamo ridurre pressione su cervello e riportare a normali condizioni se questo può essere; la rapidità di soffusione rivela tremendità di lesione. Sembra che tutta area motrice sia interessata. La soffusione di cervello aumenterà rapidamente e dobbiamo trapanare subito, altrimenti sarà troppo tardi.» Mentre parlava, qualcuno ha bussato piano all'uscio. Sono andato ad aprire; in corridoio, in pigiama e pantofole, erano Quincey e Arthur, il quale ha detto:

«Ho sentito l'infermiere chiamare il dottor Van Helsing e parlargli di un incidente. Allora ho svegliato Quincey, o meglio l'ho chiamato perché era già sveglio. I fatti si susseguono con troppa rapidità e sono troppo strani perché chiunque di noi possa permettersi di dormire tranquillamente. Ho pensato che questa notte avverrà qualcosa di straordinario. Dobbiamo tenere gli occhi aperti, e guardare di continuo davanti e indietro, assai più attentamente di quanto non abbiamo fatto finora. Possiamo entrare?» Ho annuito, e appena sono stati dentro ho richiuso l'uscio. Come Quincey si è accorto della positura e delle condizioni del paziente, nonché dell'orrenda pozza sul pavimento, ha detto sottovoce:

«Mio Dio, che cosa gli è accaduto? Povero, povero Renfield.» Gli ho riferito brevemente i fatti, soggiungendo che ci aspettavamo che, dopo l'intervento, riacquistasse conoscenza – almeno per qualche istante. Quincey è andato senz'altro a sedersi sulla sponda del letto, e Godalming ha fatto lo stesso; e così siamo rimasti, in paziente attesa.

«Dobbiamo aspettare» ha detto Van Helsing «in modo di poter individuare luogo migliore per trapanazione, così noi potremo con maggior rapidità e perfezione rimuovere grumo di sangue. Infatti è evidente che emorragia sta procedendo.»

I minuti d'attesa sono trascorsi con terribile lentezza. Mi sentivo stringere il cuore, e dall'espressione di Van Helsing mi rendevo conto che nutriva timori o apprensioni circa ciò che sarebbe accaduto. Per quanto mi riguardava, ero angosciato all'idea di quel che Renfield avrebbe potuto dire. Sì, era un pensiero che mi riempiva di terrore; e d'altra parte, già prevedevo quel che sarebbe venuto, e ho letto di uomini che hanno presentito esattamente l'ora della morte. Il respiro del povero Renfield si faceva sempre più ansimante. Sembrava di continuo sul punto di aprire gli occhi e di muovere le labbra, ma ne usciva soltanto un lungo ansito stertoroso, al quale faceva seguito la ricaduta in un torpore ancora più profondo. Per quanto fossi avvezzo a malattia e morte, la tensione cresceva, facendosi sempre più intollerabile. Sentivo il battito del mio proprio cuore, e il sangue mi pulsava alle tempie come un martello. A lungo andare, il silenzio è divenuto insopportabile. Un'occhiata ai miei compagni, ai loro volti aggrondati, alle loro fronti sudate, mi ha detto che soffrivano uguali torture. Su tutti noi gravava una cappa minacciosa, quasi che sopra le nostre teste una cupa campana stesse per rintoccare possente, nel momento più inatteso.

A un certo punto, è parso evidente che le condizioni di Renfield stavano rapidamente peggiorando: poteva morire da un momento all'altro. Ho guardato il professore, ho incontrato i suoi occhi fissi su di me, ed è stato con tono deciso che mi ha detto:

«Non è tempo da perdere. Le sue parole possono salvare molte vite. È questo che io dico a me, da quando io sono qui. Può darsi che qui una anima sia in pericolo! Noi opereremo proprio sopra di orecchio.»

E, senz'altro aggiungere, ha eseguito la trapanazione. Per qualche istante ancora, il respiro è rimasto affannoso, ma poi c'è stato un ansito così lungo, da far credere che il torace di Renfield dovesse rompersi. E all'improvviso, il paziente ha aperto gli occhi: uno sguardo fisso, di terrorizzata impotenza. Così è rimasto per qualche secondo, poi quell'espressione ha ceduto il posto a una di lieta sorpresa, mentre dalle labbra gli usciva un sospiro di sollievo. Si è agitato convulsamente, intanto dicendo:

«Starò fermo, dottore. Dite agli infermieri che mi tolgano la camicia di forza. Ho fatto un sogno spaventoso, e mi ha lasciato così debole che non riesco a muovermi. Che cos'ha la mia faccia? La sento gonfia e bruciante.»

Ha tentato di girare il capo, ma persino questo sforzo è bastato per invetriargli nuovamente gli occhi, e gliel'ho rimesso nella posizione precedente. Allora Van Helsing ha chiesto con voce misurata e grave:

«Diteci di vostro sogno, signor Renfield.» All'udirla, il volto del paziente si è illuminato nonostante la paralisi, ed egli ha detto:

«Ma è il dottor Van Helsing! Grazie di essere venuto. Datemi un po' d'acqua, ho le labbra secche, e cercherò di dirvi tutto. Ho sognato...» Qui si è fermato ed è parso sul punto di svenire. Sottovoce ho ordinato a Quincey: «Il brandy. È nel mio studio. Presto!». È uscito di corsa per tornare quasi subito con un bicchiere, la caraffa e una brocca d'acqua. Abbiamo umettato le labbra secche di Renfield, che ben presto si è ripreso. Si sarebbe tuttavia detto che quel povero cervello ferito nell'intervallo avesse continuato a funzionare perché, non appena ripresa piena coscienza, Renfield mi ha guardato intensamente, con un'espressione di smarrita angoscia che mai dimenticherò, e ha detto:

«Non posso ingannare me stesso. Non è stato un sogno, ma un'orribile realtà.» Poi ha girato gli occhi per la stanza e, scorte le due figure sedute in paziente attesa sul bordo del letto, ha proseguito:

«Se non ne fossi già certo, lo sarei ora vedendo quelli.» Per un istante ha richiuso gli occhi, non per il dolore né per essersi addormentato, ma volontariamente, quasi a fare appello a tutte le proprie facoltà; e quando li ha riaperti, ha ricominciato a parlare, in fretta, mettendoci assai più energia di prima:

«Presto, dottore, presto. Sto morendo! Sento che mi restano solo pochi minuti, e poi sprofonderò nella morte – o in qualcosa di peggio! Bagnatemi ancora le labbra con il brandy. C'è qualcosa che devo dire prima di morire, o almeno prima che muoia il mio povero cervello spappolato. Grazie! È accaduto quella notte, dopo che mi avete lasciato, la notte in cui vi avevo implorato di lasciarmi andare. Allora non potevo parlare, perché mi sentivo la lingua impastoiata; ma ero del tutto sano di mente, come lo sono adesso. A lungo, dopo che ve ne siete andato, sono rimasto in preda alla disperazione. Mi è parso che trascorressero ore, poi, all'improvviso, si è fatta pace in me. La mia mente non era più agitata, e mi sono reso conto di come stavano le cose. Ho udito i cani abbaiare dietro la casa, ma non dove era lui!» Mentre parlava, gli occhi di Van Helsing non si distoglievano neppure per un istante dal ferito, ma la sua mano si è protesa ad afferrare la mia e a stringerla con forza. Tuttavia, non se n'è fatto accorgere: si è limitato ad annuire appena e a dire a voce bassa: «Proseguite». Ha continuato Renfield:

«È venuto alla finestra tra la nebbia, come l'avevo già veduto tante volte prima; ma questa volta era tangibile, non un fantasma, e gli occhi erano accesi come quelli di un uomo quand'è in collera. Rideva con quella sua bocca rossa, e gli aguzzi denti bianchi hanno mandato un bagliore alla luce della luna, quando si è volto a guardare verso la cerchia di alberi dove i cani abbaiavano. In un primo momento riluttavo a chiedergli di entrare, sebbene sapessi che lo voleva e del resto l'aveva sempre voluto. Poi ha cominciato a promettermi cose... Non a parole, no, ma esibendomele.» È stato interrotto da una parola pronunciata dal professore:

«Come?»

«Facendole apparire, esattamente come le mosche che mi mandava quando il sole era alto. Grandi, grosse, grasse, le ali con riflessi di acciaio e zaffiri; e la notte grosse farfalle, con teschi e ossa incrociate sul dorso.» Van Helsing ha annuito, sussurrandomi soprappensiero:

«L'*Acherontia atropus* appartenente agli sfingidi... Quella che voi dite testa di morto.» Il paziente intanto aveva continuato:

«Poi ha cominciato a sussurrare: "Ratti, ratti, ratti! Centinaia, migliaia, milioni di ratti, e ognuno una vita; e cani da mangiare, e gatti. Tutte vite! Tutti sangue rosso, con anni di vita in esso; e non solo mosche ronzanti!". Gli ho riso in faccia, perché volevo vedere di che cosa fosse capace. Poi i cani hanno ululato, laggiù, dietro di alberi scuri. Mi ha fatto cenno di avvicinarmi alla finestra. Ho obbedito, ho guardato fuori, e l'ho visto levare le braccia come se chiamasse senza pronunciare parole. Una massa negra si è diffusa sull'erba, avanzando simile a una fiamma tenebrosa; e allora lui ha spostato la nebbia prima a destra, poi a sinistra, in modo che vedessi che c'erano migliaia di ratti con gli occhi rossi e scintillanti – come i suoi, solo più piccoli. Lui ha alzato la mano, e i ratti si sono arrestati, tutti quanti; e mi è parso che dicesse: "Tutte queste vite ti saranno date, e molte di più, e più grandi, per ere infinite, a patto che tu ti getti in ginocchio e mi adori!". E poi mi è sembrato che una nube rossa, colore del sangue, mi velasse la vista; e prima ancora di rendermi conto di ciò che facevo, mi sono trovato a sollevare il pannello e a dirgli: "Entrate, Signore e Padrone!". I ratti erano scomparsi, e lui è scivolato nella stanza sebbene lo spiraglio fosse di pochi centimetri, come ha fatto tante volte la Luna, entrando per le fessure più sottili e standomi dinnanzi in tutta la sua grandezza e splendore.»

La sua voce era divenuta più fioca, per cui gli ho inumidito nuovamente le labbra con il brandy, e ha ripreso a parlare. Sembrava però che la memoria non si fosse arrestata nell'intervallo, perché adesso il racconto aveva fatto un balzo avanti. Ero lì lì per richiamarlo al punto, ma Van Helsing mi ha sussurrato: «Lasciate lui proseguire. Non interrompete lui. Lui non può andare indietro, e forse neppure procedere di tutto, se una volta lui perde filo di suo pensiero». Diceva intanto Renfield:

«Tutto il giorno ho aspettato di avere sue notizie, ma non mi ha mandato niente, neppure una moschina, e quando la luna è spuntata ero molto adirato con lui. Quando è scivolato attraverso la finestra, sebbene questa fosse chiusa, senza neppure bussare, mi sono infuriato, ma lui mi ha riso in faccia, e il suo volto bianco spiccava sulla nebbia, con gli occhi rossi luccicanti, e ha proseguito per la sua strada come se fosse il padrone di casa e io non contassi un bel niente. Non aveva neppure lo stesso odore, quando mi è passato vicino. Non sono riuscito a trattenerlo. Pensavo, non so perché, che la signora Harker fosse entrata nella stanza.»

I due seduti sul letto si sono alzati e si sono avvicinati, piazzandosi alle spalle di Renfield, in modo che questi non riuscisse a vederli mentre essi potevano udirlo meglio. Tacevano, ma il professore aveva avuto un sussulto e un tremito, e il volto gli si era fatto ancora più cupo e aggrondato. Renfield, senza accorgersi di nulla, intanto continuava:

«Quando la signora Harker è venuta a vedermi quel pomeriggio, non era più la stessa: era come il tè quando si mette troppa acqua nella teiera.» Abbiamo avuto tutti un sobbalzo, ma nessuno ha detto nulla, e Renfield intanto:

«Non mi sono accorto che era qui finché non ha parlato; e no, non era più la stessa. A me le persone pallide non vanno a genio; mi piacciono quando hanno nelle vene molto sangue, e sembrava che il suo se ne fosse andato tutto. In quel momento non ci ho fatto caso. Ma quando se n'è andata, ho cominciato a riflettere, e mi sono sentito prendere dall'ira perché sapevo che lui le stava suggendo la forza.» Sentivo distintamente il tremito degli altri, come del resto il mio, ma ci siamo sforzati di rimanere immobili, in silenzio. «E così, quando questa notte è venuto, ero pronto ad accoglierlo. Ho visto la nebbia filtrare nella stanza, e l'ho abbrancata. Ho sentito dire che i pazzi sono dotati di forza straordinaria; e sapevo di essere pazzo – almeno in certi momenti – e ho deciso di far ricorso ai miei poteri. Ma anche lui lo avvertiva, perché era uscito dalla nebbia per lottare con me. Io stringevo forte, e avevo l'impressione che stessi per vincere, perché non volevo che rubasse altra vita alla signora Harker – finché ho visto i suoi occhi. Mi bruciavano dentro, e la mia forza s'è sciolta come acqua. È scivolato attraverso la mia presa e, come ho fatto per bloccarlo, mi ha sollevato in aria e mi ha scaraventato a terra. Attorno a me c'era una nuvola rossa e un fragore come di tuono, e la nebbia è parsa svignarsela da sotto l'uscio.» La voce gli si era fatta più debole, il respiro più affannoso. Van Helsing si è alzato d'impulso.

«Noi ora sappiamo il peggio» ha detto. «Lui è qui, e noi sappiamo suo scopo. Può forse non essere troppo tardi. Armiamoci, lo stesso come eravamo la notte scorsa, ma non perdiamo tempo; non è un istante di troppo.» Inutile tradurre in parole la nostra paura, e d'altro canto la nostra decisione: l'una e l'altra erano in tutti noi. In gran fretta, siamo andati a prendere nelle nostre stanze gli stessi oggetti di cui eravamo muniti entrando nella casa del Conte. Il professore, le sue cose le aveva già con sé, e quando ci siamo riuniti nel corridoio me le ha indicate con gesto significativo, commentando:

«Non abbandono esse mai; ed esse mai poi abbandono finché questa infelice storia è finita. Prudenza dunque, amici. Non è nemico comune che noi affrontiamo. Ahimè, quanto deve soffrire quella cara Madam Mina!» Qui si è arrestato, con la voce rotta, e non so dire se nel mio cuore predominasse l'ira o il terrore.

Davanti all'uscio dei coniugi Harker ci siamo fermati. Art e Quincey hanno fatto un passo indietro, e il secondo ha chiesto:

«Dobbiamo proprio disturbarla?»

«Dobbiamo» ha risposto cupamente Van Helsing. «Se porta è chiusa, noi sfondiamo essa.»

«Ma non rischiamo di spaventarla troppo? Non è cosa di tutti i giorni irrompere nella stanza di una signora.»

La risposta di Van Helsing è stata inequivocabile:

«Voi sempre avreste ragione, ma questo è caso di vita o di morte. Tutte stanze sono uguali per il medico, e anche se non sono tutte sono come una per me questa notte. Amico John, quando io giro maniglia e la porta non si apre, voi abbassate spalla e buttate voi contro, e anche voi, miei altri amici. Via!»

Così dicendo ha girato la maniglia, ma la porta non ha ceduto. Ci siamo gettati contro il battente, che con uno scroscio si è spalancato, e siamo piombati nella stanza quasi a capofitto. Il professore anzi è caduto, e l'ho visto a quattro zampe, mentre si sforzava di rimettersi in piedi. Ma qualcosa d'altro mi ha sgomentato. Ho sentito i capelli rizzarmisi sulla nuca come setole, e il cuore fermarmisi.

La luce della luna era tanto chiara da penetrare attraverso la spessa cortina gialla, sì che nella stanza ci si vedeva abbastanza bene. Sul letto matrimoniale, vicino alla finestra giaceva Jonathan Harker, il volto paonazzo, respirando pesantemente, come se fosse drogato. Inginocchiata sull'orlo del letto, girando le spalle al marito, era la figura biancovestita di sua moglie, e accanto a lei un uomo alto, magro, nerovestito. Non guardava verso di noi, ma all'istante tutti abbiamo riconosciuto in lui il Conte: ogni suo tratto, persino la cicatrice sulla fronte. Con la mano sinistra stringeva quelle della signora Harker, bloccandogliele dietro il dorso; con la mano destra le aveva afferrato il collo, obbligandola a chinare il volto verso il proprio petto. La bianca camicia da notte era sporca di sangue, e un rivolo scorreva sul petto nudo dell'uomo che si era aperto l'abito. La posizione dei due aveva una terribile somiglianza con l'immagine di un bambino che caccia il naso di un gatto in un piattino di latte per obbligarlo a bere. Come abbiamo fatto irruzione nella stanza, il Conte ha volto il capo, e di colpo in viso gli si è stampata l'espressione infernale di cui avevo letto. Gli occhi hanno preso a fiammeggiargli di diabolica furia; le grandi narici del bianco naso aquilino si sono spalancate, frementi; i candidi denti aguzzi, visibili tra le labbra piene della bocca stillante sangue, hanno cozzato assieme come quelli di una bestia selvaggia. Con uno scatto, ha buttato la sua vittima sul letto che vi è piombata come se fosse caduta da chissà quale altezza e piroettando su se stesso, si è lanciato addosso a noi. Intanto il professore si era rimesso in piedi, protendendo verso il Conte la busta che conteneva l'ostia consacrata. Ed ecco d'un tratto il Conte arrestarsi, come aveva fatto la povera Lucy davanti al sepolcreto, e anzi arretrare, arretrare sempre più, mentre noi, brandendo i nostri crocefissi, avanzavamo. La luce della luna all'improvviso è venuta meno, come se una grande nube nera avesse attraversato il cielo; e quando il fiammifero sfregato da Quincey ha acceso la lampada a gas, null'altro abbiamo visto se non un impalpabile vapore, che davanti ai nostri occhi è scivolato sotto l'uscio che si era richiuso di rimbalzo dopo il nostro ingresso. Van Helsing, Art e io siamo accorsi dalla signora Harker, che aveva ripreso fiato e insieme aveva emesso un urlo così selvaggio, così lacerante, così disperato, che mi risuonerà alle orecchie fino all'ultima mia ora. Per qualche istante, è rimasta a giacere, immota e sconvolta. Il suo volto era spaventoso a vedersi, il pallore accentuato dal sangue che le insozzava labbra, guance e mento; dalla gola le gocciava un filo di sangue; gli occhi erano folli di terrore. Poi Mina s'è portata al volto le povere mani martoriate, sul cui candore restava il segno rosso della terribile stretta del Conte, e da dietro quel riparo è uscito un basso gemito desolato, in confronto al quale l'urlo terribile di prima è parso null'altro che l'espressione transitoria di un dolore senza fine. Van Helsing le si è accostato e, con gesto lene, l'ha coperta con le lenzuola, mentre Art, dopo uno sguardo disperato a quel volto, si precipitava fuori dalla stanza. Van Helsing mi ha sussurrato:

«Jonathan è in stupore che noi conosciamo che Vampiro può produrre. Noi nulla possiamo fare per povera Madam Mina per pochi momenti, finché essa non riprende se stessa. Io devo svegliare lui!» Ha bagnato un tovagliolo con acqua fredda che poi ha preso a spruzzargli in faccia, mentre la moglie continuava a nascondersi il volto tra le mani e a singhiozzare in maniera straziante. Ho sollevato la cortina e ho guardato fuori dalla finestra. La luce della luna era chiarissima, e ho potuto scorgere Quincey Morris attraversare di corsa il prato e nascondersi dietro un grande tasso. Non riuscivo a capire che cosa stesse facendo; ma proprio in quella ho udito l'esclamazione che Harker si era lasciato sfuggire riprendendo almeno in parte coscienza, e mi sono girato. Sul suo volto, come del resto era ovvio, si era dipinta un'espressione di profonda sorpresa. Per qualche secondo è parso intontito, poi di colpo si è ripreso del tutto e si è levato a sedere. Il brusco movimento ha riscosso la moglie, che si è volta a lui tendendo le braccia come per stringerlo a sé, ma subito dopo le ha abbassate e, unendo i gomiti, si è riportata le mani al volto tremando tanto da far vibrare il letto.

«In nome di Dio, che succede?» ha gridato Harker.

«Dottor Seward, dottor Van Helsing, che significa tutto questo? Che cos'è accaduto? Qualcosa non va? Mina cara, che hai? E quel sangue, che vuol dire? Mio Dio, mio Dio, a questo siamo arrivati!» E, mettendosi in ginocchio, ha congiunto le mani invocando: «Buon Dio, aiutaci! Aiutala, oh, Ti prego, aiutala!». Poi, con uno scatto, è balzato dal letto e ha cominciato a vestirsi, l'uomo che era in lui del tutto ripresosi di fronte alla necessità dell'azione immediata. «Che cos'è accaduto, dunque? Ditemelo!» gridava intanto. «Dottor Van Helsing, voi volete bene a Mina, lo so. Oh, fate qualcosa per salvarla. Può darsi che non sia ancora troppo tardi. Proteggetela mentre io vado a cercare *lui*!» Sua moglie, nonostante il terrore, l'orrore e la disperazione, si è resa conto del pericolo che Jonathan correva e, di colpo dimentica del proprio dolore, lo ha afferrato gridando: «No, no, Jonathan, non lasciarmi. Ho già sofferto abbastanza, questa notte, senza che a questo si aggiunga la paura che *lui* ti faccia del male. Devi stare con me, restare con questi amici che ti proteggeranno!». Parlava con tono via via più esagitato, e Jonathan ha ceduto, e lei allora se l'è tirato accanto sul letto, abbracciandolo freneticamente.

Van Helsing e io abbiamo cercato di calmarli entrambi. Il professore ha levato il suo piccolo crocifisso d'oro e ha detto con invidiabile calma:

«Non temete, mia cara, noi siamo qui, e finché questo è vicino a voi, nessuna cosa malvagia può voi avvicinare. Per questa notte, voi siete salva, e noi dobbiamo essere calmi e fare consiglio assieme.» La signora Harker ha avuto un altro brivido ed è rimasta in silenzio, appoggiando il capo al petto del marito. Quando lo ha alzato, la bianca camicia da notte di lui è apparsa macchiata di sangue nel punto in cui era stata toccata dalle labbra di lei in quello in cui dalla piccola ferita ancora aperta sul collo era uscita qualche altra goccia. Non appena Mina se n'è accorta, si è ritratta esalando un gemito e ha balbettato, mezzo soffocata dai singhiozzi:

«Contaminata, contaminata! Non potrò più né toccarlo né baciarlo. Oh, perché proprio io dovevo divenire la sua peggiore nemica, colei che più ha motivo di temere?» Harker ha replicato con tono deciso:

«Sciocchezze, Mina, non voglio sentirti dire cose simili, è una vergogna il solo pensarle! Dio mi giudichi per le mie mancanze e mi punisca con sofferenze ancora peggiori persino di quelle che mi toccano in quest'ora, se un mio atto o una mia intenzione dovesse allontanarci l'uno dall'altra.» Così dicendo, l'ha presa tra le braccia e se l'è stretta al petto, e così Mina è rimasta per qualche istante, sempre singhiozzando. Jonathan ci guardava da sopra il capo di lei, gli occhi imperlati di lacrime, le narici frementi; ma la bocca aveva una piega energica. Finalmente, i singhiozzi di lei si sono acquetati, e allora Jonathan mi ha detto, obbligandosi a una calma che, lo capivo, gli costava un'enorme fatica:

«E adesso, dottor Seward, ditemi tutto. L'essenziale lo so fin troppo bene; dovete però dirmi come si sono svolti i fatti.» Gli ho riferito com'erano andate le cose, ed egli stava ad ascoltarmi in apparenza impassibile, ma le narici gli fremevano, gli occhi mandavano lampi, mentre gli raccontavo di come le mani implacabili del Conte avessero trattenuto sua moglie in quell'orrida posizione, con la bocca attaccata alla ferita aperta sul suo petto. Persino in quel momento, mentre il suo volto pallido di ira contenuta era agitato da fremiti convulsi, le mani di Harker continuavano a carezzare teneramente i capelli arruffati della moglie. Stavo finendo il mio racconto, quando Quincey e Godalming hanno bussato all'uscio e sono entrati al nostro invito. Van Helsing mi guardava con aria interrogativa, e ho capito quel che intendeva: conveniva approfittare della loro venuta per distrarre, se possibile, l'infelice coppia dallo stato di sconforto di cui era preda; gli ho fatto un cenno di assenso e ho chiesto ai due che cosa avessero notato o fatto. A rispondere è stato Lord Godalming:

«Non l'ho veduto né nel corridoio né in nessuna delle stanze. Sono andato a guardare nello studio, dove certo era stato ma da cui era fuggito. Però, aveva...» Si è interrotto, guardando la patetica figura affranta sul letto. E Van Helsing:

«Avanti, amico Arthur. Non dobbiamo più nascondere lei nulla. La nostra speranza adesso consiste di sapere tutto quanto. Voi parlate libero!» E Art allora ha ripreso:

«Era stato nello studio, come ho detto, e anche se vi si è soffermato solo pochi secondi, gli sono bastati per combinare un disastro. I dattiloscritti sono stati interamente bruciati, non ne restavano che ceneri con qualche fiammella azzurra; anche i cilindri del vostro fonografo sono stati scagliati nel fuoco, e la cera ha alimentato le fiamme.» L'ho interrotto per dire: «Grazie a Dio, l'altra copia è chiusa nella cassaforte!». Il volto gli si è illuminato per un istante, ma si è nuovamente incupito mentre proseguiva il suo racconto: «Allora sono corso dabbasso, ma di lui nessuna traccia. Ho dato un'occhiata nella stanza di Renfield e anche qui niente, a parte...». Altra pausa. «Proseguite!» ha detto Harker con voce roca. E Art, chinando il capo e passandosi la lingua sulle labbra, ha soggiunto: «A parte il fatto che quel povero diavolo è morto». La signora Harker ha alzato la testa, volgendo lo sguardo dall'uno all'altro di noi, e ha detto con tono solenne:

«Sia fatta la volontà di Dio!» Io però avevo la netta impressione che Art ci nascondesse qualcosa; ma, persuaso che avesse un buon motivo per farlo, non ho detto nulla. Rivolto a Morris, Van Helsing ha chiesto:

«E voi, amico Quincey, avete a noi da dire qualche cosa?»

«Non molto» è stata la risposta. «In seguito può anche darsi che significhi molto, ma per il momento impossibile dirlo. Mi son detto che sarebbe stato bene scoprire dove il Conte si sarebbe rifugiato uscendo da questa casa. Lui non l'ho visto, ma ho scorto un pipistrello spiccare il volo dalla finestra di Renfield, dirigendosi verso ovest. M'aspettavo di vederlo tornare a Carfax, in una forma o nell'altra, ma evidentemente ha preferito un'altra tana. Per questa notte non tornerà, perché a est già il cielo si imporpora, l'aurora è vicina. Ma durante la giornata avremo molto da fare!» Aveva pronunciato queste ultime parole in una sorta di ringhio. Per un paio di minuti, è regnato il silenzio, e ho avuto l'impressione di sentire il battito dei nostri cuori; alla fine Van Helsing, posando tenerissimamente la mano sul capo della signora Harker, ha detto:

«E adesso, Madam Mina, povera, cara, cara Madam Mina, dite noi esattamente quello che è successo. Dio sa che io non voglio che voi siete sofferente; ma è bisogno che noi conosciamo tutto, perché ora più che mai nostra opera deve essere fatta rapida e decisa, non massimo impegno. Il giorno è a noi vicino che tutto questo deve essere messo fine, se così è possibile, e ora è probabilità che noi viviamo e impariamo.»

La povera, cara signora è stata percorsa da un brivido, e la tensione di cui era preda risultava evidente dal modo con cui si è aggrappata ancor più al marito, come a nascondere la testa sul suo petto. Poi però l'ha rialzata con gesto fiero e ha teso la mano a Van Helsing che l'ha presa, si è chinato a baciarla con riverenza e poi l'ha trattenuta tra le sue. L'altra mano di lei era tenuta dal marito, che con l'altro braccio le cingeva la vita in gesto di protezione. Dopo una pausa, che evidentemente le è servita a riordinare i propri pensieri, la signora ha riferito quanto segue:

«Avevo preso il sonnifero che tanto gentilmente mi avete somministrato, ma a lungo non ha avuto effetto. Avevo anzi l'impressione di essere sempre più sveglia, la mente affollata da miriadi di orride fantasticherie, tutte collegate con la morte, con vampiri, sangue, dolore, tormento.» Il marito si è lasciato sfuggire un gemito, e la moglie, volta a lui, lo ha amorevolmente esortato:

«Non agitarti, caro. Devi essere forte e coraggioso per aiutarmi in questa terribile ora. Se sapessi quale sforzo mi costa raccontare questa spaventosa vicenda, capiresti quanto bisogno ho del tuo aiuto. Dunque, mi sono detta che dovevo fare del mio meglio per rendere più efficace il sonnifero con la mia volontà, e quindi mi sono imposta di dormire. È certo che il sonno di lì a poco è arrivato, perché altro non ricordo. Jonathan rientrando non mi ha svegliata, perché quando mi sono destata l'ho visto al mio fianco. Nella stanza c'era la stessa nebbia biancastra che avevo notato in precedenza. Già, ma dimentico che voi questo non lo sapete; comunque, lo troverete scritto nel mio diario. Provavo lo stesso vago terrore che avevo già sperimentato prima, la stessa sensazione di una presenza estranea. Mi sono girata per svegliare Jonathan, ma ho constatato che dormiva così profondamente da far credere che fosse stato lui a bere il sonnifero, non io. L'ho scosso, ma non si è svegliato. Questo mi ha messo in uno stato di angoscia, e mi sono guardata attorno atterrita. E allora, mi sono sentita mancare il cuore: accanto al letto, come se fosse uscito dalla nebbia – o meglio, come se la nebbia si fosse trasformata nella sua figura, perché quanto a essa era completamente scomparsa – si drizzava un uomo alto, magro, tutto vestito di nero. L'ho riconosciuto immediatamente dalle descrizioni fornitemi da voialtri. Il volto cereo; il naso aquilino sul quale la luce batteva come su una lama; le labbra rosse socchiuse a mettere in mostra gli acuminati denti candidi; e gli occhi rossi che avevo avuto l'impressione di scorgere al tramonto sulle vetrate della chiesa di St Mary a Whitby. Ho riconosciuto anche la cicatrice rossa sulla fronte, nel punto in cui Jonathan l'aveva colpito. Per un attimo il cuore mi si è fermato e avrei voluto urlare, ma ero come paralizzata. E allora lui ha parlato dicendo, in una sorta di sussurro minaccioso, tagliente, intanto indicando Jonathan:

«"Silenzio! Se emettete un suono, lo prendo e gli fracasso il cranio sotto i vostri occhi." Ero troppo sgomenta e sbalordita per dire o fare alcunché. Con un sorriso beffardo, lui allora mi ha messo una mano sulla spalla e, tenendomi forte, con l'altra mi ha scoperto la gola, dicendo mentre così faceva: "Tanto per cominciare, un po' di ristoro per riprendermi dalle fatiche. Vi conviene star zitta; non è né la prima né la seconda volta che le vostre vene hanno calmato la mia sete!". Ero sbigottita e, strano a dirsi, non desideravo frapporgli ostacoli. Penso che anche questo faccia parte del diabolico incantesimo da cui sono colte le sue vittime quando lui le tocca. Ah, mio Dio! Abbi pietà di me!, ha applicato le sue labbra fetide sulla mia gola!» Il marito si è lasciato sfuggire un altro gemito, e Mina, stringendogli ancora più saldamente la mano e guardandolo impietosita, quasi che ad avere subito tutto questo fosse stato lui, ha proseguito:

«Ho sentito le mie forze sciogliersi, ero quasi svenuta. Non so dire quanto sia durata questa orribile situazione, ma dev'essere passato parecchio tempo prima che scostasse da me la sua lurida, immonda bocca ghignante. E ho visto che sangue fresco ne ruscellava!» Il ricordo è parso sopraffarla per un istante, e si sarebbe abbattuta sul letto, non fosse stato per il braccio del marito pronto a sorreggerla. A fatica si è ripresa e ha continuato:

«Poi mi ha parlato con tono beffardo: "E così voi, al pari degli altri, vorreste mettere la vostra intelligenza a confronto con la mia! Voi vorreste aiutare quegli uomini a darmi la caccia e a frustrare i miei disegni! Ora voi sapete, ed essi almeno in parte già sanno, e tra poco sapranno ancor meglio, che cosa signifìchi frappormi ostacoli. Le loro energie avrebbero dovuto riservarle ad altri scopi. Mentre giocavano d'astuzia con me – contro di me che ho comandato a nazioni, che ho intessuto intrighi a loro pro e che per esse ho combattuto, centinaia d'anni prima che costoro fossero nati –, io ne minavo l'opera. E voi, la loro beniamina, siete ormai mia, carne della mia carne, sangue del mio sangue, stirpe della mia stirpe, per ora mia rigogliosa vendemmia, e in seguito mia compagna e mia complice. Sarete vendicata a vostra volta, perché tutti loro si piegheranno ai vostri voleri. Ma per il momento dovete essere punita per ciò che avete fatto. Li avete aiutati a ostacolarmi, e ora obbedirete a ogni mia chiamata. Quando la mia mente vi ordinerà: vieni!, voi attraverserete terre e mari per obbedirmi; e a tale scopo, ecco!". E così dicendo si è aperto la camicia e, con le sue lunghe unghie taglienti, si è aperto una vena in petto. Come il sangue ha preso a sgorgarne, mi ha afferrato le mani con una delle sue, immobilizzandole, e con l'altra, presami per il collo, ha premuto la mia bocca sulla ferita, per cui non m'è restato che soffocare e inghiottire un po' di quel... Oh, mio Dio, mio Dio, che cosa ho fatto? Che cosa ho fatto per meritarmi sorte simile, io che ho cercato di procedere sempre lungo il sentiero della bontà e della giustizia? Dio, abbi pietà di me! Abbassa lo sguardo a questa povera anima che corre un pericolo ben più che mortale, e nella Tua clemenza abbi pietà per coloro cui essa è cara!» Poi ha preso a strofinarsi le labbra come a nettarle da ciò che le aveva insozzate.

Mentre riferiva la sua terribile esperienza, a oriente il cielo si andava schiarendo, e gli oggetti diventavano via via più visibili. Harker era adesso silenzioso, immobile; ma, mentre ascoltava la spaventosa narrazione, il volto gli si era andato offuscando, assumendo un colore sempre più cupo, tanto che, quando il primo, ramato riflesso dell'aurora si è diffuso nell'aria, è parso che la sua pelle fosse addirittura bruna.

Abbiamo deciso che uno di noi stia continuamente a portata di voce della infelice coppia, in attesa che ci si possa riunire e decidere sul da farsi.

Di una cosa sono certo: oggi il sole non illuminerà, durante tutto il suo immenso giro, nessuna casa più miseranda di questa.

XXII

3 ottobre. Poiché devo far qualcosa per non impazzire, mi dedico al diario. Sono le sei; tra mezz'ora ci uniremo nello studio e faremo colazione; il dottor Van Helsing e il dottor Seward sono concordi nell'affermare che, se non mangiamo, non riusciremo a dare il meglio di noi stessi. E Dio sa se quest'oggi non avremo bisogno di tutte le nostre energie. Devo continuare a scrivere a ogni costo, perché non oso soffermarmi a pensare. Ogni particolare, piccolo o grande, deve venire qui registrato: può darsi che, a lungo andare, siano i particolari minuti a risultare soprattutto eloquenti. Ma la lezione, piccola o grande che sia, non avrebbe potuto rivelarsi peggiore di quel che è stata per Mina e per me. Ciononostante, dobbiamo aver fiducia e sperare. La povera Mina mi ha detto, appena un momento fa, con le lacrime che le scorrevano lungo le dolci guance, che la nostra fede è messa alla prova proprio dalle avversità e dal dolore, e che dobbiamo continuare a credere, perché Dio ci aiuterà fino alla fine. La fine! Oh, mio Dio, quale fine?... Lavorare! Lavorare!

Quando il dottor Van Helsing e il dottor Seward sono tornati dall'aver visto il povero Renfield, ci siamo consultati sul da farsi. Per prima cosa, il dottor Seward ha riferito che egli e il professore hanno trovato Renfield disteso sul pavimento, le membra scomposte, il volto tutto contuso e tumefatto, l'osso del collo spezzato.

Il dottor Seward ha chiesto all'infermiere di guardia

nel corridoio se aveva udito qualcosa. L'uomo ha detto di essere rimasto sempre lì, ma ha confessato di essersi appisolato; a un certo punto ha udito voci concitate nella stanza, e poi Renfield che gridava a più riprese: «Dio, Dio, Dio», e poi il rumore di una caduta; entrato nella stanza, aveva trovato il paziente bocconi sul pavimento, nella posizione in cui l'hanno poi visto i medici. Van Helsing gli ha chiesto di precisare se aveva udito una o più voci, ma l'infermiere ha risposto di non esserne certo: dapprima gli erano parse due, ma siccome nella stanza non si trovava nessun altro, doveva essere stata una sola. Pronto tuttavia a giurare che la parola "Dio" era stata pronunciata a più riprese dal paziente. A noi, il dottor Seward ha precisato che aveva preferito non andare troppo a fondo nella faccenda: bisogna tener conto della possibilità di un'inchiesta, e sarebbe vano dire la verità perché, tanto, nessuno la crederebbe. Alla luce dei fatti, è sua opinione che, in base alla testimonianza dell'infermiere, può stilare un certificato di morte causata da accidentale caduta dal letto. Qualora il giudice istruttore sollevasse obiezioni, l'inchiesta formale non potrebbe che portare alle medesime conclusioni.

Quando poi si è intavolato il problema di quale dovesse essere il nostro prossimo passo, per prima cosa abbiamo deciso che Mina deve essere tenuta al corrente di tutto: nessun particolare, per quanto penoso, le va sottaciuto. Lei stessa ha approvato la decisione come saggia, e faceva pena vederla così coraggiosa e così addolorata, in preda a una simile disperazione. «Nulla deve essermi più nascosto» ha detto. «Ahimè, già fin troppo ci è accaduto. E poi, non c'è nulla al mondo che possa causarmi maggior dolore di quello che ho già sopportato – che ancora sopporto! Qualsiasi cosa accada, deve essere fonte di nuova speranza e di nuovo coraggio per noi!» Van Helsing, che mentre parlava la guardava fissamente, ha interloquito pacato:

«Ma cara Madam Mina, non avete voi paura, non tanto per voi, ma per altri, dopo tutto che è accaduto?» Il volto di Mina si è indurito, ma è stato con occhi in cui splendeva lo zelo della martire che ha risposto:

«No, ormai ho deciso.»

«Deciso che cosa?» ha chiesto sempre pacato il professore, tra il silenzio di tutti gli altri; perché, ciascuno a suo modo, avevamo tutti una vaga idea di ciò cui intendeva arrivare. E la risposta di Mina è giunta con semplice fermezza, come se lei non facesse che constatare un dato di fatto.

«Vedete, se dovessi notare in me stessa – e terrò gli occhi bene aperti – una minaccia di pericolo per le persone che amo, morirò!»

«Non vorrete mica uccidere voi?» ha esclamato Van Helsing con voce roca.

«Lo farei se non ci fosse un amico che, amandomi, sia pronto a risparmiarmi questo dolore e quest'atto disperato!» E, così dicendo, lo guardava con occhi supplici. Il professore è allora balzato in piedi, le si è avvicinato e, posandole una mano sul capo, ha pronunciato in tono solenne queste parole:

«Bambina mia, se fosse per vostro bene, quest'amico esiste. Per quanto riguarda me, saprei come rispondere di esso davanti a Dio per giustificare vostra eutanasia, anche in questo momento se sarebbe cosa migliore. Se sarebbe bene, dico, ma, bambina mia...» Per un istante è parso non riuscire a continuare, e un singhiozzo gli ha fatto un nodo alla gola; ma l'ha sciolto e ha proseguito:

«Qui sono uomini disposti a mettersi tra voi e morte. Voi non dovete morire. Voi non dovete morire per mano di nessuno, e tanto meno per mano vostra. Finché l'altro che ha contaminato vostra dolce vita è davvero morto, voi non dovete morire; perché se è ancora tra i Non-morti, vostra morte farebbe di voi come esso è. No, voi dovete vivere! Voi dovete lottare e sforzare voi di vivere, sebbene la morte può sembrare un sollievo che non si può dire. Voi dovete combattere morte stessa, che questa viene a voi in dolore o in gioia, di notte o di giorno, in sicurezza o in pericolo! Per vostra anima vivente io vi chiedo di non morire, e anzi di non pensare voi a morte, finché questo grande male non sia passato.» La povera cara si è fatta bianca come un lenzuolo, e tremava e rabbrividiva come una canna al vento. Stavamo tutti in silenzio, e del resto, che potevamo dire? Un po' alla volta, si è calmata e ha detto al professore con dolcezza ma, oh, con quanto dolore nella voce, porgendogli la mano:

«Vi prometto, mio caro amico, che, se Dio mi concederà di vivere, io mi sforzerò di farlo a mia volta, finché, quando a Lui piacerà, questo orrore non si sia allontanato da me.» Era così buona e coraggiosa che abbiamo tutti sentito i nostri cuori rafforzarci nella decisione di operare e resistere per lei, e abbiamo iniziato a discutere sul da farsi. Le ho detto che doveva conservare tutte le carte nella cassaforte, insieme con i diari e le registrazioni fonografiche che potranno servirci in seguito, e che era necessario che continuasse il suo diario. È parsa lieta della prospettiva di avere qualcosa da fare, sempreché "lieta" sia un aggettivo che si confà a situazioni così tristi.

Come al solito, Van Helsing aveva precorso il pensiero di tutti noi, e aveva già abbozzato uno schema delle iniziative da prendere.

«Forse è stato bene» ha esordito «che a nostra riunione dopo nostra visita a Carfax noi abbiamo deciso di nulla fare con casse di terra che vi si trovano. Se noi abbiamo fatto, il Conte deve aver arguito nostro proposito, e indubbiamente lui allora ha preso misure in anticipo per frustrare tentativi del genere per riguardo ad altre casse; ora invece lui non sa di nostre intenzioni. Più ancora: con tutte probabilità, lui non sa che esiste per noi un potere tale che noi possiamo sterilizzare suoi nascondigli, per modo che lui non può usarli come prima. Adesso noi siamo tanto più avanti in nostre conoscenze circa loro distribuzione che, quando abbiamo esaminato la casa di Piccadilly, possiamo, chissà, rintracciare fino a ultima di esse. Giornata di oggi è dunque decisiva, e in essa resta nostra speranza. Il sole che sorge a illuminare nostro dolore poi ci protegge lungo tutto suo corso. Finché l'astro non cala questa sera, il mostro deve mantenere qualsiasi forma che esso ha ora. Esso è confinato entro limiti di sua forma terrena. Lui non può dissolversi in aria sottile né disparire attraverso fessure, fori o spiragli. Se attraversa una porta deve aprire suo battente come un mortale. Per cui questo oggi noi dobbiamo individuare tutti suoi nascondigli e sterilizzarli. In tale modo, se ancora non abbiamo catturato e distrutto lui, costringeremo lui a cercare di rifugiarsi in luogo in cui cattura e distruzione saranno in seguito certi.» A questo punto mi sono alzato, incapace di contenermi ulteriormente al pensiero che i minuti e i secondi così preziosi per la vita e la felicità di Mina volassero via inutilmente: finché si parlava, nulla si faceva. Ma Van Helsing ha alzato una mano ammonendo: «No, amico Jonathan, in questo caso, come dice il vostro proverbio, via più corta è più perigliosa. Poi agiamo tutti e agiamo con disperata rapidità, quando il tempo è venuto. Ma pensate che con ogni probabile la chiave di situazione è in quella casa in Piccadilly. Il Conte può disporre di molte case che lui ha comprato. In esse avrà documenti di compravendita, chiavi e altre cose. Ha carte su cui scrive, ha suo libretto di assegni. Molti sono suoi beni che lui deve tenere in qualche parte, e perché no in quella casa in posizione così centrale, così tranquilla, dove lui va e viene di porta anteriore e di porta posteriore a tutte le ore, quando nel traffico intenso nessuno nota lui? Non lì dobbiamo andare a perquisire quella casa. E quando sappiamo che cosa essa contiene, ecco che noi, come dice nostro amico Arthur in suo gergo di cacciatore, "bloccheremo le tane" e metteremo il sale sulla coda a nostra vecchia volpe, sì?»

«E allora andiamo subito!» ho gridato. «Stiamo perdendo tempo prezioso!» Il professore non si è mosso, limitandosi a chiedermi:

«E come facciamo a entrare in quella casa di Piccadilly?»

«In qualsiasi modo!» ho esclamato. «Mediante scasso, se occorre.»

«E vostra polizia? Dove è poi essa e che cosa essa dice?»

Sono rimasto muto; ma sapevo che, se il professore tirava in lungo, aveva i suoi buoni motivi per farlo, e allora ho replicato, cercando di controllarmi:

«Per lo meno, non indugiamo più del necessario. Sono certo che voi vi rendete conto del tormento che mi divora.»

«Ah, figliolo, senza dubbio, questo. E non desidero certo accrescere vostra angoscia. Ma giusto pensate: che cosa possiamo noi fare finché pochi vanno e vengono? Nostro tempo poi viene. Ho pensato e pensato, e a me sembra che soluzione più semplice è anche migliore. Ora, noi desideriamo entrare dentro la casa, ma noi non abbiamo chiave, sì?» Ho annuito.

«Ora voi supponete che siete vero proprietario di quella casa e voi non potete entrare in essa; e in voi non è animo di scassinatore, che cosa dunque voi fate?»

«Andrei da un fabbro come si deve, e lo chiamerei ad aprire la serratura.»

«E vostra polizia? Non interferisce, sì?»

«Oh, no, se sapesse che si tratta di un autentico fabbro, noto come tale.»

«Quando è così» e dicendolo mi scrutava con attenzione «in dubbio è solo la coscienza di chi dà incarico, e la convinzione dei vostri poliziotti se datore di lavoro ha buona coscienza oppure no, sì? Vostra polizia deve essere davvero uomini zelanti e intelligenti, oh, tanto intelligenti, nella lettura di cuori, che si preoccupa di queste cose. No, no, amico Jonathan, voi potete andare a scassinare serratura di cento case disabitate di questa vostra Londra o di ogni città di mondo, e se voi fate queste cose come giustamente vanno fatte, e nel momento che queste cose vanno giustamente fatte, nessuno interferisce. Ho letto di un signore proprietario di una così bella casa a Londra, che quando lui è andato per mesi di estate in Svizzera e ha chiuso questa sua casa, ecco che è venuto ladro e ha rotto finestra su retro ed è entrato. Poi ha aperto le persiane sul davanti, e andava e veniva attraverso la porta, sotto veri occhi di poliziotti. Quindi lui ha fatto un'asta in quella casa, e ha messo annuncio di asta, e un grande cartello di essa; e quando viene il giorno, lui svende per mezzo di un grande banditore tutti oggetti di quell'altro uomo che possiede loro. Quindi lui va da impresario edile, e vende lui quella casa, con accordo che deve essere abbattuta e deve portare via ogni cosa entro un certo tempo. E vostra polizia e altre autorità lo aiutano meglio che possono. E quando quel proprietario viene di ritorno di sua vacanza in Svizzera, lui trova soltanto un buco vuoto dove sua casa era stata. Tutto era stato *en régle*. E in nostra opera noi dobbiamo essere *en régle* anche. Non dobbiamo andare così presto che i poliziotti, che allora hanno poco da pensare, pensano esso strano; ma andremo dopo dieci, quando molta gente è per strade, e cose simili si fanno come se saremo veri proprietari della casa.»

Non ho potuto che arrendermi all'evidenza, e persino il volto di Mina si è un po' rischiarato; il consiglio era ottimo, sufficiente a far rinascere qualche speranza. Van Helsing ha proseguito:

«Quando una volta dentro in quella casa, forse noi possiamo trovare altre tracce; comunque, alcuni di noi possono rimanere in essa mentre gli altri trovano gli altri luoghi dove sono ulteriori cassoni di terra, a Bermonsday e Mile End.»

Lord Godalming si è alzato. «In questo caso, posso essere di qualche utilità. Posso mandare un telegramma ai miei domestici perché tengano pronti carrozze e cavalli dove saranno più utili.»

«Vecchio mio» ha interloquito Morris «è una grande idea quella di avere tutto pronto, nel caso si debbano usare i cavalli; non credi però che le tue eleganti carrozze con tanto di stemma ferme in un vicolo di Walworth o di Mile End attirerebbero un po' troppo l'attenzione sui nostri veri scopi? Mi sembra che dovremmo invece servirci di carrozze a nolo per recarci nei quartieri meridionali od orientali, e anche in questo caso lasciarle a una certa distanza dal luogo in cui dobbiamo recarci.»

«Amico Quincey ha ragione!» ha esclamato il professore. «Sua mente è come si dice a livello perfetto. È impresa difficile quella cui noi accingiamo, e noi non vogliamo che nessun agente osserva noi se questo è possibile, sì?»

Mina si interessava sempre più a tutto quanto si diceva, ed ero sollevato constatando come i preparativi la stessero distraendo dal ricordo della terribile esperienza notturna. Era pallida, molto pallida, quasi spettrale, e talmente smagrita che le labbra raggrinzite rivelavano denti un tantino prominenti. Non gliel'ho detto, nel timore di darle un altro inutile dolore; ma mi sono sentito gelare il sangue all'idea di ciò che le dev'essere passato per la mente e il cuore, quando il Conte le ha succhiato il sangue. Pure, non sembrava affatto che i denti fossero più aguzzi; ma il tempo trascorso era breve, e chi poteva dirlo?

Siamo poi passati a discutere l'ordine delle nostre attività e la distribuzione dei compiti. Sono insorte nuove difficoltà, ma alla fine si è deciso che, prima di muovere alla volta di Piccadilly, conveniva distruggere la tana del Conte a portata di mano. Qualora se ne fosse accorto troppo presto, saremmo stati sempre in notevole anticipo su di lui nella nostra opera di annientamento; e chissà che addirittura non ci si imbattesse nel vampiro in forma puramente materiale, e dunque in condizioni di massima debolezza.

Per quanto riguarda la distribuzione dei compiti, il professore ha suggerito che, dopo l'irruzione a Carfax, si entri tutti nella casa di Piccadilly; qui rimarranno i due medici e io, mentre Lord Godalming e Quincey, andranno a rintracciare le tane di Walworth e Mile End, procedendo alla loro distruzione. Era possibile se non probabile, ha fatto notare il professore, che il Conte si facesse vedere a Piccadilly durante la giornata, e in tal caso avremmo potuto affrontarlo seduta stante. In ogni caso, saremmo stati in grado di seguirlo in gruppo. Piano, questo, al quale mi sono strenuamente opposto: ero riluttante ad andare; intendevo, ho detto, restare a proteggere Mina. Non volevo sentire ragioni, ma Mina ha respinto ogni mia obiezione, dicendo che potevano presentarsi situazioni di carattere legale, a proposito delle quali potevo rivelarmi utile. Tra le carte del Conte, ha soggiunto, potevano trovarsi indicazioni che sarei stato in grado di comprendere grazie alla mia esperienza in Transilvania; e infine, che tutte le nostre forze erano necessarie per affrontare gli straordinari poteri del Conte. Ho dovuto cedere, perché Mina aveva risolutamente puntato i piedi: l'unica sua speranza, mi ha fatto notare, era che agissimo tutti insieme. «Per quanto mi riguarda» ha detto «io non ho paura. Peggio di così non potrebbe andare, e qualsiasi cosa accada non può non portare un barlume di speranza e di conforto. Va', marito mio! Dio, se lo vuole, può proteggermi sia che mi trovi sola o con qualcuno al mio fianco.» A questo punto, sono balzato in piedi esclamando: «E allora, in nome di Dio, andiamoci subito, non perdiamo altro tempo. Il Conte può tornare a Piccadilly prima del previsto».

«Non così!» ha replicato il professore alzando una mano.

«Ma perché?» ho chiesto.

«Voi forse dimenticate,» ha replicato Van Helsing, e sulle labbra gli si è disegnato un sorriso appena percettibile «che la notte scorsa lui ha pesantemente banchettato, e che quindi lui dorme tardi?»

Dimenticarlo! E anzi, lo dimenticherò mai? Chi di noi riuscirà mai a dimenticare quella terribile scena? Mina si sforzava bravamente di mantenere il controllo; ma il dolore l'ha sopraffatta, e si è portata le mani al volto, con un gemito e un brivido. Non era certo stata intenzione di Van Helsing quella di richiamarle alla mente la terribile esperienza; era accaduto soltanto che, nel suo sforzo di riflessione, per un istante non aveva pensato a lei e alla parte che aveva in tutta la faccenda; ma come si è reso conto di ciò che aveva detto, è rimasto lui stesso orripilato dalla propria sbadataggine, e ha cercato di confortarla. «Oh, Madam Mina» ha preso a dire «cara, cara Madam Mina. Ahimè, che proprio che tanta riverenza nutro per voi che ho detto una cosa così frutto di mia dimenticanza! Queste stupide vecchie labbra mie e questa stupida vecchia testa a volte non fanno loro dovere; ma voi dimenticate esse, vero?» E così dicendo, le si è inchinato profondamente davanti; e lei gli ha preso la mano e, guardandolo fra le lacrime, ha replicato con voce rauca:

«No, non dimenticherò perché è bene che io ricordi;

e d'altra parte, di voi ho memorie così dolci, che va tutto bene. Orsù, tra poco dovete partire. La colazione è pronta, mangiamo per essere forti.»

È stata per tutti noi una strana colazione. Tentavamo di essere allegri e di incoraggiarci a vicenda, e Mina era la più allegra e vivace di tutti. Come abbiamo finito, Van Helsing si è levato e ha detto:

«E adesso, miei cari amici, noi partiamo per nostra terribile intrapresa. Noi siamo tutti armati come eravamo quella notte quando abbiamo visitato prima tana di nostro nemico: armati contro attacchi terreni e ultraterreni?» Abbiamo annuito. «Allora è bene. E adesso, Madam Mina, in ogni caso voi qui siete del tutto al sicuro fino a tramonto; e noi saremo di ritorno prima, se... Saremo di ritorno! Ma, prima che noi partiamo, fate me voi vedere armata contro attacchi personali. Io stesso, dopo che siete scesa da basso, ho preparato vostra camera col mettere in essa le cose che noi conosciamo, per modo che lui non possa entrare. Permettete me ora di difendere vostra persona. Io tocco vostra fronte con questo frammento di ostia consacrata in nome del Padre, del Figlio e...»

Un urlo spaventoso ci ha raggelato il cuore. Era bastato che il professore posasse l'ostia sulla fronte di Mina, perché il sacro simbolo la scarnificasse, bruciando la carne quasi in un marchio rovente. La mente della mia povera cara le aveva svelato il significato dell'evento con la stessa rapidità con cui i suoi nervi avevano registrato il dolore fisico; e questo, e la consapevolezza, a tal punto l'avevano sconvolta, che la sua natura troppo provata aveva dato fuori in quello spaventoso grido. Ma le parole sono tornate ben presto a soccorrere il suo pensiero; l'eco del grido non s'era ancora spenta, che ecco sopravvenire la reazione, ecco Mina cadere in ginocchio preda di un'angoscia senza nome e, tirandosi i bei capelli sul volto, quasi il lembo di un mantello, gemere:

«Contaminata! Contaminata! Persino l'Altissimo rifugge dalla mia carne maledetta! Dovrò portare questo marchio d'infamia sulla fronte sino al giorno del Giudi-

zio!» Tutti gli altri erano pietrificati; io mi ero precipitato al suo fianco in un empito di dolore, stringendola forte tra le braccia. Per qualche istante, i nostri sconfortati
cuori hanno battuto all'unisono, mentre attorno a noi
gli amici volgevano altrove gli occhi che in silenzio ver-
savano lacrime. Poi Van Helsing si è girato e ha detto
con tono di tale gravità, che non ho potuto impedirmi
di pensare che fosse in qualche modo ispirato e che, più
che parlare, egli fosse guidato nel farlo:

«Può essere che questo marchio voi dovete portare
finché Iddio stesso ritiene opportuno, quando, come
senza dubbio poi fa, il giorno del Giudizio Lui raddrizza
tutti i torti sulla terra e dei Suoi figli che Egli su essa ha
posto. E, oh, Madam Mina, cara, cara Madam Mina, noi
che vi amiamo forse saremo lì a vedere quando quella
rossa cicatrice, il segno della conoscenza di Dio di ciò
che è stato, essa scompare, e lascia vostra fronte altrettanto pura del cuore che noi conosciamo. Perché, certamente come noi viviamo, quella cicatrice poi scompare
quando Dio vede giusto di togliere il fardello che pesa
sopra di noi. Fino a quel momento noi reggiamo nostra
Croce, come Suo Figlio ha fatto in obbedienza di Sua
Volontà. Esso può essere che noi siamo prescelti istru-
menti di Sua buona volontà, e che dobbiamo salire nostro calvario a Suo piacimento, come quell'altro attraverso degradazione e vergogna, con lacrime e sangue,
tra dubbi e paure, ed è in questo la differenza tra Dio e
uomo.»

C'era speranza, nelle sue parole, e c'era conforto; e
l'una e l'altro inducevano alla rassegnazione. Sia Mina
che io l'abbiamo avvertito, e contemporaneamente ciascuno di noi ha preso una mano del vecchio e, su di essa chinandoci, l'abbiamo baciata. Poi, senza una parola, tutti assieme ci siamo inginocchiati e, dandoci l'un
l'altro la mano, abbiamo giurato di essere l'un per l'altro. Noi uomini abbiamo fatto voto a noi stessi di togliere la cappa del dolore dalla testa di lei, la quale era
da noi tutti amata, da ciascuno a modo suo; e abbiamo
pregato per avere aiuto e guida nel terribile compito
che ci attendeva.

Ormai era tempo di andarsene. Ho preso congedo da Mina, un saluto che né lei né io mai più dimenticheremo; e poi, via.

Una decisione era ben ferma nella mia mente: se avessimo dovuto arrenderci all'evidenza che Mina si era ormai trasformata in vampiro, ebbene, non sarebbe entrata in quella terra sconosciuta e terribile da sola. Ritengo che è per questo motivo che, ai vecchi tempi, un vampiro ne faceva proliferare molti; esattamente come i loro schifosi corpi potevano giacere solo in terra consacrata, così accadeva che il più santo degli amori fosse il sergente reclutatore che ne riempiva le orride fila.

Siamo entrati a Carfax senza difficoltà: tutto era come la volta precedente. Difficile credere che, in quella così prosaica atmosfera di abbandono e polvere e sfacelo, fosse la fonte di paure quali quelle che già ci erano note. Non avessimo già preso la nostra decisione, e non vi fossero state atroci memorie a spronarci, difficilmente avremmo continuato nella nostra opera. Non abbiamo trovato carte di sorta, né segno che la casa era stata usata; e nell'antica cappella, i cassoni sembravano tali e quali li avevamo ultimamente visti. Mentre vi stavamo di fronte, il dottor Van Helsing ci ha detto con tono solenne:

«E ora, miei amici, noi abbiamo un dovere qui da compiere. Noi dobbiamo sterilizzare questa terra così sacra di sante memorie, che lui ha portato da un molto distante paese per un uso tanto funesto. Lui ha scelto questa terra perché essa è stata santa. Così noi sconfiggiamo lui con sua propria arma, perché noi facciamo essa più santa ancora. Essa era santificata per uso di uomo, noi ora santifichiamo essa per Dio.» E, così dicendo, ha cavato dalla sacca un cacciavite e una leva, e ben presto una delle casse era scoperchiata. La terra odorava di muffa e di chiuso; ma noi non ci badavamo, la nostra attenzione essendo tutta per il professore. Il quale, tolto dalla sua scatola un frammento di ostia consacrata, con gesto reverente l'ha deposto sulla terra e quindi, rimesso a posto il coperchio, l'ha riavvitato con il nostro aiuto.

Una a una, lo stesso abbiamo fatto con tutte le grandi casse, lasciandole, in apparenza, tali e quali le avevamo trovate: solo che in ciascuno era un frammento dell'ostia consacrata.

Mentre ci serravamo l'uscio alla spalle, ha detto, sempre solenne, il professore:

«Ecco, questo è fatto. Se potrà essere che con tutto il resto abbiamo non minore successo, allora il tramonto di questa sera può splendere su fronte di Madam Mina bianco come avorio e senza macchia alcuna!»

Mentre attraversavamo il prato diretti alla stazione, abbiamo scorto la facciata del manicomio e, guardando attentamente, alla finestra della mia stanza ho visto Mina. Ho agitato la mano nella sua direzione, facendole capire a gesti che lì a Carfax la nostra opera era compiuta. E anche lei ha agitato la mano in risposta. È stato col cuore greve che siamo entrati in stazione, appena in tempo per prendere il treno che già sbuffava accanto alla banchina.

Queste righe le ho scritte sul convoglio.

Piccadilly, ore 12,30. Un attimo prima di giungere a Fenchurch Street, Lord Godalming mi ha detto:

«Quincey e io andremo a cercare un fabbro. Meglio che non veniate con noi, nel caso che insorgano difficoltà; date le circostanze, non è certo un gran male entrare con scasso in una casa vuota. Ma voi siete avvocato, e l'ordine degli avvocati può essere dell'avviso che certe cose non dovreste farle.» Ero riluttante a non condividere un pericolo, per grave che fosse, ma Lord Godalming non mi ha lasciato parlare: «E inoltre» ha soggiunto «se non saremo in troppi attireremo meno l'attenzione. Il mio titolo basterà a convincere il fabbro, e me ne avvarrò anche con un poliziotto, caso mai dovesse intervenire. Voi farete meglio ad andare con Jack e con il professore, e restare nel Green Park, in vista della casa; e, non appena vedrete che l'uscio è aperto e il fabbro se n'è andato, entrate a vostra volta. Noi saremo lì ad accogliervi».

«Ottimo consiglio!» ha commentato Van Helsing, e

così non abbiamo sollevato altre obiezioni. Godalming e Morris sono corsi via con una carrozza, noi ne abbiamo presa un'altra. All'angolo con Arlington Street ne siamo scesi, avviandoci al Green Park. Il cuore ha preso a battermi con forza non appena ho scorto la casa sulla quale si appuntavano tante nostre speranze: spiccava, tetra e silenziosa nel suo abbandono, tra le vicine, piene di vita e dal lindo aspetto. Ci siamo seduti su una panchina che offriva un buon punto d'osservazione, e ci siamo messi a fumare un sigaro, per non dar troppo nell'occhio. I minuti sembravano passare con piedi di piombo, mentre attendevamo l'arrivo degli altri.

Finalmente, abbiamo visto una carrozza avvicinarsi. Ne sono discesi, con l'aria più naturale del mondo, Lord Godalming e Morris; e dal posto di guida un operaio atticciato, con la sua cassetta di attrezzi. Morris ha pagato il cocchiere che si è toccato il cappello e se n'è andato. Insieme, i nostri due amici hanno salito i gradini, e Lord Godalming, lo si capiva dai gesti, ha spiegato all'operaio quel che voleva. Il fabbro si è tolto la giacca per star più comodo, appendendola a una delle punte della cancellata, dicendo qualcosa a un poliziotto che proprio in quella transitava. Quest'ultimo ha annuito in segno d'assenso, e l'operaio, inginocchiatosi, ha deposto accanto a sé la cassetta. Si è messo a frugarvi dentro, estraendone una serie di arnesi che erano allineati in bell'ordine. Quindi si è levato, ha guardato nel buco della serratura, vi ha soffiato dentro e, volto ai due che l'avevano assunto, ha detto non so che. Lord Godalming in risposta ha sorriso, ed ecco l'uomo dare allora di piglio a un grosso mazzo di chiavi; e, sceltane una, ha cominciato a frugare nella serratura, quasi a cercarvi una strada. Dopo aver armeggiato per un po', ha tentato con una seconda, poi con una terza. E all'improvviso l'uscio si è aperto obbedendo a una lieve spinta, e il fabbro e gli altri due sono entrati nell'atrio. Abbiamo continuato a starcene seduti immobili, io tirando furiosamente sul sigaro, mentre quello di Van Helsing si era spento. Abbiamo atteso pazientemente: è uscito il fabbro, ha preso la sua cassetta e l'ha portata all'interno.

Poi, tenendo l'uscio socchiuso e bloccandolo con le ginocchia, ha adattato una chiave alla serratura, che finalmente ha consegnato a Lord Godalming il quale, cavato il borsello, gli ha dato del denaro. L'operaio si è toccato il berretto, ha ripreso la sua cassetta, si è infilato la giacca, se n'è andato; nessuno aveva prestato la minima attenzione a quei maneggi.

Allontanatosi il fabbro, noi tre abbiamo attraversato la strada e siamo andati a bussare all'uscio, che ci è stato immediatamente aperto da Quincey Morris, accanto al quale stava Lord Godalming intento ad accendersi un sigaro.

«Qui dentro c'è un tanfo immondo» ha commentato quest'ultimo mentre entravamo. Ed era proprio così: lo stesso puzzo della cappella di Carfax; e, sulla scorta della nostra precedente esperienza, eravamo certi che il Conte si servisse ampiamente del luogo. Ci siamo messi a esplorarlo, in gruppo compatto in previsione di aggressioni, poiché ben sapevamo di aver a che fare con un avversario forte e astuto, e ancora ignoravamo se il Conte si trovasse o meno in casa. Nella sala da pranzo, cui si accedeva dal fondo dell'atrio, abbiamo trovato otto cassoni di terra. Otto soli, dei nove che cercavamo! La nostra opera non era conclusa, e mai lo sarebbe stata finché non avessimo trovato la cassa mancante. Per prima cosa abbiamo spalancato la finestra che dava su un angusto cortile lastricato e sul muro cieco di una rimessa dal tetto tanto aguzzo da farla sembrare una piccola casa nordica; nessuna finestra, nessuno dunque che potesse vederci. Non abbiamo perso tempo a esaminare le casse. Con gli attrezzi che avevamo portato con noi, le abbiamo aperte una a una, riservando loro lo stesso trattamento di quelle rimaste nell'antica cappella. Chiaro ormai che il Conte in quel momento non era in casa, e ci siamo messi a perquisirla in cerca di oggetti suoi.

Una rapida occhiata agli altri locali, dalla cantina alla soffitta, ci ha indotti a concludere che la sala da pranzo ospitava tutto quanto era di pertinenza del Vampiro; ragion per cui, siamo passati a un esame minuzioso degli oggetti che vi si trovavano, disposti, per così dire, in ordinato disordine sul grande tavolo. In un gran fascio, i documenti di vendita della casa di Piccadilly, nonché quelli delle case di Mile End e di Bermondsey; fogli di carta, e buste, e penne, e inchiostro. E tutto era avvolto in carta da pacchi, per proteggerlo dalla polvere. Inoltre, una spazzola per abiti, una per capelli e un pettine, una brocca e un catino – quest'ultimo contenente acqua sporca, rossastra di sangue. Infine, un mazzetto di chiavi di ogni sorta e dimensione, probabilmente quelle delle altre case. Terminato l'esame di quest'ultimo reperto, Lord Godalming e Quincey Morris, presa accurata nota degli indirizzi delle case nei quartieri orientale e meridionale, si sono impossessati di tutte le chiavi, per andare a quella volta, a distruggere le casse che vi si trovassero. Noi tre siamo qui, armati della nostra migliore pazienza, in attesa del loro ritorno – o dell'arrivo del Conte.

XXIII

DIARIO DEL DOTTOR SEWARD

3 ottobre. L'attesa del ritorno di Godalming e di Quincey Morris ci è parsa terribilmente lunga. Il professore cercava di tener desta la nostra attenzione, non dando riposo alle nostre menti, e ne capivo lo scopo benefico dalle frequenti occhiate in tralice che lanciava a Harker. Il poveretto è in uno stato miserando, tale da dare lo sgomento. Ieri sera era un uomo aperto, dall'aria felice, il volto dai tratti forti, giovanile, pieno di energia, i capelli castano scuro. Oggi è un vecchio scavato, tirato, i cui capelli bianchi fanno il paio con gli occhi infossati, febbricitanti, e con le rughe in cui è inciso il dolore. Ma intatta è la sua energia; lo si direbbe anzi una fiamma ardente. Questa può ben essere la sua salvezza perché, se tutto va bene, lo aiuterà a superare il momento di disperazione; e allora, in parte almeno si ridesterà alle gioie della vita. Povero Harker, pensavo che i miei guai fossero già abbastanza grossi, ma i suoi... Il professore lo sa bene, e fa del suo meglio per tenergli la mente occupata. E quello che ci ha detto era, alla luce delle circostanze, di straordinario interesse. Ecco suppergiù quanto ne ricordo:

«Ho studiato più e più volte da quando essi sono venuti in mie mani, tutti gli incartamenti relativi a questo mostro; e come più ho studiato, tanto più grande sembra la necessità di completamente distruggere lui. Ovunque si notano segni di suoi progressi: non solo di suo potere, ma anche di sua consapevolezza di possederlo. E ho appreso dalle ricerche di mio amico Arminius di Budapest che egli era in vita un uomo molto portentoso. Soldato, statista, alchimista, cosa quest'ultima che era il massimo sviluppo di conoscenza di scienza in sua epoca. Lui era un poderoso cervello, un sapiente senza paragoni, e un cuore aveva che conosceva non paura e non rimorso. Ha osato persino frequentare la Scolomanzia, e non era branca di conoscenza di suo tempo che egli non indaga. Bene, in lui i poteri mentali hanno sopravvissuto a morte fisica, sebbene sembra che sua memoria è a volte lacunosa. Per certe facoltà di sua mente, egli era, ed è ancora, soltanto un bambino; ma sta crescendo, e certe cose che erano infantili prima sono ora di livello adulto. Sta compiendo esperimenti, e bene anche; e, se noi non avremo attraversato sua strada, è stato magari – e forse è poi, se noi facciamo fallimento – il padre o il promotore di una nuova specie di esseri, la cui strada procede per la morte, non per la vita.»

Harker ha emesso un gemito e ha commentato: «E tutto questo è schierato contro la mia diletta! Ma in che cosa consistono i suoi esperimenti? Saperlo, potrebbe aiutarci a sconfiggerlo!».

«Durante tutto questo tempo fin da suo arrivo, lui è andato mettendo a prova suo potere, lentamente ma sicuro; quel grosso suo cervello infantile sta lavorando. Ben per noi, è ancora un cervello infantile; perché, se lui osava fin dall'inizio tentare certe imprese, da un pezzo trascende nostri poteri. D'altro canto, è intenzionato a riuscire, e un uomo che ha davanti a sé secoli e secoli, può permettersi di aspettare e di procedere lento. *Festina lente* potrebbe essere suo motto.»

«Non riesco a capire» ha replicato Harker, un tantino infastidito. «Oh, ve ne prego, parlate più semplice! Può darsi che l'angoscia e il dolore mi annebbino la mente.»

Il professore gli ha posato con gesto comprensivo una mano sulla spalla e ha risposto: «Sì, ragazzo mio, io parlo allora più chiaro. Non avete notato come di recente questo mostro è progredito in conoscenza sperimentale? Come si è servito del paziente zoofago per procurarsi suo ingresso in casa di amico John? Perché nostro Vampiro, anche se in seguito lui può andare e venire a suo piacimento, può fare suo primo ingresso solo se chiamato da un abitante di casa. Ma questi non sono suoi più importanti esperimenti. Non avete notato che in un primo tempo tutte queste così grandi casse venivano trasportate da altri? Lui allora non sapeva, ma così doveva essere. Ma tutto questo tempo che suo grande infantile cervello stava crescendo, lui si è cominciato a chiedere se lui stesso non poteva muovere le casse. E così ha cominciato a dare una mano; e, quando scopre che tutto va bene, comincia a spostare esse da solo. E così lui progredisce, e disloca queste sue tombe, e nessuno altro che lui sa dove sono nascoste. Può darsi lui intenda di sotterrarle profonde in suolo, e così, sia che le usi di notte oppure in quei momenti che può cambiare sua forma, gli poi servono ugualmente bene; e nessuno poi può sapere che questi sono suoi nascondigli! Ma, figliolo, non disperate: sua conoscenza viene a lui troppo tardi! Già tutte di sue tane fuori che una sono sterilizzate per lui; e prima di tramonto poi sono tutte. Allora lui non ha luogo dove andare a nascondersi. Stamattina ho ritardato per essere più sicuri. Non abbiamo molto più da perdere noi che non lui? E allora, perché non essere noi più guardinghi di lui? Secondo mio orologio sono adesso ore una, e già, se tutto va bene, amico Arthur e amico Quincey sono su via di ritorno. Questa è nostra giornata e dobbiamo procedere lenti ma sicuri, senza di perdere occasione. Vedete? Quando i due amici sono di ritorno, noi siamo in cinque».

Non aveva finito di parlare, che abbiamo sobbalzato a due colpi all'uscio, quelli tipici del fattorino del telefono. Obbedendo a un unico impulso, ci siamo precipitati nell'atrio, e Van Helsing, alzando una mano a imporci silenzio, è andato ad aprire. Il fattorino gli ha porto un dispaccio. Il professore ha richiuso l'uscio e, dopo aver dato un'occhiata al nome del destinatario, ha aperto il telegramma e l'ha letto ad alta voce:

«"Attenzione a D. Stop. In questo momento, ore 12.45, è uscito da Carfax dirigendosi in fretta verso quartieri sud. Stop. Sembra stia facendo il giro e forse intende cercarvi. Mina."»

C'è stato poi un silenzio, rotto da Jonathan Harker:

«Finalmente! Grazie a Dio tra poco lo incontreremo!» Van Helsing si è volto di scatto e ha replicato:

«Dio agisce a tempo e luogo. Non dovete aver paura, e non rallegrate voi ancora, perché quel che desideriamo in questo momento può essere nostra distruzione.»

«Non me ne importa nulla, ormai» ha ribattuto Harker con calore. «Voglio solo eliminare questo mostro dalla faccia della terra. Mi venderei l'anima per riuscirci!»

«Oh, zitto, zitto, figliolo!» gli ha dato sulla voce il professore. «Dio non compera anime in questa guisa; e il diavolo, lui sì che le compera, ma non mantiene sue promesse. Dio però è misericordioso e giusto e conosce vostro dolore e vostra devozione per cara Madam Mina. Pensate voi come suo dolore può essere raddoppiato, se essa ode vostre impulsive parole. Non dovete aver paura per nessuno di noi, noi siamo tutti devoti a questa causa, e quest'oggi vediamo sua fine di lui. Tempo è venuto per azione; oggi questo Vampiro è ridotto ai poteri di uomo, e fino a tramonto lui non può mutare. Occorre a lui tempo per arrivare fin qui – vedete, è l'una e venti –, e forse occorre ancora parecchio prima che sia qui, per quanto di fretta vada. Quello che noi dobbiamo sperare è che Milord Arthur e Quincey arrivano prima.»

Era trascorsa circa mezz'ora da quando avevamo ricevuto il telegramma della signora Harker, quando all'uscio sì è udito bussare piano ma con decisione: un colpo che non aveva nulla di particolare, quale di continuo vien fatto risuonare dalla mano di migliaia di persone per bene. E tuttavia, è bastato a far battere più in fretta il cuore del professore e il mio. Ci siamo guardati, e insieme ci siamo diretti all'atrio, ciascuno di noi tenendo sotto mano le nostre diverse armi, la spirituale nella sinistra, la carnale nella destra. Il professore ha tirato il chiavistello e, socchiudendo la porta, ha fatto un passo indietro, pronto a entrare in azione con entrambe. Penso che la felicità dei nostri cuori ci si sia riflessa in volto,

allorché sull'ultimo gradino abbiamo visto Lord Godalming e Quincey Morris, i quali in fretta sono entrati e si
sono richiuso l'uscio alle spalle; e il primo, mentre riper-
correvamo l'atrio, ha detto:

«Tutto bene. Abbiamo individuato le due case: sei
casse in ciascuna di esse, e le abbiamo distrutte tutte!»

«Distrutte?» ha chiesto il professore.

«Per lui!» Siamo rimasti un istante in silenzio, e poi
Quincey:

«Non possiamo far altro che attendere qui. Se tuttavia non sarà di ritorno per le cinque, dovremo rimetter-
ci in cammino; non conviene certo lasciare la signora
Harker sola dopo il tramonto.»

«Lui arriva presto» ha assicurato Van Helsing dopo
aver consultato il suo taccuino. «Nota bene: in telegramma di Madam si dice che lui si è diretto a sud da
Carfax, e questo significa che è andato verso il fiume
per attraversarlo, cosa che può fare soltanto con bassa
marea, la quale deve essere poco prima di ore una. Il
fatto che è andato verso sud, per noi ha un significato,
ed è che lui sospetta, ma solo sospetta, e da Carfax si è
recato prima al luogo dove meno lui può sospettare nostra interferenza. Dovete essere arrivati a Bermondsey
assai poco prima di lui. Che non è già qua mostra che
poi è andato a Mile End. Questo ha preso lui qualche
tempo, perché deve essersi fatto portare oltre fiume in
qualche modo. Credete me, miei amici, non avremo
molto da aspettare adesso. Meglio è che abbiamo pronto qualche piano d'azione, per modo che noi non spre-
chiamo nessuna occasione. Ma ssst, ormai non c'è tempo. Pronti con vostre armi! Forza!» Così dicendo, ha
levato una mano in segno di avvertimento: tutti noi udi-
vamo il rumore di una chiave inserita piano nella serratura del portone.

Non abbiamo potuto non ammirare, persino in un
momento del genere, il modo con cui uno spirito dominatore sa sempre affermarsi. In tutte le nostre cacce e
avventure in varie parti del mondo, Quincey Morris era
sempre stato colui che aveva elaborato il piano d'azione,
e Arthur e io eravamo abituati a obbedirgli tacitamente.

Ed ecco ora la vecchia abitudine istintivamente riaffermarsi. Una rapida occhiata per la stanza, e Quincey seduta stante ha stabilito il nostro piano d'attacco; e, senza dir parola, con un semplice gesto, ci ha messo tutti in posizione. Van Helsing, Harker e io immediatamente dietro l'uscio, in modo che, non appena si fosse aperto, il professore avrebbe potuto serrarlo mentre noi due ci saremmo interposti tra esso e il Vampiro. Godalming e Quincey, uno davanti all'altro, si tenevano defilati, pronti a piazzarsi di fronte alla finestra. Attendevamo in uno stato di tensione tale da far sembrare i secondi lenti come incubi. Passi lenti e misurati avanzavano lungo l'atrio; il Conte era evidentemente pronto a qualche sorpresa, o per lo meno la temeva.

E all'improvviso, con un balzo, è penetrato nella stanza, superandoci prima che qualcuno di noi potesse levare una mano a fermarlo. In quel suo movimento c'era l'agilità della pantera, qualcosa di così inumano da riscuoterci subito dalla sorpresa della sua irruzione. Il primo ad agire è stato Harker che, con gesto ratto, si è gettato davanti alla porta da cui si accedeva alla stanza che dava sulla facciata. Come il Conte ci ha visto, sul volto gli si è disegnato un orribile sogghigno che ha messo in mostra i canini lunghi e acuminati; ma il malvagio sorriso immediatamente ha lasciato il posto a un'espressione di leonino disdegno, la quale però è mutata quando, obbedendo a un impulso comune, tutti siamo avanzati alla sua volta. Peccato che non avessimo elaborato un piano d'attacco più preciso, perché anche in quell'istante mi sono chiesto che cosa avremmo fatto, né sapevo se le nostre armi letali ci sarebbero servite davvero. Harker evidentemente era ben deciso a metterle alla prova, perché, impugnando il suo grande coltello kukri, ha menato un violento, improvviso fendente al Conte. Un colpo formidabile, e soltanto la diabolica rapidità con cui l'avversario è balzato a schivarlo è valso a salvarlo. Un attimo di esitazione, e la lama tagliente gli avrebbe spaccato il cuore; in effetti, la punta gli ha solo tagliato la stoffa dell'abito: un ampio squarcio, da cui sono piovuti un mazzo di banconote e un rivolo di monete d'oro. L'espressione sul volto del Conte era a tal punto infernale, che per un momento ho temuto per Harker, ma l'ho visto brandire alto il coltello, accingendosi a menare un altro colpo. Istintivamente sono avanzato, obbedendo a un impulso protettivo, alzando crocifisso e ostia consacrata. E ho sentito un misterioso fluido scorrermi lungo il braccio; ed è stato senza sorpresa che ho visto il mostro arretrare di fronte a un movimento simile, spontaneamente compiuto da ciascuno di noi. Impossibile descrivere l'espressione di odio e frustrata malignità – di ira e di diabolica stizza –, che si è dipinta in faccia al Conte. Il suo colorito cereo si è fatto grigiastro per contrasto con gli occhi ardenti, e lo sfregio rosso sulla fronte è risaltato, sulla pelle pallida, come una ferita palpitante. Un attimo dopo, con uno scatto serpentino, è scivolato sotto il braccio di Harker, prima che questi calasse il fendente e, afferrata una manciata del denaro caduto sul pavimento, è volato attraverso la stanza, lanciandosi contro la finestra. Tra un rovinio di vetri, è atterrato nel sottostante cortile selciato, e attraverso il frastuono della finestra infranta ho potuto udire il tintinnio dell'oro delle sovrane che battevano sul selciato.

Siamo corsi alla finestra, l'abbiamo visto risollevarsi indenne, precipitarsi su per i gradini, dall'altra parte del cortile, spalancare la porta della rimessa, e lì voltarsi e così interpellarci:

«Voi credete di farla a me, voi, con quelle vostre pallide facce tutte lì in fila, come pecore al macello! Ve ne pentirete tutti senza eccezione! Credete di avermi lasciato senza un luogo in cui rifugiarmi; ma ne ho altri ancora. La mia vendetta è solo all'inizio! Io ho secoli per compierla, il tempo è dalla mia. Le donne che voi amate sono già mie; e tramite esse, voi e altri sarete del pari miei – mie creature, pronte ai miei ordini e a divenire i miei sciacalli quando vorrò nutrirmi. Bah!» E, con un ghigno sprezzante, ha varcato l'uscio e abbiamo udito il cigolio del chiavistello rugginoso mentre se lo chiudeva alle spalle. All'altra estremità della rimessa, una porta si è aperta e serrata. Il primo di noi a parlare è stato il professore il quale, evidentemente consapevole della difficoltà di seguire il Conte attraversando a nostra volta la rimessa, ha commentato:

«Abbiamo imparato qualcosa, molto anzi! Nonostante sue audaci affermazioni, lui teme noi. Lui teme tempo, lui ha paura di privazioni! Se non è così, perché tanto affrettarsi? Suo stesso tono tradisce lui, oppure mie orecchie ingannano me. Perché raccattare quel denaro? Voi seguite lui in fretta, voi siete cacciatori di bestia selvaggia, e comportatevi di conseguenza. Per me, io mi assicuro che nulla qui può essere di uso per lui, se mai lui ritorna.» Così dicendo, si è messo in tasca il denaro rimasto; si è impadronito dei documenti, restati dove Harker li aveva lasciati; gli altri oggetti li ha gettati nel caminetto, appiccando loro fuoco con un fiammifero.

Godalming e Morris si erano precipitati in cortile, e Harker si era calato dalla finestra per seguire il Conte. Questi però aveva sbarrato l'uscio della rimessa; e, il tempo per loro di forzarlo, del nostro avversario non c'era più traccia. Van Helsing e io siamo andati a indagare sul retro dell'isolato; ma le scuderie erano deserte, nessuno l'aveva visto allontanarsi.

Era ormai pomeriggio avanzato, mancava poco al tramonto. Non ci è restato che ammettere la nostra sconfitta, e col cuore pesante abbiamo annuito alle parole del professore:

«Torniamo da Madam Mina, povera, povera cara Madam Mina. Tutto quello che noi possiamo ora è fatto. E là possiamo almeno proteggere lei. Ma non bisogna che noi disperiamo. È rimasto un unico cassone di terra, e dobbiamo tentare di trovarlo esso; quando questo poi è fatto, può darsi che tutto è finito.» Mi avvedevo che, se faceva mostra di sicurezza, era per confortare Harker, perché il poveretto era letteralmente distrutto: di tanto in tanto, non poteva reprimere un gemito sommesso – certo pensava alla moglie.

Con la tristezza in cuore siamo tornati a casa, dove abbiamo trovato la signora Harker che ci attendeva, con un'aria gioiosa che faceva onore al suo coraggio e al suo altruismo. Ma un'occhiata ai nostri volti le è bastata, e si è fatta pallida come una morta. Per un istante ha chiuso gli occhi come in muta preghiera; e quindi ha detto, con tono che voleva essere disinvolto:

«Non vi ringrazierò mai abbastanza. Oh, mio povero caro!» E, così dicendo, ha preso tra le mani la testa grigia del marito e l'ha baciato. «Metti qui il tuo povero capo e riposati. Tutto andrà per il meglio, mio caro! Dio proteggerà noi tutti se tale sarà la Sua buona volontà.» Il povero Harker ha fatto udire un nuovo gemito: nel suo stato miserando, non si dava adito alle parole.

Ci siamo sforzati di mangiare, e penso che la cena ci abbia un tantino rianimati. Forse è stato per merito del calore animale del cibo ingerito in comune da persone affamate (nessuno di noi aveva messo niente sotto i denti dopo colazione), o forse del sentimento di solidarietà che ce ne veniva; sta di fatto che tutti ci siamo sentiti meno avviliti, e abbiamo pensato al giorno dopo, non senza qualche speranza. Fedeli alla promessa, abbiamo riferito alla signora Harker tutto quanto era accaduto; e anche se sbiancava quando il racconto giungeva ai punti in cui suo marito era sembrato maggiormente in pericolo, e arrossiva quando ne risultava evidente la devozione a lei, è rimasta ad ascoltare con fermo coraggio. Quando si è arrivati là dove Harker si era avventato con tanta decisione al Conte, eccola aggrapparsi al braccio dello sposo, e tenerlo stretto, quasi che facendolo potesse proteggerlo da ogni pericolo a venire. Mai però ha interloquito sino a narrazione conclusa e ogni cosa le è stata minuziosamente esposta. Poi, senza lasciar andare la mano del marito, si è levata di tra noi, e ha parlato. Oh, potessi io ridare un'idea della scena: di quella dolce, dolce, buona, buona donna in tutta la radiante bellezza della sua gioventù e del suo fuoco, con la scarnificazione rossa sulla fronte, di cui era consapevole e al vedere la quale non potevamo non digrignare i denti, memori del perché e del come di essa; della sua amabile gentilezza a contrasto con il nostro tetro odio; della sua trepida fede di contro alle nostre paure e ai nostri dubbi; e di noi, i quali sapevamo che, se ai simboli si deve prestar fede, lei, con tutta la sua bontà, e purezza, e fede, era reietta da Dio.

«Jonathan» ha esordito, e il nome è suonato musica sulle sue labbra, tant'era ridondante d'amore e tenerezza. «Jonathan caro, e voi tutti, miei veri, verissimi amici, una cosa voglio che teniate presente in questa ora spaventosa. So che dovete lottare – che dovete sterminare, come avete sterminato la falsa Lucy perché la Lucy vera poi vivesse; ma non è un'opera di odio. Quella povera anima che ha causato tutto questo dolore è, di tutti, il caso più triste. Pensate solo quale sarà la sua gioia quando anch'egli sarà distrutto nella sua parte peggiore, sì che la sua migliore possa godere dell'immortalità dello spirito. Dovete aver pietà anche di lui, sebbene questa non debba fermare le vostre mani affinché non gli apportino distruzione.»

Mentre così parlava, vedevo il volto di suo marito obnubilarsi e impietrirsi, quasi che la passione lo prosciugasse, lo riducesse al nocciolo. Istintivamente, la stretta con cui teneva la mano della moglie si è fatta più forte, tanto che le nocche si sono sbiancate. Ma lei non si è sottratta al dolore che sapevo doveva ben provare, ma si è limitata a guardarlo con occhi più supplici che mai. E come ha finito di parlare, il marito è balzato in piedi, svellendo letteralmente la mano dalla sua, e ha detto:

«Possa Dio darlo nelle mie mani quanto basta perché io possa distruggere in lui quella vita terrena di cui vogliamo privarlo. E se, oltre a ciò, potessi io mandare l'anima a bruciare per sempre, nel fuoco eterno, come lo farei!»

«Oh, zitto, zitto, in nome del buon Dio! Non dire cose simili, Jonathan, marito mio; vuoi dunque farmi morire di paura e di orrore? Pensa solo, mio caro – io ci ho pensato durante questo lungo, lunghissimo giorno – che... forse... un giorno... anch'io posso aver bisogno di una simile pietà; e che qualcun altro come te – e con ugual motivo di collera – potrà negarmela! Oh, marito, mio sposo, davvero ti avrei risparmiato un pensiero siffatto, se altro modo vi fosse stato; ma io prego Iddio che Egli non abbia tenuto conto delle tue impulsive parole, se non come del gemito di un uomo che molto ama e il cui cuore è spezzato da un atroce dolore. Oh, Dio, che questi poveri, canuti capelli siano la testimonianza di quanto egli ha sofferto, lui che in tutta la sua vita mai ha fatto del male, e che da tanti dolori è stato visitato!»

Noi uomini eravamo tutti in lacrime. Impossibile trattenerle, e piangevamo apertamente. E anche lei ha pianto, avvedendosi che la sua maggior dolcezza aveva prevalso. Il marito le si è inginocchiato davanti e, abbracciandola, ha nascosto il viso nelle pieghe del suo abito. A un cenno di Van Helsing, in punta di piedi siamo usciti dalla stanza, lasciando quei due cuori amanti soli con il loro Dio.

Prima che gli sposi si ritirassero, il professore ha apparecchiato la stanza contro ogni irruzione del Vampiro, garantendo alla signora Harker che avrebbe riposato in pace. Lei ha tentato di far propria questa certezza e, evidentemente per amore del marito, si è sforzata di apparire allegra. Una coraggiosa lotta, la sua; e penso, anzi ne sono certo, che non sia stata senza ricompensa. Van Helsing aveva predisposto un campanello che entrambi potevano suonare in caso di emergenza. E quando si sono ritirati, Quincey, Godalming e io abbiamo deciso di vegliare a turno, per proteggere la povera signora tanto colpita. Il primo turno è toccato a Quincey, sicché noialtri adesso possiamo concederci un po' di sonno. Godalming è già andato a dormire, essendo suo il secondo turno. E anch'io ora mi metterò a letto, poiché la mia opera per il momento è finita.

DIARIO DI JONATHAN HARKER

3-4 ottobre, verso mezzanotte. Pensavo che la giornata di ieri non dovesse mai aver fine. Provavo un gran desiderio di dormire, in una sorta di cieca fiducia che, al mio risveglio, avrei trovato le cose diverse, e che ogni mutamento non potesse che essere per il meglio. Prima di separarci, abbiamo discusso la nostra prossima mossa, senza però giungere a una conclusione. Tutti sapevamo che una cassa di terra pur sempre restava, e soltanto il Conte sapeva dove. E, se decideva di starsene nascosto, avrebbe potuto sfuggirci per anni; e nel frattempo... Il pensiero è troppo orrendo, in questo momento non oso soffermarmici. Questo so: che, se mai c'è stata donna che fosse tutta perfezione, quella è la mia povera, tanto provata cara. L'amo mille volte di più per la dolce compassione di cui ha dato prova ieri sera, una compassione che ha fatto sembrare spregevole il mio odio per il mostro. Certo, Dio non permetterà che il mondo sia immiserito dalla perdita di una simile creatura. Così io spero. Noi tutti in questo momento stiamo facendo rotta verso scogliere perigliose, e la fede è la nostra unica ancora di salvezza. Grazie a Dio, Mina dorme, e dorme senza sogni. Temo di sapere quali possano essere i suoi sogni, con quei terribili ricordi a suscitarglieli dentro. Era dal tramonto che non la vedevo più così tranquilla; poi, per un po', le è apparsa in volto una serenità che era come la primavera dopo le tempeste di marzo, e in quel momento ho creduto che fosse la dolcezza del rosso tramonto a soffonderlesi sul volto, ma ora sono convinto che il significato fosse più profondo. Io non dormo, benché stanco, stanco da morire. Pure, di dormire devo sforzarmi; poiché c'è il domani da affrontare, e per me non ci sarà riposo finché...

Più tardi. Devo essermi addormentato, perché a riscuotermi è stata Mina, seduta sul letto, un'espressione sgomenta in volto. Me ne avvedevo senza difficoltà, poiché non avevamo lasciato la stanza al buio; mi aveva posato sulla bocca una mano ammonitrice, e ora mi sussurrava all'orecchio:

«Ssst! C'è qualcuno in corridoio!» Mi sono alzato pian piano, ho attraversato la stanza, ho aperto in silenzio la porta.

Lì fuori, disteso su un materasso, stava il signor Morris, perfettamente sveglio, che con un gesto mi ha imposto silenzio e a sua volta mi ha sussurrato:

«Ssst! Tornate a letto, va tutto bene. Uno di noi sarà qui tutta notte. Non vogliamo correre rischi!»

Gesto ed espressione, i suoi, che tagliavan corto a ogni discussione, sicché son tornato a dirlo a Mina. La quale ha fatto udire un sospiro, e l'ombra, ma sì, di un sorriso, le è scorsa sul povero, pallido volto, mentre mi gettava le braccia al collo e sottovoce mi diceva:

«Oh, grazie a Dio per quegli uomini coraggiosi!» Un altro sospiro, e si è lasciata ricadere sul guanciale, nel sonno. Sto scrivendo queste righe, e ancora non ho sonno, ma devo sforzarmi di chiudere occhio.

4 ottobre, mattina. Una volta ancora, durante la notte, sono stato svegliato da Mina. Dovevamo aver dormito parecchio, perché già il grigiore dell'alba incipiente faceva delle finestre lunghi riquadri pallidi, e la fiammella del gas era un barlume più che un disco di luce. Mi ha detto in fretta:

«Corri a chiamare il professore. Devo vederlo subito.»

E io: «Perché?».

«Mi è balenata un'idea. Dev'essermi venuta nottetempo e aver preso forma a mia insaputa. Il professore deve ipnotizzarmi prima dell'alba, così sarò in grado di parlare. Fa' in fretta, amato mio; non c'è tempo da perdere.» Sono corso all'uscio. Sul materasso, riposava il dottor Seward il quale, al vedermi, è balzato in piedi.

«Qualcosa non va?» ha chiesto allarmato.

«No» ho risposto. «Ma Mina vuol vedere subito il dottor Van Helsing.»

«Vado» ha replicato, precipitandosi nella stanza del professore.

Due o tre minuti dopo, questi era in camera nostra, ancora in vestaglia, e il signor Morris e Lord Godalming erano sull'uscio, in una con il dottor Seward, a porre domande. Come il professore ha visto Mina, un sorriso – un sorriso sincero – ha fugato l'ansia dal suo volto; ed è stato fregandosi le mani che ha detto:

«Oh, mia cara Madam Mina, questo è davvero un cambiamento. Vedete, amico Jonathan, noi abbiamo ricevuto nostra cara Madam Mina come un tempo di ritorno a noi quest'oggi!» Quindi, rivolto a lei, tutto allegro: «E che posso io fare per voi? A quest'ora certo voi non volete me per niente, sì?».

«Voglio che mi ipnotizziate!» ha risposto lei. «Fatelo prima che l'alba spunti, perché sento di poter parlare, e

parlare liberamente. In fretta, in fretta, il tempo vola!»
Senza una parola, il professore le ha fatto cenno di mettersi a sedere sul letto.

Guardandola fissamente, ha cominciato a passarle le
mani, una alla volta, davanti al viso, dall'alto in basso.
Mina è rimasta a fissarlo per alcuni minuti, durante i
quali il mio cuore batteva come un martello, poiché
sentivo che una crisi era prossima. Un po' alla volta, gli
occhi le si sono chiusi, e Mina è rimasta a sedere, perfettamente immobile; solo il lieve sollevarsi del seno dava a vedere che era viva. Il professore ha compiuto
qualche altro gesto con le mani, e quindi si è arrestato,
e ho potuto vedere come la sua fronte fosse imperlata
di grosse gocce di sudore. Mina ha riaperto gli occhi,
ma non sembrava più la stessa. C'era, nelle sue pupille,
uno sguardo remoto, e nella sua voce una tristezza so-
gnante per me inedita. Levando la mano a imporre silenzio, il professore mi ha fatto cenno di far entrare anche gli altri. Che si sono accostati in punta di piedi,
chiudendosi l'uscio alle spalle, a seguire la scena immobili ai piedi del letto. Mina non sembrava vederli. Il silenzio è stato rotto dalla voce di Van Helsing che parlava in tono basso, uniforme, per non interrompere il
flusso dei pensieri di lei.

«Dove siete?» La risposta è stata data con tono neutro:
«Non lo so. Il sonno non ha luogo che può chiamare
proprio.» Poi, per parecchi istanti, silenzio. Mina sedeva rigida, e il professore stava a guardarla fisso; gli altri, a stento osavano respirare. La stanza si rischiarava;
senza distogliere gli occhi dal volto di Mina, Van Helsing mi ha fatto cenno di tirare la tenda. Ho obbedito,
ma il giorno ormai sembrava lì lì per spuntare. Una
striscia rossa era comparsa, e un riflesso rosa già si
diffondeva nella stanza. E il professore ha parlato ancora:

«Dove siete adesso?» La risposta è stata data con voce distaccata ma ferma, come se Mina stesse interpre-
tando qualcosa. L'avevo udita parlare così quando leggeva i suoi appunti stenografici.

«Non lo so. Mi sembra tutto così strano!»

«Che cosa vedete?»

«Nulla. È tutto buio.»

«E che udite?» Avvertivo la tensione nella voce paziente del professore.

«Sciabordio d'acqua. Passa gorgogliando, e c'è un saltellare di ondicelle. Le odo all'esterno.»

«Siete dunque su una nave?» Ci siamo guardati a vicenda, cercando di raggranellare qualcosa l'uno dall'altro, timorosi di capire. La risposta è stata pronta:

«Oh, sì.»

«E che altro udite?»

«Rumore di passi, uomini che corrono sopra il mio capo. C'è il cigolio di una catena, e lo stridore della ruota di un argano.»

«Che cosa state facendo?»

«Sono immobile. Oh, tanto immobile. È come la morte!» E la voce si è affievolita in un profondo sospiro, come di chi dorma, e gli occhi si sono richiusi.

Ormai il sole era sorto, la luce diurna splendeva. Il dottor Van Helsing ha posato le mani sulle spalle di Mina, e pian piano le ha deposto il capo sul guanciale. Lì è rimasta, come un bimbo immerso nel sonno, per alcuni istanti, quindi, con un lungo sospiro, si è ridestata, sbalordita di vederci tutti attorno a lei. «Ho forse parlato nel sonno?» si è limitata a chiedere, ancorché sembrasse rendersi conto della situazione; ma era evidentemente ansiosa di conoscere esattamente ciò che aveva detto. Il professore gliel'ha ripetuto, e lei:

«Allora non c'è un momento da perdere! Può darsi non sia troppo tardi!» Il signor Morris e Lord Godalming si sono precipitati verso l'uscio, ma la voce pacata del professore li ha trattenuti:

«Restate, miei amici. Quella nave, quale che essa è, leva sua ancora mentre che Madam Mina parla. Sono molte navi che alzano sua ancora in questo momento in vostro così grande porto di Londra. Quale di essa è che voi cercate? Dio sia ringraziato che abbiamo una volta ancora una traccia, sebbene dove essa può portare noi, noi non sappiamo. Noi abbiamo stati in certo senso ciechi, ciechi come sono uomini, perché quando volgiamo indietro nostro sguardo, vediamo indietro quello che abbiamo potuto vedere se abbiamo guardati avanti, se siamo in grado di vedere quello che magari noi possiamo vedere! Ahimè, ma questa frase è un rebus, sì? Noi ora possiamo capire che cosa era in mente di Conte, quando lui ha preso quel denaro, sebbene così implacabile coltello di Jonathan ha messo lui nel pericolo che più teme. Lui voleva scappare. Udito? Scappare! Lui ha visto che, con una sola cassa di terra rimasta e una muta di uomini che inseguono lui come cani con volpe, questa Londra non è luogo per lui. Lui ha portato sua ultima cassa di terra a bordo di una nave, e lui lascia il paese. Lui pensa di sfuggire. Ma no! Noi seguiamo lui. Allalì!, come amico Arthur dice quando mette indosso sua giacca rossa! Nostra vecchia volpe è astuta, oh, tanto astuta, e noi dobbiamo con astuzia seguire essa. Anch'io sono astuto, e tra poco io penso con sua mente. In frattempo, noi possiamo riposare e stare in pace, perché sono acque tra noi che lui non voglia di passare, e che lui non può anche se vuole, a meno che nave non tocchi terra, e anche in questo caso solo in momento di alta o di bassa marea. Vedete, il sole è giusto salito in cielo, e tutta la giornata fino a tramonto è per noi. Facciamo bagno, vestiamoci e abbiamo colazione con tutto nostro agio, e possiamo mangiare in santa pace perché lui non è più in stessa terra di noi.» Mina l'ha guardato con occhi supplici e gli ha chiesto:

«Ma perché dobbiamo cercarlo ancora, dato che se ne va?» Il professore le ha preso la mano e, accarezzandogliela, ha risposto:

«Non chiedetemi ancora di nulla. Quando noi abbiamo colazione, poi io rispondo a tutte questioni.» E non ha voluto aggiungere altro, così ci siamo separati per andarci a vestire.

Dopo colazione, Mina ha ripetuto la domanda. Il professore è rimasto a guardarla intensamente per qualche istante, e quindi, con tono mesto:

«Perché» ha risposto «mia cara, cara Madam Mina, ora più che mai noi dobbiamo lui trovare anche se abbiamo da seguire lui fin nelle fauci di inferno!» Mina s'è fatta più pallida, e poi, con voce flebile:

«Ma perché?»

«Perché» ha replicato con tono solenne il professore «lui può vivere per secoli, e voi siete solo mortale donna. Non si può non temere il tempo, ormai, dal momento che lui ha impresso quel marchio su vostra gola.»

Ho fatto appena in tempo a sorreggerla, mentre cadeva in avanti svenuta.

XXIV

Questo per Jonathan Harker.

Voi dovete rimanere con nostra cara Madam Mina. Noi andiamo a fare nostra ricerca, se così posso essa chiamare, non essendo ricerca ma certezza, e noi cerchiamo conferma soltanto. Ma voi restate e prendete cura di lei oggi. Questo è vostro migliore e più santo ufficio. Da oggi noi non troviamo più lui qui. Permettete me di dire voi quello che noi quattro già sappiamo, perché io ho detto loro. Lui, nostro nemico, è andato via; lui è tornato in suo castello di Transilvania che io conosco così bene come se una grande mano di fuoco avesse scritto esso sulla parete. Lui era preparato per questo in qualche modo, e quell'ultima cassa di terra era pronta per spedizione su nave da qualche parte. Per questo lui ha preso il denaro; per questo lui così fretta alla fine, timore che noi prendessimo lui prima che sole va giù. Era sua ultima speranza, salvo di nascondersi in tomba che lui crede sia dentro povera signorina Lucy, che lui pensa essere come lui, a lui aperta. Ma non aveva suo tempo. E quando questo è impossibile, lui corre diritto a sua ultima risorsa, quest'ultimo terrapieno se io voglio fare *double entente*. Lui è furbo, oh, così furbo! E lui sa che suo gioco qui era finito; e così lui decide di tornare indietro a casa. Lui trova nave che va per rotta che lui è venuto, e monta su di essa. Noi ora andiamo a trovare quale nave e dove diretta; e quando abbiamo questo scoperto, noi torniamo e diciamo voi tutto, sì? Allora noi confortiamo voi e povera cara Madam Mina con nuova speranza. Perché è speranza quando voi pensate esso finito: che tutto non è perduto. Questa creatura che noi inseguiamo, lui prende centinaia di anni per arrivare fino a Londra, eppure, in un unico giorno, quando noi conosciamo di sue intenzioni, noi scacciamo lui. Lui ha limiti precisi, per quanto è possente da fare molto male e non soffre come noi soffriamo. Noi però siamo forti, tutti di un proposito; e siamo più forti insieme. Prendete nuovamente cuore, caro sposo di Madam Mina. Questa battaglia è soltanto che cominciata, e infine noi vinceremo, così certo come che Dio siede in Cielo a vigilare sopra Suoi figli. Pertanto, siate di buon animo sinché noi torniamo.

Van Helsing

DIARIO DI JONATHAN HARKER

4 ottobre. Quando ho fatto ascoltare a Mina il messaggio fonografico di Van Helsing, la poveretta si è notevolmente rianimata. Già la certezza che il Conte se n'è andato dall'Inghilterra, è valsa a darle conforto, e il conforto le ridona forza. Per quanto mi riguarda, adesso che non ci troviamo più faccia a faccia con quell'orrendo pericolo, mi sembra quasi impossibile crederlo. Persino la mia terribile esperienza a Castel Dracula è per me come un sogno ormai dimenticato, qui, nella frizzante aria autunnale, nella luce chiara del sole...

Ahimè, come riesco a illudere me stesso! Perché, mentre formulavo questi miei pensieri, lo sguardo mi si è posato sulla rossa cicatrice che spicca in fronte alla mia povera cara, e finché essa persiste, impossibile dimenticare. E dopo, ne basterà il ricordo per mantenere la nostra fede come cristallo di rocca. Mina e io rifuggiamo dall'ozio, e così abbiamo letto e riletto i nostri diari. In qualche modo, sebbene la realtà ogni volta acquisti maggiore evidenza, pena e paura invece scemano. In tutto questo si manifesta qualcosa che si direbbe un preciso proposito, e per noi è fonte di sollievo. Mina dice che forse noi siamo gli strumenti del bene finale. Magari lo fossimo! Mi sforzerò di vedere le cose con i suoi stessi occhi. Finora tra noi non abbiamo parlato del futuro. Meglio aspettare finché rivedremo il professore e gli altri reduci dalle loro indagini.

La giornata sta trascorrendo più rapidamente di quanto pensassi che potesse accadermi ancora. Sono adesso le tre del pomeriggio.

DIARIO DI MINA HARKER

5 ottobre, ore 17. Riunione generale. Presenti: professor Van Helsing, Lord Godalming, dottor Seward, signor Quincey Morris, Jonathan Harker, Mina Harker. Il dottor Van Helsing ha illustrato le iniziative prese durante la giornata per scoprire su quale nave e verso quali lidi il Conte Dracula sia fuggito:

«Siccome io sapevo che lui voleva di tornare indietro in Transilvania, io ero certo che lui deve farlo per foce di Danubio, oppure per qualche località in Mar Nero, siccome per quella via lui è venuto. Davanti a noi, un atroce vuoto. *Omne ignotum pro magnifico*; e così con cuori grevi noi partiamo per trovare quali navi partono ieri notte per Mar Nero. Lui era in nave a vela, perché Madam Mina dice di vele che venivano issate. Velieri non sono così importanti da entrare in vostra lista di partenze pubblica in "Times" e così noi andiamo, per suggerimento di Lord Godalming, a vostro Lloyd's, dove è nota di tutte navi che salpano, per quanto così piccole. Là noi troviamo che soltanto una nave diretta a Mare Nero parte con la marea. Essa è *Zarina Caterina*, ed essa parte da molo Doolittle per Varna, e di là per altre località e su per Danubio. "Benone" ho detto io "questa è nave su cui è il Conte!" Così, via noi andiamo a molo Doolittle e là noi troviamo un uomo in ufficio. A lui noi chiediamo di rotta di *Zarina Caterina*. Lui molto impreca, e lui rosso in faccia e forte di voce, ma lui buon diavolo dopo tutto; e quando Quincey dà lui qualcosa di sua tasca, che scricchiola mentre arrotola esso, e mette esso in un così piccolo sacchetto che ha nascosto profondo in suoi abiti, lui ancor miglior persona e umile nostro servo. Lui viene con noi, e chiede a molti uomini che sono burberi e accaldati, ma questi anche loro migliori persone quando hanno avuto non più sete. Essi molto parlano di maledetto questo e maledetto quello, e altre cose che io non comprendo, sebbene intuisco che cosa vogliono dire; ma comunque ci dicono tutte cose che noi vogliamo di sapere.

«Tra tutti ci fanno sapere come ieri pomeriggio verso ore cinque arriva un uomo così in fretta. Un alto uomo, magro e pallido, con naso aquilino e denti così bianchi e occhi che sembra che ardono. Che lui è tutto in nero, salvo che ha un cappello di paglia non adatto né a lui né alla stagione. Che lui distribuisce suo denaro, per fare rapida inchiesta su quale nave salpi per Mar Nero e per dove. Qualcuno porta lui in ufficio e quindi a nave; dove lui non vuole andare a bordo, ma si ferma all'estremità di passerella, verso riva, e chiede che il capitano venga da lui. Il capitano viene, quando dettogli che lui pagherà bene; e sebbene molto impreca in prima, accondiscende a proposta. Poi l'uomo magro va, e qualcuna dice lui dove può essere noleggiato cavallo e carro. Lui va là e presto ricompare, lui stesso guidando carro con su una grande cassa; questa lui stesso scarica, sebbene occorrono parecchi per issarla con paranco su nave. Lui dà molti discorsi a capitano su come e dove sua cassa è da essere collocata; ma il capitano non apprezza e impreca a lui in molte lingue, e dice a lui che, se gli piace, può andare a vedere lui stesso dove deve essere. Ma lui dice no, che lui ancora non viene perché deve molto fare. Allora il capitano gli dice che si sbrighi, per l'accidenti, perché sua nave lascerà quel porto, per l'accidenti, prima che la marea cali, per l'accidenti. Allora l'uomo magro sorride e dice che certo lui, il capitano, deve andare quando ritiene opportuno; ma che sarà sorpreso se va così tanto presto. Il capitano impreca ancora, poliglottamente, e l'uomo magro fa lui inchino, e ringrazia lui, e dice che poi approfitta di sua cortesia tanto che è a bordo prima di salpaggio. Finale, il capitano, più rosso che mai, e in più lingue, dice a lui che lui non vuole nessun francese, accidenti e maledizione anche a essi, in sua nave, accidenti e maledizioni anche a essa. E così, dopo chiesto dove è vicina una nave dove lui può comprare carte d'imbarco, l'uomo magro parte.

«Nessuno sapeva dove lui è andato, e accidenti "cosa gliene fregava a loro", come dicevano, perché avevano altro da pensare, accidenti ancora una volta, perché ben presto è risultato chiaro a tutti che la *Zarina Caterina* non sarebbe salpata come aspettato. Una nebbia sottile comincia a scivolare su dal fiume, e cresce e cresce, finché ben presto una densa nebbia avviluppa la nave e tutto quanto attorno a essa. Il capitano bestemmia poliglottamente, molto poliglottamente, con maledetto questo e porco quello in poliglotto; ma lui niente può fare. L'acqua sale e sale, e lui comincia ad aver paura che poi deve perdere la marea in tutto e per tutto. Non era in nessun amichevole stato d'animo, quando proprio al massimo della marea ecco che ti arriva l'uomo magro sulla passerella e chiede di vedere dove sua cassa è stata stivata. Allora il capitano ha risposto che desiderava che lui e la sua cassa – maledetta e con molto porco questo e maledetto quello – vadino all'inferno. Ma l'uomo magro lui non si è offeso, e va giù con il nostromo, e vede dove era posto, e torna su e resta sul ponte in nebbia. Dev'essere sparito di per conto suo, perché nessuno nota più lui. In effetti, nessuno fa a lui caso, perché presto la nebbia ecco che si scioglie via, e tutto è nuovamente chiaro. Miei amici, quelli di sete e di linguaggio che era fatto di maledetto questo e porco quello, ridevano come essi raccontavano come le bestemmie del capitano sono andate oltre persino suo solito poliglotto, ed erano più che mai piene di pittoresco quando, chiedendo ad altri marinai che in quell'ora erano in movimento su e giù per fiume, scopre che pochi di loro hanno visto qualsivoglia nebbia, se non dove essa era attorno al molo. Tuttavia, la nave è salpata con favore di marea; e indubbio per mattino era molto giù verso foce di fiume. Ormai, quando essi noi hanno detto questo, era bene in alto mare.

«E così, mia cara Madam Mina, è che noi abbiamo da riposarci per un po', perché nostro nemico è in mare, con nebbia a suo comando, in rotta verso foce di Danubio. Un viaggio per nave prende tempo, mai essa va così rapida; e quando noi partiamo, noi andiamo più presto per terra, e noi incontriamo lui là. Nostra migliore speranza è di piombargli addosso quando lui nella cassa tra alba e tramonto, perché allora lui può fare no lotta, e noi possiamo trattare lui come dobbiamo. Ci sono giorni per noi che possiamo far pronto nostro piano. Noi conosciamo tutto circa dove lui va, perché abbiamo visto l'armatore, che ha mostrato a noi fatture e tutte tutte carte che possono essere. La cassa che cerchiamo è da sbarcare a Varna e da dare a un agente, un tale Ristics, che presenterà sue credenziali; e così nostro amico mercante avrà fatto sua parte. Quando lui chiede se è qualcosa che non funziona, dice che può telegrafare e può avere indagini compiute a Varna, ma noi diciamo "no", perché quello che è da fare non è per polizia o per dogane. Deve essere fatto da noi soli e in nostro proprio modo.»

Quando il dottor Van Helsing ha finito la sua esposizione, gli ho chiesto se era certo che il Conte fosse rimasto a bordo. Mi ha risposto: «Noi abbiamo la prova migliore di questo, ed è vostra stessa testimonianza quando in trance ipnotica questo mattino». Gli ho chiesto un'altra volta se era proprio necessario che si mettessero alle calcagna del Conte perché, oh, quanto detesto l'idea che Jonathan mi lasci, e so benissimo che, quando gli altri partiranno, certamente andrà con loro. La sua replica mi è stata data con crescente calore, anche se all'inizio con pacatezza; ma, parlando, andava facendosi sempre più tagliente, sempre più irruento, tanto che alla fine tutti abbiamo potuto constatare di che consiste, almeno in parte, quell'autorità personale che per tanto tempo ha fatto di lui un dominatore di uomini:

«Sì, è necessario, necessario, necessario! Per bene vostro in primo luogo, e poi per bene di umanità. Que-

sto mostro ha fatto molto male già, in breve raggio d'a-
zione in cui si è trovato e nel breve tempo che è stato
solo come un corpo che cercava suo limitato spazio in
buio e non sapendo. Tutto questo ho detto io a questi
altri; voi, mia cara Madam Mina, poi conoscete esso in
fonografo di mio amico John oppure in quello di vostro
marito. Io ho detto loro come la mossa di lasciare sua
terra deserta – deserta di persone – e di venire a una
nuova terra dove vita di uomo brulica tanto che essi
hanno la moltitudine di grano sui campi, era opera di
secoli. Se altri di non morti come lui tentano di fare ciò
che lui ha fatto, forse non tutti i secoli del mondo che
sono stati o che poi sono potranno aiutare essi. Con
quest'uno, tutte le forze di natura che sono occulte e
profonde e forti devono aver operato assieme in qualche modo portentoso. Il luogo stesso in cui è stato vivo
non morto per tutti questi secoli, è pieno di stranezze
del mondo geologico e fisico. Là sono profonde caverne
e crepacci che raggiungono dove nessuno sa. Là sono
stati i vulcani, alcune di cui aperture ancora mandano
fuori acque di strane proprietà e gas che uccidono o
fanno che vivificano. Indubbiamente è qualcosa di ma-
gnetico o elettrico in certe di queste combinazioni di
occulte forze che operano per vita fisica in strane guise;
e in lui stesso erano fin dall'inizio alcune grandi qualità. In un'epoca dura e guerresca era celebre che aveva
più nervi di ferro, più sottile cervello, più coraggioso
cuore, che ogni altro uomo. In lui, qualche principio vitale ha in strano modo trovato suo culmine; e come che
suo corpo rimane forte e cresce e prospera, anche suo
cervello cresce. Tutto questo, senza contare quel diabolico aiuto che è sicuramente a lui; sebbene esso deve cedere ai poteri che provengono dal bene e sono simbolici
di esso. E ora, ecco cosa esso è per noi. Lui ha infettato
voi – oh, perdonate me mia cara che io debbo dire questo, ma è bene per voi che io parlo. Lui infetta voi in tale guisa che anche se lui non fa di più, poi basta solo
che voi vivete, vivete in vostra maniera antica, così dolce, e così a suo tempo la morte, che è sorte comune di
uomo, e con sanzione di Dio, farà voi simile a lui. Que-

sto non deve essere! Noi abbiamo giurato insieme che non deve essere! Così noi siamo ministri di propria volontà di Dio: abbiamo giurato che il mondo, e uomini per quali Suo figlio muore, non vanno consegnati a mostri, cui stessa esistenza sarebbe onta per Lui. Dio ha permesso a noi di redimere una anima già, e noi andiamo via come gli antichi cavalieri della Croce per redimerne di più. Come i crociati, noi viaggeremo verso Oriente; e come loro, se noi cadiamo, noi cadiamo in buona causa.» Qui ha fatto una pausa, e ne ho approfittato per chiedergli:

«Ma non credete che il Conte trarrà la debita lezione dalla sua sconfitta? Dal momento che dall'Inghilterra è stato scacciato, non ne starà alla larga, come fa una tigre con il villaggio dove le hanno dato la caccia?»

«Ah, ah» ha replicato il professore «vostro paragone di tigre buono per me, e io subito adotto esso. Vostra mangiauomini, come essi di India dicono la tigre che una volta ha assaggiato sangue di umani, più non si cura di altre prede, ma s'aggira incessante finché non sorprende l'uomo. Quello che noi cacciamo da nostro villaggio è una tigre, anche lui, un mangiauomini che mai cessa di predare. No, no, lui per sé non è tale da ritirarsi e starsene lontano. In sua vita, sua vita vivente, lui va oltre la frontiera turca e attacca suo nemico in suo stesso territorio di questo; lui è respinto, ma forse che cede? No! Lui torna ancora, e ancora, e ancora. Guardate a sua persistenza e tenacia. Con il cervello infantile che era lui da un pezzo lui ha concepito l'idea di venire a una grande città. E che fa? Sceglie il luogo in tutto il mondo più promettente per lui. Quindi deliberato si accinge a prepararsi per il compito. Lui scopre pazienza che è sua forza e quali sono suoi poteri. Lui studia nuove lingue, lui nuova vita sociale, nuovi ambienti di antiche costumanze, la politica, la legge, le finanze, la scienza, le abitudini di una nuova terra e di nuovo popolo che sono venuti in essere dopo che lui già esisteva. Quello che ha imparato ha aguzzato suo appetito soltanto e esasperato suo desiderio. Che dico, aiuta lui a crescere come suo cervello, perché tutto questo comprova a lui quanto giusto lui fosse in partenza in sue previsioni. Ha fatto questo da solo; tutto solo! Da una tomba in rovina in una terra dimenticata. Che più non farebbe lui quando il più ampio mondo del pensiero è a lui aperto! Lui che può sorridere alla morte, come ben sappiamo; che può fiorire nel pieno di epidemie che sterminano interi popoli. Oh, se uno così fosse mandato da Dio e non da diavolo, quale forza di bene non potrebbe essere in questo nostro vecchio mondo! Ma noi siamo giurati di liberare il mondo. Nostra fatica deve essere in silenzio, e nostri sforzi tutti in segreto; perché in questa illuminata età, quando uomini non credono neanche in quello che essi vedono, il dubbio di uomini sapienti può essere sua massima forza. Esso può essere insieme sua spada e sua corazza, e sue armi per distruggere noi, suoi nemici, che siamo pronti a mettere a repentaglio nostre stesse anime per la salvezza di colei che amiamo, per il bene di umanità e per onore e gloria di Dio.»

Al termine di una discussione alla quale tutti hanno partecipato, abbiamo concluso che, per questa sera, è inutile prendere decisioni definitive; sarà meglio dormirci sopra, e riflettere attentamente sul da farsi. Domani a colazione torneremo a riunirci e, dopo aver rese note l'uno all'altro le nostre conclusioni, opteremo per una soluzione definitiva.

Questa sera mi sento piena di una meravigliosa pace, così riposante. È come se una presenza inquietante fosse stata allontanata da me. Chissà che...

Ma non ho concluso il mio pensiero, né lo potevo; perché mi sono vista allo specchio, ho scorto la macchia rossa sulla mia fronte; e mi sono resa conto di essere ancora impura.

DIARIO DEL DOTTOR SEWARD

5 ottobre. Ci siamo alzati tutti di buon'ora, e penso che il sonno ci abbia fatto bene. Quando ci siamo riuniti a colazione, l'atmosfera era assai più distesa di quanto non ci aspettassimo.

È davvero meravigliosa la capacità di recupero della natura umana. Basta che una causa di ansia, quale che sia, venga rimossa in un modo o nell'altro – foss'anche dalla morte –, ed eccoci tornare spontaneamente ai naturali principi della speranza e della gioia. Più di una volta, mentre sedevamo attorno al tavolo, mi sono accorto di domandarmi, sorpreso, se i giorni trascorsi non siano stati altro che un sogno, e solo quando lo sguardo mi si è posato sulla macchia rossa in fronte alla signora Harker, sono tornato alla realtà. Persino in questo istante, mentre sto riflettendo attentamente sul problema, mi riesce quasi impossibile ammettere che la causa di tutti i nostri guai continui a esistere. La stessa signora Harker sembra perderla di vista per lunghi momenti, ed è solo di quando in quando, allorché qualcosa gliela richiama alla mente, che ripensa alla sua terribile cicatrice. Dobbiamo riunirci qui nel mio studio tra mezz'ora per decidere sul da farsi. Mi rendo conto di un'unica, immediata difficoltà, più per istinto che per ragionamento: dovremo tutti parlare apertamente, eppure temo che, in qualche modo misterioso, la lingua della povera signora Harker sia legata. So perfettamente che elabora conclusioni sue proprie, e da quanto è accaduto finora riesco a intuire quanto brillanti e rispondenti al vero debbano essere; e tuttavia, essa non vuole o non può dar loro espressione. Ne ho accennato a Van Helsing, e abbiamo deciso di parlarne a quattr'occhi. Ritengo che sia a cagione di quell'orrendo veleno che le è entrato nelle vene e che comincia ad agire. Il Conte aveva uno scopo ben preciso quando le ha impartito quello che Van Helsing ha definito "battesimo di sangue del vampiro". Orbene, chi può escludere l'esistenza di un veleno distillato da cose buone? In un'epoca in cui le ptomaine sono ancora un mistero, impossibile meravigliarsi di checchessia! Questo solo so per certo: che, se il mio istinto non falla circa il silenzio della povera signora Harker, allora l'opera che ci attende comporta una tremenda difficoltà – un pericolo ignoto. Lo stesso potere che la induce al silenzio, può guidarne le parole. Non oso seguire più oltre quest'idea; poiché, se lo facessi, con i miei stessi pensieri disonorerei una gentildonna!

Van Helsing viene nel mio studio un po' prima degli altri. Cercherò di intavolare l'argomento con lui.

Più tardi. Non appena il professore è comparso, abbiamo esaminato la situazione. Era evidente che voleva dirmi qualcosa, anche se provava una certa riluttanza a farlo. Dopo aver menato un pochino il can per l'aia, all'improvviso se n'è uscito a dire:

«Amico John, voi e io dobbiamo parlare insieme di qualcosa da soli, almeno in primo momento. In seguito possiamo magari tirare anche altri in nostra confidenza.» A questo punto si è fermato, e io ho atteso; e il professore ha proseguito:

«Madam Mina, nostra povera cara Madam Mina sta cambiando.» Mi sono sentito percorrere da un brivido, vedendo in tal modo confermate le mie peggiori paure. Ha ripreso Van Helsing:

«Con triste esperienza di signorina Lucy, questa volta dobbiamo stare in guardia prima che cose vanno troppo lontano. Nostro compito è ora in realtà più difficile che mai, e questo nuovo guaio fa di ogni ora della massima importanza. Io posso vedere le caratteristiche del vampiro profilarsi in sua faccia. Per il momento, sono soltanto accennate, ma sono visibili se abbiamo occhi per notare senza pregiudizi. Suoi denti sono un pochino più aguzzi, e in momenti suoi occhi sono più duri. Ma questo non è tutto, ora è sovente suo silenzio, esattamente come era con signorina Lucy. Costei non parlava, anche se scriveva ciò che desiderava che era conosciuto più tardi. Ora, mia paura è questa. Se è così che essa può, mediante nostra ipnotica trance, dire ciò che il Conte vede e ode, non è ancora più vero che lui che ha ipnotizzato lei per primo, e che ha bevuto di suo stesso sangue e ha fatto lei bere di suo, può, se vuole costringere sua mente di lei a rivelare a lui ciò che essa sa?» Ho annuito in segno di assenso, e il professore ha continuato:

«Allora, quel che dobbiamo fare è di prevenire questo; noi dobbiamo tenere lei ignorante di nostri intenti, e così lei non può dire quello che non conosce. Questo è un penoso compito! Oh, così penoso che mi si spezza il cuore a pensare di esso; ma deve essere. Quando oggi noi ci raduniamo, io devo dire a lei che per motivo che noi non parleremo, essa non deve più essere di nostro concilio, ma semplicemente vigilata da noi.» Si è tamponato la fronte, che gli si era fatta madida di sudore al pensiero del dolore che forse avrebbe dovuto infliggere a quella povera anima già tanto torturata. Sapevo che sarebbe stato di un certo conforto, per lui, se gli avessi detto che anch'io ero approdato alla stessa conclusione: per lo meno, gli avrebbe tolto il tormento del dubbio. Così ho fatto, e l'effetto è stato quale speravo.

Mancano ormai pochi minuti alla riunione. Van Helsing è uscito per preparrvisi, predisponendosi a quella penosa parte che gli spetta, ma ritengo che in realtà voglia semplicemente restare solo per pregare.

Più tardi. Proprio all'inizio della riunione, un grande sollievo personale era in serbo per Van Helsing e per me. La signora Harker aveva incaricato il marito di informarci che non si sarebbe per il momento unita a noi, poiché riteneva opportuno lasciarci liberi di discutere i nostri movimenti senza la sua presenza a far da freno. Il professore e io ci siamo scambiati un'occhiata, entrambi in apparenza sollevati. Quanto a me, mi son detto che, se la signora Harker si fosse resa conto lei stessa del pericolo, molte sofferenze e molti rischi potevano evitarsi. Date le circostanze, un'occhiata di domanda e risposta, un dito portato alle labbra, ci sono bastati ad accordarci di non far parola dei nostri sospetti, perché potremo ridiscuterne a quattr'occhi. E senz'altro siamo passati al piano d'azione. È stato Van Helsing a sintetizzare i fatti:

«La *Zarina Caterina* è uscita di Tamigi ieri mattina. Anche andando alla massima velocità che mai è andata, poi occorrono per essa almeno tre settimane per arrivare a Varna; ma noi possiamo giungere per via di terra in stessa località in tre giorni. Ora, se riduciamo di due giorni viaggio di nave, tenendo conto di quelle influen-

ze su tempo che noi sappiamo che il Conte può esercitare, e se calcoliamo un giorno e una notte interi in più
per eventuali nostri ritardi, abbiamo un margine di
quasi due settimane. Sicché, per essere proprio sul sicuro, noi dobbiamo partire di qui il più tardi il 17, in
modo che siamo comunque a Varna un giorno prima
che nave arrivi e capaci di fare tali preparativi che possono essere necessari. Naturalmente, andiamo tutti armati – armati contro cose cattive, spirituali come fisiche.» E a questo punto è intervenuto Quincey Morris:

«Il Conte proviene da una terra di lupi, e non è escluso che vi arrivi prima di noi. Propongo di aggiungere, al
nostro armamentario, dei fucili Winchester. Nutro una
certa fiducia in un Winchester, quando ci si trova alle
prese con difficoltà di questo tipo. Ti ricordi, Art, quando a Tobolsk avevamo quel branco di lupi alle calcagna? Quanto non avremmo dato, allora, per avere ciascuno un fucile a ripetizione!»

«Buono» ha convenuto Van Helsing. «Winchester
siano. Testa di Quincey è sempre lucida, ma soprattutto così quando si deve cacciare, e lo dico essendo
che discorsi arzigogolati sono più pericolosi per
scienza che non lupi per uomo. Nel frattempo, noi
nulla possiamo qui fare; e siccome penso che Varna
non sia nota a nessuno di noi, perché non andare più
presto là? L'attesa qui non è meno lunga che a Varna.
Tra questa sera e domani possiamo essere pronti e
quindi, se tutto è bene, noi quattro possiamo partire
per nostro viaggio.»

«Noi quattro?» ha interloquito Harker, volgendo lo
sguardo dall'uno all'altro.

«Naturalmente!» ha ribattuto pronto il professore.
«Voi dovete rimanere per prendere cura di così vostra
dolce moglie.» Harker è rimasto per un po' silenzioso, e
quindi, con voce spenta:

«Sarà meglio che ne parliamo domattina. Voglio prima consultarmi con Mina.» Mi è parso che sarebbe stato quello il momento adatto perché Van Helsing lo am-
monisse a non svelare alla moglie i nostri piani; ma non
se n'è dato per inteso. Gli ho lanciato un'occhiata signi-

ficativa e ho tossicchiato. Per tutta risposta, si è messo un dito sulle labbra e ha distolto lo sguardo.

DIARIO DI JONATHAN HARKER

5 ottobre, pomeriggio. Per un po', dopo la nostra riunione di stamane, non sono riuscito a pensare con chiarezza. Il nuovo stato di cose mi lascia così perplesso, da rendermelo impossibile. La decisione di Mina di non prendere parte alla discussione mi preoccupa; e siccome non ho avuto il tempo di discuterne con lei, non ho potuto far altro che tirare a indovinare. Ma eccomi qui, più lontano che mai dalla soluzione. Stupito mi ha lasciato anche il modo con cui gli altri hanno accolto la notizia; l'ultima volta che abbiamo parlato della questione, si era convenuto che tra noi non dovevano esserci segreti di sorta. Adesso Mina dorme, così tranquillamente e dolcemente da sembrare un bimbo, le labbra socchiuse, il volto splendente di felicità. Grazie a Dio, per lei ci sono ancora momenti simili.

Più tardi. Com'è strano, tutto questo! Stavo contemplando il sonno sereno di Mina, ed ero giunto a sentirmi quasi felice, come pure pensavo di non poter più essere. A mano a mano che la sera avanzava, e la terra si riempiva di ombre mentre il sole calava, il silenzio nella stanza è parso farsi sempre più intenso. D'un tratto, Mina ha riaperto gli occhi e, teneramente guardandomi, mi ha detto:

«Jonathan, desidero che tu mi faccia una promessa e mi dia la tua parola d'onore di mantenerla. Una promessa che farai a me, ma in realtà a Dio, e alla quale non devi venir meno anche se dovessi gettarmi in ginocchio ai tuoi piedi e implorarti, piangendo a calde lacrime, di non mantenerla. Su, devi giurarmelo subito.»

«Ma Mina» ho replicato «non posso farti seduta stante una promessa del genere. Non ne ho il diritto.»

«Mio caro» ha ribattuto lei, e parlava con un tono di

413

tale intensità, che gli occhi le splendevano come stelle polari «a volerlo sono io. E la promessa non riguarda me. Puoi chiedere al dottor Van Helsing se ho o no ragione; in caso negativo, potrai fare come vuoi. Anzi, ti dirò di più: se tutti saranno d'accordo, in un secondo tempo potrai essere sciolto dal tuo giuramento.»

«E va bene, ti do la mia parola» ho detto, e per un istante Mina è parsa lietissima; ma a me la lietezza era negata dalla vista della cicatrice rossa che aveva in fronte. Ha ripreso:

«Promettimi che non dirai nulla dei piani di azione contro il Conte. Non me ne parlerai né espressamente né per accenni e allusioni; e non lo farai finché avrò questa!» E con gesto solenne ha indicato la cicatrice. Mi son reso conto che non scherzava affatto, e altrettanto solennemente le ho detto:

«Te lo prometto!» E mentre lo facevo, ho avuto la sensazione che tra noi due si fosse interposto un uscio serrato.

Più tardi, mezzanotte. Mina si è mostrata allegra e spensierata tutta la sera, al punto che gli altri sono apparsi rianimati, quasi fossero in qualche modo contagiati dalla sua gaiezza; e di conseguenza, io stesso ho avuto la sensazione che la tetra cappa che ci opprime si fosse un tantino sollevata. Ci siamo ritirati tutti di buon'ora, e adesso Mina dorme tranquilla; è davvero meraviglioso che, nel pieno della sua terribile prova, le resti la capacità di sonni così profondi. Ne sia ringraziato Iddio, perché per lo meno riesce a dimenticare sia pure momentaneamente le sue preoccupazioni. Chissà che il suo esempio non eserciti un'influenza su di me, al pari della sua allegria di questa sera. Starò a vedere. Oh, quanto non darei per un sonno senza sogni!

6 ottobre, mattina. Un'altra sorpresa. Mina mi ha svegliato presto, suppergiù all'ora di ieri, e mi ha chiesto di andarle a chiamare il professore. Pensando che volesse farsi ipnotizzare un'altra volta, sono andato subito a cercarlo. Van Helsing evidentemente se lo aspettava, perché l'ho trovato bell'e vestito nella sua stanza, l'uscio della quale era spalancato, sì da permettergli di udire aprirsi la porta della nostra. È venuto senza farsi aspettare; ed entrando ha chiesto a Mina se anche gli altri potevano essere presenti.

«No» ha risposto senz'altro lei «sarebbe inutile. Potrete dirglielo voi più tardi. Devo accompagnarvi nel vostro viaggio.»

Il professore è rimasto non meno stupito di me. Un attimo di silenzio, e poi ha chiesto:

«Ma perché?»

«Dovete portarmi con voi. Con voi sarò più al sicuro, e anche voi sarete più al sicuro.»

«Ma perché, cara Madam Mina? Voi sapete che vostra salvezza è nostro più solenne dovere. Noi andiamo in pericolo, al quale voi siete o potete essere più esposta che ciascuno di noi a causa di... circostanze... be', cose che sono state...» e qui si è zittito, imbarazzato.

Prima di rispondere, Mina ha alzato l'indice e se l'è puntato alla fronte:

«Lo so. È per questo che devo venire. Posso dirvelo ora, mentre il sole sta sorgendo, mentre può darsi che più tardi non sia in grado di farlo. Io so che, quando il Conte lo vuole, devo andare da lui. So anche che, se mi dice di recarmi da lui in segreto, devo farlo di nascosto, ricorrendo a ogni espediente per ingannare gli altri, Jonathan compreso.» Dio ha senza dubbio notato l'occhiata che mi ha lanciato pronunciando queste parole, e se davvero un angelo registratore esiste, quell'occhiata le è stata ascritta a eterno merito. Non ho potuto far altro che afferrarle la mano. Mi riusciva impossibile parlare, preda com'ero di un'emozione troppo grande persino per il sollievo delle lacrime. Ha ripreso Mina:

«Voi uomini siete coraggiosi e forti. Siete forti tutti assieme, perché potete sfidare ciò che schiaccerebbe le umane energie di un singolo che vigilasse su di me da solo. Inoltre, io posso esservi d'aiuto, perché potete ipnotizzarmi, e in tal modo venire a sapere cose che neppure io conosco.» Ha replicato con tono assai grave il dottor Van Helsing:

«Madam Mina, voi siete come sempre moltissimo saggia. Voi con noi verrete; e insieme faremo quello che noi partiamo per compiere.» È seguito, da parte di Mina, un lungo silenzio, che mi ha costretto a levare lo sguardo a lei. E ho visto che era ricaduta sul guanciale, nel sonno; non si è svegliata neppure quando ho tirato la tenda, lasciando che la luce del sole invadesse la stanza. Il professore mi ha fatto cenno di seguirlo senza far rumore. Siamo andati in camera sua, e un minuto dopo erano con noi anche Lord Godalming, il dottor Seward e il signor Morris. Il professore ha riferito loro le parole di Mina, soggiungendo:

«Domattina partiremo per Varna. Dobbiamo ora tener conto di nuovo fattore: Madam Mina. Oh, ma sua anima è vera. È per lei un'agonia di sofferenza di dire a noi così tanto quanto ha fatto; ma è stato utilissimo, e siamo avvertiti in tempo. Non deve essere occasione perduta, e in Varna noi dobbiamo essere pronti di agire l'istante stesso che la nave arriva.»

«Ma che faremo esattamente?» ha chiesto, laconico, il signor Morris.

Il professore si è concesso una pausa prima di rispondere:

«Per prima cosa dobbiamo salire a bordo di quella nave; poi, quando abbiamo trovato la cassa, noi dobbiamo mettere su essa un ramo della rosa selvatica. Noi essa dobbiamo legare, legare bene, perché quando esso è là, nessuno può emergere di cassa; così almeno dice la superstizione. E a superstizione noi dobbiamo fidarci in prima; superstizione è stata fede di uomo in tempi antichi, ed essa ancora è all'opera in fede. Poi, quando noi abbiamo l'opportunità che noi cerchiamo, quando nessuno è vicino per vedere, noi apriremo cassa e... E tutto sarà bene.»

«Io non attenderò nessuna opportunità» ha replicato Morris. «Non appena vedrà la cassa, l'aprirò e distruggerò il mostro, anche se attorno, a guardare, fossero mille uomini, e a costo di essere spacciato io stesso, per averlo fatto, un attimo dopo.» Istintivamente gli ho preso la mano: era ferma come un pezzo d'acciaio. Penso che abbia compreso il significato del mio sguardo. Almeno lo spero.

«Buono ragazzo» ha commentato il professore. «Coraggioso figliolo. Quincey è uomo come si deve. Dio benedica lui per questo. Ragazzo mio, credete me se io vi dico che nessuno di noi si tira indietro o esita per qualsiasi paura. Io dico solo quel che possiamo fare, che dobbiamo fare. Ma, in verità, in verità non possiamo dire quel che poi facciamo. Sono tante cose che possono accadere, e loro vie e loro conseguenze sono così varie che fino al momento noi non possiamo dire. Saremo tutti armati in tutti i sensi; e quando il momento per la fine è venuto, nostro sforzo non manca. Ora prepariamo tutte nostre cose in ordine. Che tutte faccende che riguardano altri cari a noi e che da noi dipendono, siano completate, perché nessuno di noi può dire quale, quando e come è conclusione. In quanto a me, miei affari sono regolati; e siccome null'altro ho da fare, vado a provvedere al viaggio. Compro biglietti e così via.»

Non c'era altro da aggiungere, e ci siamo separati. Adesso sistemerò tutte le mie questioni terrene, e sarò pronto per qualsiasi evenienza...

Più tardi. Tutto è a posto. Ho fatto testamento, non c'è altro da aggiungere. Mina, se sopravvivrà, sarà la mia sola erede. Se così non sarà, ogni nostra cosa andrà a coloro che sono stati così buoni con noi.

Il tramonto è vicino: me ne rende avvertito l'inquietudine di Mina. Sono certo che c'è qualcosa, nella sua mente, che il momento esatto del tramonto rivelerà. Sono occasioni, queste, che per noi tutti stanno facendosi strazianti, perché ogni sorgere o calare del sole è foriero di nuovi pericoli, di qualche nuovo dolore che tuttavia, se Dio vorrà, potrà anche essere il mezzo per un buon fine. Scrivo tutto questo nel diario, perché la mia cara d'ora in poi non deve più essere al corrente di queste cose; ma, se mai suonerà l'ora che possa saperle, saranno qui, pronte.

Mi sta chiamando.

XXV

DIARIO DEL DOTTOR SEWARD

11 ottobre, sera. Jonathan Harker mi ha pregato di prendere questi appunti perché, dice, non si sente all'altezza del compito, e d'altro canto desidera un resoconto esatto.

Ritengo che nessuno di noi sia rimasto sorpreso quando ci è stato chiesto di recarci dalla signora Harker poco prima del tramonto. Ultimamente, ci siamo resi conto che il sorgere e il calare del sole sono per lei momenti di particolare libertà, in cui la sua personalità d'un tempo può esprimersi senza che forze estranee la controllino, la impastoino ovvero la spingano all'azione. Questo stato d'animo o condizione si inizia circa mezz'ora, o poco più, prima del sorgere o del tramonto effettivi dell'astro diurno, e dura finché questo è alto in cielo o finché le nuvole sono ancora arrossate dai raggi riflessi da dietro l'orizzonte. Dapprima si ha uno stato crepuscolare e negativo, quasi che dei legami venissero sciolti, e a esso fa seguito ben presto un'assoluta libertà; quando, tuttavia, questa cessa, il cambiamento in senso contrario, cioè la ricaduta, interviene celermente, preceduto soltanto da un'avvisaglia costituita da qualche attimo di silenzio.

Questa sera, quando ci siamo riuniti, la signora Mina era alquanto agitata, e mostrava tutti i segni di una lotta interiore. Sono pronto a scommettere che, fin dal primissimo istante in cui ha potuto farlo, ha compiuto un violento sforzo di volontà per affrancarsi ulteriormente; comunque, pochi attimi dopo, lo era del tutto; e allora, fatto cenno al marito di sederlesi accanto sul divano su cui stava reclina, ha invitato tutti quanti noi ad accomodarci su seggiole vicino a lei. Quindi, presa tra le sue la mano del marito, ha esordito:

«Eccoci qui riuniti in libertà, forse per l'ultima volta. Lo so, mio caro; lo so che sarai con me sino alla fine.» Questo era per il marito la cui mano, l'abbiamo notato, si era stretta sulla sua. «Domattina partiremo per compiere la nostra opera, e Dio solo sa che cosa il futuro ci riserva. Siete stati così buoni con me da accettare di portarmi con voi. So quanto uomini seri e coraggiosi possono fare per una povera, debole donna, la cui anima è forse perduta. No, no, non ancora, ma per lo meno è in pericolo. Dovete tuttavia tenere presente che io non sono come voi. Un veleno mi scorre nelle vene, ce l'ho nell'anima, ed è un veleno che può distruggermi; che non potrà non distruggermi, a meno che non ci giunga un soccorso. Oh, amici miei, voi sapete, non meno di quanto so io, che la mia anima è in periglio; e sebbene io sia consapevole che per me esiste un'unica via per uscirne, voi non dovete e io non debbo imboccarla!» Ha rivolto a noi tutti, uno per uno, uno sguardo supplice, principiando dal marito e finendo con questi.

«Cos'è questa via?» ha chiesto Van Helsing con voce rauca. «Qual è la via che noi non dobbiamo né possiamo imboccare?»

«Quella che significherebbe la mia morte ora, per mano mia o per mano di un altro, prima che l'irreparabile sia consumato. Io so, e voi sapete, che, se fossi morta, potreste e vorreste liberare il mio spirito immortale, come avete fatto con la mia povera Lucy. Se la morte, o la paura della morte, fosse l'unico ostacolo che si frappone, non esiterei a morire qui, ora, tra gli amici che mi amano. Ma la morte non è tutto. Non posso credere che morire in una situazione del genere, quando abbiamo ancora speranze di fronte a noi e un duro compito da assolvere, sia volontà di Dio. Pertanto, da parte mia, rinuncio alla certezza dell'eterno riposo, e vado incontro alle tenebre, pronta alle cose più nere che il mondo o l'Aldilà possano avere in serbo!» Siamo rimasti in silenzio, perché istintivamente ci rendevamo conto esser questo solo un preludio. I volti degli altri erano di pietra, quello di Harker si era fatto grigio come cenere; forse, meglio di tutti noi, intuiva quel che stava per seguire. Ha ripreso la signora Mina:

«Ecco ora quale può essere il mio contributo al fondo comune.» Non ho potuto non rilevare la frase di sapore stranamente legale cui ha fatto ricorso in quel momento, e in tutta serietà. «Ma quale sarà quello di ciascuno di voi? Lo so, lo so, le vostre vite» si è affrettata a soggiungere: «cosa facile, questa, per uomini coraggiosi. Le vostre vite appartengono a Dio, e a Lui potete restituirle. Ma a me che darete?». E ci ha scrutati interrogativa, questa volta però evitando il volto del marito. Quincey è parso capire; ha annuito, il volto gli si è illuminato. «Bene» ha continuato la signora «vi dirò chiaro e tondo ciò che voglio, perché a questo proposito non devono esistere equivoci tra noi. Dovete promettermi, ognuno di voi e tutti insieme – te compreso, mio amato sposo –, che, se il momento dovesse venire, mi ucciderete.»

«E quando sarà il momento?» La voce era quella di Quincey, ma sommessa, tesa.

«Quando vi convincerete che sono a tal punto mutata, che è meglio che io muoia anziché continuare a vivere. Quando sarò a tal punto morta nella carne, che, senza un attimo di esitazione, sarete disposti a piantarmi un cuneo nel petto e a tagliarmi la testa, o a fare quant'altro possa occorrere per assicurarmi il riposo!»

Quincey è stato il primo a levarsi in piedi dopo il silenzio che è seguito. Si è inginocchiato davanti alla signora e, prendendole la mano, ha detto con tono alto e solenne:

«Io sono solo un uomo rozzo, che forse non è vissuto come si dovrebbe per meritarsi tanto, ma vi giuro, per tutto ciò che ho di più sacro e di più caro che, dovesse mai venire quel momento, non esiterò a compiere il dovere che ci avete imposto. E vi prometto anche che me ne accerterò in ogni modo e che, se solo ne avrò il sospetto, riterrò che il momento è venuto!»

«Voi sì che siete un amico!» è stato tutto ciò che la signora è riuscita a dire, mentre le lacrime le cadevano fitte e, chinandosi, gli baciava la mano.

«Lo giuro anch'io, mia cara Madam Mina» ha detto Van Helsing.

«E anch'io!» ha detto Lord Godalming, ciascuno di loro a sua volta inginocchiandosi per pronunciare la promessa. Ho fatto lo stesso. Poi il marito l'ha guardata con occhi smarriti e, il volto soffuso di un pallore di cenere, tale da attenuare il biancore dei capelli, ha chiesto:

«E anch'io, o mia sposa, devo farti una promessa simile?»

«Tu pure, mio diletto» ha risposto lei, con un'infinita pietà nella voce e negli occhi. «Non devi esitare. Tu mi sei più vicino e più caro di ogni cosa al mondo; le nostre anime sono fuse in una sola, per tutta la vita e per sempre. Pensa, mio caro, ai tempi in cui uomini coraggiosi uccidevano le proprie mogli e le loro donne per impedire che cadessero nelle mani del nemico. Né essi esitavano certo di più perché coloro che amavano li imploravano di sgozzarle. È dovere degli uomini nei confronti di coloro che amano, comportarsi così in momenti di dura prova! E, oh, mio caro, se è destino che io debba aver morte per mano di qualcuno, sia per mano di colui che più mi ama. Dottor Van Helsing, non ho dimenticato la vostra pietà nel caso della povera Lucy verso colui che amava...» Si è arrestata, colta da un fuggevole rossore, e ha preferito una circonlocuzione. «... verso colui che aveva più di ogni altro diritto di darle la pace. Se quel momento dovesse ripetersi, io mi aspetto da voi che trasformiate in un ricordo felice nella vita di mio marito il fatto che sia stata la sua mano amante a liberarmi dall'orribile condanna che mi grava addosso.»

«Giuro di nuovo!» si è fatta udire, risonante, la voce del professore. La signora Harker ha sorriso – sorriso davvero, e con un sospiro di sollievo si è riadagiata, dicendo:

«E ora, una parola di avvertimento, un avvertimento che mai dovete dimenticare: quel momento, se mai verrà, può venire veloce e inaspettato, e in tal caso non dovete perdere tempo, ma cogliere l'occasione. In quel momento, io stessa potrei... Ma che dico, se quel momento verrà sarò, assolutamente sarò, alleata contro di voi, al fianco del vostro avversario.

«Una richiesta ancora» e aggiungendo questo si è fatta estremamente grave. «Non è altrettanto essenziale e vitale dell'altra, pure desidero, se acconsentite, che lo facciate per me.» Tutti acconsentirono, senza parlare, e che bisogno c'era di parole?

«Desidero che leggiate il servizio funebre» ha detto la signora, tosto interrotta da un fondo gemito sfuggito al marito; ma, prendendogli la mano tra le sue e portandosela al cuore, essa ha ripreso: «Un giorno, lo si dovrà ben recitare per me. Quale che sia la conclusione di questo tremendo stato di cose, sarà un dolce ricordo, per tutti o per qualcuno di noi. E spero che tu, mio carissimo, lo voglia leggere, perché così resterà inciso per sempre nella mia memoria con la tua voce – quale che possa essere la conclusione!».

«Ma oh, mia cara!» supplicò lui «la morte ti è ancora tanto lontana.»

«No» ribatté la signora, levando una mano ammonitrice. «In questo momento sono più sprofondata nella morte che se il peso di una tomba terrena gravasse su di me!»

«Ah, mia sposa, devo dunque proprio leggerlo?» ha insistito il marito, restio a cominciare.

«Mi sarebbe di gran conforto, mio sposo!» è stata la sua risposta; ed egli ha cominciato a leggere nel libro apertogli da lei.

Come potrei – come potrebbe chiunque – descrivere quella singolare scena, la sua solennità, la sua cupezza, tristezza, orrore; e ciononostante, la sua dolcezza? Finanche uno scettico, il quale null'altro sa vedere se non un mascheramento di amare realtà in chicchessia di santo e toccante, si sarebbe sentito sciogliere il cuore, se avesse visto quel gruppetto di amici affezionati e devoti inginocchiati attorno a quella donna tanto colpita e sventurata, o avesse prestato orecchio alla tenera passione che era nella voce del marito mentre, in toni a tal punto rotti dall'emozione che spesso gli toccava interrompersi, egli andava leggendo la semplice e magnifica orazione per i defunti. «Io... No, non posso continuare, le... le parole, la vvv... la voce stessa... mi... viene meno!»

L'istinto della signora Mina dava nel vero. Per strano che tutto ciò fosse, per bizzarro che possa in seguito sembrare persino a noi che, in quel momento, ne abbiamo subito l'irresistibile influsso, certo è che assai ci ha confortato; e il silenzio, che ha comprovato l'incipiente nuova fine della libertà di spirito della signora, non ci è sembrato così gravido di disperazione come temevamo.

DIARIO DI JONATHAN HARKER

15 ottobre, Varna. Partiti da Charing Cross il mattino del 12, la sera stessa eravamo a Parigi e salivamo sull'Orient Express, dove i posti erano stati per noi prenotati. Una notte e un giorno di viaggio, e siamo arrivati qui verso le diciassette. Lord Godalming è andato al consolato per vedere se gli fossero giunti telegrammi, mentre noialtri venivamo a quest'albergo, l'*Odessus.* Forse in viaggio è accaduto qualcosa degno di menzione, ma ero troppo ansioso di arrivare per farvi caso. Finché la *Zarina Caterina* non entrerà in porto, nulla può interessarmi al mondo per quanto è vasto. Grazie a Dio, Mina sta bene, sembra riacquistare energia, le sta tornando il colore. Dorme, dorme tanto; durante il viaggio, non ha fatto quasi altro che dormire. Ma prima dell'alba e del tramonto, è ben sveglia e sul chi vive; e Van Helsing ha ormai come norma di ipnotizzarla in siffatti momenti. Dapprima, era necessario un certo sforzo, e il professore doveva passarle più e più volte le mani davanti al viso. Ora invece essa sembra cedergli immediatamente, quasi per abitudine, sì che ben pochi gesti sono necessari. In quei particolari momenti, il professore sembra riuscire a trasformarsi in pura volontà, e i pensieri di Mina gli obbediscono. Le chiede sempre che cosa riesce a vedere e a udire. Alla prima domanda, essa risponde:

«Nulla; è tutto buio.» E alla seconda:

«Odo le onde sciabordare sui fianchi della nave, acqua che scorre. Vele e cordami si tendono, alberi e pennoni scricchiolano. Il vento è teso, l'odo nelle sartie, e la spuma vola a prua.» È chiaro che la *Zarina Caterina* è ancora in mare, veleggiando rapida alla volta di Varna. Lord Godalming è testé rientrato. Ha quattro telegrammi, uno per ciascuno dei giorni trascorsi da quando siamo partiti, e tutti dello stesso tenore: ai Lloyd's non è giunta notizia dell'attracco della *Zarina Caterina* in alcun porto. Prima di partire da Londra, Lord Godalming aveva convenuto, con il suo agente, che questi gli spedisse ogni giorno un telegramma con notizie circa la nave, e che il messaggio dovesse giungergli anche se non se ne avevano notizie, per modo che egli fosse certo che, all'altra estremità del filo, la sorveglianza continua.

Abbiamo cenato e siamo andati a letto di buon'ora. Domani dobbiamo incontrarci con il viceconsole per trovare il modo, se possibile, di salire a bordo del veliero non appena arrivi. Van Helsing sostiene che l'ideale sarebbe salirvi tra l'alba e il tramonto. Il Conte, anche qualora assuma la forma di un pipistrello, non può superare le acque in movimento di sua propria volontà, ragion per cui non può abbandonare la nave. Né osa certo prendere forma umana, perché non potrebbe evitare quei sospetti che evidentemente desidera non suscitare, sicché deve rimanere nella cassa. E dunque, se riusciamo a salire a bordo dopo l'alba, è alla nostra mercé, cosicché allora possiamo aprire il suo rifugio e farla finita con lui, come con la povera Lucy, prima che si ridesti. E non gli faremo certo grazia. Riteniamo di non doverci aspettare guai grossi da funzionari o marinai. Grazie a Dio, questo è un paese in cui la corruzione può tutto, e siamo ben riforniti di denaro. Dobbiamo solo accertarci che la nave non entri in porto tra il tramonto e l'alba a nostra insaputa, e tutto andrà per il meglio. Credo che la questione la risolverà il giudice Portafogli!

16 ottobre. La risposta di Mina è sempre la stessa: sciabordio di onde, acque scorrenti, buio, venti favorevoli. Evidentemente siamo giunti in tempo, e quando avremo notizie della *Zarina Caterina* saremo pronti. E, poiché deve attraversare i Dardanelli, siamo certi che ne avremo comunque.

17 ottobre. Tutto ormai è bene organizzato, così almeno mi sembra, per accogliere il Conte al ritorno dal suo viaggio. Godalming ha detto ai funzionari che a suo giudizio la cassa portata a bordo del veliero contiene oggetti rubati a un suo amico, e ha ottenuto una mezza autorizzazione ad aprirla a suo rischio. L'armatore gli ha consegnato una carta in cui si ordina al capitano di dargli modo di fare tutto ciò che vuole a bordo della nave, e un'autorizzazione affine è per il suo agente di Varna. Questi l'abbiamo visto, ed è rimasto molto impressionato dai modi affabili di Godalming, sicché siamo tutti convinti che farà tutto quanto sta in lui per soddisfare i nostri desideri. Abbiamo già stabilito come comportarci se riusciamo ad aprire la cassa. Se il Conte vi si trova, Van Helsing e Seward gli taglieranno seduta stante la testa e gli pianteranno un paletto nel cuore. Morris, Godalming e io dovremo impedire interferenze, a costo di far ricorso alle armi che terremo pronte. Il professore sostiene che, se riusciremo a far questo al corpo del Conte, subito dopo esso cadrà in polvere, ragion per cui, qualora sorgano sospetti di assassinio, non ci saranno prove a nostro carico. Ma, anche se così non fosse, dobbiamo riuscire o perire nell'impresa, e chissà che un giorno questo mio diario non costituisca una testimonianza che si interporrà tra alcuni di noi e un cappio. Per quanto mi riguarda, sarò ben lieto di approfittare dell'occasione, se dovesse presentarsi. Non intendiamo lasciare nulla di intentato pur di raggiungere il nostro scopo. Ci siamo accordati con alcuni funzionari i quali ci invieranno appositamente un messaggero non appena la *Zarina Caterina* sarà avvistata.

24 ottobre. Un'intera settimana di attesa. Ogni giorno, telegrammi per Godalming, ma il contenuto è sempre lo stesso: "Ancora nessuna notizia". Le risposte sotto ipnosi di Mina al mattino e alla sera non variano: onde sciabordanti, acque scorrenti, alberi scricchiolanti.

24 ottobre. Zarina Caterina avvistata stamane Stretti Dardanelli.

DIARIO DEL DOTTOR SEWARD

24 ottobre. Come sento la mancanza del mio fonografo! Redigere un diario per iscritto mi riesce tedioso; ma Van Helsing dice che devo farlo. Ieri eravamo eccitatissimi quando Godalming ha ricevuto il telegramma dei Lloyd's. Adesso so che cosa provano gli uomini sul campo di battaglia, quando risuona il segnale d'attacco. La signora Harker, unica tra noi, non ha mostrato emozione, e in fin dei conti non è strano che così sia. Infatti, abbiamo avuto cura di non farle sapere nulla e di fingerci perfettamente sereni in sua presenza. Un tempo, ne sono certo, avrebbe mangiato la foglia, nonostante tutti i nostri sforzi; ma, nelle ultime tre settimane, da questo punto di vista è assai cambiata. Lo stato letargico è assai più pronunciato e, sebbene sembri piena di energia e di salute, e abbia persino riacquistato un po' di colore, Van Helsing e io siamo tutt'altro che soddisfatti. Parliamo spesso di lei, anche se non ne abbiamo fatto parola con gli altri. Il povero Harker ne avrebbe il cuore spezzato – o per lo meno avrebbe un crollo –, se sapesse che nutriamo in merito anche solo un sospetto. Van Helsing, me l'ha detto lui stesso, le esamina assai attentamente i denti quand'è sotto ipnosi; a suo giudizio, finché non cominciano ad appuntirsi, il pericolo che in lei si verifichi una trasformazione decisiva non è imminente; ma se questo fenomeno dovesse manifestarsi, sarebbe necessario prendere adeguate misure... Ed entrambi sappiamo quali esse sarebbero, anche se non ne facciamo menzione tra noi. Né lui né io arretreremmo di fronte al compito, per tremendo che possa sembrare. "Eutanasia": ecco un termine ottimo e confortante! Sono grato a chi l'ha coniato, chiunque sia.

Non dura più di ventiquattr'ore la navigazione a vela dai Dardanelli a Varna, stando alla velocità con cui la *Zarina Caterina* ha percorso il tragitto da Londra. Sicché, dovrebbe arrivare domattina; e d'altra parte, poiché prima non può essere in porto, abbiamo tutti deciso di ritirarci presto. Ci alzeremo all'una di notte per essere pronti.

25 ottobre, pomeriggio. Ancora nessuna notizia della nave. Sotto ipnosi, la signora Harker stamane ha detto le solite cose, per cui ne deduco che da un momento all'altro può comparire il messaggero. Noi uomini siamo tutti in uno stato di febbrile eccitazione, eccezion fatta per Harker che si mantiene calmo; le sue mani sono fredde come ghiaccio, e un'ora fa l'ho trovato intento ad affilare il suo coltellaccio ghurka, da cui adesso non si separa mai. Brutta prospettiva, per il Conte, se la lama di quel kukri dovesse sfiorargli la gola, impugnata da quella mano decisa e gelidamente spietata!

Quest'oggi, Van Helsing e io eravamo piuttosto preoccupati per la signora Harker. Poco prima delle dodici, è caduta in una sorta di letargo che non ci piaceva affatto; agli altri non abbiamo detto niente, ma né lui né io eravamo certo contenti. Per tutta la mattina era stata inquieta, sicché, quando abbiamo saputo che si era addormentata, dapprima ne siamo stati lieti; ma poi suo marito ha accennato casualmente al fatto che il suo sonno era così profondo che non riusciva a svegliarla, e allora siamo andati in camera della signora a osservarla di persona. Respirava in maniera normale e aveva un aspetto così disteso e pacifico, che abbiamo convenuto che il sonno era per lei meglio di ogni altra cosa. Povera donna, ha tanto da dimenticare che non c'è da meravigliarsi che il sonno, posto che le porti l'oblio, le faccia bene.

Più tardi. La nostra opinione era fondata perché quando, dopo un sonno ristoratore di qualche ora, si è risvegliata, è apparsa più allegra e vivace di quanto non fosse ormai da parecchi giorni. Al tramonto, la solita risposta sotto ipnosi. Ovunque si trovi sulle onde del Mar Nero, è certo che il Conte si affretta alla sua destinazione. E alla sua fine, spero!

26 ottobre. Un'altra giornata senza notizie della *Zarina Caterina*. Dovrebbe ormai essere qui. Che continui la navigazione da qualche parte, è evidente, perché le dichiarazioni rese dalla signora Harker in stato ipnotico al tramonto sono state le solite. È possibile che, di quando in quando, il veliero sia ritardato dalla nebbia; gli equipaggi di piroscafi giunti in porto ieri sera hanno riferito di averne trovati banchi sia a nord che a sud di Varna. Dobbiamo continuare la nostra vigilia, poiché la nave può essere segnalata da un momento all'altro.

27 ottobre, pomeriggio. Stranissimo: ancora nessuna notizia della nave che attendiamo. Ieri sera e stamane, la signora Harker ha parlato delle solite «onde sciabordanti e acque scorrenti» pur soggiungendo che «le onde sono appena avvertibili». Da Londra, telegramma sempre dello stesso tenore: nessuna notizia. Van Helsing è in preda a una terribile ansia, e solo un momento fa mi ha detto che teme che il Conte riesca a sfuggirci. E ha soggiunto assai significativamente: «A me non piace quel letargo di Madam Mina. Anime e ricordi possono fare strane cose durante trance». Ero lì lì per chiedergli maggiori delucidazioni, ma proprio in quella è entrato Harker, e il professore m'ha fatto cenno di tacere. Questa sera, al tramonto, cercheremo di far parlare la signora più diffusamente, sempre in stato ipnotico.

TELEGRAMMA DI RUFUS SMITH DEI LLOYD'S DI LONDRA
A LORD GODALMING, PRESSO IL VICECONSOLE
DI SUA MAESTÀ BRITANNICA A VARNA

28 ottobre. Comunicano *Zarina Caterina* arrivata Galati oggi ore una.

28 ottobre. Il telegramma che annunciava l'approdo a
Galati, a mio giudizio non ha suscitato, in nessuno di
noi, la sorpresa che c'era da aspettarsi. Vero, non sapevamo da dove, né come, né quando, il fulmine sarebbe
piombato; ma credo che tutti pensassimo che qualcosa
di strano dovesse accadere. Il ritardo dell'arrivo a Varna
ci aveva convinti, tutti e ciascuno, che le cose non sarebbero andate esattamente secondo il previsto: aspettavamo soltanto di sapere quale sarebbe stata la variante. Ciò non toglie che sia stata una sorpresa. Ritengo
che la natura operi in maniera tale da farci sperare e
credere, contro noi stessi, che le cose andranno come
dovrebbero, non già come dovremmo sapere che andranno. Il futuro per gli angeli è tutto luce, ma per gli
uomini è tutt'al più un fuoco fatuo. È stata un'esperienza singolare, e ciascuno di noi ha reagito in maniera diversa. Van Helsing ha alzato per un istante le mani al
cielo, quasi a protestare con l'Onnipotente; ma non ha
detto parola, e un istante dopo era in piedi, il volto cor-
rucciato. Lord Godalming si è fatto pallidissimo, ed è
rimasto seduto, respirando affannosamente. Quanto a
me, sono rimasto còme istupidito, e ho volto lo sguardo
dall'uno all'altro, quasi a interrogarli. Morris si è stretto
la cintura con quel gesto rapido che conosco così bene:
ai giorni dei nostri vagabondaggi, significava azione. La
signora Harker si è coperta di uno spettrale pallore, sì
che la cicatrice sulla fronte è sembrata ardere, ma ha
unito interamente le mani, alzando gli occhi in preghiera. Harker ha sorriso – ma sì, proprio sorriso: il tetro,
amaro sorriso di chi ha perduto ogni speranza; eppure,
in pari tempo il suo atto ha smentito il suo pensiero,
giacché la sua mano istintivamente ha cercato l'impugnatura del coltellaccio kukri, fermandosi su di essa.
«Quando parte il primo treno per Galati?» ha chiesto
Van Helsing, a tutti e a nessuno in particolare.

«Domattina alle sei e trenta!» Siamo tutti sobbalzati,
poiché la risposta veniva dalla signora Harker.

«E come fate a saperlo?» ha domandato Art.

«Voi dimenticate – o forse non sapete, per quanto lo sappiano sia Jonathan che il dottor Van Helsing – che io ho la passione dei treni. A casa, a Exeter, studiavo sempre attentamente gli orari per poter essere d'aiuto a mio marito. E a volte questo mi è stato così prezioso, che continuo a studiare anche adesso gli orari. Sapevo che, se avessimo dovuto recarci a Castel Dracula, avremmo dovuto passare da Galati o per lo meno da Bucarest, ecco perché mi sono impressa nella mente gli orari. Purtroppo, non c'è molto da apprendere, l'unico treno è quello che ho detto.»

«Donna straordinaria!» ha mormorato il professore.

«Non possiamo procurarcene uno speciale?» ha chiesto Lord Godalming. Van Helsing ha scosso il capo: «Temo che no. Questa terra è molto diversa che vostra o mia; anche se noi abbiamo uno speciale, esso probabilmente non arriva prima di treno regolare. Inoltre, abbiamo qualcosa da preparare. Noi dobbiamo pensare. Ora organizziamo. Voi, amico Arthur, andate a stazione, prendete i biglietti e fate che tutto è pronto per noi per prendere imbarco domani mattina. Voi, amico Jonathan, andate da agente di nave, e fatevi dare lettere per agente di Galati, con autorizzazione a perquisire la nave come se fosse qui. Morris Quincey, voi vedete il viceconsole e ottenere suo appoggio presso suo collega di Galati e tutto quanto può fare per rendere più facile nostra impresa, in modo che non si perda tempo una volta risalito il Danubio. John resterà con Madam Mina e con me, e noi avremo consulto. Così, se occorre tempo, non preoccupatevi di far tardi; e non importerà quando che il sole tramonta, perché io sono qui con Madam Mina per rapporto sotto ipnosi.»

«E io» ha interloquito la signora Harker con vivacità più simile a quella di un tempo di quanto non fosse ormai da molti giorni «io cercherò di rendermi utile in tutti i modi, e rifletterò e metterò per iscritto i miei pensieri come usavo una volta. Ho la strana impressione che qualcosa s'allontani da me, e mi sento più libera che non negli ultimi tempi!» I tre più giovani tra noi sono parsi rallegrarsene, persuasi com'erano di aver afferrato il vero significato di quelle parole; ma Van Helsing e io ci siamo scambiati uno sguardo assai preoccupato, anche se al momento nulla abbiamo detto.

Usciti i tre per le rispettive incombenze, Van Helsing ha chiesto alla signora Harker di sfogliare i dattiloscritti e di trovargli quella parte del diario di Harker relativo a Castel Dracula. La signora è andata a prendere i documenti e, non appena l'uscio s'è chiuso, il professore mi ha detto:

«Evidentemente, pensiamo stessa cosa! Ditela.»

«C'è un mutamento. E una speranza che mi fa star male, perché potrebbe essere fallace.»

«Proprio così. Voi sapete perché io ho chiesto lei di andare a prendere il dattiloscritto?»

«No» ho risposto «a meno che non sia stato per aver modo di restar solo con me.»

«Voi in parte ragione, amico John, ma solo in parte. Io desidero dire voi qualcosa. E, oh, mio amico, io affronto un grande, un terribile rischio, ma credo che questo è giusto. In momento quando Madam Mina ha detto quelle parole che non riusciamo a spiegare né voi né io, un'ispirazione è venuta a me. Nella trance di tre giorni fa, il Conte ha mandato a lei suo spirito per leggere mente di lei; o, più probabile, ha preso suo per visitare lui in sua cassa di terra sulla nave con acqua scorrente, proprio quando spirito di lei è libero a sorgere e tramontare di sole. Lui apprende che noi siamo qui, ed essa ha più da dire in sua vita all'aperto, con occhi per vedere e orecchie per udire, che non lui chiuso com'è sua cassa-bara. Ora lui sta facendo massimo sforzo per sfuggire a noi. E al momento non vuole lei.

«Lui è sicuro, con sua grande conoscenza, che lei accorrerà a sua chiamata; ma lui taglia essa fuori, mette lei, per quanto può farlo, fuori di suoi stessi poteri, per modo che essa non venga a lui. Ah, e qui io ho speranza che nostro umano cervello, che è stato così a lungo di uomo e che non ha perduto la grazia di Dio, sarà più abile che non suo cervello infantile che giace in sua tomba per secoli, che ancora non cresce a nostra statura e che funziona soltanto egoistico e quindi in piccolo. Ecco che viene Madam Mina; non una parola a lei di sua trance! Essa questo non sa, e sconvolgerebbe lei e farebbe disperazione proprio quando noi abbiamo bisogno di tutta sua speranza, di tutto suo coraggio, quando soprattutto noi occorriamo tutto grande cervello di lei che è addestrato come cervello di uomo, ma è di dolce donna e ha uno speciale potere che il Conte dà a lei, e che lui non può portar via del tutto anche se è convinto di esso. Ssst! Lasciate me parlare, e voi vedrete di bello. Oh, John, mio amico, siamo in atroci angustie. Io temo come mai ho temuto prima. Noi possiamo solo fidare in buon Dio! Silenzio! Eccola!»

Avevo temuto, a sentirlo parlare così agitato, che il professore fosse sul punto di crollare e di abbandonarsi a una crisi isterica, esattamente come gli era accaduto alla morte di Lucy, ma con un enorme sforzo è riuscito a dominarsi e aveva riacquistato intero il dominio dei propri nervi quando la signora Harker è rientrata nella stanza, raggiante e briosa, e, impegnata com'era nell'opera, in apparenza dimentica della sua miseranda condizione. Ha porto un fascio di fogli dattiloscritti a Van Helsing, che ha preso a scorrerli attentamente, con il volto che via via gli s'illuminava. Poi, tenendoli tra pollice e indice, ha detto:

«Amico John, per voi con tanta già esperienza e per voi anche, cara Madam Mina che siete giovane, qui è una lezione: mai aver paura di pensare. Una mezza idea era ronzante spesso in mio cervello, ma io temevo di togliere pastoie a sue ali. Ora qui, con maggior conoscenza, io ritorno a là dove quella mezza idea proviene e trovo che non è per niente una mezza idea: è una idea bella e fatta, per quanto così giovane che non è ancora così forte che usi sue piccole ali. Ma, come il brutto anitroccolo di mio amico Hans Andersen, non è affatto pensiero-anatroccolo, ma un grosso pensiero-cigno che veleggia nobile su grandi ali quando tempo viene per lui di provarle. Ecco, io leggo qua quanto ha scritto Jonathan:

«"E non è stato forse questo Dracula a ispirare quell'altro della sua razza che, in età successiva, più e più volte guidò le sue forze di là dal Grande Fiume, in terra turchesca; e che, respinto, tornò ancora, e ancora, e ancora, benché gli toccasse riparare quasi solo dal campo insanguinato dove le sue truppe erano state massacrate, poiché sapeva che lui, e soltanto lui, alla fine avrebbe trionfato?"

«Che cosa dice a noi questo? Non molto? No, invece. Il pensiero infantile del Conte non vede un bel niente, per questo parla così libero. Vostro pensiero umano non vede niente; mio pensiero umano non vede niente, fino a un momento fa. No! Ma ecco che viene un'altra parola di qualcuno che parla senza pensiero perché anch'essa non sa che cosa esso significa, che cosa esso può significare. Esattamente come sono elementi che restano immoti, ma quando in corso di natura essi procedono per propria via e si toccano – allora, puf! Ed ecco un lampo di luce per tutto il cielo, che acceca e uccide e distrugge alcuni; ma che rivela tutta terra sottostante per miglia e miglia. Non è forse così? Bene, vedo che devo spiegarmi. In primo luogo, avete voi mai studiato la filosofia di crimine? "Sì" e "no". Voi John, sì, perché fa parte dello studio di infermità mentale. Voi no, Madam Mina, perché crimine non vi tocca se non una volta. Pure, vostra mente lavora bene, e non deduce *a particulari ad universale*. È questa peculiarità di criminali. Essa è così costante in tutti i paesi e in ogni tempo, che persino la polizia, che di filosofia non sa molto, giunge a conoscere essa empiricamente, sa che essa è. Il criminale lavora sempre a un unico delitto, e polizia sa per empiria che il vero criminale sembra predestinato al crimine: il vero criminale, io intendo. E questo non possiede cervello di uomo completo. Egli è intelligente e astuto, e pieno di risorse; ma non è di statura umana quanto a cervello. Egli è in molte cose di cervello infantile. Ora, il nostro criminale è del pari predestinato a delitto; anche lui ha cervello infantile, ed è proprio di bambino di fare quello che lui ha fatto. Il piccolo uccello, il piccolo pesce, il piccolo animale imparano non per via di principio, ma empiricamente; e quando imparano a fare, non è ragione di cominciare a fare di più. *"Dos pou sto"* diceva Archimede. "Datemi una leva e vi solleverò il mondo!" Agire una volta è la leva grazie alla quale cervello infantile diviene cervello di uomo; ma finché non ha scopo di fare di più, lui continua di fare lo stesso ancora ogni volta, esatto come ha fatto prima! Oh, mia cara, vedo che vostri occhi sono spalancati, e che a voi il chiarore del lampo rivela tutte le miglia» ha esclamato il professore, perché la signora Harker, gli occhi splendenti, aveva preso a battere le mani. Poi Van Helsing ha continuato:

«Ora tocca a voi di parlare. Dite a noi due, aridi uomini di scienza, che cosa voi vedete con quei così luminosi occhi.» E le ha preso la mano e l'ha tenuta tra le sue mentre la signora parlava, pollice e indice posati sul polso di lei, istintivamente, inconsciamente, così almeno mi è parso. Ha detto la signora:

«Il Conte è un criminale e appartiene al tipo criminale. Tale lo classificherebbero Nordau e Lombroso e, *quia* criminale, la sua mente è formata solo in maniera imperfetta. Ragion per cui, in una situazione difficile, non può che cercare soluzioni nell'abitudine. Il suo passato costituisce una chiave, e quella pagina di tale passato che ci è nota – e dalle sue stesse labbra – ci dice che già in precedenza, quando si è trovato in quello che il signor Morris chiamerebbe un "ginepraio", è tornato nel suo paese ritirandosi dalla terra che aveva tentato di invadere, e nel primo, senza venir meno al suo proposito, si è preparato a un nuovo sforzo. Quando è tornato, era meglio attrezzato per l'opera che intendeva compiere; e ha vinto. Allo stesso modo, è giunto a Londra con l'intento di invadere una nuova terra. È stato sconfitto e, quando ha visto perduta ogni speranza di successo e la sua stessa esistenza in pericolo, è corso a rifugiarsi oltremare, nella sua patria, esattamente come in precedenza era fuggito oltre Danubio dalla terra dei turchi.»

«Bene, bene, oh, voi così intelligente donna!» ha esclamato Van Helsing al colmo dell'entusiasmo, chinandosi a baciarle la mano. E subito dopo, controllato come se fossimo stati intenti a un consulto al capezzale di un malato:

«Soltanto settantadue, e in tutta questa eccitazione. Io ho speranza.» Poi, rivolto nuovamente alla signora, con impazienza:

«Ma proseguite. Proseguite, sì, perché è più da dire, se voi volete. Non abbiate paura; John e io sappiamo. Io in ogni caso so, e dirò a voi se siete in giusto. Parlate, senza paura!»

«Mi ci proverò, ma vorrete perdonarmi se vi sembrerò eccessivamente egocentrica.»

«Andiamo, andiamo, non abbiate paura, voi dovete essere egocentrica, perché è voi che questa faccenda riguarda.»

«Dunque, essendo criminale, è egoista; e poiché il suo intelletto è limitato e le sue azioni si fondano sull'egoismo, egli è tutto per un unico scopo, che persegue spietatamente. Come è fuggito oltre Danubio, lasciando che le sue truppe fossero fatte a pezzi, così adesso si preoccupa soltanto di mettersi in salvo, indifferente a tutto il resto. Sicché accade che il suo stesso egoismo in una certa misura affranchi la mia anima da quel terribile potere che ha acquisito su di me in quella spaventosa notte. L'ho sentito! Oh, se l'ho sentito! Grazie a Dio per la sua immensa misericordia! La mia anima è più libera di quanto non sia mai stata dopo quell'ora atroce; e io temo soltanto, ed è questo che mi tormenta, che durante una trance o un sogno il Conte possa essersi servito di quello che so per i suoi scopi.» Qui il professore si è alzato:

«Sì, ha usato vostra mente, e per mezzo di essa ha lasciato noi qui a Varna, mentre la nave che portava lui in nebbia avviluppante correva verso Galati dove senza dubbio aveva fatto preparativi per sfuggire noi. Ma sua mente infantile ha visto non più oltre di questo; e può darsi che, se provvidenza divina così vuole, la cosa sopra la quale quel malvagio soprattutto ha contato per suo egoistico fine, si riveli suo massimo danno. Il cacciatore è preso in sua stessa rete, come dice il grande Salmista. Perché adesso che lui pensa che è libero completamente di noi, e che lui è sfuggito a noi con tante ore per suo vantaggio, ecco che suo egoistico infantile cervello lui sussurrerà di dormire. Lui anche pensa che, siccome lui taglia via se stesso da conoscere vostra mente, non può in voi essere conoscenza di lui. È qui che sbaglia! Quel terribile battesimo di sangue che lui ha dato a voi, rende voi libera di andare a lui in spirito, come avete finora fatto in vostri momenti di libertà, quando il sole si alza e tramonta. Ma in tali momenti voi andate per mia volontà e non per sua; e questo potere, per bene di voi e di altri, voi avete ottenuto grazie a vostra sofferenza per sua mano. Questo è ora assai più prezioso che lui non sappia, e per proteggere se stesso lui ha persino tagliato via se stesso di sua conoscenza di dove voi siete. Noi però non siamo egoisti, e noi crediamo che Dio è con noi in tutta questa tenebra, in tutte queste molte buie ore. Noi seguiremo lui; e noi non esiteremo, anche se pericoliamo noi stessi di diventare come lui. Amico John, questa è stata una grande ora, e in essa molto è fatto per avanzare lungo nostra via. Voi dovete essere scriba e mettere tutto questo su carta, così che quando altri ritornano da loro incombenze voi potete dare a essi di leggere, per modo che sanno come noi sappiamo.»

E così ho scritto tutto questo mentre aspettiamo il loro ritorno, e la signora Harker ha ricopiato a macchina e poi ci ha consegnato il dattiloscritto.

XXVI

DIARIO DEL DOTTOR SEWARD

29 ottobre. Scrivo questo sul treno che da Varna ci porta a Galati. Ieri sera ci siamo riuniti poco prima del tramonto. Ciascuno di noi aveva compiuto la propria opera meglio che poteva; per quanto possano pensiero, intraprendenza e fortuna, ci siamo preparati non solo al viaggio, ma anche a quello che ci attende una volta a Galati. Giunto il solito momento, la signora Harker si è predisposta alla seduta ipnotica; e, al termine di uno sforzo più lungo e più tenace, da parte di Van Helsing, di quanto non fosse necessario in precedenza, è caduta in trance. Di solito, per parlare le basta un nonnulla; ma questa volta il professore ha dovuto porle precise domande, e con tono imperioso, prima di ottenere qualche risposta, che finalmente è stata questa:

«Non vedo niente; siamo immobili; non ci sono onde, ma solo un lieve fruscio di acqua lungo la chiglia. Odo voci di uomini che chiamano, vicine e lontane, e lo scricchiolio dei remi negli scalmi. Sento uno sparo distante: un'eco assai remota. Scalpiccio di piedi sopra di me, funi e catene trascinate. E questo che è? Un raggio di luce; sento uno spiffero d'aria.»

Qui si è arrestata. Si era alzata, come obbedendo a un impulso, dal divano sul quale giaceva, levando entrambe le mani, a palme in su, quasi a spingere un peso. Van Helsing e io ci siamo scambiati uno sguardo d'intesa. Quincey ha sollevato leggermente le sopracciglia guardando attentamente la signora, mentre la mano di Harker con gesto istintivo si serrava sull'impugnatura del coltellaccio kukri. Poi, un lungo silenzio. Tutti sapevamo che il momento in cui la signora era in grado di parlare in stato ipnotico stava per finire, e ci rendevamo conto dell'inutilità di qualsiasi commento. All'improvviso, eccola rizzarsi a sedere, aprire gli occhi, domandare con dolce voce:

«Qualcuno gradirebbe una tazza di tè? Dovete essere tutti così stanchi!» Sapevamo di farle un piacere, e abbiamo detto di sì. La signora è uscita per preparare il tè, e Van Helsing ha commentato:

«Voi vedete, miei amici. Lui è vicino a terra: ha lasciato sua cassa. Ma non è ancora andato a riva. Durante la notte, lui si nasconderà da qualche parte; ma se non viene portato a riva o se la nave non tocca essa, lui non può raggiungere la terra. Se però la nave accosta, e questo di notte, lui può mutare sua forma e può saltare o volare a riva, come ha fatto a Whitby. Ma se il giorno viene prima che lui sia a riva, allora, a meno che non sia portato, lui non può scappare. E se è portato, allora uomini di dogana possono scoprire cosa la cassa contiene. Sicché, infine, se non fugge a riva questa notte o prima di alba, intera giornata sarà perduta per lui. Noi possiamo allora arrivare in tempo, perché se lui non fugge di notte noi saremo a lui addosso in giorno, e lui chiuso in cassa e in nostra mercé, perché lui non osa essere suo vero io, sveglio e visibile, per paura di essere discoperto.»

Era inutile aggiungere altro, e abbiamo atteso pazientemente l'alba, quando avremmo potuto sapere qualcosa di più dalla signora Harker.

E questa mattina, di buon'ora, in uno stato di estrema ansia, abbiamo aspettato la sua risposta sotto ipnosi, a raggiungere la quale è occorso ancor più che la sera prima; e quando si è verificata, il tempo che mancava al sorgere del sole era ormai così breve, che già cominciavamo a disperare. Van Helsing sembrava mettere tutta la propria anima nell'impresa; e finalmente, cedendo alla sua volontà, la signora ha detto:

«È tutto buio. Odo sciabordio d'acque, al mio stesso livello. Un cigolio di legno.» Qui si è interrotta, e in quel momento il sole è scattato rosso nel cielo. Dobbiamo attendere fino a questa sera.

Ed eccoci qui, in viaggio verso Galaţi, tormentati dall'impazienza. Dovremmo esserci tra le due e le tre del mattino; ma già a Bucarest il ritardo è di tre ore, per cui è impossibile che si raggiunga la meta se non parecchio tempo dopo che il sole è sorto. Cercheremo dunque di ottenere due altri messaggi ipnotici dalla signora Harker, nella speranza che almeno uno di essi ci riveli quel che sta accadendo.

Più tardi. Il momento del tramonto è stato, per fortuna, quando non c'erano distrazioni; se infatti si fosse verificato mentre eravamo fermi in una stazione, sarebbe stato impossibile ottenere la calma e l'isolamento necessari. La signora ha ceduto all'influenza ipnotica, con ancor maggior difficoltà di stamane. Temo che la sua capacità di mettersi in sintonia con le sensazioni del Conte stia per svanire, proprio quando ne avremmo maggior bisogno. Ho l'impressione anche che cominci a lavorare inconsciamente di fantasia. Infatti, in precedenza in stato di trance si limitava a fatti elementarissimi, mentre ora non è così, col rischio di metterci fuori strada. Ritenevo che il potere esercitato dal Conte su di lei sarebbe scomparso di pari passo con la capacità della signora di conoscere i pensieri di lui; ma temo che non sia così. Quando finalmente ha parlato, l'ha fatto con parole enigmatiche:

«Qualcosa sta accadendo; lo sento passare come un vento freddo. Lontani, odo suoni confusi, uomini che parlano in lingue straniere, acqua che cade con forza, ululare di lupi.» Qui si è interrotta, ed è stata percorsa da un brivido che per qualche secondo è andato crescendo d'intensità, tanto che alla fine tremava come per un attacco epilettico. Più non ha detto, neppure in risposta agli imperativi del professore. E quando si è ridestata dalla trance, aveva freddo, era esausta e languida, ma la sua mente era all'erta. Non ricordava nulla e ha chiesto che cosa aveva detto. Gliel'abbiamo riferito, ed è rimasta a rifletervi su a lungo, attentamente, in silenzio.

30 ottobre, ore 7. Ormai siamo vicini a Galati, e può darsi che dopo non abbia più il tempo di scrivere. Stamane, tutti s'attendeva con ansia il levare del sole. Consapevole della crescente difficoltà di provocare la trance ipnotica, Van Helsing ha cominciato i suoi "passaggi" più presto del solito, senza che però avessero effetto prima del solito momento, quando la signora ha ceduto, appena un minuto prima che il sole si levasse e opponendo una resistenza ancor maggiore. Senza perdere altro tempo, il professore le ha subito posto le domande, e altrettanto rapida è giunta la sua risposta:

«Tutto è buio. Odo acqua che fruscia a livello del mio orecchio, e cigolio di legno contro legno. Bestiame che muggisce lontano. C'è un altro suono, strano, come...» Si è interrotta, impallidendo, sbiancando sempre più.

«Continuate, continuate! Parlate, ve lo comando!» ha ingiunto Van Helsing con voce angosciata. La disperazione era nei suoi occhi perché il sole, ormai spuntato, arrossava anche il volto cereo della signora Harker. La quale ha riaperto gli occhi e tutti siamo rimasti di stucco udendola dire, con tono amabile e, in apparenza, del tutto distaccata:

«Oh, professore, perché mi chiedete quel che non posso fare? Non ricordo niente.» Quindi, notata l'espressione sbalordita sui nostri volti, volgendo dall'uno all'altro uno sguardo turbato, ha soggiunto:

«Che ho detto? Che ho fatto? Non so niente, soltanto che ero lì, distesa, semiaddormentata, e udendo il professore che diceva "continuate, parlate, ve lo comando!", mi è sembrato strano che mi desse ordini come se fossi una bambina disobbediente!»

«Oh, Madam Mina» ha commentato rattristato il professore «questa è prova, se prova occorreva, di come io ami e onori voi, quando una parola per vostro bene, pronunciata con maggior vigore di solito, può sembrare così strana perché è un ordine a colei che io sono così fiero di obbedire!»

Il treno fischia; ci avviciniamo a Galati. Siamo in preda a un'ansia e a un'impazienza irrefrenabili.

30 ottobre. Il signor Morris mi ha accompagnata all'albergo dove le nostre camere sono state prenotate telegraficamente; conviene che sia lui a restare con me, perché è il solo che non parla nessuna lingua straniera. Le forze sono state distribuite più o meno come a Varna, a parte il fatto che Lord Godalming si è recato dal viceconsole, agli occhi del quale il suo rango può costituire una sorta di garanzia immediata, data l'enorme fretta che abbiamo. Jonathan e i due medici sono andati dall'agente navale per saperne di più sull'arrivo della *Zarina Caterina*.

Più tardi. Lord Godalming è tornato. Il console è assente, il viceconsole è malato, e a sostituirlo è un impiegato, che si è mostrato estremamente gentile, dicendosi pronto ad agevolarci in tutti i modi.

DIARIO DI JONATHAN HARKER

30 ottobre. Alle nove, il dottor Van Helsing, il dottor Seward e io ci siamo recati presso la sede della Mackenzie & Steinköff, agenti della ditta londinese Hapgood. Era giunto un telegramma dalla capitale inglese, in risposta a quello di Lord Godalming in cui chiedeva tutta l'assistenza possibile. Si sono mostrati assai gentili e premurosi, accompagnandoci subito a bordo della *Zarina Caterina*, all'ancora nel porto fluviale. Qui ci siamo incontrati con il capitano, che si chiama Donelson e che ci ha riferito il viaggio. In vita sua, ha detto, mai aveva avuto una navigazione così propizia.

«Accidenti» ha detto «ma ce ne ha messa, di paura in corpo! Eravamo sicuri che l'avrebbe scontata, la barca, con altrettanta scalogna, giusto per mantenere la media. Non capita mica tutti i giorni di farsela da Londra al Mar Nero tutta con il vento in poppa, come se il diavolo in persona soffiasse nelle vele per qualche suo scopo. E pensare che non si vedeva da qui a lì. Appena si era vicino a una nave, a un porto, a un promontorio, ecco che ti arriva una nebbia che viaggia insieme a noi, finché non si levava e si ricominciava a vederci. Siamo passati da Gibilterra senza neanche poter fare segnalazioni, e finché non siamo stati ai Dardanelli, dove si deve aspettare il permesso di transito, non abbiamo visto niente e nessuno. In un primo momento, dico il vero, volevo ammainare tela e stare alla cappa finché la nebbia si alzasse. Ma poi mi son detto: ma perché? Se è il diavolo che vuol farci arrivare al Mar Nero in quattro e quattr'otto, lo farà anche se noi ci stiamo. E poi, se ce la facevamo in fretta, mica che andava a nostro discredito con gli armatori, e non recava certo danno al carico; e il vecchio demonio, se fosse riuscito nel suo scopo, ci sarebbe stato grato per non avergli messo i bastoni tra le ruote.» Questa mistura di semplicità e astuzia, di superstizione e considerazioni economiche, ha impressionato favorevolmente Van Helsing, il quale ha commentato:

«Mio amico, che il diavolo è più furbo di quanto pensi qualcuno è certo, e lui sa quando incontra uno che gli sta a pari!» Complimento accolto di buon grado dal capitano, il quale ha proseguito:

«Passato che abbiamo il Bosforo, gli uomini hanno cominciato a mugugnare, e alcuni di loro, i romeni per l'esattezza, sono venuti da me a chiedermi di gettare in mare una grossa cassa che era stata portata a bordo da un tale, un vecchio dall'aria stramba, proprio un momento prima che siamo partiti da Londra. Avevo visto che tenevano d'occhio quel tale, e quando lo vedevano gli facevano le corna, giusto per tenere lontano il malocchio. Accidenti, ma com'è ridicola la superstizione degli stranieri! Io li ho rispediti senza tante storie al lavoro; ma quando un nebbione ci è piombato addosso, mi sono detto che tutti i torti non li avevano, anche se io non ci vedevo niente di male, in quel cassone. Be', si tirava avanti, e siccome la nebbia non ci ha lasciati per cinque giorni, che il vento ci portasse pure, perché se il diavolo voleva arrivare da qualche parte, be', ci avrebbe portati là volenti o nolenti. E se poi non voleva, be', avevamo gli occhi mica per niente, no? Certo è che abbiamo fatto buon viaggio con mare tranquillo tutto il tempo; e due giorni fa, quando il sole al mattino è spuntato dalla nebbia, ci siamo trovati giusto in mezzo al fiume di fronte a Galati. I romeni erano fuori di sé, e pretendevano a ogni costo che tirassi fuori il cassone e lo sbattessi in acqua, e ho dovuto litigarci con un rampino in mano. E quando l'ultimo di loro si è ritrovato anche lui lungo disteso sul ponte, a tenersi la capoccia tra le mani, li ho convinti che, malocchio o mica malocchio, il carico e la fiducia dei miei armatori stavano meglio in mani mie che non nel Danubio. Avevano, figuratevi, portato la cassa sul ponte, pronti a scaraventarla a fiume, e sopra c'era scritto "Galati via Varna", così ho pensato che era meglio lasciarla là, siccome dovevamo comunque scaricarla al più presto. Quel giorno, però, non abbiamo scaricato un granché, e la notte l'abbiamo passata all'ancora; ma al mattino, un'ora prima che il sole spunti fuori ti arriva un tale, un uomo con l'ordine scritto, speditogli dall'Inghilterra, di prendere in consegna una cassa destinata a un certo Conte Dracula. Aveva tutte le carte in regola, e sono stato ben contento di levarmi dai piedi quella maledetta roba, perché cominciava a dare un certo disagio anche a me. Se il diavolo aveva bagaglio a bordo della nave, non poteva che essere proprio quella cassa, mi son detto.»

«E com'era nome di uomo che ha preso essa in consegna?» ha domandato il dottor Van Helsing, tentando di controllare la propria impazienza.

«Ve lo dice subito!» ha risposto il capitano e, sceso nella sua cabina, è riapparso con una ricevuta firmata "Immanuel Hildesheim". L'indirizzo era Burgen-strasse 16. Altro, il capitano, abbiamo constatato, non sapeva, e così, ringraziatolo, ce ne siamo andati.

Abbiamo trovato Hildesheim nel suo ufficio: era un ebreo da caricatura, con un naso da pecora e un fez in testa. I suoi discorsi erano tutti imperniati sulla moneta sonante – e siccome toccava a noi fornirgli l'aggancio, dopo un po' di tira e molla ha finito per dirci quello che sapeva, e che è risultato essere semplice ma importante. Aveva ricevuto una lettera da un certo signor de Ville di Londra, con cui gli si dava incarico di ritirare, se possibile prima dell'alba per evitare la dogana, un cassone che sarebbe arrivato a Galati a bordo della *Zarina Caterina*. Avrebbe dovuto consegnarlo a un certo Petrof Skinsky, che aveva traffici con gli slovacchi che esercitano il commercio su per il Danubio. Per questa sua prestazione, era stato pagato con una banconota inglese, che aveva debitamente cambiato in oro alla Banca Internazionale del Danubio. Quando Skinsky si era recato da lui, l'aveva accompagnato alla nave, consegnandogli direttamente la cassa in modo da evitare il facchinaggio. Altro non sapeva.

Ci siamo messi alla caccia di Skinsky: impossibile trovarlo. Uno dei suoi vicini, che pareva averlo particolarmente sulle corna, ha detto che era partito due giorni prima, ma nessuno sapeva per dove: notizia confermata dal padrone di casa, al quale per corriere era stata recapitata la chiave dell'alloggio insieme al saldo dell'affitto in valuta inglese. Questo era accaduto verso le dieci o le undici della sera prima. Eravamo di nuovo in un vicolo cieco.

Mentre eravamo lì a discutere, arriva un tale di corsa e, col fiato mozzo, blatera che il cadavere di Skinsky è stato ritrovato dentro il recinto del cimitero di San Pietro, la gola squarciata come da un animale selvaggio. Coloro con i quali stavamo parlando sono corsi a vedere l'orribile spettacolo, mentre l'uomo che aveva portato la notizia gridava: «Questa è opera di uno slovacco!». Ce la siamo svignata in fretta, per timore di essere in qualche modo coinvolti nella faccenda e trattenuti.

Tornati all'albergo, non siamo riusciti a giungere ad alcuna conclusione. Tutti eravamo convinti che la cassa fosse ormai in viaggio, per via fluviale, verso una destinazione che però ci restava purtroppo da scoprire. Ed è stato con il cuore pesante che siamo tornati da Mina.

Riunitici tra noi uomini, per prima cosa abbiamo discusso se conveniva metterne al corrente anche Mina.

La situazione si fa disperata, e c'è un'unica possibilità, per quanto rischiosa. Come primo passo, sono stato sciolto dalla promessa fattale.

DIARIO DI MINA HARKER

30 ottobre sera. Erano così stanchi, esausti e scoraggiati, che non si poteva venire a capo di nulla finché non si fossero un pochino riposati; li ho quindi consigliati di distendersi per una mezz'ora, mentre io trascrivevo quant'era accaduto fino a quel momento. Sono riconoscentissima a colui che ha inventato la macchina per scrivere portatile, e al signor Morris che me l'ha procurata. Mi sarei sentita piuttosto sbalestrata, se avessi dovuto servirmi di una penna...

Ecco, è fatto; povero caro, caro Jonathan, quanto deve aver sofferto e come deve soffrire ancora. Giace sul divano, e sembra che respiri appena; lo si direbbe in stato di collasso, le sopracciglia aggrottate, il volto segnato dal dolore. Povero caro, forse sta macinando pensieri, a giudicare dal volto contratto e dall'espressione intenta. Oh, se solo potessi essere di qualche aiuto. Farò comunque quanto mi è possibile.

Ho chiesto al dottor Van Helsing di mostrarmi tutti gli incartamenti che finora non avevo visto... Mentre loro riposano, esaminerò tutto attentamente, e chissà che non mi riesca di arrivare a una conclusione. Cercherò di seguire l'esempio del professore: considerare senza pregiudizi di sorta i fatti che ho sott'occhio...

Credo proprio che, per grazia di Dio, una scoperta l'ho fatta. Adesso prenderò le carte geografiche e controllerò...

Sono più certa che mai di essere nel giusto. La conclusione alla quale sono approdata è bell'e pronta, aspetto solo che ci riuniamo tutti, così potrò darne lettura. Giudicheranno loro; non bisogna lasciar nulla al caso, e ogni minuto è prezioso.

MEMORANDUM DI MINA HARKER
(inserito nel suo diario)

Problema: il Conte Dracula deve tornare al suo castello.

a) Deve esserci *portato* da qualcuno. Questo è evidente perché, se avesse il potere di spostarsi a suo piacimento, potrebbe arrivarci sotto forma di essere umano, di lupo, di pipistrello o altro. Evidentemente, teme di essere scoperto o ostacolato, nella condizione di impotenza in cui deve trovarsi, confinato com'è, tra l'alba e il tramonto, nella sua cassa.

b) *Come vi sarà riportato?* Sarà opportuno procedere per esclusione. Per strada, per ferrovia, o via acqua?

  1. *Per strada*. Le difficoltà sono innumerevoli, soprattutto per quanto riguarda l'uscita dalla città.

    (x) La gente. È curiosa e ficcanaso. Un sospetto, un dubbio circa il contenuto della cassa sarebbe per lui la fine.

    (y) Ci sono, o possono esserci, controlli confinari e doganali.

    (z) I suoi inseguitori possono essergli alle calcagna. È questo il suo maggior timore; e, per non correre il rischio di tradirsi, ha tagliato i legami, nei limiti in cui può farlo, persino con la sua vittima – io!

  2. *Per ferrovia*. Nessuno si occuperebbe della cassa, con il rischio che subisca ritardi, e i ritardi potrebbero essere fatali, con i nemici sulle sue tracce. È vero, potrebbe fuggire di notte; ma che ne sarebbe di lui, solo in luoghi sconosciuti, senza un rifugio al quale far ricorso? Non è certo sua intenzione quella di correre rischi.

  3. *Via acqua*. È la via più sicura da un certo punto di vista, ma la più pericolosa da un altro. Sull'acqua è impotente se non nottetempo, e anche allora può solo evocare nebbia, tempesta e neve oltre ai suoi lupi. Ma, se naufragasse, l'acqua corrente lo travolgerebbe senza scampo; e sarebbe la sua sicura fine. Potrebbe far attraccare l'imbarcazione; ma se si trattasse di una terra ostile, in cui non

fosse libero di muoversi, si ritroverebbe in una situazione senza via d'uscita.

Sappiamo dai dati in nostro possesso, che ha scelto l'acqua; si tratta di scoprire *quale* acqua.

La prima cosa da fare è accertare ciò che ha fatto finora; se ci si riesce, potremo farci un'idea di quello che si propone di fare in seguito.

Primo. Dobbiamo chiarire esattamente ciò che ha fatto a Londra nella cornice del suo piano d'azione generale, e quel che ha fatto nei momenti in cui era tallonato e ha dovuto improvvisare.

Secondo. Dobbiamo scoprire, nella misura in cui ci si riesca sulla scorta dei fatti che conosciamo, che cosa ha fatto qui.

Per quanto riguarda il primo punto, evidentemente intendeva arrivare a Galati, e ha inviato documenti a Varna per metterci fuori strada, qualora riuscissimo a individuare la maniera con cui se n'era andato dall'Inghilterra; in quel momento, il suo unico e immediato scopo era la fuga. La prova ne è costituita dalla lettera di istruzioni inviata a Immanuel Hildesheim perché prelevasse e portasse via la cassa *prima dell'alba*. E ci sono anche le istruzioni a Petrof Skinsky. Dobbiamo limitarci a supposizioni; comunque, deve esserci stata una lettera o altro messaggio, dal momento che Skinsky si è recato da Hildesheim.

Sappiamo che, fino a questo punto, i suoi piani hanno avuto successo. La *Zarina Caterina* ha compiuto il viaggio a velocità fenomenale, tanto da suscitare i sospetti di capitan Donelson. Ma la superstizione di questi, unita alla sua circospezione, hanno giocato a favore del Conte, e il capitano è corso con il vento in poppa, tra nebbie e tutto il resto, fino ad arrivare, senza saper come, a Galati. Che i preparativi del Conte fossero impeccabili, è certo. Hildesheim ha scaricato la cassa e l'ha consegnata a Skinsky. Questi l'ha presa – e qui le tracce si perdono. Sappiamo soltanto che la cassa si trova su una via d'acqua, diretta chissà dove, e che i controlli daziari e confinari, posto che vi fossero, sono stati evitati.

Arriviamo ora a quello che il Conte deve aver fatto dopo il suo arrivo – una volta *a terra*, a Galati.

La cassa è stata consegnata a Skinsky prima dell'alba. All'alba, il Conte può mostrarsi in forma umana. E a questo punto, è lecito chiedersi perché proprio Skinsky sia stato scelto per questa parte del lavoro. Nel diario di mio marito, si parla di Skinsky come di uno che ha a che fare con gli slovacchi che trafficano lungo il fiume fino al porto di Galati; e l'affermazione di quel tale, essere l'assassinio opera di uno slovacco, rivela chiaramente i sentimenti generali nei confronti di questo gruppo etnico. Il Conte voleva passare inosservato.

Ecco adesso la mia opinione: a Londra, il Conte ha deciso di tornare al suo castello andando via acqua, la via più sicura e segreta. Fuori dal suo castello è stato portato da Szgani, i quali probabilmente hanno consegnato il carico a slovacchi che hanno trasportato le casse a Varna, dove sono state imbarcate alla volta di Londra. Sicché, il Conte conosceva le persone pronte a rendergli questo servigio. Quando la cassa è arrivata a terra, prima dell'alba o dopo il tramonto, lui ne è uscito, si è incontrato con Skinsky e gli ha dato istruzioni circa il modo di far proseguire la cassa per via fluviale. Fatto questo, certo di aver tutto sistemato, ha cancellato le proprie tracce, o per lo meno così ha creduto, assassinando il suo agente.

Ho studiato la mappa, constatando che i fiumi che meglio si prestano a essere risaliti dagli slovacchi sono il Prut e il Seret. Ho letto nel dattiloscritto che, in stato di trance, ho sentito muggire armenti, acqua scorrere a livello delle mie orecchie e legname scricchiolare. Sicché, il Conte, chiuso nella sua cassa, era su un fiume, a bordo di un'imbarcazione scoperta, probabilmente spinta mediante remi o pertiche, perché le rive sono vicine e il battello procede contro corrente. Infatti, se scendesse a valle, questi rumori non si udrebbero.

Naturalmente, può non trattarsi né del Seret né del Prut, ma potremo accertarcene. Dei due, il Prut è il più facilmente navigabile, ma nel Seret a Fundu sfocia la

Bistrita che forma un'ansa attorno a Passo Borgo, e questa costituisce evidentemente il punto più prossimo a Castel Dracula cui si possa giungere per via d'acqua.

DIARIO DI MINA HARKER
(continuazione)

Quando ho finito di leggere il mio memorandum, Jonathan m'ha preso tra le braccia e mi ha baciata. Gli altri mi stringevano entrambe le mani, e il dottor Van Helsing ha detto:

«Nostra cara Madam Mina è ancora una volta nostra maestra. Suoi occhi hanno saputo vedere mentre noi eravamo ciechi. Ora siamo di nuovo sulle tracce, e questa volta chissà che non riusciamo. Nostro nemico è in massima impotenza; e se possiamo piombare su lui di giorno, sull'acqua, nostro compito sarà finito. Ha un vantaggio, ma non può accelerare, siccome lui non può lasciare sua cassa per paura che quelli che portano lui si insospettano, perché se loro si insospettano potrebbero gettarlo a fiume, dove lui perisce. Questo lui sa e non vorrà. Ora, uomini, a nostro consiglio di guerra. Seduta stante, dobbiamo decidere quello che ognuno e tutti deve fare.»

«Mi procuro una lancia a vapore e lo inseguo» ha proclamato Lord Godalming.

«E io, cavalli per procedere lungo la riva, caso mai dovesse sbarcare» ha detto il signor Morris.

«Buono!» ha replicato il professore. «Bene tutti e due. Ma nessuno deve andare solo. Deve essere forza per soverchiare forza se necessario; lo slovacco è forte e brutale, e il Conte è munito di armi formidabili.» A quest'uscita gli uomini hanno sorriso, perché fra tutti possiedono un piccolo arsenale. E il signor Morris ha fatto notare:

«Ho portato dei Winchester; sono piuttosto efficaci in una mischia, anche se può darsi che ci siano i lupi. Il Conte, se ben ricordate, ha mobilitato anche altre forze, ma la signora Harker non è riuscita a udire né a capire di che si tratta. Dobbiamo essere pronti a ogni evenienza.» E il dottor Seward:

«Penso che sarà bene che io accompagni Quincey. Avevamo l'abitudine di cacciare insieme e in coppia, bene armati, saremo un osso duro per chiunque si faccia sotto. Non devi andare da solo, Art. Può essere necessario affrontare gli slovacchi, e una mossa azzardata – anche se suppongo che quelli non abbiano armi da fuoco – manderebbe all'aria i nostri piani. Non possiamo correre rischi, questa volta; non dobbiamo concederci riposo finché testa e corpo del Conte non siano stati scissi e non siamo assolutamente certi che non possa reincarnarsi.» Parlando guardava Jonathan, e Jonathan me. Mi era evidente che l'animo del povero caro era dilaniato: voleva restare con me, certo; e d'altra parte, chi si troverà a bordo della lancia avrà probabilmente l'occasione di annientare il... il Vampiro (ma perché esito a scrivere questa parola?) È rimasto in silenzio, e a parlare è stato allora il professore:

«Amico Jonathan, questo tocca a voi per due ragioni: primo, perché siete giovane e coraggioso, e sapete battervi, e tutte energie possono essere indispensabili all'ultimo momento; secondo, è vostro diritto eliminare esso, lui che ha tanto male fatto a voi e alla vostra sposa. Non abbiate paura per Madam Mina; essa sarà mia cura, se io posso. Io sono vecchio. Mie gambe non sono più veloci come un tempo; e io non sono abituato a cavalcare così tanto, o a inseguire quando sarà necessario, e neanche a combattere con armi mortifere. Ma io posso essere di altro servizio; io posso combattere in altro modo. E io posso morire, se esso bisogna, non meno bene di uomini più giovani. Ora, mi sia lecito dire che quello che io vorrei è questo: mentre voi, Milord Godalming e amico Jonathan, andate su per fiume in vostra così veloce lancia a vapore, e mentre John e Quincey tengono d'occhio la riva dove forse lui può sbarcare, io porterò Madam Mina in cuore di terra nemica. Mentre la vecchia volpe è confinata in sua cassa, galleggiante sulla corrente dove lui non può rifugiarsi a terra perché non osa sollevare il coperchio di sua cassa-bara, per timore che suoi portatori slovacchi presi da paura lasciano lui perire, noi ripercorriamo la strada percorsa da Jonathan, da Bistrita a Passo Borgo, e proseguiamo verso castello di Dracula. Lì, poteri ipnotici di Madam Mina sono senza dubbio di aiuto, e noi troviamo nostra via, altrimenti buia e sconosciuta, subito dopo alba, quando siamo vicini a quel fatale luogo. Molto è da fare, e altri luoghi da esseri fatti santificati, per modo che quel nido di vipere è cancellato.» A questo punto, Jonathan l'ha interrotto con calore:

«Non intendete mica dire, professor Van Helsing, che volete portare Mina, nelle sue tristi condizioni, contagiata com'è da quella diabolica malattia, proprio dritto nella trappola infernale? Assolutamente no! No per il Cielo e per l'inferno!» Per un istante non è riuscito a spiccicar parola, ma finalmente ha proseguito:

«Lo sapete che posto è quello? Avete voi visto quello spaventoso covo di infamie infernali, dove la luce stessa della luna è pullulante di forme immonde, e ogni granello di polvere che rotea nell'aria è l'embrione di un mostro vorace? Avete voi sentito le labbra del Vampiro sulla vostra gola?» E qui, a me volto, con gli occhi accesi, puntati sulla mia fronte, ha levato le braccia al cielo gridando:

«Oh, mio Dio, che abbiamo mai fatto perché questo terrore ci gravi addosso?» e si è abbandonato sul divano, abbattuto dalla disperazione. La voce del professore, che ha replicato con toni pacati, partecipi, tanto che l'aria sembrava vibrarne tutta, ha riportato la calma:

«Oh, mio amico, è perché io vorrei salvare Madam Mina che desidero andare in quell'orrido luogo. Volesse Iddio che io non la porto in esso, dove è lavoro, atroce lavoro da compiere, che suoi occhi meglio che non vedono. Noi uomini qui presenti, tutti salvo Jonathan, abbiamo visto con nostri stessi occhi che cosa è da fare prima che quel luogo può essere purificato. Ricordate che siamo in terribile frangente. Se il Conte sfugge a noi questa volta – e lui è forte e abile e furbo – lui può scegliere di dormire per un secolo, e allora, col tempo, nostra cara qui presente – e mi ha preso la mano – andrebbe da lui a tenergli compagnia e sarebbe come quegli altri che voi, Jonathan, avete visto. Voi avete detto a noi di loro avide labbra; voi avete udito loro beffarda risata mentre afferravano la sacca in cui si dibatteva qualcosa che il Conte aveva gettato loro. Voi rabbrividite; e a ragione. Perdonate me che io faccio a voi tanto male, ma è necessario. Mio amico, non è forse una dura necessità questa per la quale io forse do mia vita? Se è destino che qualcuno va in quel luogo per restare in esso, è a me che tocca di andare per tener loro compagnia.»

«Fate come volete» ha detto Jonathan, con un singhiozzo che lo ha scosso da capo a piedi «siamo nelle mani di Dio!»

Più tardi. Ah, che consolazione per me vedere quegli uomini coraggiosi all'opera! Come potrebbe una donna non amarli, poiché sono così sinceri, così fedeli, così nobili! E tutto questo, poi, mi ha fatto riflettere sul meraviglioso potere del denaro. Che cosa non può compiere, esso, quando sia impiegato a giusti fini, e che cosa invece quando sia usato a bassi scopi. Mi sono sentita così grata del fatto che Lord Godalming sia ricco e che lui e il signor Morris, che del pari di denaro ne ha tanto, siano pronti a spenderlo prodigalmente. Se così non fosse, la nostra piccola spedizione non potrebbe prendere il via, né così prontamente né così ben equipaggiata come farà tra meno di un'ora. Non ne sono trascorse tre dacché è stato stabilito quale sarà il ruolo che spetta a ciascuno di noi; ed ecco che Lord Godalming e Jonathan già dispongono di una bellissima lancia a vapore, con la caldaia sotto pressione, pronta a salpare all'istante. Il dottor Seward e il signor Morris hanno una mezza dozzina di buoni cavalli, ottimamente equipaggiati. Siamo muniti di tutte le carte e di quant'altri accessori possano occorrere. Il professore e io partiremo col treno delle 23.40 per Veresti, donde con una carrozza raggiungeremo il Passo Borgo. Siamo ben forniti di denaro liquido, poiché carrozza e cavalli dovremo acquistarli. Guideremo noi stessi: non possiamo, in questo frangente, fidarci di nessuno. Il professore conosce un bel po' di lingue straniere, che ci saranno di notevole aiuto. Tutti siamo armati, persino io, di un revolver di grosso calibro; Jonathan non si sentirebbe tranquillo se non fossi difesa al pari degli altri. Ahimè, quell'arma di cui gli altri sono muniti, io non posso portarla con me: la cicatrice che reco in fronte me lo impedisce. Il caro dottor Van Helsing mi conforta col dirmi che sono adeguatamente armata contro i lupi che magari incontreremo; ogni ora che passa l'aria si fa più fredda, e già prende a cadere, ammonitore, qualche fiocco di neve.

Più tardi. Mi ci è voluto tutto il mio coraggio per prendere congedo dal mio caro. Può darsi che non ci si riveda mai più. Fatti animo, Mina! Il professore ti sta guardando attentamente, e il suo sguardo è un avvertimento. Niente lacrime, adesso – a meno che Dio non ci permetta di spargerle in segno di gioia!

DIARIO DI JONATHAN HARKER

30 ottobre, notte. Scrivo alla luce della caldaia della lancia: Lord Godalming sta gettandovi carbone, lavoro in cui è pratico, perché da anni ne ha una sul Tamigi e un'altra la tiene sui Norfolk Broads. Quanto ai nostri piani, siamo giunti alla conclusione che le supposizioni di Mina erano giuste e, se il Conte ha scelto una via d'acqua per la sua fuga, non può trattarsi che del Seret e poi del Bistrita suo affluente. Abbiamo calcolato che, circa al 47° di latitudine nord, il Conte attraverserà la regione tra il fiume e i Carpazi. Non ci preoccupiamo di percorrere il fiume a buona velocità anche di notte; l'acqua è molta, le rive abbastanza discoste da permetterci di procedere senza timore nel buio. Lord Godalming mi invita a dormire per un po', dice che per il momento basta una persona di guardia. Ma non riesco a chiudere occhio, e come potrei, del resto, con la terribile spada di Damocle sospesa sul capo della mia diletta, che adesso è in viaggio verso quel luogo maledetto? Mio unico conforto, saperci nelle mani di Dio e, se non fosse per questa fede, meglio sarebbe morire e farla finita. Il signor Morris e il dottor Seward sono partiti per la loro lunga cavalcata prima di noi; si terranno sulla riva destra, abbastanza discosti dal fiume da poter procedere sempre su terreno elevato, sì da avere sott'occhio un bel tratto di fiume e non doverne seguire tutte le anse. Per le prime tappe, hanno con sé due uomini che ne conducono i cavalli di ricambio, i quali sono quattro in tutto per non suscitare troppa curiosità. Quando, tra non molto, licenzieranno gli uomini, ai cavalli dovranno badare da soli. Può rivelarsi necessario unirci a loro, e in tal caso avremo una cavalcatura ciascuno. Una delle selle è munita di corno asportabile, sicché, se necessario, può essere usata da Mina all'amazzone.

Avventura disperata, quella in cui siamo impegnati. Ora, mentre ci precipitiamo nel buio, e il freddo sembra salire dal fiume e avventarcisi contro, e le mille misteriose voci della notte ci circondano, i pensieri si affollano. Andiamo verso luoghi ignoti, per vie sconosciute, a un mondo di tenebre e di eventi spaventosi. Godalming ha chiuso il portello della caldaia...

31 ottobre. Continuiamo a filare. È spuntato il giorno, Godalming dorme. Sono di guardia. Il freddo del mattino è pungente, e benvenuto il calore della caldaia, sebbene siamo coperti di pesanti pellicce. Finora abbiamo incontrato solo pochi battelli scoperti, nessuno dei quali recante a bordo casse o carichi della misura che cerchiamo. Gli uomini sono apparsi terrorizzati ogniqualvolta abbiamo puntato su di loro la nostra torcia elettrica, e si sono gettati in ginocchio a pregare.

1° novembre, sera. Nessuna novità tutto il giorno. Nulla abbiamo trovato di ciò che cerchiamo. Abbiamo imboccato il Bistrita; e, se la nostra ipotesi è errata, ogni speranza è perduta. Abbiamo superato ogni altra imbarcazione, grande o piccola. Stamane di buon'ora, un equipaggio, scambiato il nostro per un battello del governo, si è comportato di conseguenza, e in questo abbiamo visto il mezzo di facilitare le cose, e a Fundu, dove il Bistrita si versa nel Seret, abbiamo acquistato una bandiera romena che ora sventola in bella mostra. Trucco che ha funzionato con tutti i battelli che da quel momento abbiamo superato: gli uomini a bordo si sono mostrati assai deferenti, senza sollevare obiezioni qualsiasi cosa chiedessimo o facessimo. Certi slovacchi ci han detto di essere stati superati da un barcone che procedeva a velocità maggiore della solita, avendo a bordo doppio equipaggio. Questo, prima che giungessero a Fundu, per cui non hanno saputo dirci se il barcone ha proseguito lungo il Seret o se ha imboccato il Bistrita. A Fundu, nessuno ha saputo dirci nulla di un natante del genere; ne arguiamo che deve essere transitato nottetempo. Ho un gran sonno; può darsi che cominci a essere provato dal freddo, e la natura impone i suoi diritti. Godalming insiste per fare il primo turno di guardia. Dio lo benedica per la bontà che mostra verso la povera, cara Mina e me.

2 novembre, mattina. È giorno pieno. Quel brav'uomo non voleva svegliarmi, dice che sarebbe stato un peccato: dormivo così serenamente, dimentico delle mie disgrazie. Mi considero molto egoista per aver dormito così a lungo, lasciandolo a vegliare tutta notte; ma aveva ragione lui. Stamane mi sento un altro; e ora lo guardo dormire a mia volta e sono in grado di svolgere tutte le necessarie mansioni: badare alla macchina, pilotare, stare all'erta. Sento che le energie e le forze mi sono tornate. Mi chiedo dove Mina e Van Helsing si trovino adesso. Dovrebbero essere giunti a Veresti verso il mezzogiorno di mercoledì. Ci sarà voluto un po' di tempo per procurarsi carrozza e cavalli, e se sono ripartiti viaggiando di buona lena, dovrebbero essere suppergiù a Passo Borgo. Dio li guidi e li aiuti! Non oso pensare a quel che può accadere. Ah, se solo potessimo andare più veloci! Ma è impossibile: la macchina va già a pieno regime. Chissà come se la cavano il dottor Seward e il signor Morris. Si direbbero innumerevoli i torrenti che dai monti si gettano in questo fiume, nessuno dei quali però tanto ampio da fare ostacolo ai cavalieri: in questa stagione, per lo meno, perché devono essere pericolosissimi d'inverno e al momento del disgelo. Spero che, prima di arrivare a Strasba, ci riesca di vederli; perché, se fino a quel momento non avremo raggiunto il Conte, forse converrebbe deliberare insieme sulla prossima mossa.

DIARIO DEL DOTTOR SEWARD

2 novembre. Tre giorni di viaggio. Nessuna notizia, né avrei avuto il tempo di prenderne nota, se ve ne fossero state, essendo che ogni minuto è prezioso! Ci siamo concessi solo il riposo indispensabile ai cavalli; ma tutti e due ce la caviamo egregiamente. Il nostro passato avventuroso si rivela assai utile. Dobbiamo riprendere il cammino: non ci daremo pace finché non scorgeremo la lancia.

3 novembre. A Fundu abbiamo appreso che la lancia ha imboccato il Bistrita. Se solo non facesse tanto freddo... C'è aria di neve, e se cadesse abbondante ci bloccherebbe. In tal caso, non ci resterebbe che procurarci una slitta e proseguire a mo' dei russi.

4 novembre. Quest'oggi abbiamo saputo che la lancia è stata ritardata da un incidente mentre tentava di superare le rapide. Le imbarcazioni slovacche riescono a farlo senza difficoltà, con l'aiuto di una fune e percorrendo fondali ben noti. Alcune infatti le hanno superate solo poche ore fa. Ma Godalming, meccanico dilettante, evidentemente è riuscito a rimettere in funzione la lancia, e alla fine hanno vinto le rapide, sia pure con l'aiuto dei locali, e hanno ripreso l'inseguimento. Temo però che l'imbarcazione abbia risentito dell'incidente; contadini ci dicono che, una volta in acque sicure, finché è rimasta in vista ha continuato di quando in quando a fermarsi. Dobbiamo spronare più che mai i cavalli: può darsi che quanto prima si abbia bisogno del nostro ausilio.

31 ottobre. Arrivati a Veresti a mezzogiorno. Il professore mi riferisce che stamane all'alba a stento è riuscito a ipnotizzarmi, e che tutto quello che da me ha ricavato, è stato: «Buio e silenzio». Ora è andato a comperare carrozza e cavalli. Dice che più avanti, strada facendo tenterà di procurarsi cavalli di ricambio. Abbiamo di fronte a noi più di settanta miglia. Il paesaggio è splendido, interessantissimo; se solo fossimo in una situazione diversa, quanto piacevole sarebbe ammirarlo, e che meraviglia se a percorrerlo fossimo Jonathan e io da soli! Far tappa e parlare con la gente, apprendere qualcosa della loro vita, riempirci mente e memoria dei colori e del pittoresco di questa terra selvaggia e bella, di questa gente singolare! Ma, ahimè...

Più tardi. Il professore è tornato. Ha trovato carrozza e cavalli; partiremo tra un'ora, dopo aver pranzato. La padrona della locanda ci sta preparando un enorme paniere di provviste, sarebbe sufficiente per una compagnia di soldati. Il professore però le dà ragione e mi sussurra che può darsi passi una settimana prima che si riesca a procurarci dell'altro buon cibo. Ha fatto diversi acquisti, e ha fatto portare alla locanda una vera e propria collezione di pellicce, sciarpe, coperte d'ogni genere. Non correremo certo il rischio di soffrire il freddo.

Stiamo per partire. Non oso pensare a quel che può accaderci. Siamo davvero nelle mani di Dio. Solo Lui sa quel che avverrà, e Lo prego con tutta la forza della mia anima rattristata e umile, di vegliare sul mio amato sposo. Qualsiasi cosa accada, Jonathan saprà che l'ho amato e rispettato più di quanto io non riesca a dire, e che il mio ultimo e più fedele pensiero sarà sempre e soltanto per lui.

XXVII

DIARIO DI MINA HARKER

1° novembre. Abbiamo viaggiato tutto il giorno, e
sempre a velocità sostenuta. I cavalli hanno l'aria di
accorgersi di essere trattati bene, perché percorrono
volentieri l'intera tappa alla massima velocità. Abbiamo cambiato più volte, e tutto finora è andato così bene, che cominciamo a sperare che il viaggio non sarà
difficile. Il professore si mostra laconico; ai contadini
dice di essere diretto a Bistrita e li paga bene per il
cambio dei cavalli. Lungo la strada, troviamo brodo
caldo, tè o caffè; e via di nuovo. È davvero un bel paese,
pieno di attrattive naturali d'ogni sorta, e la gente è fiera, forte e semplice, la si direbbe dotata di ottime qualità. È però tanto, tanto superstiziosa. Nella prima casa
dove ci siamo fermati, quando la donna che ci serviva
ha notato la cicatrice sulla mia fronte, si è segnata e mi
ha fatto le corna per proteggersi dal malocchio. Credo
che si siano anche presi la briga di speziare il nostro cibo di assai più aglio del solito, e io l'aglio non posso sof-
frirlo. Da quel momento, ho sempre avuto cura di non
togliermi il cappello o il velo, sì da sottrarmi ai loro sospetti. Andiamo di fretta, e siccome non c'è con noi un
cocchiere a riferire storie sul nostro conto, siamo al sicuro da scandali, anche se temo che la paura del malocchio ci seguirà come una scia. Il professore si mostra
instancabile; per tutto il giorno, non s'è concesso riposo, pur obbligando me a dormire a lungo. Al tramonto
mi ha ipnotizzato, e a suo dire gli ho risposto come al

solito: «Buio, acqua sciabordante, scricchiolio di legni». Sicché, il nostro avversario è tuttora sul fiume. Non oso pensare a Jonathan, ma chissà perché non temo né per lui né per me. Scrivo queste righe mentre, in una fattoria, attendiamo che preparino i cavalli. Il dottor Van Helsing dorme. Poveretto, sembra tanto stanco, vecchio e grigio, anche se la sua bocca mantiene la piega ferma e decisa di chi sa il fatto suo; persino nel sonno, il suo viso esprime risolutezza. Quando ripartiremo, dovrò insistere perché riposi mentre io guido. Gli dirò che abbiamo ancora giorni e giorni davanti a noi, e che non deve esaurire adesso le sue energie, perché in avvenire potrà averne quanto mai bisogno... Tutto è pronto; tra poco si va.

2 novembre, mattina. Sono riuscita ad averla vinta: questa notte abbiamo guidato a turno, e ora sta nascendo il giorno, sereno ancorché freddo. C'è una strana pesantezza nell'aria, e dico pesantezza perché non trovo parola più adatta. Voglio dire che ci sentiamo tutti e due oppressi. Fa un gran freddo, resistiamo solo grazie alle pellicce. All'alba, Van Helsing mi ha ipnotizzata; mia risposta: «Buio, cigolio di legni, acque mugghianti», sicché, a mano a mano che lo risalgono, il fiume cambia. Spero tanto che il mio caro non debba affrontare pericoli gravi – più gravi del necessario; ma siamo nelle mani di Dio.

2 novembre, notte. In viaggio tutto il giorno. Più si va avanti, e più selvaggia si fa la contrada, e gli imponenti versanti dei Carpazi, che a Veresti sembravano così remoti e bassi all'orizzonte, ora sembrano stringerci dappresso, torreggiarci davanti. Siamo tutti e due di buon umore; ci sforziamo di tenerci su di morale a vicenda, e così facendo ciascuno riesce, mi pare, a rianimare anche se stesso. Il professore dice che al mattino saremo a Passo Borgo. Le abitazioni adesso sono pochissime, e secondo il dottor Van Helsing la prossima volta che cambieremo i cavalli faremo bene a portare con noi anche gli altri, perché è probabile che non se ne trovino più. Ne ha presi due oltre a quelli che abbiamo cambiato, per cui ora disponiamo di un robusto tiro a quattro. Queste brave bestie sono pazienti e docili, non ci danno grattacapi. Poiché altri viaggiatori non ci sono, posso guidare anch'io. Arriveremo al passo con la luce del giorno nascente, e del resto non vogliamo esserci prima. Per cui ce la prendiamo comoda, concedendoci ciascuno, a turno, un lungo riposo. Oh, di che cosa ci sarà foriero il domani? Andiamo nel luogo dove il mio povero caro ha tanto sofferto. Voglia Iddio che noi non si devii dalla meta, e che Egli vigili sul mio sposo e su coloro che sono a entrambi cari e che sono esposti a così mortale periglio. Quanto a me, non sono degna al Suo cospetto. Ahimè, ahimè, ai Suoi occhi sono contaminata, e lo sarò finché Egli non si degni di riammettermi alla Sua contemplazione, tra coloro che non sono incorsi nella Sua ira.

MEMORANDUM DI ABRAHAM VAN HELSING

4 novembre. Questo per mio vecchio e fedele amico John Seward, dottore in medicina esercitante a Purfleet, Londra, in caso che io non veda più lui. Questo per spiegare. È mattina e io scrivo accanto di un fuoco che tutta notte ho tenuto vivo, con aiuto di Madam Mina. È freddo, freddo; tanto freddo che il grigio pesante cielo è pieno di neve, che quando scende resterà per tutto inverno, perché la terra si indurisce per ricevere essa. Sembra aver influenzato Madam Mina; tutto il giorno ha avuto testa così pesante, che non era come se stessa. Dorme e dorme e dorme! Lei che di solito è così attiva, non ha fatto niente tutto il giorno, letteralmente; ha anche perduto suo appetito. Non fa più annotazioni in suo piccolo diario, lei che scrive così fedelmente a ogni tappa. Qualcosa mi sussurra che non va niente bene. Questa sera, però, Madam Mina è più vivace. Suo lungo sonno di tutto giorno ha rinfrescato e ristorato lei, perché ora è cordiale e solerte come sempre. Al tramonto tento di ipnotizzarla, ma, ahimè, senza effetto; il potere è divenuto meno e meno con ogni giorno, e questa sera mi manca completamente. Be', volontà di Dio sia fatta, quale che può essere, e dove che può portarci!

Ora le vicende, perché, siccome Madam Mina non scrive più con sua stenografia, io devo farlo, in mio vecchio modo stentato, per evitare che nostre giornate non siano non registrate.

Siamo arrivati ieri mattina a Passo Borgo subito dopo alba. Come ho visto i segni di alba, mi sono preparato per ipnotismo. Abbiamo fermato nostra carrozza, e siamo scesi per non avere disturbi. Ho preparato un giaciglio con pellicce e Madam Mina, distesa, si presta come al solito, ma più lenta e più per breve tempo che sempre. Come prima, risposta è venuta di "buio e rumore di acque". Quindi lei si sveglia, vivace e raggiante e riprendiamo nostra strada e ben presto eccoci al passo. In questo momento e luogo, lei diviene tutta fuoco di zelo, un nuovo potere guidante è in lei manifesto, perché mi indica una strada e dice:

«È questa.»

«Come fate a saperlo?» io chiedo.

«Certo che lo so» lei risponde, e con una pausa lei soggiunge: «Non ha mio Jonathan essa percorsa e scritto di suo viaggio?».

Dapprima ho pensato qualcosa di strano, ma poi mi accorgo che è solo quella strada secondaria, non altre. Essa è usata solo poco, ed è molto diversa di carrozzabile da Bucovina a Bistrita, la quale è più larga, con superficie più compatta e più battuta.

Così noi andiamo giù per questa strada; quando altre noi incontriamo – e non sempre eravamo sicuri che erano strade, perché trascurate e nevischio era caduto – sanno i cavalli e solo loro. Io do loro redini, ed essi vanno avanti così pazienti. A mano a mano, riscontriamo tutte le cose che Jonathan ha notato su esse in suo meraviglioso diario. Poi noi andiamo avanti per lunghe lunghe ore e ore. Dapprima io dico a Madam Mina di dormire; essa tenta, e riesce. Essa dorme tutto tempo finché alla fine io sento in me stesso crescere sospetto, e cerco di svegliare lei. Ma lei continua dormire, e io non posso svegliarla per quanto io faccio. Non desidero tentare troppo con vigore per non fare a lei male, perché so che ha sofferto molto, e il sonno è quello che le occorre meglio. Penso di essere appisolato io stesso, perché all'improvviso io sento colpa, come se avessi fatto qualcosa; mi ritrovo a cassetta, e i buoni cavalli vanno avanti clop clop, come prima. Io guardo giù e vedo che Madam Mina ancora dorme. Non è adesso lontano di tramonto, e sopra neve la luce di sole spande sé in grande riflesso giallo, sì che proietta lunghe ombre enormi su dove le montagne si alzano ripide. Perché stiamo andando su e su, ed è tutto così selvaggio e roccioso, come se siamo a fine di mondo. Allora scuoto Madam Mina, e questa volta si sveglia non senza molte difficoltà, e poi io tento di mettere lei in sonno ipnotico. Ma lei non dorme, come se io neanche sono. Pure io tento e tento, finché all'improvviso io trovo lei e me in buio; mi guardo attorno, e scopro che il sole è andato giù. Madam Mina ride, e io guardo lei sbalordito. È ora completamente sveglia, e ha l'aria di star bene come mai ho veduto lei dopo quella notte a Carfax quando primo siamo entrati in casa di Conte. Io sono stupito e a disagio, allora; essa è però così allegra e tenera e premurosa che io dimentico ogni paura. Accendo un fuoco, perché con noi abbiamo portato provvista di legna, e lei prepara cena mentre io stacco i cavalli e metto impastoiati a mangiare. Quando ritorno al fuoco, era pronta mia cena. Faccio per servirla essa, ma Madam Mina sorride e dice che ha già mangiato, che aveva tanta fame che non poteva aspettare. Non mi piace, e ho gravi dubbi. Ma temo di spaventare lei, così sono silenzioso su questo. Lei serve me, e io mangio solo; e poi avvolti in pellicce, accanto al fuoco, e io dico a lei di dormire mentre veglio. Ma d'un tratto io dimentico tutto di mia guardia, e quando all'improvviso mi ricordo che veglio, trovo lei che giace tranquilla ma desta, e guardando me con così lucenti occhi. Una, due volte, lo stesso accade, e io dormo a lungo prima di mattina. Quando mi sveglio ho cercato di ipnotizzarla, ma ahimè, nonostante che chiude obbediente gli occhi, non può dormire. Il sole sale e sale e sale; e allora il sonno viene a lei troppo tardi ma così pesante che non si sveglia. Devo sollevarla e metterla dormiente sulla carrozza quando che ho aggiogato i cavalli e tutto preparato. Madam ancora dorme, e in suo sonno sembra più sana e più rosea che prima. E a me questo non piace. E io ho paura, paura, paura! Paura di tutto, persino di pensare, ma devo continuare per mia strada. La posta che noi giochiamo è per vita e morte, e più ancora che queste, e noi non possiamo esitare.

5 novembre, mattina. Voglio essere preciso in ogni cosa, perché, anche se voi e io abbiamo assistito a strani eventi insieme, voi in prima potete pensare che io, Van Helsing, sono matto, che i molti orrori e la lunga tensione di nervi hanno finito per sconvolgere mio cervello.

Tutto ieri noi viaggiamo, sempre avvicinandoci più ai monti, e penetrando in un sempre più selvaggio e deserto territorio. Sono in esso grandi, minacciosi burroni e molta acqua cascante, e Natura sembra aver fatto qui suo carnevale. Madam Mina dorme e dorme ancora; e sebbene io ho avuto fame e ho placata essa, non ho potuto svegliare lei, neppure per mangiare. Ho cominciato a temere che il fatale incantesimo del luogo era su di lei, segnata come essa è dal battesimo del Vampiro. "Bene," dico a me stesso "se è che essa dorme tutto il giorno, io non dormirò più la notte." E continuiamo ad andare per la brutta strada che era una strada antica e mal fatta, e io chino mia testa e dormo. Ancora mi sono svegliato con un senso di colpa e di tempo passato, e ho trovato Madam Mina che ancora dormiva e il sole basso. Ma tutto era mutato; i monti minacciosi sembravano lontani e siamo vicino alla cima di una collina ripida sulla sommità di quale era un simile castello come Jonathan dice in suo diario. Insieme ho esultato e temuto; perché adesso, bene o male, la fine era prossima.

Ho svegliato Madam Mina e ho ancora tentato di ipnotizzare essa, ma ahimè, invano fino a che troppo tardi. Poi, prima che il grande buio venisse su noi – perché anche dopo tramonto i cieli riflettevano sulla neve il chiarore del sole scomparso, e per un tratto tutto è stato in un grande crepuscolo – ho staccato i cavalli e ho loro abbiadati riparandoli come potevo. Poi accendo un fuoco; e accanto a esso faccio Madam Mina, adesso sveglia e più graziosa che mai, sedere confortevole tra sue pellicce. Ho preparato cena, ma lei non vuole mangiare, semplice dice che non ha fame. Non ho fatto pressioni su di lei, conoscendo sua impossibilità. Ma io stesso mangio, perché devo essere forte per tutto. Quindi, con paura in me per quello che può essere, ho tracciato un cerchio così ampio attorno a lei che sta comoda, e sopra il cerchio ho messo un po' di ostia consacrata, finemente triturata in modo che non si vede. Madam Mina rimane seduta immobile tutto il tempo, così immobile come uno morto; e diventava più bianca e ancora più bianca, fino che la neve non è stata più pallida; ma non una parola ha detto. Ma quando io mi sono avvicinato, lei si aggrappa a me, e mi avvedo che la povera anima trema tutta da capo a piedi con un tremito che era doloroso di sentire. Come è divenuta più quieta, le ho detto:

«Non volete venire accanto di fuoco?» perché volevo provare se poteva. Si è alzata obbediente, ma fatto un passo si ferma, e sta come impietrita.

«Perché non venire avanti?» chiedo. Lei ha scosso suo capo e, tornata al suo posto, si è qui seduta. Poi, guardandomi con grandi occhi, come uno sveglio di sonno, dice semplice: «Non posso!» e poi silenzio. Io mi rallegro perché sapevo che quello che lei non poteva, nessuno di coloro che noi temevamo neanche poteva. Per quanto può essere pericolo per suo corpo, sua anima era però salva!

D'un tratto i cavalli prendono a nitrire, a impennarsi finché non vado da loro a metterli tranquilli. Quando sentono mie mani su di essi, hanno nitrito basso come in gioia, e leccano mie mani e per un po' erano tranquilli. Molte volte attraverso la notte io sono andato a loro, finché si arriva alla fredda ora quando natura tutta è al suo minimo; e ogni volta la mia venuta era di tranquillità per loro. Nell'ora fredda, il fuoco ha cominciato a morire, ed ero sul punto di avvicinarmi per alimentare esso, perché ora la neve cadeva fitta e con essa scendeva una fredda nebbia. Anche nel buio era una luce di qualche tipo, come sempre quando nevica; e sembrava che i fiocchi di neve e le strisce di nebbia prendessero forma come di donne con abiti a strascico. Tutto era in morto, cupo silenzio, solo che i cavalli nitrivano e tremavano come in terrore del peggio. Ho cominciato a temere – orribili paure; ma poi è venuta a me il senso di sicurezza in quel cerchio che io stavo. Sono cominciato anche a pensare che mie immaginazioni erano figlie di notte, delle tenebre e della mancanza di riposo in cui ero stato e di tutta la terribile ansia. Era come se miei ricordi di quella terribile esperienza di Jonathan mi suggestionavano; perché i fiocchi di neve e la nebbia cominciano a girare e vorticare, finché mi pare di vedere una vaga immagine di quelle donne che volevano baciare lui. E allora i cavalli si rannicchiano, sempre più bassi e più bassi, gemendo in terrore come fanno esseri umani. Neppure la pazzia della paura era in essi, così che rompessero loro pastoie e via. Ho temuto per mia cara Madam Mina quando queste triste figure si sono fatte più vicine, girando attorno. Ho guardata lei, che però sedeva calma e sorrideva a me; e quando volevo andare al fuoco per alimentarlo, mi ha afferrato e trattenuto e mi sussurra, come una voce che si ode in un sogno, così era bassa:

«No, no! Non uscite dal cerchio. Qui siete al sicuro!» Mi volto a lei, e guardandola fissa in occhi, ho detto:

«E voi? È di voi che io temo!» Sul che lei ride, un riso basso e irreale, e ha detto:

«Paura per me! E perché per me? Nessuno al mondo è più sicuro da quelle di quanto sono io», e come io mi chiedevo di significato di sue parole, una folata di vento riattizza le fiamme, e io vedo la rossa cicatrice su sua fronte. Allora, ahimè, io ho saputo. E anche se non ho saputo, ben presto ho imparato, perché le roteanti figure di nebbia e neve sono venute più vicine, sempre però restando fuori di santo cerchio. Allora esse hanno cominciato a materializzare finché – se Dio non ha preso via mia ragione, perché ho visto questo attraverso miei occhi – erano davanti a me, in carne e ossa, le stesse tre donne che Jonathan ha visto in quella stanza, quando esse volevano aver baciato sua gola di lui. Riconosco le belle forme sinuose, i luccicanti duri occhi, i bianchi denti, il roseo colore, le voluttuose labbra. Sorridevano, sorridevano a povera Madam Mina; e, mentre il loro riso risuonava attraverso il della notte silenzio, intrecciando tra loro le braccia hanno fatto cenno a lei, e hanno dette in quelli così soavi tinnanti toni che Jonathan dice erano l'intollerabile dolcezza di armonica a bicchieri:

«Vieni, sorella. Vieni a noi. Su, vieni, vieni!» Impaurito io mi volgo a mia povera Madam Mina, e il mio cuore per felicità è balzato come fiamma; perché, oh, il terrore in suoi dolci occhi, la repulsione, l'orrore! E la convinzione, per me, che era ancora speranza. Dio sia ringraziato, non era ancora, non ancora, di quelle. Ho preso un pezzo dell'ostia avanzando verso di loro e il fuoco. Esse arretrano davanti a me, ridendo il loro basso, orrido riso. Io attizzo il fuoco e più non temo loro, perché sapevo che dietro nostre protezioni siamo sani e salvi. Esse non potevano accostare me mentre così armato, né Madam Mina mentre che rimaneva dentro il cerchio, che essa non poteva lasciare non più che quelle potevano entrare. I cavalli avevano cessato di gemere, e ancora giacevano a terra; la neve cadeva soffice su di essi, ed essi diventavano più bianchi e più bianchi. Sapevo che per le povere bestie era finito il terrore.

E così siamo rimasti finché il rosso dell'alba è filtrato tra il biancore di neve. Ero desolato e intimorito, e pieno di tristi presentimenti; ma quando il bel sole ha cominciato a salire sull'orizzonte, la vita è in me tornata. Al primo venire dell'alba, le orride figure dissolvono nel turbine di nebbia e neve, spire di trasparente tenebra che va via verso il castello e sono perdute.

Istintivamente, con l'alba che viene, io mi volgo a Madam Mina, intendendo di ipnotizzarla; ma essa giace in un sonno profondo e improvviso, di cui non posso riscuoterla. Ho tentato di ipnotizzarla in suo sonno, ma nessuna risposta, niente. E il giorno è spuntato. Ancora temo di muovermi. Ho riacceso mio fuoco e ho guardato i cavalli: sono tutti morti. Oggi ho molto da fare qui, e continuo ad attendere finché il sole è molto alto; perché possono essere luoghi in cui devo andare e dove quella luce di sole, ancorché neve e nebbia oscurano essa, sarà una salvezza.

Mi rinforzerò con colazione, e quindi mi dedicherò a mio terribile lavoro. Madam Mina ancora dorme; e, Dio sia ringraziato, suo sonno è tranquillo...

DIARIO DI JONATHAN HARKER

4 novembre, sera. L'incidente della lancia è stato per noi gravissimo. Se non fosse avvenuto, avremmo raggiunto il barcone già da un pezzo, e adesso la mia cara Mina sarebbe libera. Non ho il coraggio di pensare a lei, lassù, vicino a quell'orrendo luogo. Ci siamo procurati cavalli con cui proseguiremo. Faccio queste annotazioni mentre Godalming si prepara. Abbiamo le nostre armi e gli Szgani, se vogliono contrastarci il passo, avranno da pentirsene. Oh, se solo Morris e Seward fossero con noi. Non ci resta che sperare. Non ti scrivo più arrivederci, Mina! Che Dio ti benedica e ti protegga.

DIARIO DEL DOTTOR SEWARD

5 novembre. All'alba, abbiamo avvistato il gruppo di Szgani, poco davanti a noi: si allontanavano veloci dal fiume con il loro carro a pianale, che circondavano strettamente da ogni parte, e correvano come invasati. Cade una neve leggera, nell'aria è come una strana elettricità. Può darsi sia solo una nostra impressione, ma la tensione è tangibile. Lontano, odo l'ululato dei lupi; la neve li spinge a valle, il pericolo ci è addosso da ogni parte. I cavalli sono quasi pronti, tra poco saremo in sella. Andiamo verso la morte di qualcuno, e Dio solo sa chi, o dove, o che cosa, o quando, o come accadrà che...

5 novembre, pomeriggio. Sono per lo meno sano di mente. Grazie a Dio, comunque, per questo, anche se averne prova è stato terribile. Quando ho lasciato Madam Mina addormentata dentro il cerchio sacro, ho preso mia via per il castello. Il martello da fabbro che a Veresti ho caricato a bordo di carrozza era utile; le porte erano tutte aperte, ma io ho spezzato loro rugginosi cardini, per timore che cattive intenzioni o cattiva sorte richiudano esse, sicché io essendo entrato non posso venire più fuori. Amara esperienza di Jonathan qui mi è servita. Per memoria di suo diario ho trovato mia strada ad antica cappella, perché sapevo che lì era mia opera. L'atmosfera era opprimente; sembrava che fosse in essa una sulfurea fumigazione, che in momenti rendeva me stordito. Sentivo un rombo in mie orecchie, o forse era lontano lontano ululo di lupi. Poi io penso a mia cara Madam Mina, ed ero in terribile disperazione. Il dilemma aveva preso me tra suoi due corni.

Lei, non ho osato io portare in questo luogo, ma ho lasciata salva da Vampiro in quel sacro cerchio; ma può venire il lupo! Io risolvo che mia opera è qui, e che quanto ai lupi dobbiamo rassegnare noi stessi, se questa è volontà di Dio. In ogni caso, era solo morte e oltre questa libertà. Così io scelgo per lei. Se era solo per me, la scelta era facile, i denti dei lupi meglio che riposare nel sepolcro del Vampiro! Così ho fatto mia scelta di proseguire con mia opera.

Sapevo che erano almeno tre tombe da trovare – tombe che sono abitate; così io cerco e cerco, e trovo una di esse. Lei giace in suo vampiresco sonno, così piena di vita e voluttuosa bellezza che rabbrividisco come se sono per commettere assassinio. Ah, non dubito che in antico tempo, quando cose simili erano, più di un uomo che si accinge a compiere un compito tale quale il mio, trova alla fine che suo cuore lui viene meno, e quindi suo coraggio e forza. E così lui rimanda e rimanda e rimanda, finché la semplice bellezza e il fascino dell'immonda Non-morta hanno ipnotizzato lui; e lui resta e resta, fino a che viene il tramonto, e il sonno del Vampiro termina. Poi gli splendidi occhi della bella donna si aprono e parlano amore, e la bocca voluttuosa si offre a un bacio – e l'uomo è debole. E lì rimane un'altra vittima nella stretta del Vampiro; una di più per ingrossare le fila orrende e atroci dei Non-morti!...

È una certa fascinazione, certo, se sono commosso da semplice presenza di una così anche giacente come essa giace in una tomba consunta dai secoli e gravata di polvere di secoli, anche se è quell'orrido odore che avevano le tane del Conte. Sì, ero scosso, io, Van Helsing, con tutta mia risolutezza e con tutto mio motivo per odio: ero preso da un desiderio di aspettare, di rimandare, che sembrava paralizzare mie facoltà e incatenare mia anima stessa. Può essere che il bisogno di naturale sonno e la strana pesantezza dell'aria comincino a sopraffare me. Certo era che stavo cadendo in sonno, il sonno a occhi aperti di uno che cede a un dolce fascino, quando attraverso l'aria ovattata di neve viene un lungo, basso gemito, così pieno di dolore e pietà che mi risveglia come il suono di una tromba. Perché era la voce di mia cara Madam Mina che io udivo.

Allora ho ritrovato energia per mio orrido compito, ed eccomi scoperchiare la tomba di un'altra delle sorelle, la seconda bruna. Non ho osato fermarmi a guardare essa come avevo fatto con la sorella, per paura che una volta ancora sono stregato; ma continuo a cercare finché ecco che trovo in un'alta grande arca che sembra eretta a una assai più amata che le altre belle sorelle che, come Jonathan, avevo visto formarsi fuori di particelle di nebbia. Era così splendida a guardare, di così bella radianza, di così squisita voluttà, che lo stesso istinto di uomo in me, che spinge tanti di mio sesso ad amare e proteggere una di esse, ha fatto che mia testa girasse di nuova emozione. Ma grazie a Dio, quel gemito di anima di mia cara Madam Mina non ancora era da mio orecchio scomparso; e, prima che l'incantesimo possa agire più oltre sopra me, io ho ferrato me stesso per compiere mio atroce lavoro. In frattempo avevo cercato tutte tombe di cappella, che io potevo sapere; e siccome attorno a noi in notte erano state sole tre di queste fantasime di Non-morti, ho assunto che non erano altri di attivi Non-morti esistenti. Ed ecco una grande tomba più signoriale che tutte le altre; enorme, essa era, e nobile proporzionata. Su essa solo una parola:

DRACULA

Questa allora era la dimora non morta del Vampiro Re, al cui si dovevano tanti altri vampiri. Sua vuotezza parlava eloquente, facendo certo ciò che io già sapevo. Prima che io comincio a restituire queste donne a loro morto io mediante mio atroce lavoro, io metto in tomba di Dracula alcuno di ostia, e così io bandisco lui da essa, Non-morto, per sempre.

Poi io comincio mia terribile opera, e io tremo in essa. Se era stata solo una, è stata facile, comparativo. Ma tre! Ricominciare due volte dopo che io ho stato attraverso un atto di orrore; perché era già terribile con dolce signorina Lucy, e cosa non sarà poi con queste straniere che hanno sopravvissuto per secoli e che sono state rinforzate dal passare di anni, e che, se possono, esse combattono per loro sconce vite...

Oh, mio amico John, ma esso era lavoro di macellaio; se non ero io ferrato da pensieri di altri morti e di vivi sui quali giace simile cappa di terrore, io mai ho proceduto. Io tremo e tremo anche adesso, sebbene, finché tutto è finito, grazie a Dio mio nervo ha resistito. Se non ho visto il riposo di prima morta, e la felicità che è apparsa in suo sembiante un momento prima di dissoluzione finale, quasi rendersi conto che l'anima ha vinto, non sono io andato avanti con mia macelleria. Non ho sopportato l'orrido scricchiolio del paletto infitto in esse; il balzo di forma contorcente sé, e labbra di sanguinante schiuma. Io allora quasi quasi ho lasciato mio lavoro incompiuto e fuggito in terrore. Ma adesso è finito! E le povere anime, io adesso posso compassionare esse e piangere, siccome penso di esse placide ciascuna in suo pieno sonno di morte per un breve momento prima di andare esse in dissoluzione. Perché, amico John, appena mio coltello ha spiccato il capo di ognuna, ecco che intero corpo prende a sciogliersi via e a frantumarsi in sua nativa polvere, come se la morte che ha dovuto venire secoli fa ha finalmente affermato sé e dice d'un tratto e ad alta voce:

"Io sono qui!"

Prima che io lascio il castello, io così lavoro suoi ingressi che mai più può il Conte entrare lì Non-morto.

Quando ho tornato nel cerchio dove Madam Mina dormiva, lei è svegliata da suo sonno e, vedendo me, grida in dolore che ho sofferto troppo, troppo.

«Venite!» essa dice «venite via da questo orribile luogo! Andiamo noi a incontrare mio marito il quale è, io so, venente verso di noi.» Essa sembrava magra, pallida e debole; ma suoi occhi erano puri e ardevano di fervenza. Io ero lieto di vedere suo pallore e suo malessere, essendo che mia mente era piena del fresco orrore di quel sonno di vampiri rosei in faccia.

E così con fiducia e speranza, seppure pieni di paura, noi andiamo verso est per incontrare nostri amici – e lui! – che Madam Mina mi dice che sa che stanno venendo verso a incontro di noi.

DIARIO DI MINA HARKER

6 novembre. Era pomeriggio tardi quando il professore e io siamo partiti verso est, direzione dalla quale sapevo che Jonathan stava avanzando. Non andavamo svelti, sebbene la strada dal colle scendesse ripida, perché dovevamo portare con noi pesanti coperte e pellicce; non osavamo neppure contemplare l'eventualità di rimanere senza nulla a ripararci dal freddo e dalla neve. Abbiamo dovuto prendere con noi anche un po' di provviste, perché procedevamo nell'assoluto deserto e, a quel che era dato scorgere attraverso la neve che cadeva fitta, non c'era traccia di abitazione. Dopo circa un miglio, mi sono sentita stanca di quella dura marcia e mi sono seduta per riposarmi. Volgendomi indietro ho scorto, stagliata contro il cielo, la sagoma irta di Castel Dracula; eravamo infatti ai piedi del colle, così erto sopra di noi, che la cerchia dei Carpazi sembrava assai più bassa di esso. Vedevamo l'edificio in tutta la sua grandiosità, appollaiato in cima a un ripidissimo precipizio di trecento metri, e un'enorme distanza sembrava dividerlo dai versanti dei monti adiacenti da ogni lato. C'era qualcosa di selvaggio e inquietante in quel luogo. Ci giungeva all'orecchio il remoto ululare di lupi. Erano lontani, ma quel suono, sebbene giungesse attutito dalla neve, era foriero di terrori. Mi rendevo conto, da come il dottor Van Helsing figgeva lo sguardo tutt'attorno, che cercava di individuare un punto strategico, in cui fossimo meno esposti in caso di attacco. La strada sassosa continuava a scendere; riuscivamo a stento a riconoscerne il tracciato nella tormenta.

Poco dopo, ecco il professore farmi cenno, e mi sono alzata e l'ho seguito. Aveva trovato un punto ideale, una cavità naturale della roccia, con un ingresso tra due macigni, simile a una porta stretta. Mi ha presa per la mano, mi ha portato dentro dicendomi: «Vedete, qui voi sarete in riparo; e se i lupi vengono, io posso affrontare essi uno per uno». Ha portato dentro le nostre pellicce, preparandomi un comodo giaciglio, poi, cavate fuori un po' di provviste, ha cercato di indurmi a mangiare. Ma io proprio non ci riuscivo, la semplice idea mi dava la nausea e, per quanto mi sarebbe piaciuto accontentarlo, mi era davvero impossibile. Il professore ne sembrava assai rattristato, benché non mi rivolgesse rimproveri. Cavato dalla custodia il binocolo, si è piazzato in cima a una roccia e ha cominciato a scrutare l'orizzonte. D'un tratto, ha gridato:

«Guardate! Madam Mina, guardate, guardate!» Sono balzata in piedi e gli sono corsa accanto, e Van Helsing mi ha porto il canocchiale, indicando un punto laggiù. La neve adesso scendeva a larghe falde, roteando con forza, un vento impetuoso essendosi levato. C'erano tuttavia intervalli tra le folate, così da permettere alla vista di spaziare ampiamente. Dal punto elevato in cui ci trovavamo, si scorgeva lontano, di là dall'ampia distesa innevata, il fiume, simile a un nastro nero, serpeggiava in frequenti anse. Proprio di fronte a noi, e non molto lontano – anzi, così vicino che mi meravigliavo che non l'avessimo scorto prima – un gruppo di uomini a cavallo correva alla nostra volta. Tra essi, un carro, un lungo carro a pianale che sbandava di qua e di là, tanto da sembrare la coda agitata di un cane, a ogni asperità della strada. Stagliati com'erano contro la neve, vedevo chiaramente, dai panni indossati dagli uomini, trattarsi di contadini o zingari.

Sul carro, una grossa cassa rettangolare. E a quella vista il cuore mi è balzato in petto perché ho sentito prossima la fine. Ormai era quasi sera, e fin troppo bene sapevo che al tramonto la Cosa, che per il momento era imprigionata là dentro, avrebbe riacquistato la libertà e sarebbe riuscita in molti modi a eludere gli inseguitori. Tremando mi sono volta a guardare il professore; ma, con mia costernazione, questi era scomparso. Poi, l'ho visto sotto di me: aveva tracciato un cerchio attorno alla roccia, simile a quello che ci aveva difeso nottetempo. Dopo averlo completato, è tornato al mio fianco e mi ha detto:

«Per lo meno voi qui siete poi libera di *lui*!» Ha ripreso il canocchiale e, approfittando del successivo intervallo tra due folate di neve, ha guardato ancora una volta nella vallata. «Ecco» ha esclamato «vengono rapidi. Frustano i cavalli, e a tutto galoppo essi vanno.» Una pausa, e poi, a voce bassa:

«Sono in gara per il tramonto. Può essere che noi siamo troppo tardi. Sia fatta la volontà di Dio!» E a questo punto, altro accecante refolo di vento e neve, e l'intero paesaggio cancellato. Ma è passato assai presto, e una volta ancora il binocolo si è puntato alla piana sottostante. E poi, un altro grido:

«Guardate, guardate, guardate! Due cavalieri inseguono rapidi, venendo da sud. Deve essere Quincey e John. Prendete voi il binocolo, date occhiata prima che la neve cancelli tutto esso!» Ho obbedito, ho guardato. I due potevano essere davvero il dottor Seward e il signor Morris; ero certa comunque che non si trattava di Jonathan. E in pari tempo, *sapevo* che Jonathan non era lontano; e infatti, volgendo lo sguardo attorno, ho scorto, a nord del gruppo di contadini o zingari, due altri uomini che andavano di gran carriera. Uno di essi era Jonathan, ne ero certa, e l'altro non poteva essere che Lord Godalming. Anch'essi erano sulle tracce del carro e della sua scorta. L'ho detto al professore, che s'è messo a strillare di gioia come un ragazzino e, dopo esser rimasto a guardare a lungo la scena, finché altra neve non l'ha cancellata, ha piazzato il suo Winchester contro il macigno all'ingresso del nostro rifugio, pronto all'uso. «Stanno tutti convergendo» ha commentato. «Tra poco, noi poi abbiamo addosso gli zingari.» Ho tirato fuori la rivoltella mettendola a portata di mano, perché nel frattempo l'ululato dei lupi si era fatto più alto e vicino. In una pausa della tormenta, abbiamo potuto dare un'altra occhiata. La neve adesso scendeva, vicino a noi, in grossissimi fiocchi, ma subito al di là il sole splendeva via via più lucente, mentre calava verso le cime montane. Qua e là, scorgevo puntini che si muovevano, isolati, a gruppi di due, tre e più: lupi che si radunavano, pronti a balzare sulla preda.

Ogni secondo sembrava un secolo. Il vento ora veniva a raffiche rabbiose, frustando la neve in mulinelli furibondi, sì che in certi momenti non si vedeva a distanza di due palmi; in altri invece, il vento, sibilandoci accanto, sembrava ripulire l'aria, tanto che lo sguardo spaziava lontano. Negli ultimi tempi ci eravamo a tal punto abituati a tener conto di albe e tramonti, che sapevamo con notevole precisione quando il sole sarebbe scomparso: e non sarebbe occorso ancora molto. Pareva impossibile credere che nemmeno un'ora fosse passata da che attendevamo nel nostro ricovero, ma ormai i vari gruppi di uomini convergevano alla nostra volta, sempre più vicini. Le raffiche di vento erano aumentate di intensità, e adesso venivano, gelide, soprattutto da nord; in compenso, sembrava avesse spazzato le nuvole foriere di neve, la quale cadeva solo di tanto in tanto, e potevamo così distinguere chiaramente i singoli componenti di ogni gruppo, gli inseguiti e gli inseguitori. Strano a dirsi, i primi non sembravano rendersi conto,

o per lo meno preoccuparsi, del fatto che erano inseguiti, anche se parevano raddoppiare la velocità a mano a
mano che il sole si approssimava alle vette.

Più vicini, sempre più vicini; e il professore e io ci
siamo messi al riparo del macigno, pronti a far fuoco.
Chiaro: Van Helsing era ben deciso a impedir loro di
andare oltre. E quelli sembravano tutt'ora all'oscuro
della nostra presenza.

E all'improvviso, due voci hanno gridato all'unisono:
«Alt!». Una era quella del mio Jonathan, ed era vibrante
di passione; l'altra del signor Morris, e il suo era il tono
forte e deciso di chi dà un ordine che non ammette re-
pliche. Forse gli zingari non conoscevano la lingua in
cui era stato impartito, ma come fraintendere il tono?
Istintivamente hanno tirato le redini, e subito ecco
Lord Godalming e Jonathan piombare loro addosso da
una parte, e il dottor Seward e il signor Morris sull'altro
fianco. Il capo degli zingari, uno splendido uomo seduto in sella che sembrava un centauro, ha fatto loro cenno di stare alla larga e, con voce tonante, ha imposto ai
suoi di procedere. Quelli frustano i cavalli che balzano
in avanti; ma i quattro inseguitori levano i Winchester,
comandando agli zingari, con gesto inequivocabile, di
fermarsi. E nello stesso istante, Van Helsing e io ci le-
viamo da dietro la roccia, puntando a nostra volta le armi contro gli inseguiti. Vedendosi circondati, questi tirano un'altra volta le redini e si fermano. Il capo,
rivolto loro, impartisce un ordine, e allora ciascuno degli zingari sfodera l'arma di cui dispone, coltello o pistola, predisponendosi all'attacco. In un attimo, si è al
dunque.

Il capo, con uno strattone al morso, si è piantato davanti a tutti e, indicando il sole ormai vicinissimo alle
cime, e quindi il castello, ha detto qualcosa che non ho
afferrato. Per tutta risposta, i nostri quattro si sono gettati dai rispettivi cavalli, correndo verso il carro. Avrei
dovuto provare una terribile paura a vedere il mio Jonathan in quel frangente, senonché l'ardore della battaglia deve essersi impadronito di me come di tutti gli altri; e non provavo paura, ma soltanto un impetuoso,

selvaggio bisogno di agire. Accortosi del rapido movimento dei nostri, il capo degli zingari grida un altro ordine, e i suoi uomini all'istante formano quadrato attorno al carro, ma confusamente, indisciplinatamente, urtandosi e intralciandosi tra loro per eccesso di foga.

Nel frattempo, Jonathan da un lato della cerchia di zingari, e Quincey dall'altro, si aprivano il passo verso il carro, evidentemente decisi a compier l'opera prima che il sole scomparisse. E nulla sembrava fermarli o anche solo ostacolarli: né le armi puntate né i coltelli balenanti degli zingari che avevano di fronte, né l'ululare dei lupi alle loro spalle parevano preoccuparli minimamente. L'impeto di Jonathan e la sua aria risoluta sono parsi sopraffare coloro che gli stavano schierati davanti, i quali istintivamente si sono fatti da parte lasciandolo passare. E un attimo dopo, ecco Jonathan che balza sul carro e, con forza che sembra incredibile, solleva la grande cassa e la scaraventa oltre le ruote, al suolo. Nel frattempo, il signor Morris aveva dovuto farsi largo con la forza per penetrare dalla sua parte nella cerchia degli Szgani; e, mentre col fiato sospeso seguivo le mosse di Jonathan, con la coda dell'occhio l'avevo notato procedere in avanti alla disperata, e avevo scorto i coltelli degli zingari balenare, mentre egli si apriva un varco, e avventarglisi contro. Morris aveva parato le botte con il suo coltellaccio, e dapprima ho creduto che fosse riuscito a farcela sano e salvo; ma, come è stato al fianco di Jonathan, che adesso era balzato dal carro, ho potuto vedere che, con la sinistra, si premeva il fianco, e che di tra le dita sangue sgorgava. Non per questo si è arrestato, e mentre Jonathan, con disperata energia, si attaccava a un'estremità della cassa, nel tentativo di scoperchiarla con il suo grande coltello kukri, lui freneticamente l'assaliva dall'altra parte con il suo *bowie*. Sotto i congiunti sforzi dei due, il coperchio comincia a cedere, i chiodi saltano via con uno stridìo, il coperchio viene rovesciato.

Nel frattempo, gli zingari, vistisi sotto la minaccia dei Winchester, alla mercé di Lord Godalming e del dottor Seward, avevano rinunciato a ulteriori resistenze. Il disco dell'astro quasi sfiorava le vette, e le ombre degli uomini si proiettavano lunghe sulla neve. Ed ecco, ecco il Conte che giace nella sua cassa al suolo, in parte coperto di neve e terriccio in seguito alla brusca caduta. Era mortalmente pallido, lo si sarebbe detto una figura di cera, e i rossi occhi ardevano di quell'orribile sguardo vendicativo che tanto bene conoscevo.

Mentre guardavo, gli occhi hanno scorto il sole calante, e in essi l'espressione di odio si è cangiata in una di trionfo.

Ma, proprio in quella, giù piomba il lampo del coltellaccio di Jonathan. Ho lanciato un urlo come l'ho visto fendere la gola, e in pari tempo il *bowie* del signor Morris è sprofondato nel cuore del Vampiro.

È stato come un miracolo; sotto i nostri occhi, il tempo di un sospiro, l'intero corpo si è dissolto in polvere, scomparendo alla vista.

Sarò lieta, finché avrò vita, del fatto che proprio in quell'attimo di dissoluzione finale sul volto gli si è dipinta un'espressione di pace, quale mai avrei immaginato di scorgervi.

Il castello di Dracula ora si stagliava sul cielo rosso, ogni pietra degli spalti diroccati disegnandosi controluce.

Gli zingari, ritenendoci in qualche modo causa della portentosa scomparsa del morto, senza una parola hanno volto le terga e via, a mettersi in salvo. Quelli di loro che non erano in sella, sono balzati sul carro gridando ai cavalieri di non piantarli in asso. E i lupi, che si erano ritirati a debita distanza, si sono messi sulle loro piste, lasciando perdere noialtri. Il signor Morris, afflosciatosi a terra, si reggeva su un gomito, la mano premuta sul fianco, il sangue ancora spicciante tra le dita. Sono corsa a lui, perché il santo cerchio più non mi tratteneva; e anche i due medici si sono precipitati alla sua volta. Jonathan gli si era inginocchiato dietro, sì che il ferito gli posava la testa sulla spalla. Con un sospiro, ha stretto debolmente la mia mano in quella delle sue che non era macchiata di rosso. Deve avermi letto in volto l'angoscia da cui ero attanagliata, perché con un sorriso mi ha detto:

«Sono felice di essere servito a qualcosa! Oh, mio Dio!» ha poi gridato improvviso, cercando di mettersi a sedere e puntando il dito verso di me. «Valeva la pena di morire per questo! Guardate, guardate!» Il sole adesso era proprio in bilico sulla vetta, e il suo rosso riflesso era proprio sul mio volto, che ne era soffuso. Mossi da un unico impulso, gli uomini sono caduti in ginocchio, e un profondo, convinto "Amen" è uscito dalle loro bocche mentre gli sguardi seguivano il dito del morente, il quale ha detto ancora:

«Dio sia ringraziato perché tutto questo non è stato invano! Guardate, la neve non è più immacolata della sua fronte! La maledizione è cessata.»

E, tra il nostro strazio, con un sorriso, in silenzio, egli è morto da quel coraggioso gentiluomo che era.

Nota

Sette anni fa tutti noi siamo passati attraverso le fiamme dell'inferno; e l'attuale felicità di alcuni di noi ci ricompensa, pensiamo, delle sofferenze patite. Per Mina e per me, a essa si aggiunge la gioia di sapere che la nascita di nostro figlio ha avuto luogo esattamente il giorno anniversario della morte di Quincey Morris. E lei, lo so, coltiva in segreto la convinzione che qualcosa dello spirito del nostro coraggioso amico sia trasmesso al bambino. I nomi che porta sono quelli di tutti i componenti il nostro piccolo drappello; ma noi lo chiamiamo Quincey.

Nell'estate di quest'anno ci siamo recati in Transilvania, rivisitando quei luoghi che erano e sono per noi così pieni di vividi e terribili ricordi. E ci riusciva quasi impossibile credere che quanto avevamo visto con i nostri stessi occhi e udito con le nostre stesse orecchie, fosse davvero accaduto. Ogni traccia ne era scomparsa. Il castello si drizzava alto come sempre a dominare la circostante desolazione.

Tornati in patria, siamo riandati al tempo passato, al quale tutti possiamo ripensare con serenità perché Godalming e Seward sono entrambi felicemente sposati. E ho tolto, dalla cassaforte in cui erano rimaste da quando, sette anni fa, siamo tornati, le carte; e sono rimasti colpiti dal fatto che, in tutta quella gran massa di materiale che compone la cronistoria, non vi sia neppure un documento inoppugnabile, null'altro che fogli e fogli dattiloscritti oltre alle ultime annotazioni a mano di Mina, Seward e mie, e il memorandum di Van

Helsing. Impossibile chiedere a chicchessia, anche se lo volessimo, di considerarle prove di una vicenda così incredibile. Van Helsing ha sintetizzato la situazione commentando, con il nostro Quincey sulle ginocchia:

«Noi non abbiamo bisogno di prove; noi non chiediamo a nessuno di credere noi! Questo ragazzo un giorno poi sa che brava e coraggiosa donna sua madre è. Già conosce sua dolcezza e amorevolezza; in seguito lui poi sa quanto alcuni uomini tanto amavano lei, che hanno osato fare molto per sua salvezza.»

Jonathan Harker

Postfazione*

di Alessandro Baricco

> Mi si consenta di cominciare con fatti – fatti nudi e crudi, verificati per mezzo di libri e cifre – sui quali non possono sussistere dubbi.
>
> JONATHAN HARKER

Se è possibile vorrei iniziare da Sherlock Holmes.

Una cosa interessante, a proposito di Sherlock Holmes, è che non c'è una sola pagina, scritta da Arthur Conan Doyle, in cui il famoso detective pronunci la frase: "Elementare, Watson".

Potrei aggiungere qualcosa sul fatto che, a voler restar fedeli ai libri scritti da Conan Doyle, il celebre detective *non* fuma una pipa ricurva e una sola volta indossa, forse, quel ridicolo cappello con la visiera davanti e *anche* dietro. Ma in realtà può bastare, nella sua limpida sintesi, quel primo esempio: Sherlock Holmes non ha mai detto la frase: "Elementare, Watson".

Il che aiuta a ricordare come la vita postuma di un personaggio, al di là e dopo i testi che l'hanno creato, ottenga spesso di arricchirne il profilo originario fino a renderlo pressoché irriconoscibile.

Non che quella vita postuma sia insignificante. Anzi: si potrebbe dire che essa dispieghi le verità nascoste di quelle figure. Ma resta il fatto che in origine quelle erano figure magari celibi ma nettissime. Misteri molto chiari. A volte,

* Da *Dracula*, in *Romanzo*, a cura di F. Moretti, vol. IV, *Temi, luoghi, eroi*, Einaudi, Torino 2003, pp. 797-805. Un estratto del saggio è apparso con il titolo *Dracula, sosia di Don Giovanni*, in «la Repubblica», 6 luglio 2003.

481

tornare nella tersa provvisorietà di quegli esordi può servire a pronunciarli con una ripristinata meraviglia.

Vorrei pensare al Conte Dracula dimenticando tutto ciò che è successo dopo Bram Stoker. Non credo che sia un modo di avvicinarsi al segreto di quel personaggio. È solo un modo di guardarlo da un'angolatura vagamente caduta in disuso. [...]

Un metodo bisogna pur darselo. Il metodo potrebbe essere riassunto così: attenersi allo scritto di Bram Stoker. Smetterla di immaginarsi Mina Harker con la faccia di Winona Ryder.

Difficile, ma non impossibile.

> Eppure, in nessuna di queste stanze
> c'è uno specchio.
>
> JONATHAN HARKER

Una cosa curiosa di *Dracula* è che Dracula vi compare pochissimo. Di persona, intendo dire (se si può usare l'espressione "di persona" parlando di un vampiro). Riassumendo, lui compare in carne e ossa (idem) nella prima parte del romanzo, quando Jonathan Harker gli rende visita in Transilvania. Poi, si può dire che scompaia. Le sue apparizioni sono poco più che bagliori: un cane che scende da una nave, un pipistrello che sbatte contro un vetro, una nebbia che scivola sotto le porte. Di rado compare in fattezze umane, e quando lo fa è sempre per pochi istanti, subito ingoiato dal buio, dalla folla, dalla nebbia: sulla collina di Whitby, con Lucy; una volta per strada, in mezzo alla gente; stretto a Mina in un lampo che acceca i testimoni; e poi il tempo di una breve invettiva, prima di scappare, quando gli inseguitori lo attirano in una stanza dove non riusciranno a prenderlo. Anche la sua voce, così pedante e rigogliosa durante la visita di Jonathan, sparisce nel polverone delle parole altrui: il virgolettato di Dracula, per quattro quinti del romanzo, si riassume in una paginetta di frasi neanche tanto memorabili. Considerato quanto parlano gli altri, lui praticamente tace.

La cosa è curiosa perché, al contrario, tutto il romanzo è ossessivamente posseduto, senza eccezioni, dalla sua figura. Non c'è nulla, in *Dracula*, che sia lì per una qualche sua energia autonoma: tutto esiste perché esiste Dracula. Lui è la luce che ritaglia via gli altri dall'indistinta oscurità del semplicemente esistente. Tutto diventa racconto se incontra lui, e nulla che non incontri lui diventa racconto. Naturalmente non è così raro il fatto che un romanzo abbia un simile rapporto ossessivo con il proprio protagonista. Ma il fatto è che, di solito, quel protagonista è visibile, ben piazzato al centro del testo, quasi costantemente in azione, sempre rintracciabile. Non è normale che il dio di quel piccolo mondo sia, per lo più, altrove. Che uno debba aspettare trecento pagine per ascoltare una sua parola. Che nulla, dico nulla, di ciò che è raccontato sia raccontato da lui. Che praticamente mai sia consentito di sapere cosa ne pensa lui, di tutta quella faccenda. Tanto che, prima o poi, la domanda ti arriva, in testa: e se *non* fosse lui, il protagonista? Se si rigira un po' il testo non è difficile dar corpo al sospetto. *Dracula* è la storia di una ragazza inglese che con l'aiuto dei suoi amici vince il duello con un mostro (protagonista: Mina Harker, che, in effetti, sta sul set tutto il tempo). Oppure: due amanti difendono il loro amore dall'insidia di un vecchio mago sporcaccione (protagonisti: i coniugi Harker). O addirittura: un vecchio scienziato pazzo olandese trascina nei suoi deliri un gruppo di giovani inglesi, portandoli alla pazzia (protagonista: Van Helsing. E qui ci sarebbe la variante, niente male, della inesistenza totale di Dracula, che a quel punto sarebbe solo il prodotto della follia collettiva). Ciascuna di queste ipotesi sta in piedi, e solo l'abitudine a considerare il libro di Stoker in modo draculacentrico (pardon) ce le ha rese difficili da immaginare. A ben pensarci sono addirittura più logiche, più rispettose degli abituali equilibri architettonici della forma-romanzo. Il protagonista sarebbe di nuovo al suo posto, dove siamo abituati a vederlo. Tornerebbe a essere un dio logico, ottocentescamente artefice dell'accadere: la pietra angolare che tiene in piedi la casa. E invece: Dracula, un buco nero, un'assenza, un bagliore. Uno che nemmeno è chiaro se è vivo o morto.

Si può reggere in piedi un romanzo, nel 1897, su un protagonista che non c'è? O non è piuttosto tutto un equivoco, e *Dracula* è un romanzo normale in cui un carattere secondario – il Conte – ha preso la mano all'autore e a tutti i lettori, per sette generazioni? Non so la risposta, ma conosco la domanda. Nel senso che ci sono già passato. Era un'altra storia, era anche un altro secolo, ma il sapore della domanda, e l'imbarazzo conseguente, era lo stesso. Don Giovanni. Stavo ascoltando il *Don Giovanni* di Mozart. E me lo ricordo: la domanda era la stessa.

Don Giovanni è un altro che non esiste. Eppure senza di lui nessuno esisterebbe nella storia che prende il suo nome. (Tante storie, a dire il vero. Ma penso soprattutto alla versione di Mozart e Da Ponte: che, in questo, è esatta fino alla provocazione.) Gli altri sono personaggi: lui è poco più che una forza. Tutti parlano ossessivamente di lui, tutti vivono come se vivere significasse esclusivamente vivere con o senza o contro di lui. Lui, in compenso, quasi non esiste: non ha un profilo psicologico comprensibile (nell'opera buffa tutti l'avevano, era il sigillo stesso dell'esistere), quando sta in scena ci sta, quasi esclusivamente, facendo finta di essere un altro, e cioè travestito; tutte le volte che può si fa sostituire da Leporello, travestendo lui o mandandolo avanti a parlare al posto suo; non ha praticamente un'Aria sua e quando Mozart e Da Ponte gliela danno la brucia in un'apparizione di puro ritmo che non dice nulla su di lui se non che, appunto, è un ritmo, un'energia (*Finch'han dal vino*). Su di sé dice pochissimo, sentimenti veri non sembra averne. Giunto al finale, dove in teoria non c'è più spazio per le menzogne, se la cava dialogando con un morto, in piena evaporazione nel sovrannaturale. In un certo senso vale per noi quello che lui dice a Donn'Anna quando lei cerca di smascherarlo: «Donna folle indarno gridi / chi io sia giammai saprai». Se c'è qualcosa che si chiama *l'umano* (e l'opera buffa era lì per raccontare proprio quello), Don Giovanni riesce sempre a piazzarsene fuori, in una meticolosa dislocazione che lo fa sfumare a visione pura e semplice. Eppure: quello è il *Don Giovanni*. Per noi è la *sua* storia.

Un altro edificio costruito su un buco nero. Centodieci anni prima di *Dracula*.

Posso aggiungere qualche altra curiosa parentela tra il *Don Giovanni* di Mozart e il *Dracula* di Stoker? Ecco qua.

– A parte la prima seduzione di Zerlina, tutte le azioni significative del *Don Giovanni*, e in particolare le aggressioni erotiche di Don Giovanni, avvengono di notte: come le aggressioni di Dracula.

– Nel cast (per così dire) del *Don Giovanni* compare un non-morto: il Commendatore. Magari non succhia sangue, ma certo non è un morto normale.

– Dove è collocata la scena cruciale del *Don Giovanni*? In un cimitero.

– Le vittime di Don Giovanni sono tre: Donna Elvira, Donn'Anna, Zerlina. Come sono tre quelle di Dracula: Jonathan Harker, Lucy Westenra, Mina Harker.

– Nel rapporto tra Dracula e Renfield il pazzo, c'è lo stesso rapporto di odio/amore, servo/padrone che c'è tra Don Giovanni e Leporello.

– La geografia dei nemici di Don Giovanni è: due coppie di amanti, un single e un vecchio. Quella dei nemici di Dracula è: due coppie di amanti, due single e un vecchio. Posso aggiungere che, in entrambi i casi, una delle due coppie sopravvive all'incursione del seduttore-vampiro, l'altra no (Lucy/Arthur e Donn'Anna/Don Ottavio).

– Scene paurosamente identiche: *a)* la seduzione di Donn'Anna avviene di notte, Don Giovanni è calato in un mantello vampiresco, lei si risveglia dopo il fattaccio come da uno stato di sonnambulismo, e si ritrova il padre stecchito, al fianco. La stessa cosa avverrà a Lucy (capitolo XI); *b)* nel capitolo XXII, gli inseguitori di Dracula riescono ad attirarlo in una stanza. Lui entra. Loro sono in cinque. Armati (ostie e coltelli, si sa...). Inspiegabilmente, però, se lo fanno scappare: Dracula fugge dalla finestra, salta nel cortile, scompare. Finale primo del *Don Giovanni*: stessa situazione: sono in cinque intorno al libertino (Don Ottavio è anche armato: pistola) e l'hanno praticamente preso sul fatto. Ma si fermano a cantare. Lui, can-

tando, se ne scappa, contro ogni logica. In entrambi i casi
è come se qualcosa di sovrannaturale impedisse alla gente
di neutralizzare il nemico, anche quando potrebbe farlo.

– Frasi intercambiabili: le tre donne vampiro, a Dracula: «Tu, che non hai mai amato, tu che non sai amare!».
Don Giovanni a Leporello: «Lasciar le donne? Pazzo! Sai
ch'elle per me son necessarie più del pan che mangio, più
dell'aria che spiro».

Voilà. Magari ce ne sono anche altre, di parentele, ma
già queste non sono male. Che farsene? Significano qualcosa? Possono essere utili? Risposta: non credo. Coinci-
denze. O magari Stoker amava ossessivamente il *Don Giovanni*, magari in qualche angolo riposto del suo cervello
quell'opera ha continuato a lavorarselo sotterraneamente
dettandogli modelli e trucchi vari. Può darsi. Non lo so. Ma
è poi importante? La genesi di un atto creativo è sempre
ricchissima e misteriosa, non è detto che risalirla contro-
corrente porti al segreto di quell'atto: magari ne allontana.
Per cui: sono parallelismi sorprendenti, anche divertenti,
ma sostanzialmente inutili. Eccetto che per una cosa: ac-
costano, per così dire oggettivamente, quelle due storie.
Creano una motivata urgenza a collegarle, a prescindere
da qualsiasi reale parentela. In definitiva: suggeriscono l'i-
potesi che, sovrapponendole, si ottenga una figura che potrebbe essere il loro senso. Proviamo.

> Vorrei essere al sicuro fuori di qui
> o vorrei non esserci mai venuto.
>
> JONATHAN HARKER

Se si sovrappone *Dracula* al *Don Giovanni* la prima cosa
che succede è che si legge meglio il suo schema fondativo.
Lo riassumerei così: una comunità apparentemente sana
e funzionante inizia a marcire per l'incursione di una forza estranea che, dall'interno, si mette a corroderla. La comunità reagisce. Alla fine riesce ad annientare il virus, ma
a una condizione: alleandosi con il sovrannaturale.

Non è uno schema abituale. Il protagonista è il virus, che

NON è un membro della comunità. Ed è un'entità non comprensibile, non prevista dalla logica delle cose, un soggetto senza nome, in definitiva non umano. Per un romanzo di fine Ottocento (come per un'opera di fine Settecento) il terreno abituale era un altro: in una comunità sana e funzionante uno dei membri imprime una deviazione ai propri comportamenti che mette in sofferenza l'intero sistema. Alla fine la comunità fa rientrare il pericolo, spesso annientando il soggetto deviato, comunque sempre combattendo con armi interne al sistema. Questo sì era lo schema più naturale. Le fortune del romanzo ottocentesco poggiano su quello schema. Offriva al lettore il brivido di immedesimarsi nel soggetto deviato (che lui, potenzialmente, era) e simultaneamente gli offriva la certezza che la comunità avrebbe poi sistemato tutto, rassicurandolo sul fatto che tutto era sotto controllo. Ma *Dracula* no. *Dracula* è diverso. Innanzitutto la comunità non è in grado di farcela da sola: inizia a vincere solo quando accetta di pensare l'impensabile, ad ammettere l'esistenza dell'inconcepibile, a scendere sul terreno del mistero, delle superstizioni, del non più controllabile. Non è poi molto rassicurante che Van Helsing e compagni alla fine ce la facciano a stecchire il vampiro: una volta ammesso che cose del genere possano accadere, l'infinito del possibile sarà lì ogni santo giorno a compromettere qualsiasi quotidiana tranquillità. E poi: il lettore, nel suo istintivo lavoro di immedesimazione, è sbalzato via dal posto di comando. Voglio dire che, comunque la si rigiri, è impossibile immedesimarsi in Dracula: lo si può ammirare, lo si può perfino amare, ma *immedesimarsi*? Come ti immedesimi in uno che non esiste? Che è un buco nero? Che neanche è vivo? È così ovvio che, al contrario, finisci per immedesimarti con *tutti* gli altri, anche se non vorresti, anche se poi non lo ammetti, ma se tu, proprio tu, sei da qualche parte, in quel romanzo, tu sei Mina, Jonathan e tutti gli altri, in bilico tra fascinazione assoluta per Dracula e terrore totale, lì a baciarlo e a cercare di fregarlo, simultaneamente. Noi siamo Emma Bovary. Ma non siamo Dracula, e nemmeno, ahimè, Don Giovanni. Noi non sopravvivremmo a quella condizione di sconfinata non esistenza. Noi stiamo sull'orlo del buco nero. Ma dentro, mai. Possiamo tollerare di farlo in un incubo notturno o per rari istanti sul lettino dello psicanalista. Ma non seduti a teatro, non sdraiati a leggere un libro.

Riassumendo, *Dracula* sarebbe figlio di uno schema narrativo anomalo in cui il principio dinamico della storia è collocato in un buco nero, e il lettore è dislocato tra le vittime di quel principio, lì a difendersi e a rispondere alle mosse di un nemico onnipotente che non conosce e non ha mai visto prima. Esisteva già un simile modello prima di *Dracula*? La presenza del *Don Giovanni* dice di sì. E immagino che decine di altri esempi potrebbero confermare. Così come non sarebbe difficile ricostruire lo sviluppo di quel modello dopo *Dracula* (su su fino al *Cavaliere inesistente* di Calvino passando per *L'uomo senza qualità*?). Ma quel che importa qui è fissare il decisivo perfezionamento che Stoker imprime a quel modello. Per così dire, lui lo porta alle estreme conseguenze. Intuisce che è un modello destabilizzante, che mette il lettore in difficoltà e, in generale, spinge l'umano alle corde: gli toglie la sicurezza di un centro stabile e anche la consolazione di una cornice infrangibile. Prende alla lettera la constatazione che, raccontato così, il mondo inizia a far paura: e lascia che quel modello, nel modo più esplicito, scenda negli inferi del terrore. Non frena, anzi, accelera. Quel che crepita nel *Don Giovanni*, in *Dracula* esplode: il buco nero è terrorizzante. Lo è senza protezioni e in modo meravigliosamente esatto: difficile immaginare un personaggio che meglio di Dracula prenda su di sé, e traduca in carne e parole, il terrore. Non c'è nulla che, in lui, non sia terrore cristallizzato in gesto, immagine, parola, odore, tempo, colore. L'artigiano che era in Stoker lavorò da dio. Senza trascurare il minimo dettaglio. Se c'era un modo per dire che un mondo senza centro è un campo da gioco terrorizzante, Dracula lo disse. E quel vampiro è, simultaneamente, l'enunciazione di un teorema e la sua dimostrazione. Il che può aiutare a capire come si sia impigliato, una volta per sempre, nella fantasia collettiva. La gente non ha molto tempo. Ha bisogno di sintesi. Quel vampiro è una sintesi formidabile.

Se si sovrappone *Dracula* a *Don Giovanni* la prima cosa
che accade, dicevo, è che si legge meglio il suo schema
fondativo. La seconda, non meno rivelativa, è una sorta di
contagio. Per così dire, stinge in *Dracula* il colore che domina il *Don Giovanni*: il sesso. O più precisamente: il desiderio.

Don Giovanni era quello: non era un individuo, ma
piuttosto un istinto, la forza di quell'istinto: il desiderio.
Immettete una cellula libera di desiderio in un corpo sociale sano e quello che otterrete è la malattia: è quel che
hanno raccontato Mozart e Da Ponte. Se accostate al loro
capolavoro *Dracula*, l'osmosi è immediata. Il romanzo di
Stoker non offre la minima resistenza a una coloratura
erotica: sembra che non aspetti altro. È sesso dall'inizio
alla fine. Valga per tutte la seguente scena, che merita di
essere citata integralmente:

> La luce della luna era tanto chiara da penetrare attraver-
> so la spessa cortina gialla, sì che nella stanza ci si vedeva
> abbastanza bene. Sul letto matrimoniale, vicino alla fine-
> stra giaceva Jonathan Harker, il volto paonazzo, respirando
> pesantemente, come se fosse drogato. Inginocchiata sul-
> l'orlo del letto, girando le spalle al marito, era la figura
> biancovestita di sua moglie, e accanto a lei un uomo alto,
> magro, nerovestito. Non guardava verso di noi, ma all'i-
> stante tutti abbiamo riconosciuto in lui il Conte: ogni suo
> tratto, persino la cicatrice sulla fronte. Con la mano sini-
> stra stringeva quelle della signora Harker, bloccandogliele
> dietro il dorso; con la mano destra le aveva afferrato il col-
> lo, obbligandola a chinare il volto verso il proprio petto. La
> bianca camicia da notte era sporca di sangue, e un rivolo
> scorreva sul petto nudo dell'uomo che s'era aperto l'abito.
> La posizione dei due aveva una terribile somiglianza con
> l'immagine di un bambino che caccia il naso di un gatto in
> un piattino di latte per obbligarlo a bere.*

* Si cita dal presente volume, pp. 357-58.

A dire il vero la posizione dei due ha una tremenda somiglianza con qualcos'altro. E non è che ci voglia una fantasia particolarmente perversa per capirlo. Rito vampiresco e atto sessuale dimorano uno nell'altro con un'esattezza che non lascia molti margini di dubbio. *Dracula* gronda di scene del genere. E frasi. E ammicchi. Non so cosa ne pensasse il pubblico del 1897, ma se non si accorgeva di nulla significa che era davvero malmesso. Quanto a Stoker mi rifiuto di credere che non sapesse cosa stava scrivendo. E dunque quello che non si può far finta di non sapere è che tutto il libro racconta sesso. Con l'aiuto del *Don Giovanni* possiamo enunciare qualcosa di più: quel libro dice, pur senza poterlo dire, che il virus che ammala il mondo, e il buco nero che lo mette in movimento, è il desiderio, quando lo si lasci cieco, impersonale, ineducato, libero. Come nel *Don Giovanni*, non è qui questione di un individuo che inclina a un uso un po' spregiudicato del desiderio e quindi mette in difficoltà il suo mondo (Emma Bovary). Qui è pronunciato qualcosa di più radicale. Il desiderio è impersonale, è una forza incontrollabile e sovraindividuale, è un istinto cieco che riemerge da secoli di letargo, è la barbarie che ritorna, inopinatamente raffinata, ricca e seducente. Da Don Giovanni non divorzi. E Dracula non lo curi. Il piccolo armamentario dei medicamenti borghesi non può nulla contro quel tipo di desiderio. Vuoi salvarti? Allora inizia ad abituarti a un mondo in cui nemmeno i confini tra vita e morte sono certi, e la tua fidanzata, morta, la notte va in cerca di bambini da prosciugare, e tuo padre, morto, torna ogni tanto a punire i tuoi amanti. Non piace, quel mondo? Peccato, è l'unico che c'è. [...]

Indice